W9-BKG-945

南怀瑾选集

（第二卷）

- ·老子他说·
- ·孟子旁通·

南怀瑾 著述

复旦大学 出版社

图书在版编目(CIP)数据

南怀瑾选集. 第二卷/南怀瑾著述. —上海:复旦大学出版社,2003.9
ISBN 7-309-03699-9

Ⅰ.南… Ⅱ.南… Ⅲ.①南怀瑾-选集②周易-研究 Ⅳ.C52

中国版本图书馆 CIP 数据核字(2003)第 067665 号

南怀瑾选集(第二卷)

南怀瑾 著述

出版发行 **復旦大學**出版社

上海市国权路 579 号 邮编 200433

86-21-65118853(发行部) 86-21-65109143(邮购)

fupnet@fudanpress.com http://www.fudanpress.com

责任编辑	陈士强	
装帧设计	孙 曙	
总 编 辑	高若海	
出 品 人	贺圣遂	

印 刷	江苏丹阳市教育印刷厂	
开 本	850×1168 1/32	
印 张	20 插页 4	
字 数	520 千	
版 次	2003 年 9 月第一版 2003 年 12 月第三次印刷	
印 数	11 101—22 100	

书 号	ISBN 7-309-03699-9/B·199
定 价	43.00 元

如有印装质量问题,请向复旦大学出版社发行部调换。

版权所有 侵权必究

《南怀瑾选集》出版缘起

　　南怀瑾先生是一位在海内外享有盛誉的著名学者。1918 年生于浙江温州乐清县的一户书香门第之家,现年 85 岁。他幼蒙庭训,少习诸子百家之学。抗日战争爆发以后,时值青年的南怀瑾投笔从戎,跃马于西南边陲。尔后返蜀,执教于当时的中央军校、金陵大学。他资禀超脱,不为物羁,每逢假日闲暇,辄以芒鞋竹杖,遍历名山大川,访求高僧奇士。曾隐遁于峨眉山大坪寺,闭关三年,通读卷帙浩瀚的《大藏经》。旋走康藏,参访密宗大德,对藏传佛教的各派学说均有精深的研究。离藏以后,转赴昆明,初讲学于云南大学,后任教于四川大学。抗战胜利后,回到家乡。不久归隐于杭州天竺山、江西庐山,潜心治学。去台湾以后,先后受聘于文化大学、辅仁大学,以及其他大学、研究所,传学于日本、美国和中美洲诸国。近年迁居香港,为海峡两岸的文化交流做了大量的工作。

　　南怀瑾先生熟习经史子集,贯通东西文化,学识渊博,著作等身。特别是他用“经史合参”的方法,讲解儒释道三教名典,旁征博引,拈提古今,蕴意深邃,生动幽默,在普及中国传统文化方面取得了引人注目的成就,深受海峡两岸各层次读者的喜爱。

　　复旦大学出版社为国内最早出版南怀瑾著述的出版社,也是出版南怀瑾著述数量最多、品种最为齐全的一家出版单位。所出的南怀瑾著述总计有二十四种,基本上都是他的代表作。兹经作者和原出版单位授权,将南怀瑾先生的这些著述汇编成十卷,精装印行,以满足广大读者阅读和收藏的需要。各卷收录情况如下:

　　第一卷:《论语别裁》

　　第二卷:《老子他说》、《孟子旁通》

　　第三卷:《易经杂说》、《易经系传别讲》

　　第四卷:《禅宗与道家》、《道家、密宗与东方神秘学》、《静坐修道与长生不老》

　　第五卷:《禅海蠡测》、《禅话》、《中国佛教发展史略》、《中国道教发展史略》

　　第六卷:《历史的经验》、《亦新亦旧的一代》、《中国文化泛言》

　　第七卷:《如何修证佛法》、《药师经的济世观》、《学佛者的基本信念》

　　第八卷:《金刚经说什么》、《楞严大义今释》

　　第九卷:《圆觉经略说》、《定慧初修》、《楞伽大义今释》

　　第十卷:《原本大学微言》。

复旦大学出版社
2003 年 7 月 3 日

目　录

·老子他说·

·孟子旁通·

·老子他说·

出版说明

《老子》，又称《道德经》，是我国道家学派和道教最著名的一部经典。它综罗百代，广博精微，短短的五千文，以"道"为核心，建构了上至帝王御世，下至隐士修身，蕴涵无比丰富的哲理体系。本书是著名学者南怀瑾先生关于《老子》的讲记。作者以深厚的文史功底，敏锐的社会洞察力，对《老子》的内涵作了充分的阐解、辨正和引述。具有深入浅出，明白通畅的特点。在普及中国传统文化，使深奥的古籍通俗化，专门的学术大众化方面，作了有益的探索。书末还附有历代《老子》研究书目。本书原由台湾老古文化事业公司出版。自1980年问世以来，作者又根据自己的休认做了多次修订，现经作者和原出版单位授权，将老古1994年第6版校订出版，以供研究。

复旦大学出版社
1996 年 4 月 1 日

由老子到孙子

《老子》一书,原著不过五千言,可以说,几乎是一字就涵盖一个观念的好文章,一句就涵盖有三玄三要的妙义。它告诉了我们许多法则。几千年来,大家都在研究老子,而有研究著作流传下来的,古今名家的著作,有数十家之多,如果搜罗广泛一点,也许可达到百家以上;其文字也达到了数百万字,好像一直研究不完,解释不尽;而各人的说法,又各不相同,似乎有了"各家老子"或"老学的各家"。例如:某某研究老子的著作,便成了"某老子";某某解释老子的著作,又成为"某家老子";某某诠释了一番,又成为"老子某诠"。各说杂陈,见解不一,读来似有治丝益棼之感。

近代以来,许多外国人,包括近如日本、韩国、远如欧、美,乃至于大洋洲的人,亦都喜欢研究起老子来了。他们都翘起大拇指说:"中国的《老子》很好。"问他们好在哪里,也自有一番说辞,或不免拾人牙慧,道前人之所道。但毕竟能重视而称誉我们的文化,这是值得我们自豪的、欣喜的;同时亦是值得我们反省的,那些一味崇洋媚外,忘记乃至排斥自己文化的人,更应该为之赧颜的。

老子被誉为道家的宗师,道教的教主。道家为中国文化主流之一,人们每提及道家,则必说到老子,但多半亦仅仅说到老子而已,最多并称"老庄"。其实,道家的"巨擘",不止这一二人,曾与朋友说笑:道家有三代人物,老子、儿子——倪子、孙子。当然,这只是说笑,他们并没有血缘的祖孙父子关系。

不过孙子——春秋时齐国人孙武,他的军事哲学思想,正是由道家思想而来,所著《兵法》十三篇,处处表现了道家的哲学,曾经帮助吴王阖闾,击破强楚,而称霸诸侯,充分显示了道家思想在事功上的伟大;而所著的十三篇中的军事哲学思想,可以说超越了时空,直到几千年后的现代,人类已登上月球,武器已发展到太空,到生化战，而仍离不开他的军事哲学的范围。

倪子，本姓倪，而倪字原有儿子的含义。一说倪子就是计然子，究竟确否？后世很难考证。但可以确定的，计然子实有其人。又有说他是范蠡的老师。范蠡助越王勾践复国，所用就是道家的学说，而且勾践复国以后，论功行赏，他自然可以获得高官厚爵，可是他并不在乎富贵，带了西施，一叶扁舟，飘然于太湖之上。这正是道家"功成，名遂，身退，天之道也"的风范。所以老子、儿子、孙子三代的笑话，尽管是游戏之言，也非凭空虚构。事实上，如果把老子、倪子、孙子三人的著作、思想研究得透彻清楚了，差不多对中国文化中"治道"的精要，已可掌握在自己的手中，这是值得注意的。

内用黄老　外示儒术

中国文化历史，在秦汉以前，由儒、墨、道三家，笼罩了全部的文化思想。到唐、宋以后，换了一家，成为儒、释、道三家，这三家又笼罩着中国文化思想，一直到中华民国立国初期。迨发生了"五四运动"，当时想"打倒孔家店"，在中国文化的主流上，起了一阵涟漪，一度有所变化，又影响了几十年。

对这三家，我经常比喻：儒家像粮食店，绝不能打。否则，打倒了儒家，我们就没有饭吃——没有精神粮食；佛家是百货店，像大都市的百货公司，各式各样的日用品俱备，随时可以去逛逛，有钱就选购一些回来，没有钱则观光一番，无人阻拦，但里面所有，都是人生必需的东西，也是不可缺少的；道家则是药店，如果不生病，一生也可以不必去理会它，要是一生病，就非自动找上门去不可。

这譬喻是有其理由的。

细读中国几千年的历史，会发现一个秘密。每一个朝代，在其鼎盛的时候，在政事的治理上，都有一个共同的秘诀，简言之，就是

"内用黄老,外示儒术"。自汉、唐开始,接下来宋、元、明、清的创建时期,都是如此。内在真正实际的领导思想,是黄(黄帝)、老(老子)之学,即是中国传统文化中的道家思想。而在外面所标榜的,即在宣传教育上所表示的,则是孔孟的思想、儒家的文化。但是这只是口号,只是招牌而已,亦可以旁借"挂羊头卖狗肉"的市井俚语来勉强比拟,意思就是,讲的是一套,做的又另外是一套。

黄老的内涵

那么所谓黄老之学的道家学术,它的内容又如何?当然,最能代表道家思想的是老子,他所著《老子》(到了唐玄宗时代,又尊称它为《道德经》)一书,最能代表道家思想,最有系统,有最具体的叙述。而阐扬、诠解老子最清楚正确的,发扬道家思想最透彻的,则是庄子。庄周所著《庄子》一书,唐玄宗时代又尊称它为《南华经》。其中所论辩的道理,在政治、军事、教育、经济等等各方面,都可致用,它对历史人物的建功立业乃至对个人修养——修道、养气,以及立身、处世等等,都有大用处。

这不只是指《庄子》的内七篇而已,事实上,几千年来,历代所偷偷运用庄子的学术,都取《外篇》和《杂篇》中的精华。因此,真正把五千年来中国文化,发挥得光辉灿烂的,亦就是道家的老庄之学,尤其是《庄子》的《外篇》与《杂篇》部分最多,这是研究老子之前,也必须了解的一项事实。

现代人对道家的观念,是汉、唐以后的人所持的观念。在秦汉以前,现在所谓的"道家"与孔孟之学的所谓"儒家",原本没有分开的,统统是一个"道"字,而这一个"道"字,代表了中国的宗教观,也代表了中国的哲学——包括人生哲学、政治哲学、军事哲学、经济哲学,乃至一切种种哲学,都涵在此一"道"字中。

清代乾隆年间,主编《四库全书》的著名学者纪晓岚曾经说过:

"世间的道理与事情,都在古人的书中说尽,现在如再著述,仍超不过古人的范围,又何必再多著述。"这的确是一则名言。试看今日世界各国学者关于思想学术方面的著作,无不拾古人之牙慧,甚至,强调来说,无不是中国古人已经说过的话。所以纪晓岚一生之中,从不著书,只是编书——整理前人的典籍,将中国文化作系统的分类,以便于后来的学者们学习,他自己的著作只有《阅微草堂笔记》一册而已。

就因为他倚此一态度而为学,自然地读书非常多,了解得亦较他人深刻而正确,他对道家的学术,就下了八个字的评语:"综罗百代,广博精微。"意思是说,道家的文化思想,包括了中国上下五千年的整个文化。"广博"是包罗众多,"精微"是精细到极点,微妙到不可思议的境界。

但是,道家的流弊也很大,画符念咒、吞刀吐火之术,都变成了道家的文化,更且阴阳、风水、看相、算命、医药、武功等等,几乎无一不包括在内,都属于道家的学术,所以虽是"综罗百代,广博精微",也因之产生了流弊。

拨乱反正的趣谈

《老子》这本只有五千字的书,从文字表面上看来,似乎很容易读懂,如果也用"综罗百代,广博精微"的眼光去读,那就够我们去探讨,去阐述了。

也有人说,提到我们的历史文化,所谓魏晋南北朝这一阶段,正是《易经》、《老子》、《庄子》"三玄"之学最流行的时代。但是,这个时代的历史背景,是一个变动不安、非常混乱,社会政治、经济、文化最衰败的两百多年。可是在哲学思想方面,由于知识分子的高谈阔论,也提升到极点,于是有人说,"三玄"之学,是衰乱之书,因为每到一个衰乱的时代,"三玄"之学就会特别受人欢迎。这是在动乱不安中,人们的精神失去寄托,便希望从这方面,找到一条出路。他们更进一步回过来说,目前这个世纪中,这三样东西,很受欢迎,可见这个时代,当然的是衰乱的时代。

其实,并不一定如他们所说的那样。凡是对任何一样东西,立场不同,观点就两样。自己站的角度不同,看到的印象就各异。我们看中国历史,汉、唐、宋、元、明、清开基立业的鼎盛时期,都是由"三玄"之学出来用世。而且在中国历史文化上,有一个不易的法则,每当时代变乱到极点,无可救药时,出来"拨乱反正"的人物,都是道家人物。不过,他们有他们的一贯作风——"功成,名遂,身退,天之道也。"帮助人家打好天下,成功了,或在私人事业上,帮助别人发财,当上了老板,然后自己飘然而去。如商汤时的伊尹、傅说,周朝开国时的姜太公,春秋战国时期的范蠡,汉朝开国时的张良、陈平,三国时的诸葛亮,都是道家人物。姜太公与范蠡,完全做到了"功成,名遂,身退"的"天之道";张良则差一点,最后欲退而不能,本事不算大;至于诸葛亮,他的立身处事,完全是儒家的态度,"鞠躬尽瘁,死而后已",恰如其分。

次如唐代的魏徵,明代的刘伯温,清朝的范文程等等,还有许多不可知、不可数的道家人物。

数十年前,国内流行一股研究明史的风气,其实研究断代史,以明史最难研究,如果以明代开国皇帝朱元璋为研究对象的中心,那就要注意一般编史书的人不大采用、而是朱元璋亲自写的几篇文章,的确具有重大的历史价值。在这几篇文章中指出,帮助朱元璋打天下的,有几个道人。实际上,他们都是表面上装疯卖傻的道家人物。其中一个是周颠,江西建昌人,人们只知道他姓周,不知道他的名字,因常在市街上疯疯癫癫,便叫他周颠,实际是一位学道家神仙之道的人物。朱元璋曾多次试验他,一次把他放在蒸笼里,再罩上一口人缸,用热水蒸了半天,朱元璋认为该已经蒸熟了,移缸揭开蒸笼观察,不料他竟在里面作蒸汽浴,和现在流行的三温暖或土耳其浴一样,满身大汗,对朱元璋说:"你好！你的事业可以完成了。好舒服啊！"朱元璋对他无可奈何。但朱元璋每次遇有困难,他都会出现,助一臂之力。像打陈友谅的时候,他也跟着一路去,朱元璋心想,这疯子出现就会遇上麻烦,这次去打陈友谅,本来是一场艰苦而危险的战争,他又来了,可真讨厌,于是想把周颠沉到江里去。朱元璋带兵到了南昌,他还是不知从哪里冒出来。果然,在战场上千钧一发之际,他又帮了朱元璋的大忙。

这些人物,因为太神话化了,而编写正史的,多为儒家人物,由于他们的传统观念,对于这许多史实,都不收罗进去。事实上,朱元璋本人的著作中,所描写的这类史料很多,这里只是举一个例子而已。

太上老君与李老子

现在再循历史时代回溯上去。例如最著名的汉朝的"文景之治",汉文帝与景帝父子相继,为汉朝鼎盛的尖峰时期;唐朝的"贞观之治",乃至于唐玄宗——白居易《长恨歌》中所描写的夜半与杨贵妃窃窃私语,发誓"在天愿作比翼鸟,在地愿为连理枝"的唐明皇,他们年轻时代,初期开创基业所用的都是道家学术——也就是"内用黄老,外示儒术"。而汉、唐这两个时代,亦就是整个历史上,算来是最可观的时代。

由此可以证明,道家学术在"拨乱反正"的机运上,具有最重要的价值,我们不能不知。

再看近代的史实,清兵入关,统治了当时拥有四亿人口的中华民族,成立大清帝国。所用的方略,领导政治的最高哲学思想,就是《老子》的学术,他所用的兵法也不讲究《孙子》,也不用其他兵书,就干脆研究《三国演义》。

研究《老子》的学术,用之于政治、经济、教育、军事、社会等等方面,尤其与开国创业时期的关系,就要把康熙以来历朝事物,研究得清楚,那大概可以知道老庄哲学的运用了。

清康熙在十二岁的幼年,就登位当皇帝了。当时中国的版图,实际上并没有完全受他统治,外面有四个强有力的藩镇、诸侯,内有掌握了大权的权臣,他的帝位还在摇摇欲坠。可是他在以后的几年中,能够把内在的障碍排除,外在的势力削平,进一步,奠定大清二百余年的基础。由于他六十余年的努力,打好了升平治世的根基,这都不是偶然得来的。可以说有清一代的成就,上比汉、唐两朝更兴隆,更鼎盛。

回顾历史的陈迹,展望未来,我们现在所处的这个动乱的时代,大概不会再延续太久了,照历史法则的推演,应该是丁卯年——一九八七年以后,我们的民族气运与国运,正好开始回转走向康熙、乾隆那样的盛世,而且可以持续二三百年之久,希望现代青年,好好把握这个机会,那么,就更要懂老子的思想学说。

现代一般人对《老子》一书,名之为《道德经》或《老子道德经》,因为这部书,前面部分论"道",后半部分谈"德",所以又有此别名,而且远自汉、唐,就有此分法。据唐中宗景龙二年(公元七〇八年)易州龙兴观建立的《道德经碑》,内容即是《老子》这部书,碑的正面刻的是《道经》三十七章,背面刻的《德经》四十四章。另外在《弘明集》所载牟子《理惑论》中,有"所理正于三十七条,兼法老氏道经三十七篇"的话,而牟子为汉代人。由此可知,远在汉代,已有人将《老子》一书分作道、德二经了。不过以《道德经》三字统称《老子》一书的,可能自沿用唐代开始的习惯。

这些属于考据上的事情,暂不去深究。

在唐朝更有一个有趣的故事,从这故事中,更可看到人性的另一面。

英明如唐太宗,他当皇帝以后,因为自己的姓氏——"李"的来由,在传说中非常稀奇古怪。照古老神话的传说,李姓的第一代始祖就是老子,远在尧舜时代的人,因为在李树下出生,所以就姓李。更传说他母亲怀胎了八十一年之久,因此生下来时,须发皆白,立刻就成为太上老君,这是关于老子诞生和姓氏来源的传说。

唐太宗之姓李的来由,研究起中国姓氏源流和宗族渊源来,又有各种说法。可是他当了皇帝以后,一定要把家族祖先的血统追溯得更光辉一些。正如世界上任何民族,如果在人群社会中有了事功上的成就,一定要找根,而且一定要使那根整饰、塑造得光辉一点。这是人性必然的道理。同样地,唐太宗也要找根,也要找一个光辉的根。追溯历史,李姓人物,以老子最好,在学术上的成就很了不起,所以他设法说成是老子的后代。但是老子只是在学说上有成就,还要把他再捧高一点,后来李唐子孙便把他捧为教主,变成“太上老君”,封为道教的教主。道教实际上也成为唐朝正式的国教,只是当时没有“国教”的名称,而事实上唐朝历代的帝王、皇后、嫔妃都要像佛教的受戒一样,去受符箓。如唐玄宗、杨贵妃这些人,都曾受符箓。

明代的开国皇帝朱元璋,也有同样的想法,而他选择了朱熹,所以大捧朱熹。本来,他想把祖宗和朱熹扯上关系,可是自己毕竟是一代帝王,这种事不能太过分勉强。只有像张献忠这样的人,在到处流窜为害时,一天打到张飞庙,问得庙中供奉的神像是张飞,于是一时兴起,居然懂得姓氏宗族的人伦道理,要到庙里祭拜,下令部下作祭文。可是那些被胁在帐下的穷酸文人作的祭文,引经据典,他自己看不懂,大为不满,一连杀了几个文人,最后还是自己动手写道:“你姓张,咱老子也姓张,咱俩连宗吧!”就这样连起宗来了,成为千秋的笑柄。

可是,朱元璋打算把朱熹拉进自己祖先行列的时候,有一天碰到一个理发的也姓朱,就问理发匠是不是朱熹的后代,这理发匠说:“我不是朱熹的后代,朱熹绝对不是我的祖宗。”朱元璋说:“朱熹是前辈大学问家,你就认了吧!”理发匠说:“绝对不是。”这一来,朱元璋"攀亲"的思想发生了动摇,他转念之下,觉得一个平民中的理发匠,尚且不肯乱认祖宗,而自己当了皇帝,又何必认朱熹为祖先,因此打消了原有的念头。可是对十朱熹,还是极力地捧起来。例如,在明朝应试求功名,非读朱熹注解的"四书"不可,后来演变到清朝,承袭明代故事,便以朱注"四书"为考试制度中评判高下、决定取舍的标准本。

汉文帝善用老子的法宝

老子《道德经》,自唐代开始,加上由皇帝的提倡,因此更被重视,而流行,而风行,而盛行。但《道德经》的"道"与"德"二字的正确含义是什么? 等讨论到原文时再申述。

现在来看一个历史故事,以了解黄老之学在中国历史上所以占有重要地位的原因,使研究黄老的人,掌握到研究的止确方向,然后,再由黄老之学的应用方面,进入到形而上的个人自己修养的"养生之道",以及与孔孟学说的汇流。

道家在中国历史上,最初发生最大影响的,是在汉朝汉高祖刘邦的创业之初,所用建立功业最大的人才,便是张良、陈平这些人,而他们都是学道家的人物。

在历史上标榜汉初的盛世"文景之治",汉文与汉景父子两代的思想领导,都是用"黄老"的道家学说。另一方面也可以说,和母教有密切的关系,因为汉文帝与汉景帝的母亲,都喜欢研究《老子》而受其影响很大。在如此的家庭教育和时代潮流中,在周围环境的巨大影响下,政治哲学的最高领导学说,表现得最深刻的便是汉文帝。

大汉一代的开基皇帝高祖刘邦,在位不过几年就死了,政权则落到他妻了昌雉的手中,天下最诱惑人的权势,极少有人摆脱得开,因此吕后便想因势乘便,要把帝位转给娘家的人。但是,当年跟刘邦一起打天下的文臣武将们,袍泽情深,都不以为然,所以等吕后一死,便起来削清吕家的权力。在这一段时间中,政治、经济、社会等等,都非常混乱。

　　吕家的权力虽然削平,大臣们就要找出刘邦的儿子来接皇帝位,可是刘邦的儿子已被吕后杀得差不多了,只有一个小儿子刘恒,被分封在西北边塞为代王,毗邻匈奴——内蒙的荒漠贫瘠地带。因为他母亲薄氏,喜欢走道家"清净无为"的路线,近似现代只敲敲木鱼、念念佛的人,防意如城,无欲无争,吕后没有把她放在眼里,才保全了性命。这时大臣们商议,就找到了这位远在边塞、性情朴实、清心寡欲、守道尚德的代王,把他迎请到首都长安来,继承汉祚,他便是后来的汉文帝。

　　研究这段历史,在黄老之学方面的运用,是很有意思的。

　　刘恒,顶了一个代王的头衔,被冷落在边塞,突然传说长安有人来,请他回中央当皇帝,真是福从天降,人世间没有更好的事了。可是,他知道这个消息后,就去请示母亲,该不该应邀。这时刘恒的两个重要干部,一个是郎中令——相近现代的秘书长——张武,一个是中尉——类似现代的参谋长——宋昌。张武认为,此时正是中央政府最混乱的时候,而且朝中的一班大臣,都是跟刘邦一起打天下的人物,是刘恒的父执辈,很难驾御,所以不能去,必须打听清楚。而宋昌则反对此说,他分析情势,认为可以去。他说,自秦始皇暴虐以来,天下大乱,各地英雄纷起抗暴,而最后统一天下的,是你的父亲刘邦。天下的老百姓都认为天下是你刘家的,虽然有吕后这一次夺权,但为时很短,天下人心仍然归刘。现在大臣们把政权动乱的局面安定下来以后,如果不是看清楚民心归趋所在,也不会到遥远的边塞来迎请你回去当皇帝。既然天下归心,那么大势已在掌握,为什么不去? 两人的意见恰恰相反,很难下一决定,最后请示母亲时,这位深通《老子》的老太太,运用了无为之道、用而不用的原理说:"先派舅舅薄昭到长安去看看吧!"意思是先派一

位大使前往观察一下形势,收集些情报资料。这位大使舅爷自长
安回来,报告情况说,可以去接位,于是刘恒才带领张武、宋昌等一
些干部,前往长安,准备承接皇位。

这时刘恒的身份,还是代王,不算是皇帝,不过是刘邦几个儿
子中的一个,连太子的名分也很勉强,最多只能说他等同了一位太
子而已。在另一方面,这时汉朝中央政府的权力,实际上早已掌握
在周勃一人手中。当刘恒从边塞来到了首都长安城外的渭桥地
方,周勃早率领了文武百官,跪下来接驾,刘恒也立即跪下来还礼。
这就是刘恒之成为汉文帝,他深知此时的局势非常微妙,进退应对
之间很难处理,何况自己还没有即位,所以立即下跪回拜,这也就
是老子的精神——"谦德"。《老子》中说:"我有三宝,持而保之,一
曰慈、二曰俭、三曰不敢为天下先。"这是老子的三件法宝。汉文帝
的一生,就实践了老子这三件法宝。

可是在刘恒左右的张武和宋昌,也是了不起的重要干部,都曾
深习黄老之学。在渭桥行过礼后,周勃向刘恒说:"代王! 我和你
退一步,单独说几句话。"这时宋昌就出来说:"不可以。请问周相
公,你要向代王报告的,是公事? 还是私事? 如果是私话,则今日
无私。如果是公事,则请你当众说,何必退一步说?"宋昌确实是一
位好参谋长,这也是老子之道无私的反面运用。

周勃被他说得没办法,就说:"没有别的,只是公事。"宋昌说:
"什么事?"周勃说:"是皇帝的玉玺在此,特别送上。"于是将玉玺送
给代王。刘恒接过玉玺,照常情,他就是皇帝了,他却说:"这不可
以,今天我初到,还不了解情形,天下之事,不一定由我来当皇帝,
可以当皇帝的人很多,我现只是先代为把玉玺保管起来,过些时日
再说。"这就是黄老之道的"用而不用",要而不要了。谦虚是谦虚,
该要的还是要。

他收下玉玺以后,还是没有立刻即皇帝位,住在宾馆九个月,
没有办事,等一切都观察清楚了,才宣布即位当皇帝,这时年纪还

很轻,政事还是很难为。第一,他的同宗兄弟中,还有年纪比他大的,还有一些远房伯伯叔叔的孩子,亦算是刘家的宗室。第二,以前曾跟刘邦一同起来创业、掌有兵权的老将军们,分在四面八方,人数很多。内在的政治基础不够稳固,外面的实力空虚,自己手上没有一个兵,只是手里拿到一颗玉石刻的大印,能印得了什么?

可是他考察了九个月以后,发现最难对付的,是长江以南的地方势力,包括了缘湘、赣五岭以南的广东、广西、福建乃至云南、贵州等地,其中的南越王赵佗,在吕后乱政的时候,他听说在故乡的兄弟被诛,祖坟被挖,对汉朝非常怨恨。吕后死后,他见汉朝中央主政无人,便自称皇帝,而且兴兵到湖南长沙的边境,准备向北进攻。

赵佗原来是河北人,是与汉高祖同时起来,反抗暴秦的英雄好汉之一,秦始皇被打垮以后,他未能在北方发展,就到南方在广东当县尉令,任上县令死时,把县政交给了他,他便自称南越王。那时五岭以南地区,尚未开发,为边远的蛮荒烟瘴之地,汉高祖亦奈何他不得,派了一位亦道亦儒的能员陆贾当大使,干脆承认了南越王的地位。后来因为吕后对不起他,所以在吕后死后,他也自认为有资格即皇帝位,窥伺汉室。

半壁江山一纸书

像这样一个局面,该怎么办呢? 如果说出兵与赵佗一战,这一主战思想,将使问题更见严重,决策不能稍有疏失,内战结果,胜败不可知,天下属于谁家,就很难说了! 因此只有另作他图,汉文帝有鉴于此,所以他在就皇帝职位后,除了修明内政以外,便只有用黄老之道了。

在历史的记载上,有关汉文帝处理这个大难题的有两封信,其中一封是汉文帝给赵佗的,一封是赵佗答复汉文帝的,这样两封往来的信件,消弭一场大战于无形,亦拯救了无数生灵。

　　当然,事情并不如此简单,汉文帝在写这封信之外,还有内政上的措施,军事上的部署等等,并且遴选了一位老谋深算的特使,便是赵佗的老朋友陆贾。各方面都有了妥善的安排,摆好了一个有利的形势,增加了这封信的力量,于是收到宏大的预期效果。

　　从这两封信上,我们不难窥见黄、老之道的精神与内涵。现在,我们先在这里介绍两信的原文,然后再作一概略的分析。

汉文帝赐南越王赵佗书

　　皇帝谨问南越王甚苦心劳意。朕高皇帝侧室之子,弃外奉北藩于代,道里辽远,壅蔽朴愚,未尝致书。高皇帝弃群臣,孝惠皇帝即世,高后自临事,不幸有疾,日进不衰,以故诪乎治。诸吕为变故乱法,不能独制,乃取他姓子为孝惠皇帝嗣。赖宗庙之灵,功臣之力,诛之已毕。朕以王侯吏不释之故,不得不立,今即位。

　　乃者闻王遗将军隆虑侯书,求亲昆弟,请罢长沙两将军。朕以王书,罢将军博阳侯;亲昆在真定者,已遣人存问,修治先人冢。

　　前日闻王发兵于边,为寇灾不止。当其时,长沙苦之,南郡尤甚。虽王之国,庸独利乎?必多杀士卒,伤良将吏。寡人之妻,孤人之子,独人之父母,得一亡十,朕不忍为也。

　　朕欲定地犬牙相入者,以问吏。吏曰:高皇帝所以介长沙土地。朕不能擅变焉。吏曰:得王之土,不足以为大;得王之财,不足以为富;服领以南,王自治之。虽然,王之号为帝。两帝并立,亡一乘之使以通其道,是争也。争而不让,仁者不为也。愿与王分弃前患,终今以来,通使如故。

　　故使贾,谕告王朕意,王亦受之,毋为寇灾矣,上褚五十衣,中褚三十衣,遗王,愿王听乐娱忧,存问邻国。

南越王赵佗上汉文帝书

　　蛮夷大长老臣佗,昧死再拜上书皇帝陛下:老夫故越吏也。高皇帝幸赐臣佗玺,以为南越王,孝惠皇帝义不忍绝,所赐老夫者甚厚。

　　高后用事,别异蛮夷,出令曰:毋与越金铁、田器、马牛羊。老夫僻处,马牛羊齿日长,自己祭祀不修,有死罪,使凡三辈上书谢过,终不反。又风闻父母坟墓已坏削,兄弟宗族已诛论。吏相与议曰:今内不得振于汉,外亡以自高异。故更号为帝,自帝其国,非有害天下也。高皇帝闻之大怒,削南越之籍,使使不通。老夫窃疑长沙王谗臣,故发兵以伐其边。

　　老夫处越四十九年,今抱孙焉。然夙兴夜寐,寝不安席;食不甘味者,以不得事汉也。今陛下幸哀怜,复故号,通使如故,老夫死骨不腐,改号不敢为帝矣。

　　现在,且分析一下这两封信。

　　汉文帝给南越王赵佗的这封信,用文学的眼光,从文字上看它的写作技巧,可以判断,也许不是出于秘书长这一类的人物所写,而是由汉文帝自己动手写的亲笔信,这也就表示了出于他的诚恳。

　　再仔细研究它的文字:从"皇帝谨问南越王甚苦心劳意,……不得不立,今即位。"这一段,一开头"甚苦心劳意"这一句,就是带刺的,他向南越王问候说:"你用心良苦,太辛苦了。"又说他自己没什么了不起,只不过是我父亲刘邦——汉高祖小太太的儿子,素来被人家看不起,送到北方的边塞,路途遥远,交通更不方便,"壅蔽朴愚",那时知识不够又愚蠢,所以很抱歉,平常没有写信向你问候。就这样一句话,把赵佗笼络住了。假定写成现代白话信,就是说:"赵伯伯,你好,你很辛苦哦! 很伤脑筋吧? 我没有什么了不起，不过他们硬要叫我坐上这个位子当皇帝，弄得我不能不当，现在我已经即位了。以前很少向你送礼，现在寄一只火腿，专程叫一个人代表我去看看你。"这样一个大意。

再看他第二和第三段，从"乃者闻王遗将军隆虑侯书……朕不忍为也"这两段的主旨。

他先说：我现在当了皇帝，知道你曾经给隆虑侯将军写过一封信，因为你与先父一起革命而离开家乡的，如今你不知道留在北方故乡家属以及同宗兄弟们的情形，所以写信给他，为你联络，并且希望中央政府，把湖南长沙方面的两位边防司令，给予免职的处分。隆虑侯将军已向我报告了你的来信，我已经准许了你的要求，调动了你所要求撤换两位将军中的一位，你在北方的家属和同宗兄弟，我也已经派兵保护得好好的，并且派人修过了你祖先的坟墓。

这一小段话，表面上看来，是一番温语，诚恳的安抚。实际上也等于说："你不要乱动。合则，我可以把你的家人族众都灭绝了，连你的祖坟也挖了。"先来一个下马威。这些话虽然没有明白写出来，而字里行间，隐然可见，赵佗是感受得到的。

然后又晓以利害，在第三段说，你发兵于边，为寇灾不止，南方边界上长沙一带的人，被你扰得痛苦极了，就是在东南一带，你的心腹之地如广东、广西等地的百姓，可不也因你发动战争而痛苦极了吗？战争对你又有什么好处呢？结果只是"多杀士卒，伤良将吏"，一个战役下来，损失许多你自己多方培养而成的优良军事干部，兵员的死亡，更不计其数。于是许多人，丈夫死了，太太守寡；父亲死了，孩子成孤儿；儿子死了，父母无依成独夫。最后可能你的国土也完了，像这样悲惨残酷的事，在我则是不忍心去做的。

第四段，他更进一步，借"吏曰"的话，就自己的利害立场，表达了自己的宽宏大度，而且在无责备的言语中，责备了赵佗的擅自称帝与不仁。因此说，我本来要整理内政，将边界上与你犬牙相错的领土,重新勘定规划,我问管内政的大臣,他们报告说,高祖在位时,就分封了湖南以南的土地,归你管理。这是老太爷留下来的制度,不能随便变更。依据他们的意见,中国本来是我刘家的,纵然把你现在所管理的土地归并过来,在我也并没有增加多少,因此,这湘、赣以南的地区,我还是要委托你去统治。不过你也自称皇帝,使一个国家有两个元首,是你有意造反嘛!这就不对了。你只晓得讲斗争,谁又不懂斗争呢?你却不懂"仁而谦让"的更高政治哲学。希望你放弃过去的意见,好好听中央的指挥,从今天起,恢复以前的政治关系,治理好你的地区。

汉文帝亦很会用人,他所派送这封信的大使,选择了陆贾,这位老先生是汉高祖以来专门作特使的人,而且每次都能完成任务,第一次说服赵佗的就是他。汉文帝因此在信上最后说:我叫你的老朋友陆贾转达我的意思,希望你立刻接受,不要造反。另外送给你在中原最贵重的礼物,愿意你"听乐娱忧,存问邻国",这八个字的结语,在作文的文法上,正和开始的"甚苦心劳意"五个字,遥遥相应,首尾相接,妙到毫巅。而其内容含意,更见深厚,就是说:你也年纪大了,不要野心勃勃,想当什么皇帝。年纪大的人,每天玩玩,听听音乐,喝喝咖啡,或者打太极拳,游山玩水,下盘棋乃至打八圈卫生麻将也无妨,再不然去邻国访问,做些睦邻工作也好,这样安安分分多好,大可不必自寻烦恼啦!

综读全文,真是好厉害的一封信,字字谦和,可字字锋利如刃。南越王赵佗读了,自然心里有他的盘算:如今刘邦有了一位如此厉害的小儿子即位,自己万万不如他,看来这天下不可能属于自己的,只有赶快见风转舵,退步,撤兵。

赵佗比汉文帝大几十岁,已经自称皇帝。这一来又自己取消了皇帝的名号,回一封信给汉文帝,可也是用的道家手段,试看赵佗回信的原文就知道。

他一开始,就对于汉文帝自称只是刘邦侧室所生小儿子、没有什么了不起的谦辞,说道:"我也没有什么了不起,不过是蛮子里的一个头目,而且是一个年纪大了的糟老头子,我该死,对不起你,向你再拜叩。不是我造反,而是你的那位大妈——吕后,如何如何不对,才逼我做的。"

看这赵佗,好伶俐的口齿,这么轻轻一拨,把一件诛灭九族的叛逆弥天大罪,推到一个已死的老太婆身上,而且这个老太婆,亦是汉文帝心目中深恶痛绝的人,赵佗所说的也是事实。

接着他说:"老夫处越四十九年",暗示我是与你父亲刘邦同时起来革命的人,现在统治两广四十九年了,"今抱孙焉",我孙子都很大了。可是,我这大把年纪,还要训练部队,准备作战,"夙兴夜寐",睡也睡不好,吃也吃不好,实在太辛苦了,这都是你大妈做的那些事情,使我没有办法报效中央,不得已才如此做的,并不是我想造反。现在你大皇帝如此之好,又怜悯我这老人,送了这许多珍贵的东西,恢复我的王位,这样我就放心了,相信死了以后,也不会被铲骨扬灰,我当然听话,绝不自称皇帝。

就这样往来的两封信,消弭了一场可怕的大战,这就是黄老之道。所以深懂得黄老之道的人,其运用之妙,能兵不血刃而使天下太平。

实际上,赵佗行文到中央时,绝对不称王,只称老夫是"蛮子的头目",在他自己的领域内,还是当他的皇帝,自称不误。汉文帝也不是不知道,只是睁只眼,闭只眼,大家过得去,就暂时算了。因为自春秋战国以来,五百年左右的战乱结果,全国民穷财尽,不但是财富光了,人才也没有了,这时最重要的,是培养国家的元气。但这不是短时间可以办到的,所以对赵佗在南方的闭关自守,暂不过问。

此后,没有几年,北方的匈奴作乱,汉文帝也是写了一封比给赵佗还更简短的信,只对匈奴的领袖说了几句话,就把一场战争化解了。所以,从汉文帝在位的二十三年,他儿子景帝——刘启在位十六年,一直到他孙子武帝——刘彻初期的一共五六十年间,国家民族安定,成就了汉代辉煌的文化,奠定了汉朝四百年政权的深厚基础。

汉文帝个人的道德修养,当然是学老子,行黄老之道。例如:他即皇帝位后,所穿的一件袍子,一直穿了二十年,补了又补,就没有换一件新的,这不是矫揉造作,完全出于道德修养,老子"慈"、"俭"、"不敢为天下先"三宝之一的奉行。然后,又尽量减轻刑罚,更改法律与社会制度,财经上减轻税赋,种种改变,宽大到极点。历史的记载,汉文帝当了二十几年皇帝,监狱中几乎没有犯人,这是著名的"文景之治"的景象。

老子吃瘪

当然,历史上运用道家思想,以拨乱反正的,不止是汉文帝这一幕,在其他朝代也非常多,这是有关经国大势的作为。

在个人修养方面,运用黄老之道立身处世,有一个大原则,就是:"功成,名遂,身退,天之道也。"从这里又要想起道家的另一个大原则,但这另一原则,如果讲起理论来,或者作一学术性的文字报告,那就太多了,不是这里所能尽述的,现在只好举出一个人的故事来作说明。

前面曾经说过,老子的著作只有五千字,而后世研究老子的著作,可能有几千万字,倘使老子今日犹在,看了这些后辈们洋洋洒洒的大作,说不定他老人家一生下地来就白了的胡须,要笑得变黑了。当然包括现在我的《他说》。

唐朝著名的大诗人白居易,曾经写了一首七言绝句,严格地批判老子,而且用老子的手打老子的嘴巴。他用二十八个字批判道:

言者不如知者默,此语吾闻于老君;
若道老君是知者,缘何自著五千文。

老子《道德经》中说，有智慧的人，必定是沉默寡言的。像我现在又讲说关于老子的书，不必问，也知道是绝对没有学问、没有智慧的乱吹。"言者不如知者默"这话意是老子自己说的，白居易说，老子既然如此说，那他本身自然是智慧很高了，可是他为什么自己还是写了那么多个字呢？世界上打老子耳光打得最好的，是白居易这首诗，纵然老子当时尚在，亲耳亲见，也只当充耳不闻，哈哈一笑，无所反驳了。

白居易的一生，学问好，名气大，官位亦很高，留名后世，没有人能够和他比的，而他常想从政治舞台上退出来，悠游林下，不像苏东坡，曾经吃了很多苦。白居易享了一辈子福，临老还享福，就因为他学道，这从他一首读《老子》后的七律可以知道。原诗是：

吉凶祸福有来由，但要深知不要忧；
只见火光烧润屋，不闻风浪覆虚舟。
名为公器无多取，利是身灾合少求；
虽异匏瓜谁不食？大都食足早宜休。

他说，人生的遭遇，成功与失败，吉凶祸福，都有它的原因，真有智慧的人，要知道它的原因，不需要烦恼，不需要忧愁。

项联两句，引用了庄子"覆虚舟"的典故，他说，我们只看到世上富贵人家多财润饰华丽的房屋，仍会被大火烧毁。却从未见到空船在水上被风浪吞没的，装了东西的船，遇到风浪才会沉没，而且装得愈重，沉没的危险愈大。虚舟本来就是空的，纵会翻覆，亦仍浮在水面，这是说人的修养，应该无所求，无所得，愈空虚愈好。孟子说："富润屋，德润身。"

腹联两句更指出，人世间"名"与"利"两件事不宜贪求以免招灾祸。可是现代青年，都在那里拓展自己的"知名度"。要知道，"名"是社会的公器，孟子亦说："有天爵者，有人爵者。""天爵"就是名气。仔细研究起来，不管任何一种名，如果太高了，不符实际，对于此人的人生与福祉,就会发生非常大的障碍,如"誉满天下,谤亦随之",就是这个道理。

再如,大家都知道汉高祖名字叫刘邦,而著名的汉代"文景之治"的汉文帝叫刘恒,汉景帝叫刘启,知道的人就少了。可见"名"也者,也只是一时的空事而已。

说到利,最具代表性,普遍为人所求的,当然是钱,人人都想发财,钱愈多愈好。除非在生命垂危时,宁可减少自己的财富,以挽救生命使之延续,可是当生命救回来了,寿命可以延长了,却又会贪财舍命,所谓"人为财死"。白居易说"利是身灾"。人的钱多了,烦恼更大,钱与烦恼,如形之与影,且大小成正比。清代的有名学者赵翼诗说:"美人绝色原妖物,乱世多财是祸胎。"他所指的"美人"不一定指女性,世间也有美男子。古人又说:"一家饱暖千家怨,半世功名百世愆。"这些都是有了很多的钱后,在生活上所表现出来的形态。有钱的人家,全家都吃得饱,穿得暖,锦衣玉食;可是,旁边就有千户人家,歪着眼睛在看你,眼神中包含了羡慕、嫉妒、怨尤、鄙夷,乃至于愤恨,这是人类的习性。犹记得几十年前,汽车刚传入中国不久,在泥路上疾驰,坐车的人颇为得意,可是弄得路上尘土飞扬,雨天更是泥浆四溅,靠近的行人被溅得满身污泥。这一来连在旁看见的人,都侧目而视,心里则诅咒着最脏、最恶毒的话。

所以,白居易这首诗的结尾语说:"虽异匏瓜谁不食?大都食足早宜休。"世界上谁不好名贪利?佛教劝人们绝对放弃名利,这是做不到的。老子就不然,他只是教人"少私寡欲",少一点就好了。所以白居易说,名利像匏一样,实在好吃,叫人绝对不要吃是做不到的,但是吃了以后,很有可能会拉肚子的。深懂了黄老之道,那就是"大都食足早宜休",不要吃得过分了,这就是老子之道在个人修养上的基本原则。

要研究老子之道的这一原则,最好先读庄子的《天下篇》和《让王篇》。

老庄之道，起用时，是帝王的最大亦最佳的权谋。庄子在《应帝王篇》上说："帝王之功，圣人之余事。"一个有了道的人，对于帝王领导术，帝王谋略学，那在他不过是一件轻而易举的小事而已。换言之，一个学道的人，如果只是求为帝王师，志在懂得帝王谋略，那是下等的。

他又在《让王篇》中说："虽富贵，不以养伤身；虽贫贱，不以利累形。"这就是老庄之道的人生大原则。懂了老庄之道的人，就知道富贵是舒服的事，但因而得意，就会是短命的事，太得意了，则缩短寿命，比流行性感冒更厉害，简直无药可救。所以处富贵中时，不以养而伤害自己。相反地，在贫贱之间，"不以利累形"。人在贫贱中，就要为生活而赚钱，可也不能过分的贪求，所谓"人为财死"，过分的贪求，过分的劳累，同样地会损害身体的健康，而危及生命。

这是老庄的基本原则，先要了解这项基本原则，才可能深入地研究老庄之道。

曾国藩与屠羊说

在这里，可作一个小段落，下一小结论。

我国自唐、宋以后，以儒、释、道三家的哲学，作为文化的主流。在这三家中，佛家是偏重于出世的，虽然佛家的大乘道，也主张入世，普救众生，但出家学道、修道的人，本身还是偏重于出世。而且佛家的学问，从心理入手，然后进入形而上道；儒家的学问，又以孔孟之学为其归趋，则是偏重于入世的，像《大学》、《中庸》。亦有一部分儒家思想，从伦理入手，然后进入形而上道，但是到底是偏重入世；道家的学问，老庄之道就更妙了，可以出世，亦可以入世，或出或入，都任其所欲。像一个人，跨了门槛站在那里，一只脚在门里，一只脚在门外，让人去猜他将入或将出，而别人也永远没有办法去猜,所以道家的学问,是出世的,亦是入世的,可出可入,能出能入。在个人的养生之道上,亦有如此之妙。

了解这些精神以后,欲懂得老庄的运用之道,在"用"上发挥老庄的哲学,那必须先读庄子的《天下篇》和《让王篇》。且举历史上一个人物的行径来说明,也许比理论上的阐述,让大家体会得更深切。

清代的中兴名臣曾国藩,大家都知道,他是近代史上一位大政治家,不必多介绍他的身世功业了。后世的人,说他建功立业,一共有十三套本领,但是其中有十一套大的谋略之学,都未曾流传下来,只留了两套本领给后世的人。其中一套,是著了一部《冰鉴》,把相人之术——这是他老师教给他的——传给后世的人。自他以后,有许多政治的、军事的乃至经济等方面的领导人,运用他这部《冰鉴》所述的相人术选才用人,的确收到了一些效果。

另一套本领,就是他的日记和家书。或者说:曾国藩的日记和家书,不外乎告诉家人,怎样弄好鸡窝,怎样整理菜园,表示很快要回家种田等等,这些琐碎小事,老农老圃也懂,算得什么大本领,值得留传给后人?

这只是一种皮毛的肤浅看法而已。如果进一步去分析曾国藩、曾国荃兄弟当时所建的功业,所处的环境,时代的政治背景,历史的轨迹,就可以了解到曾国藩絮絮于这些琐碎细事,实际上正深厚地运用了老庄之道。

曾国藩兄弟,经过了九年的艰苦战争,终于将曾经占领了半壁江山、摇撼京师、几乎取得政权的太平天国打垮了,他们所建立的"功绩"是清兵入关以来,前所未有的,到达了"功高震主"的程度。

"功高震主"的情况,可能有许多人体会不到,试以创办一家公司为比喻。一位公司老板,找到了一位很能干的干部,由于这位干部精明能干,而且很努力,于是因其良好的功劳业绩,由一名小小的业务员,逐步上升,而股长,而主任,而经理,一直升到总经理。

到了这个阶段,公司的一切业务,许多事情,他比老板还更了解更熟练,同下面的人缘又好极了,那么,在这种情况下,当老板的就会担起心米。这就"功高震主"了,地位就危险了。在政治上,一个功高震主的大臣,危险与荣誉是成正比的,获得的荣耀勋奖愈多,危险也愈大。不但随时有失去权势财富的可能,甚至生命也往往旦夕不保。

清朝以特务手段驾驭大臣和各级官吏,雍正皇帝是用得最著名而收效的,雍正以后的清朝帝王,均未放弃这一手法。慈禧太后以一女人而专政,就用得更多更厉害,所以曾国藩的日记与家书,写这些个鸡栏、菜圃小事,与其说是给家人子弟看,不如说是给慈禧太后看,期在无形中消除老板的疑心,表示自己不过是一个求田问舍的乡巴佬,以保全首领而已。

再从曾国藩给他弟弟曾国荃的一首诗中,也可很明显地看到他深切的了解老庄思想,灵活运用老庄之道。这首诗说:

> 左列钟铭右谤书,人间随处有乘除;
> 低头一拜屠羊说,万事浮云过太虚。

诗中"屠羊说"的典故,就出在庄子的《让王篇》。屠羊说,本米是楚昭王时,市井中一个卖羊肉的屠夫,人家都叫他屠羊说,事实上是一位隐士。"说"是古字,古音通悦字。当时,因为伍员为了报杀父兄之仇,帮助吴国攻打楚国,楚国败亡,昭王逃难出奔到随国。屠羊说便跟着昭王逃亡,在流浪途中,昭王的许多问题,乃至生活上衣食住行,都是他帮忙解决,功劳很大。后来楚国复国,昭王派大臣去问屠羊说希望做什么官。屠羊说答复道:楚王失去了他的故国,我也跟着失去了卖羊肉的摊位,现在楚王恢复了国土,我也恢复了我的羊肉摊,这样便等于恢复了我固有的爵禄,还要什么赏赐呢?昭王再下命令,一定要他接受,才是屠羊说更进一步说:这次楚国失败,不是我的过错,所以我没有请罪杀了我;现在复国了,也不是我的功劳,所以也不能领赏。

他这话是多少带刺的,弦外之音就是说,你当国王失败了,才弄得逃亡。现在你把国家救回来了,也是你的努力和福气。所以楚昭王从大臣那里听到他这样的话,知道这个摆羊肉摊子的,并不是普通人物,于是叫大臣召他来见面。不料屠羊说更乖巧,他回答说:依照我们楚国的政治体制,一定要有很大的功劳,受过重赏的人,才可以面对面见到国王。现在我屠羊说,在文的方面,没有保存国家的知识学问,在武的方面,也没有和敌人拼死一战的勇气。当吴国的军队打进我们首都来的时候,我只因为怕死,而急急慌慌逃走,并不是为了效忠而跟随国王一路逃的,现在国王要召见我,是一件违背政体的事,我不愿意天下人来讥笑楚国没有法制。

楚昭王听了这番理论,更觉得这个羊肉摊子老板非等闲之辈,于是派了一位更高级的大臣,官司马,名子綦——相近于现代的国防部长,吩咐子綦说,这个羊肉摊的老板,虽然没有什么地位,可是他所说的道理非常高明,现在由你去请他来,说我要请他做国家的三公高位。想想看,由一位全国的三军统帅出面来请,这中间有些什么意味。可是屠羊说还是不吃这一套,他说我知道三公的地位,比我一个羊肉摊老板不知要高贵多少倍,这个位置上的薪水,万钟之禄,恐怕我卖一辈子羊肉也赚不了那么多。可是,我怎么可以因为自己贪图高官厚禄,而使我的君主得一个滥行奖赏的恶名呢?我还是不能够这样做的,请你把我的羊肉摊子还给我吧!

当然事实上,楚昭王能复国,许多主意并非都是由这位羊肉摊老板提出来的。后来他再三再四地不肯作官,就是"功成,名遂,身退,天之道也"的老庄精神,正是最有学问的人。

王阳明与曾国藩

曾国藩写这首诗,引用屠羊说的典故,是对他的弟弟曾国荃下警告。他知道，这时的客观环境，对他的危险性非常大。不但上面那位老太太——慈禧太后，非常厉害，难侍候之至，自己不能不居高思危。而外面议论他，批评他，讲他坏话的人也很多。尤其是曾国荃打进南京的时候，太平天国的王宫里面，有许多金银财宝，都被曾国荃搬走了。这件事，连曾国藩的同乡至交好友王湘绮，亦大为不满，在写《湘军志》时，固然有许多赞扬，但是把曾氏兄弟以及湘军的坏处，也写进去了。这时曾国藩兄弟也很难过。曾国荃的修养，到底不如哥哥，还有一些重要干部，对于外来的批评，都受不了，向曾国藩进言，何不推翻清朝，进兵到北京，把天下拿过来，更曾有人把这意见写字条提出。曾国藩看了，对那人说："你太辛苦了，疲累了，先去睡一下。"打发那人走了，将字条吞到肚中，连撕碎丢入字纸篓都不敢，以期保全自己的性命。

同时，他训练出来的子弟兵，也已经变成骄兵悍将。打下太平天国以后，个个都有功劳，都有得意自满的心理，很容易骄横，所以又教他的学生李鸿章，赶快训练淮军，来揍他的手，冲淡湘军的自满骄横。

事实上，如果曾国荃与湘军一冲动，半个中国已经是他的，似乎进一步就可以把大好河山拿下来。但真的拿不拿得下来呢？亦自有拿不下来的道理。我们现在来仔细研究当时的情况，的确有拿不下来的理由。到底还是曾国藩了不起，宁可不做这件事，所以写了这样一首诗，要曾国荃"低头一拜屠羊说"。他说：尽管左面挂满了中央政府——朝廷的褒奖状，可是要知道"功高震主"的道理，不必因此自满自傲，右边放了毁谤、诋咒我们的文件，这也同样没有什么了不起，不必生气，"人间到处有乘除"，人世间本来就如天秤一样，这头高了那头低，这头低了那头高，不必想不开。"低头一拜屠羊说"，只要效法屠羊说的精神与做法，学习这位世上第一高人，那么"万事浮云过太虚"。荣誉也好，毁谤也好，都不过是碧天之上的一片浮云，一忽儿就要被风吹散，成为过去，澄湛的碧天，依然还是澄清湛蓝的。

在近代史上,明朝平宸濠之乱的王阳明,清朝打败太平天国的曾国藩,都是精通老庄之学,擅用老庄之学,但都是"内用黄老,外示儒术"的作风,如果硬把他们打入儒家,认为他们只知道在那里讲讲理学,打打坐而已,这种看法,不是欺人,便是自欺,否则,便真的要"悔读南华庄子文"了!

这是中国近代史上重要的一页,先懂了这一史实的道理以后,再来研究《老子》,就更容易了解到《老子》哲学思想,在用的方面——大而用之于天下国家的大事,小而用之于个人立身处世之道,乃至于由平日的为人,进一步升华到形而上修养之道了。

阴柔不是阴谋

现代学术界,研究《老子》的趋向,归纳起来,大概可分为三个路线:

第一类:纯粹走哲学思想的研究路线。作这方向研究的人,各有各的心得,各有自己的见解。乃至有人以西方哲学来批评《老子》,或者以西方文化来与《老子》比较。这是学术性的一类。

第二类:就是把《老子》,单纯地归到个人修养,做工夫,所谓修神仙的丹道上去。这一类自几千年前,直到现在,自成一个系统。

第三类:是把《老子》归到谋略学的主流,而且习惯上,有一个很严重的错误观念:认为老子的谋略学是阴谋,是阴谋之术。于是,一说到老庄,就联想到谋略;一说到谋略,就联想到老子学说是很阴险的学问,是搞阴谋的。

这种观念,错误得很严重。

老子是主张用阴、用柔。但是,不要忘记,他和我们固有的文化,远古的源流——阴阳五行与《易经》诸子等系统,是同一个来源的。阴与阳,是一体的两面,只是在用上有正面与反面的不同而已,无论用阴用阳,都要活用。换言之,要用活的,不用死的。所谓用阴柔,即不用刚强,不是勉强而为。一件事物的成就,是顺势而来的。因此亦可以说,他是用顺道,不是用相反的逆道。过去以文字表达意义的方法,常用"阴"字来表达"顺道",例如《周易》的"坤"卦,代表"阴"的"顺道"。因此后世的人,误以为老庄的阴柔之学,就是阴谋之学;学老庄的人,用老庄之学的人都是阴谋家。

从历史上看,大家都熟悉的汉史,如道家出身的人物——陈平,他帮助刘邦,奠定汉朝四百年基业,汉高祖刘邦有六次关系到成败的决策,都是采用陈平的主意而获致成功的。但是历史记载,陈平自己说:"我多阴谋,道家之所禁,其无后乎?"足见道家是最忌讳阴谋的。因此,他断定自己将没有后代,至少后代的富贵不会久,后来果然如此,据汉代史书记载,陈平的后人,到他孙子这一代,所谓功名富贵,一切而斩,就此断了,后来他的曾孙陈掌,以卫氏亲贵戚,要求续封而不可得。

从此一史实可以说明,道家并不专主阴谋,误会道家是阴谋家,尤其是误会老庄思想是阴谋之学,是一种最大的错误观念。这是今日研究老庄,必先了解的。

老子还他老样子

《老子》一书的章节划分,各章的句法排列,每句的句读,是千古以来被人怀疑的问题,而且很难下一个确切不移的答案。因为秦汉以前的书籍,到秦汉以后,都重新整理过。秦汉以前,纸、墨、笔、砚还未流行,当时的书籍,连牛皮、羊皮写字也没有,更谈不上线装书,大多数都是刻在竹片上的所谓"竹简",放置时,东一堆,西一堆,很不方便。如果因为搬动、毁坏等等事件,后来加以整理,就难免章节上的前后倒置,文字上的讹误遗漏,希望整理得和原来一样,丝毫不变,实在相当困难,而且年代久远,难于考证。不过,这本《老子》,已经整理得很好了,并且已经流传了好几千年,现在若再整理,移动章节,不但困难,亦徒然增加研究者的困扰。试观现在大家通用的《老子》,它每一章节,都衔接得很紧凑,都能贯串起来,中间并没有松弛或断裂之处,第二章就是第一章的申述,第三章又紧接着第二章的后面继续发挥。如是一章接着一章地连续下去,内容上脉络分明,气势上绵延不辍。

对全书,姑作一整体分类,前面七、八章,由形而上的道体,谈到人事与物理的现象与必定的法则。使我们知道如何做事、处世,如何在人世间作一辈子的人,在物理世界的自处之道。最后告诉我们如何修道——修道是后世的观念,老子的本意,是使我们的人生,自然与天然法则相吻合。这是《老子》一书的体系。

老子五千文过关

研究老子写这本书的动机。前面曾介绍白居易那首幽默老子的诗,说老子主张大智慧的不说话,不写文章。可是他自己写了五千字,究竟老子是愚笨,还是有智慧? 这首诗读来真是耐人寻味,不禁发出会心之微笑。

另一方面,在历史文献资料上有关老子的记载说,《老子》这本书,是被逼写出来的。

说到这里,有一段可叙的插曲。

自古以来,有一个关于老子的问题: 他晚年究竟到哪里去了? 不知道。他死在哪里? 不知道。在历史文献的资料上,只说他西度流沙,过了新疆以北,一直过了沙漠,到西域去了。究竟是往中东或者到印度去了? 不知道。在他离开中国时,有没有领到关牒——相当于现在的护照和出入境证,也不知道。

但是,历史上提到一个人物——关吏尹喜,大概像现在机场、码头海关的联检处长,知道这位过关老人是修道之士。据《神仙传》上记载:有一天,这位函谷关的守关官员,早晨起来望气——中国古代有一种望气之学——他看到紫气东来,有一股紫色的气氛,从东方的中国本土,向西部边疆而来,因此断定,这天必定有圣人过关。心下打定主意,非向他求道不可。

果然,一位须发皆白的老头子,骑了一条青牛,慢慢地踱到函谷关来了。关员向他索取关牒,他却拿不出来,这一下,可正给了关吏一个机会,他本色当行地说:没有关牒,依法是不能过关的。不过嘛,你一定要过关,也可以设法通融,你可也得懂规矩。所谓"规矩"就是陋规,送贿赂。这时,老子似乎连买马的钱都没有,哪儿凑得出"规矩"。好在这位关吏,对于老子的规矩,志不在钱,所以对他说:"只要你传道给我。"老子没法,只好认了,于是被逼写了这部五千字的《道德经》,然后才得出关去。

老子以变相红包,留下了这部著作,西度流沙不知所终。而他的这部著作,流传下来,到了唐代,道家鼎盛起来,道教变成国教。这时,道教的人,要抗拒佛教,就有一个进士,也是五代时的宰相,名叫杜光庭的,依据佛经的义理,写了很多道经。有一说,后世对于没有事实根据而胡凑的著作,叫作"杜撰",即由此而来。其中有一部叫作《老子化胡经》,说老子到了印度以后,摇身一变,成了释迦牟尼。在佛教中,也有些伪经,说中国孔子是文殊菩萨摇身一变而成。宗教方面,这些扯来扯去,有趣的无稽之谈,古往今来,不可胜数。

关于老子本身的这些说法,不管最后的结论如何,但有一事实,他的生死是"不知所终",查不出结果的。倘使根据《神仙传》上古神话来说,那么,老子的寿命就更长到不死的境地了!

那些神仙故事,我们暂且不去讨论。他的这部著作,则确实是被徒弟所逼,一定要得到他的道,因此只好留下这部著作来。尹喜得到老子的传授,亦即得到了这五千字的《道德经》以后,自己果然也成道了。因此,连官也不要做,或者连移交也没有办,就挂冠而去,也不知所终。

道教就是这样传说,由老子传给关尹子,继续往下传,更是壶子、列子、庄子。一路传下去,到了唐朝,便摇身一变而成为国教,而《老子》一书,也成了道教的三经之首。道教三经,是道教主要的三部经典,包括:由《老子》改称的《道德经》,《庄子》改称的《南华经》与《列子》改称的《冲虚经》。

最近,有些上古的东西出土,如帛书《老子》等等。由这些文献资料中,更显示了老子学说思想的体系,是继承了殷商以上的文化系统,亦证明了古人所说的话没有撒谎,是真实的。

第 一 章

道可道,非常道。名可名,非常名。无,名天地之始。有,名万物之母。故常无,欲以观其妙。常有,欲以观其徼。此两者,同出而异名,同谓之玄。玄之又玄,众妙之门。

本文第一章,首先提出老子《道德经》的"道"与"名"两个关键名词,也是连串贯通全书八十一章脉络的线索。而且也是千古以来,研究老子学术的争端之所在。

头 头 是 道

现在我们也来凑热闹,讲《老子》,首先要不怕老子笑掉他的长眉,更要向研究老子的学者们,道歉万分,以外行人妄说内行话,滥竽充数,不足为凭。但是我们又不得不把传统文化中的"道"字与"天"字先讲清楚,才好开始。

读中国书,认中国字,不管时代怎样演变,对于中国文字的六书——象形、指事、会意、形声、转注、假借,不能不留意。至少,读古代文字章法所写成的古书,必须具备有《说文》六书的常识。

在古书中,"道"与"天"字,到处可以看到。但因上古文字以简化为原则,一个方块的中文字,便包涵人们意识思想中的一个整体观念;有时只用一个中文字,但透过假借、转注的作用,又另外包涵了好几个观念。不像外文或现代语文,用好几个,甚至一二十个字,才表达出一个观念。因此,以现代人来读古书,难免会增加不少思索和考据上的麻烦。同样地,我们用现代语体写出的文字,自以为很明白,恐怕将来也要增加后世人的许多麻烦。不过,人如不做这些琐碎的事,自找麻烦,那就也太无聊,会觉得活着没事可做似的。

例如"道"字。在传统的古书中,大约便有三种意义与用法。

(一)"道"就是道,也便是人世间所要行走的道路的道。犹如元人马致远在《秋思曲》中所写的"枯藤老树昏鸦,小桥流水人家,古道西风瘦马,夕阳西下,断肠人在天涯。"这个"古道西风瘦马"的道,便是道路的道。照《说文》意义的注释就是:"道者,径路也。"

(二)"道"是代表抽象的法则、规律,以及实际的规矩,也可以说是学理上或理论上不可变易的原则性的道。如子产在《左传》中所说的:"天道远,人道迩。"如子思在《中庸》首章中所说:"天命之谓性,率性之谓道。"孙子所说:"兵者,诡道也。"等等。

(三)"道"是指形而上的道。如《易·系传》所说:"形而上者谓之道,形而下者谓之器。"又如道书所说:"离有离无之谓道。"这便同于佛经上所说的:"即有即空,即空即有。"玄妙幽微,深不可测了!

有人解释《老子》第一章首句的第二个"道"字,便是一般所谓"常言道"的意思,也就是说话的意思。其实,这是不大合理的。因为把说话或话说用"道"字来代表,那是唐宋之间的口头语。如客家话、粤语中便保留着。至于唐宋间的著作,在语录中经常出现有:"道来! 道来!""速道! 速道!"等句子。明人小说上,更多"某某道"或"某人说道"等用语。如果上溯到春秋战国时代,时隔几千年,口语完全与后世不同。那个时候表示说话的用字,都用"曰"字。如"子曰"、"孟子曰"等等,如此,《老子》原文"道可道"的第二个"道"字是否可作"说"字解释,诸位应可触类旁通,不待细说了。

讲到这里,顺便也把古书上的"天"字提一提。古书上的"天"字,大约也概括了五类内涵:(一)天文学上物理世界的天体之天,如《周易》乾卦卦辞"天行健"的"天"。(二)具有宗教色彩,信仰上的主宰之天，如《左传》所说的"昊天不吊"。（三）理性上的天，如《诗经》小节的"苍天苍天"。（四）心理性情上的天，如《泰誓》和《孟子》的"天视自我民视，天听自我民听"。（五）形而上的天，如《中庸》所谓"天命之谓性"。

首先了解了这些用字，那么，当我们看到古书的"道"与"天"，甚至在同一句中，有时把它当动词或形容词用，有时又把它当名词用，就不会混淆不清了。

假定我们要问，《老子》本书第一章首句中两个"道"字，应当作哪种解释才恰当？我只能说：只有亲见老子，来问个清楚。不然都是他说老子，或我说老子，姑且备此一格，别成一家一言，能说到理事通达，也就差不多了，何必固执成见，追究不休呢！你千万不要忘记老子自说的"道常无为"、"道常无名"，以及"道法自然"等的观念。

有无主宾

关于宇宙万物的"有生于无，无中生有"的形上与形下问题，以西洋哲学的治学习惯来说，其中就包涵了宗教哲学中宇宙万有的来源论，以及纯粹哲学的唯心、唯物、一元、多元、有神、无神等学说的寻探。

假定宇宙万物确是从本无中而生出万有万类。无中何以生有？便是一个莫大的问题。以宗教神学的立论，从无生有，是由第一因的主宰的神所发生。但在佛学中，既不承认神我是第一因，也不承认有一情绪化的权威主宰所能左右；可是又不否认形而下神我的存在。只说"因中有果，果即为因"的因果互变，万有的形成，有生于空，空即是有，因缘和合，"缘起性空，性空缘起"。因此，与老子的有、无互为因果论，恰恰相近。所以后来佛学输入中国，与老庄学说一拍即合，相互共存了。

　　这个有无互为生灭的观念，从周末而到现代，几千年来，一直成为中国文化中普遍平民化的哲学思想，在中国历代的文学诗词或学术史上，到处可见，尤其明、清以后有名的小说，如《红楼梦》、《西游记》等等。《红楼梦》开头的一僧一道的开场白，与有名的梦游太虚幻境，以及"假作真时真亦假，无为有处有还无"乃至假托林黛玉的笔下反骂贾宝玉："无端弄笔是何人？剽袭南华庄子文。不悔自家无见识，却将丑语诋他人"等等老庄与禅道思想，几乎俯拾皆是。难怪后人有强调《红楼梦》是一部道书。甚至赶上现代的时髦，又说是一部禅学了！

　　闲话不说，书归正传，由《老子》第一章的"有、无"与"有名、无名"问题告一段落。跟着而来的，便是"常无、常有"的附带问题。我们既已认可首章的"无"与"有"两个字各自标成一句，构成一个观念。当然文从字顺，下面句读，也便承认是"常无"与"常有"，而不照一般传习，读成"常无欲"与"常有欲"了。不过，以一般从事学习修道或专讲修心养性之道的立场来讲，认定"常无欲"与"常有欲"的句读才是对的。那也不错，反正增增减减，都在寻章摘句之间玩弄文字的把戏，如以老子看来，应当是"知者不言，言者不知"了！

　　前面已经说到本无是天地的原始，妙有是万物万有的来源。因此，他跟着就说："故常无，欲以观其妙。常有，欲以观其徼。""故"字，当然便是文章句法的介词，也就是现代语文惯用的"所以"的意思。老子这句话用白话文来说，就是——人们要想体认大道有无之际，必须要修养到常无的境界，才能观察——体察到有生于无的妙用。再说，如果要想体认到无中如何生有，又必须要加工，但从有处来观察这个"有"而终归于本来"无"的边际。"徼"字，就是边际的意思。

玄 元 之 妙

好了,到此我们已经看出《老子》本书在第一章中的三段要点。真有一语中具备二玄门,一玄门具备三要义的深不可测。

首段,他提出"道",同时提示我们,不可执著道是一般的常道。在后语中又附带说明,在不得已的表达中,提出了一个"道"字;接着又强调,不可执著名相而寻道。其次,便说到形而上道与形而下万有名器的关系,是有无相生,绵绵不断的。

第二段,告诉我们,在形而下的情况下而要体认形而上道,必须从常无的境界中去体认它的道体。但是如要更透彻精辟,又需要在常有之中领悟它的无边无际。

第三段,再反复说明有无之间的互为因果,如一呼一吸之自然往复。因此而说出:"此两者同出而异名,同谓之玄。玄之又玄,众妙之门。"讲到这里,又要让我们慢慢来,先解决其中一个字和一个句读的问题了。

古书的"玄"字,从唐、宋以后,往往与"元"字混用互见,很多年轻人大为困惑。其实,"玄"字是正写,"元"字是替代品,是通用字。因为在家族帝王专制时代的历史上,作兴对皇上名字和庙号的尊敬,人们不可随便直呼,也不可低写。不然,就犯了"大不敬"的律令,甚至会杀头。杀了头,当然不能说话吃饭了。唐明皇的庙号叫"玄宗",所以在唐玄宗以后,所有书写"玄"字的地方,一律要改作"元"字,以免犯了"大不敬"的忌讳。因此后世所见的古书,"玄""元"不分,或者"玄""元"同用了。

再者,有关这几句的句读,从前我有一位老师对我说:"此两者同"应读成一句,"出而异名"读成一句。不可读作"此两者同出而异名"。问老师为什么要这样读? 他说,这种句读才能显出有无同源的妙用与深意,而且在文气来讲,透彻而有力。如此云云,当然有他的独到见解。后来,我也看到经古人圈点过的几本古本《老子》,也是这样句读。但我却认为这是习惯作古文文章的手法,意义并无太多差别。要同便同,要同出也可以。这里我没有固执定见,学老子的语气说一句:"无可无不可。"

交代了这些意见,再来讲老子首章原文的第三段。他再说明有无相生互用的道妙。便说"无"之与"有",这两者是一体同源,因为作用与现象不同,所以从无名之始而到有名之际,必须要各以不同的命名加以分别。如果要追溯有无同体,究竟是怎样同中有异的? 那便愈钻愈深,永远也说不完。所以,在它同体同源的异同妙用之际,给它下个形容词,便叫作"玄"。说了一个玄,又不是一元、两元可以究尽的,所以又再三反复地说,玄的里面还有玄,分析到空无的里面还有空无,妙有之中还有妙有。由这样去体认道的体用,有无相生,真是妙中有妙,妙到极点更有妙处。

但也有不走哲学思辨的路线,只从文字结构的内涵去了解,也就可通它的大意了!"玄"字的本身,它便是象形字,包括了会意的作用。

依照古写,它是▣形态,也等于一个环节接连一个环节,前因后果,互为因缘,永远是无始无终,无穷无尽。因此,后世由道家一变而成为道教的道士们,手里拿着一个▣连环圈在玩,等于佛教和尚们手里拿着的念佛珠,一念接着一念,同样都是代表如环之无端,永无穷尽的标记。

又有只从"玄"字训诂的内涵作解释,认为"玄"字是极其细小的生物,几乎细小到渺不可见的程度。因此又有加上现代的新观念,认为"玄"字的内涵,等于是细胞或微生物的形容字,便把已出函谷关以外的老子,轻轻一扯,向西方的唯物思想去归队,硬说老子的《道德经》基本上是建立在唯物哲学的基础上的。

第 二 章

　　天下皆知美之为美,斯恶矣。皆知善之为善,斯不善矣。故有无相生,难易相成,长短相较,高下相倾,音声相和,前后相随。是以圣人处无为之事,行不言之教,万物作焉而不辞。生而不有,为而不恃,功成而弗居。夫唯弗居,是以不去。

真善美的价值定论何在?

　　《老子》首章既提出"道"与"名"的涵义,但同时又相同于"因明"的法则,能建能破,白说了个道,白又推翻了道的名相。也如同正反合的"逻辑"辩证,不自立于不变的肯定与否定形态。如珠走盘,无有方所。所谓的"道",乃"至道"的定名,都是为了表达的方便,姑且名之为"道"而已。"道"是"变动不居,周流六虚"的,名相只是人为意识的塑造而已。叫它是"道",已经是头上安头,早已着相了。要想明白这个不可见、不可得的"道",只有在用上去体会,才能了解有无同出而异名的道妙。因此第二章便推出美与善的道理,加以阐发。

　　美与善,本来是古今中外人所景仰、崇拜,极力追求的境界。如西洋文化渊源的希腊哲学中,便以真善美为哲学的鹄的。中国的上古文化,也有同样的标榜,尤其对人生哲学的要求,必须达于至善,生活与行为,必须要求到至美的境界。甚至散于诸子百家的学术思想中,也都随处可见,不须——列举,另加介绍。

　　现在从后世道家所标榜的修道,与学术思想上的应用两面来讲,也便可以知道它的大要。至于进而多方发明,从各种不同的角度来说明各个触角,那就在神而明之,无往而不自得了。

　　先从修道方面来讲,无论后世哪一种宗教,或教育哲学,都会树立一个美和善的架构(标的)。殊不知变生于定,二由一起。凡是人为所谓的美与善的道,一落痕迹,早已成为不美不善的先驱了。修道的人,大多数都把道的境界,先由自己的主观观念,建立起一个至真、至善、至美的构想。也可以说是自己首先建立起一个道的幻境,妄自追求。其实,一存此念,早已离道太远了。因此老子便说:"美之为美,斯恶矣。善之为善,斯不善矣。"

　　随老子之后,后来从印度传来的佛家学说,也同样有此理论。例如大乘佛学所谓道体的"真如",这个名词本身便自说明只是名言的建立,不可认为确有一个固定不变的"真如"存在。真者如也,如其真也。如果把"真如"确定在美善的范畴,这个真也就不如如自在了。这是许多修道者在思想观念与见解上难以避免的大问题。因此佛学以解脱"见惑"——理解上的困扰;"思惑"——观念上的困扰,为无为法,为见道的重心所在。譬如五种"见惑"中的"见取见"与"禁戒取见",就都属于思想见解上的迷惑。由此可见佛家学说与老子相提并论,并非偶然。老子是用归纳方法来简单指示,佛家则用演绎方法来精详分析。无怪宋儒中的反对派,就佛老并称,同时排斥了。

善反而不美

　　大道无名,并非如一般凡夫俗子们所认为的常道。什么是常道呢?便是平常人们为形而上道所建立起的至真、至善、至美的名相境界。这样一来,早已离道更远了。

　　有个真善美的天堂,便有丑陋、罪恶、虚伪的地狱与它对立。天堂固然好,但却有人偏要死也不厌地狱。极乐世界固然使人羡慕,心向往之,但却有人愿意永远沐浴在无边苦海中,以苦为乐。与其舍一而取一,早已背道而驰。不如两两相忘,不执著于真假、善恶、美丑,便可得其道妙而逍遥自在了。

如果从学术思想上的观点来讲,既然美与丑、善与恶,都是形而下人为的相对假立,根本即无绝对标准。那么,建立一个善的典型,那个善便会为人利用,成为作恶多端的挡箭牌了。建立一个美的标准,那个美便会闹出"东施效颦"的陋习。有两则历史故事,浓缩成四句名言,就可说明"美之为美,斯恶矣。善之为善,斯不善矣"的道理,那就是"纣为长夜之饮,通国之人皆失日","楚王好细腰,宫人多饿死"。现在引用它来作为经验哲学的明确写照,说明为人上者,无论在哪一方面,都不可有偏好与偏爱的趋向。即使是偏重于仁义道德、自由民主,也会被人利用而假冒为善,变为造孽作恶的借口了。

同样地,爱美成癖,癖好便是大病。从历史经验的个人故事来说:

元朝末期的一位大名士——大画家倪云林。他非常爱美好洁。他自己使用的文房四宝——笔、墨、纸、砚,每天都要有两位专人来经管,随时负责擦洗干净。庭院前面栽的梧桐树,每天早晚也要派人挑水揩洗干净,因此硬把梧桐树干净死了。有一次,他留一位好朋友在家里住宿,但又怕那个朋友不干净,一夜之间,亲自起来视察三四次。忽然听到朋友在床上咳嗽了一声,于是担心得通宵不能成眠。等到天亮,便叫佣人寻找这位朋友吐的痰在哪里,要清理干净。佣人们找遍了所有地方,也找不出那位先生吐痰的痕迹,又怕他生气骂人,只好找了一片落叶,稍微有点脏的痕迹,拿给他看说找到了。他便立刻闭上眼睛,蒙住鼻子,叫佣人把这片树叶送到三里外去丢掉。

元末起义的张士诚的兄弟张士信,因为仰慕倪云林的画,特地派人送了绢和厚重的金币去,请他画一张画。谁知倪云林大发脾气说:"倪瓒(云林名)不能为王门画师。"当场撕裂了送来的绢。弄得士信大怒,怀恨在心。有一天,张士信和一班文人到太湖上游乐,泛舟中流,另外一只小船上传来一股特别的香味。张士信说:"这只船上,必有高人雅士。"立刻靠拢去看个清楚,不料正是倪云林。张士信一见,便叫从人抓他过来,要拔刀杀了他。经大家恳求请免,才大打一顿鞭子了事。倪云林被打得很痛,但却始终一声不吭。后来有人问他:"打得痛了,也应该叫一声。"倪云林便说:"一出声,便太俗了。"

倪云林因为太爱美好洁了,所以对于女色,平常很少接近。这正如清初名士袁枚所说的:"选诗如选色,总觉动心难。"但有一次,他忽然看中了金陵的一位姓赵的歌姬,就把她约到别墅来留宿。但是,又怕她不清洁,先叫她好好洗个澡。洗完了,上了床,用手从头摸到脚,一边摸,一边闻,始终认为她哪里不干净,要她再洗澡,洗好了又摸又闻,还是认为不干净,要再洗。洗来洗去,天也亮了,他也算了。

上面随便举例来说"美之为美,斯恶矣"的故事。现在再列举一则故事来说明"善之为善,斯不善矣"。

宋代的大儒程颐,在哲宗时代,出任讲官。有一天上殿为哲宗皇帝讲完了书,还未辞退,哲宗偶然站起休息一下,靠在栏杆上,看到柳条摇曳生姿,便顺手折了一枝柳条把玩。程颐看到了,立刻对哲宗说:"方春发生,不可无故摧折。"弄得哲宗啼笑皆非,很不高兴,随即把柳条掷在地上,回到内宫去了。

因此后来有人说,讲孔门的道理,无论怎样说,也不致超过孟子。而孟子对齐宣王说,好色、好货也都无妨,只要扩充所好的心与天下同乐就对了。偏是倒霉的宋哲宗,遇到了程夫子,一根柳条也不许动。当了皇帝的,碰到如此这般的大儒,真是苦哉!

由于这些历史故事的启发,便可了解庄子所说的"为善无近名,为恶无近刑"的道理,也正是"善之为善,斯不善矣"的另一面引申了。

再从人类心态的广义来讲，爱美，是享受欲的必然趋向。向善，是要好心理的自然表现。"愿天常生好人，愿人常做好事"，那是理想国中所有真善美的愿望，可不可能在这个人文世界上出现，这是一个天大的问题。我们顺便翻开历史一看，秦始皇的阿房宫，隋炀帝的迷楼和他所开启的运河两岸的隋堤，李后主的凤阁龙楼，以及他极力求工求美的词句，宋徽宗的艮岳与他的书笔和书法，慈禧太后的圆明园和她的花鸟，罗马帝国盛极时期的雕刻、建筑，甚至驰名当世如纽约的摩天大厦，华盛顿的白宫，莫斯科的克里姆林宫，也都是被世人认为是一代的美或权利的标记，但从人类的历史经验来瞻前顾后，谁能保证将来是否还算是至善至美的尤物呢？唐人韩琮有一首柳枝词说：

> 梁苑隋堤事已空，万条犹舞旧春风。
> 何须思想千年事，谁见杨花入汉宫。

老子却用更深刻而尖锐的笔触指出："故有无相生，难易相成，长短相较，高下相倾，音声相和，前后相随。是以圣人处无为之事，行不言之教，万物作焉而不辞。生而不有，为而不恃，功成而弗居。夫唯弗居，是以不去。"

由《老子》的首章而接连这一章的全段，很明显地看出他说自形而上道的无名开始，一直到形而下的名实相杂，再到"同出而异名"因果相对的道理，自始至终，是要人勿作祸首、莫为罪魁的教示。但是，他说归说，后世用归用，完全不是老子说的那样。

有 无 相 生

从人类的经验来讲，天地万物的从有还无，是很自然的事实。但是要说到万物的有，是从无中出生，实在是一件不可思议的事。

因此,古今中外的崇信唯物论者,除了绝对否定无中生有之外,便给老子加上顶"虚无主义"的帽子。尤有甚者,把老子归到唯物思想的范围。断定老子的"无"便是没有,更不管他"相生"两字的内涵。不过,真要指出有与无是怎样相生的道理,综合东西文化数千年的哲学,也实在作不了一个明确的结论。除非将来的理论物理与哲学汇合,或者会有个明确的交待。如果勉强用现代物理知识来解释,认为质能互变的原理,便是有无相生的说明,那也是并不透彻,而难以肯定的说明。况且物理学上的定律,还是未定之义,它随时在再求深入。

倘使只从传统道家观念来说明"有无相生"的原理,自庄子、列子等开始,都是用"神化"、"气化"来作说明。至于"神"与"气"的问题,究竟属于物质? 或是物理功能的作用? 便又牵涉到另一问题上去了,暂且不说。在道家中,比较接近理论物理思想的,应当以五代谭峭的《化书》为首。其中的《道化》说:

道之委也,虚化神,神化气,气化形,形生而万物所以塞也。

道之用也,形化气,气化神,神化虚,虚明而万物所以通也。

是以古圣人穷通塞之端,得造化之源,忘形以养气,忘气以养神,忘神以养虚,虚实相通,是谓大同。

故藏之为元精,用之为万灵,合之为太一,放之为太清。是以坎离消长于一身,风云发泄于七窍,真气薰蒸而时无寒暑,纯阳流注而民无死生,是谓神化之道者也。

谭子的"道化"学说,也可以说是代表了历来道家的一贯思想,如果说他是唯物论,但他所提出的神,非物理。神与物是有明显的界说。如果说他是唯心论,神与心的关系,究竟如何? 神与心是一或二? 亦成为后世佛道两家争端的症结。可是这些讲来讲去,到底都牵涉到"道通天地有形外,思入风云变态中"的形而上学,而且都是幸或不幸去做神仙们的大事。至于一般凡夫俗子们对老子的

"有无相生"等道理,却老老实实反用为帝王术的万灵丹,因此千古以来,便使老子背上阴谋与欺世盗名的大黑锅,那是事实俱在,证据确切的。

老子背上历史的烂账

现在我们再回转来看看这位先圣——老子的哲学人道理,如何被历世的大国手——帝王们用到大政治、大谋略上去。三代以上,历史久远,资料不太完全,姑且置而不论。三代以下,从商汤、周武的征诛开始,一直到秦汉以后,凡是创业的大国手——建立统一世系的帝王,没有哪个不深通老子、或暗合黄老之道"有无相生……前后相随"的路线的。

大舜起自田间,赤手空拳,以重孝道德行的成就,继承帝尧而有天下。大禹是以为父赎罪的心情,胼手胝足,治河治水的劳苦功高,又继大舜之后而有天下。这当然都是无中生有,"难易相成"白手创业的圣帝明王行道的大榜样。

跟着而来的,汤以一旅之师,文王以百里之地,以积德行仁为大谋略,因此而"难易相成,长短相较,高下相倾,音声相和,前后相随"而掩有天下,开启德治的长远规模。

从此以后,划分时代的春秋霸主们,都是走"有无相生,难易相成,长短相较,高下相倾,音声相和,前后相随"权术纷争的路线,互争雄长。所谓上古的道化与德治,早已成为历史上的陈迹,学术上的名词,徒有空言,皆无实义了。因此都享国不久,世系也屡易不定。

等次以降,秦始皇的蚕食吞并六国的谋略,汉高祖刘邦的手提三尺剑,起自草莽,降秦灭楚。甚至曹操父子的阴谋篡位,刘裕的效法曹瞒,以及唐太宗李世民的反隋,赵匡胤的黄袍加身,忽必烈的声东击西,朱元璋的奋起淮泗,多尔衮的乘机入关,康熙的帝王术,都是深明黄老,用作韬略的大原则,师承老子的"有无相生,难易相成"等原理而建立世系基业。

在这些历来大国手的创业名王当中,最坦率而肯说出老实话的,有两个人,一个是曹丕,一个是唐太宗的父亲李渊。当曹丕硬逼刘邦的末代子孙汉献帝禅位的时候,他志得意满地说:"舜禹受禅,我今方知。"我到现在,才真正知道上古舜禹的禅让是怎么回事。同一道理,当年李世民再三强迫他的父亲李渊起来造反,甚至不择手段利用女色迫使他父亲上当。李渊只好对李世民说:"破家亡躯,由汝为之。化家为国,亦由汝为之。"要把天下国家变成李氏的世系,只好由你去做主;或者把我们弄得家破人亡,也只好由你去负责了。

其实,老子虽然说的是天地间因果循环往复的大原则,但很不幸的,被聪明狡狯者用作欺世盗国的大阴谋,实在和老子毫不相干,老子实在不应负此责难的。

总之,历史上这些代代相仿的阴谋或大谋略的哲学内涵,早已由庄子的笔下揭穿。庄子说:"窃钩者诛,窃国者为诸侯,诸侯之门而仁义存焉。"故曰:"鱼不可脱于渊,国之利器,不可以示人。"

其次,在唐代诗人们的词章哲学中,也可见其梗概。如唐彦谦的《过长陵》:"耳闻明主提三尺,眼见愚民盗一杯。千古腐儒骑瘦马,灞陵残日重回头。"章碣的《焚书坑》:"竹帛烟销帝业虚,关河空锁祖龙居。坑灰未冷山东乱,刘项原来不读书。"又有《毗陵登高》:"尘土十分归举子,乾坤大半属偷儿。长扬羽猎须留本,开济重为阙下期。"

好的诗词文学,都富于哲学的启示,所以孔子要儿子孔鲤学诗,并非是要他钻牛角尖去做个诗人而已。了解了这些道理,当然也读通了《庄子·杂篇》中的《盗跖》篇,并非讽刺。同时也可知石达开的"起自匹夫方见异,遇非天子不为隆"的思想,同样都是"乾坤大半属偷儿"的偷儿哲学所演变出来的。

　　此外在西方如罗马的凯撒大帝、亚历山大大帝、屋大维大帝、拿破仑等，也都不出此例。虽然他们不知道东方有道家的老子，但东方有凡人，西方有凡人，人同此心，心同此理，如出一辙。如果说这些都是人类历史的荣耀，或者认为是人文文化的悲哀，也都无可无不可。但总不能叫老子背此黑锅，加以欺世盗名的罪过吧！（一笑。）

　　其实，由道的衍化而为德，德再衍化而为仁、义、礼、乐，再由仁义礼乐衍化而为权术，正表示人类的心路历程，每况愈下，陷溺愈深。但所谓"术化"的妙用，亦是"有无相生"，"同出而异名"。谭峭的《化书》论"术化"，便是很好的说明。如云：

　　水窦可以下溺，杵糠可以疗噎。斯物也，始制于人，又复用于人。法本无祖，术本无状，师之于心，得之于象。

　　阳为阴所伏，男为女所制，刚为柔所克，智为愚所得。以是用之则钟鼓可使之哑，车毂可使之斗，妻子可使之改易，君臣可使之离合。

　　万物本虚，万法本无，得虚无之窍者，知法术之要乎！

流水行云永不居

　　如果从中国传统文化思想的本义来看老子，他所说的，完全相同于周文王、周公（姬旦）、孔子等祖述传统文化的思想。在《周易》的卦、爻辞中，再三申述宇宙的一切法则，始终不离循环往复的因果定律。

　　有与无，是彼此互为因果，相生互变的。它的重点，在相生的这个"生"字。当然也可以说是互为相灭，但我们的传统文化是采用生的一面，并不采用火的一面。

　　难与易，本来互为成功的原则，它的重点在难易相成的这个

"成"字。天下没有容易成就的事，但天下事当在成功的一刹那，是非常容易的，而且凡事的开始，看来都很容易，做来却都大难。但"图难于易"，却正是成功的要诀。

高与下，本来就是相倾而自然归于平等的。它的重点，在相倾的这个"倾"字。高高在上，低低在下，从表面看来，绝对不是齐一平等的。但天地宇宙，本来便在周圆旋转中。凡事崇高必有倾倒，复归于平。即使不倾倒而归于平，在弧形的回旋律中，高下本来同归于一律，佛说"是法平等，无有高下"也便是同此意义。《易经》泰卦九三爻的爻辞上说"无平不陂，无往不复"也同此理。

音与声相和，才构成自然界和谐的音律。因此又有"禽无声，兽无音"的说法。《礼记》中的《乐经》说："感于物而动，故形为声。声相应，故生变，变成方谓之音。"

前与后，本来是相随而来，相随而去，没有界限的，无论是时间的或空间的前后，都是人为的界别。它的重点，在这个相随的"随"字。前去后来，后来又前去，时空人物的脚步，永远是不断地追随回转，而无休止。

总之，老子指出无论有无、难易、高下、音声、前后等现象界的种种，都在自然回旋的规律中相互为用，互为因果。没有一个绝对的善或不善，美或不美的界限。因此，他教人要认识道的妙用，效法天地宇宙的自然法则，不执著，不落偏，不自私，不占有，为而无为。所以他便说："是以圣人处无为之事，行不言之教。万物作焉而不辞。生而不有，为而不恃，功成而弗居。夫唯弗居，是以不去。"

所谓"处无为之事"是说为而无为的原则，一切作为，应如行云流水，义所当为，理所应为，作应当作的事。作过了，如雁过长空，风来竹面，不着丝毫痕迹，不有纤芥在胸中。

所谓"行不言之教"，是说万事以言教不如身教，光说不作，或作而后说，往往都是徒费唇舌而已。因此，如推崇道家、善学老子之教的司马子长（迁），在他的自序中，引用孔子之意说："我欲载之空言，不如见之于行事之深切著明也。"都是同一道理。

引而申之，老子又说："万物作焉而不辞，生而不有，为而不恃。"比如这个天地间的万物，它们都不辞劳瘁地在造作。但造作了以后，虽然生长不已而并不据为己有，作了也不自恃有功于人，或自恃有功于天地。它们总不把造作成功的成果据为己有。"弗居"的"居"字，便是占住的意思。正因为天地万物如此这般，不自占为己有的在作为，反而使人们更尊敬，更体任自然的伟大，始终不能离开它而另谋生存。所以上古圣人，悟到此理，便效法自然法则，用来处理人事，"处无为之事，行不言之教"，是为上智。

第 三 章

　　不尚贤,使民不争;不贵难得之货,使民不为盗;不见可欲,使民心不乱。

　　是以圣人之治,虚其心,实其腹,弱其志,强其骨。常使民无知、无欲。使夫智者不敢为也,为无为,则无不治。

老子薄视时贤

　　第三章是将天地自然的法则,引申应用到人世间的治道的发挥。这章的文字,明白畅晓,都很容易懂得,很好解释。但其中有三个要点,须特别注意,那便是"不尚贤,使民不争;不贵难得之货,使民不为盗;不见可欲,使民心不乱"。

　　读秦汉以上的书,有关于这个"民"字,要小心求解,慎思明辨,不要以为"民"字就是老百姓,联想到现代语中"国民"的涵义。如果这样认定,观念就完全错了。古书上的"民",就是现代语的"人们",或者是"人类"的意思。那个时候辞汇不多,每有转注及假借的用法。其实"民"字是代表所有人们的一个代号。如果对这个观念认识不清,就很容易误会是上对下的一种称谓,而变成古代帝王统治者的口气了。

　　第二章讲到我们做人处世,要效法天道,"作焉而不辞,生而不有",尽量地贡献出来,而不辞劳瘁。但是自己却绝不计较名利,功成而弗据为己有。这是秉承天地生生不已,长养万物万类的精神,只有施出,而没有丝毫占为己有的倾向,更没有相对地要求回报。

人们如能效法天地存心而作人处事,这才是最高道德的风范。如果认为我所贡献的太多,别人所得的也太过便宜,而我收回的却太少了,这就是有辞于劳瘁,有怨天尤人的怨恨心理,即非效法天道自然的精神。

由于这一原理的发挥运用,而讲到人世间的人事治道,首先便提出"不尚贤,使民不争"这个原则。但我们须要了解,在老子那个时候,是春秋时代,那时的社会形态在改变。周朝初期的井田制度,已不适应于当时社会的发展。因此,春秋时代已经进入争权夺利,社会大动乱的时期。我们研究历史,很明显地看出,每当在乱变时代中的社会,所谓道德仁义,这些人伦的规范,必然会受影响,而惨遭破坏。相反地,乱世也是人才辈出,孕育学术思想的摇篮。拿西方的名词来说,所谓"哲学家"与"思想家",也都在这种变乱时代中产生,这几乎是占往今来历史上的通例。

同时,正当大动乱如春秋战国时期,每个国家的诸侯,每个地区的领导者,随时随地都在网罗人才,起用贤士,作为争权夺利,称王称霸的资本。所以那个时候的"上之贤者"——有才能、有学识、有了不起本领的人,当然受人重视。"尚",就是重视推崇的意思。"贤",就是才、德、学三者兼备的通称。

例如代表儒家的孔子,虽然不特别推重贤者,但却标榜"君子"。孔子笔下的"君子"观念,是否概括贤者,即难以遽下定论。但后来的孟子,非常明显地提出贤者与能者的重要。所谓"贤者在位,能者在职"便是他的名言。

老子为什么要有这样的主张?我们如果了解秦汉以上与道家、儒家并列的墨翟——墨子思想,自然容易领会其中的关键所在。

我们都知道,秦汉以前的中国文化,有巨大影响作用的,便是儒、墨、道等三家。而墨子对当时社会政治的哲学思想,是特别强调"尚贤"的。主张起用贤人来主政、当政。因为他所看到当时社会的衰乱，处处霸道横行，争权夺利而胡作非为，大多不是有道德、有学问的人来统领政治的治道，所以他主张要"尚贤"与"尚同"。他这个"同"，又与孔子记述在《礼运篇》中"大同"思想的"同"不尽相关，但也略有连带关系。他的"同"，与后世所讲的平等观念相类似。现代大家所侈言的平等主张，在中国上古文化中，战国初期的墨子，早已提出。但在印度，释迦牟尼则更早提出了一切众生平等的理论。

现在我们不是讨论墨子这个主题，而是在这里特别注意墨子的"尚贤"主张，为什么也与儒家孟子的观念很相近，而与道家老子的思想却完全相反呢？这就是因历史时代的演变，而刺激思想学术的异同。墨子是春秋战国时期的宋国人，宋国是殷商的后裔。而且以墨子当时宋国的国情来看，比照一般诸侯之国的衰乱，只有过之而无不及。但所以造成一个社会、一个国家、一个时代的变乱，在许多错综复杂的原因当中，最大的乱源，便是人为的人事问题。尤其是主政或当政的人，都是小人而非君子，那么天下事，不问便可知矣。

此所以后世诗人有"自从鲁国潸然后，不是奸人即妇人"的深长叹息了！鲁国潸然，是指孔子眼见由三代而到"郁郁乎文哉"周代的中国文化大系，在他父母之邦的鲁国，已经开始变质而衰败，周公后裔的鲁国政权，又都操在奸党的手里，因此他无可奈何潸然含泪而身离祖国，远游他方。自此以后的历史，再也不能恢复如三代以上的太平景象。同样地，历代史实告诉我们，所有破坏社会的安定，引起历史文化一再变乱的，大概都是"不是奸人即妇人"所造成。因此，墨子的主张，是针对当时他所立身处地所知、所见、所感受到的结论，而大声疾呼要"尚贤"与"尚同"了。

而在老子呢？他所看到的春秋时代，正是开始衰乱的时期，乱象已萌，人为之过。因此，他更进一层而深刻地指出，当时应病与药的"尚贤"偏方，其后果是有莫大的后遗症的。贤能的标准，千古难下定论。但是推崇贤者的结果，却会导致许多伪装的言行。当时各国的诸侯，为了争地称霸，不惜任何代价来网罗天下才能的智士。凡是才智之士，便统称为"贤者"。而这一类的贤者愈多，则天下的乱源也就愈难弭平。所以他指出"不尚贤，使民不争"的主张。

贤与不贤的君子小人之辨

讲到这里，让我们暂时推开老子，而另外介绍后世的三则故事，便更容易明白了老子立言的用意了。

一是南宋名儒张南轩(栻)和宋孝宗的对答：

宋孝宗言：难得办事之臣。右文殿修撰张栻对曰：陛下当求晓事之臣，不当求办事之臣。若但求办事之臣，则他日败陛下事者，未必非此人也。

晓事，是唐宋时代的白话，也就是现代语"懂事"的意思。张南轩对宋孝宗建议，要起用懂事的人，并非只用能办事而不懂事的人，的确是语重心长的名言。也是领导、为政者所必须了解的重点。

一是明人冯梦龙自叙《古今谭概》所记：

昔富平孙冢宰(孙丕扬，富平人，字叔孝，嘉靖进士，拜吏部尚书，追谥恭介)在位日，诸进士谒请，齐往受教。孙曰："做官无大难事，只莫作怪。"真名臣之言，岂唯做官乎！

天下人才，贤士固然难得。贤而且能的人才，又具有高明晓事的智慧，不炫耀自己的所长，不标奇立异，针对危难的弊端，因势利导而致治平的大贤，实在难得。以诸葛亮之贤，一死即后继无人，永留遗憾。虽然魏延、李严也是人才，但诸葛亮就是怕他们多作怪，因此不敢重用，此为明证。

　　一是清末刘鹗在所著《老残游记》中记述的一则故事。为了久仰一位清官的大名,不惜亲自出京去游览求证。但所得的结果,使他大失所望。因此他得一结论说:"天下事误于奸慝者,十有三四。误于不通世故之君子者,十有六七。"这又是从另一角度描述贤而且能的人才难得。

　　对于这个问题,清初乾隆时代的监察御史熊学鹏,就张栻(南轩)对宋孝宗的回答,写了一篇更深入的论文,可以暂借作为结案:

　　臣谨按:张栻立言之心,非不甚善。而其所谓"不当求办事之臣"数语,则未能无过也。

　　天下有欲办事而不晓事者,固足以启纷扰之患。天下有虽晓事而不办事者,尤足以贻废弛之忧。

　　盖人臣敬事后食,见事欲其明,而任事更欲其勇;明而不勇,则是任事时,先无敬事之心,又安望其事之有济,且以奏厥成效哉。

　　况"敬事"二字,有正有伪,不可不于办事求之也。在老成慎重通达治体之人,其于一事之是非曲直,前后左右,无不筹划万全,而后举而行之。官民胥受其福。朝廷因赖其功,以为晓事,是诚无愧于晓事之名矣。

　　若夫自负才智,睥睨一世者,当其未得进用,亦尝举在廷之事业而权其轻重,酌其是非,每谓异日必当奋然有为。一旦身任其责,未几而观望之念生,未几而因循之念起,苟且迁就,漫无措置。

　　彼非不知事中之可否,而或有所惮而不敢发,或有所碍而不肯行,于是托晓事之说以自便其身家,而巧为文饰。

　　是人也,用之为小臣,在一邑则一邑之事因之而懈弛。在一郡,则一郡之事因之而阘茸。效奔走,则不能必其勇往而直前。司案牍,则不能必其综核而悉当。至用之为大臣,而其流弊更不可胜言矣。

　　夫大臣者,膺朝廷股肱心膂之寄,所当毅然以天下事为己责,与人君一德一心,以成泰交之盛者也。如不得实心办事之人,而但以敷衍塞责者,外示安静以为晓事,国家亦乌赖有是人为哉。

且以是人而当重任,任其相与附和者,必取疲懦软熟,平日再不敢直言正色之辈,而后引为同类,谬为蒋扬,久而相习成风,率皆顽钝无耻,而士气因以扫地矣。

所以《易》曰:"王臣蹇蹇,匪躬之故","夙夜匪懈,以事一人。"

夫为王臣,而至以匪躬自励,事一人,而必以夙夜自警,是岂徒晓事而不办事者所得与哉。

要之,事不外乎理。不审乎理之所当然,而妄逞意见,以事纷更者,乃生事之臣,究非办事之臣也。

所谓办事者,以其能办是事而不愧,则非不晓事之臣,明矣。

臣愚以为张栻恐宋孝宗误以生事之臣,为办事之臣,只当对曰:陛下固欲求办事之臣,更于办事之臣中,而求晓事之臣。则心足以晓事,而身足以办事。心与身皆为国用,于以共勤政治,庶乎其得人矣。

由于前面引用了历史上这三则故事,更进一层,便可知对于"选贤与能"的贤能标准,很难遽下定义。以道德作标准吗?以仁义作标准吗?或以才能作标准呢?无论如何,结果都会被坏人所利用,有了正面标准的建立,就有反面作伪模式的出现。所以古人说:"一句合头语,千古系驴橛。"说一句话,一个道理,就好比你打了一个固定的桩在那里,以为拴宝贵东西所用。但用来用去用惯了,无论是驴或是鹰犬,也都可以拴挂上去。那是事所必至,理有固然的。

实际上,我们晓得,"尚贤"、"不尚贤"到底哪一样好,都不是关键所在。它的重点在于一个领导阶层,不管对政治也好,对教育或任何事,如果不特别标榜某一个标准,某一个典型,那么有才智的人,会依着自然的趋势发展;才能不足的人,也就安安稳稳地过日子。倘使是标榜怎样作法才是好人,大家为了争取这种做好人的目标,终至不择手段去争取那个好人的模式。如果用手段而去争到好人的模式,在争的过程中,反而使人事起了紊乱。所以,老子提出来"不尚贤,使民不争",并非是消极思想的讽刺。

此外,法家学说,出于道家的支流,它与老庄思想,也息息相通。法家最有名的韩非子,提出一个理论,可以说,相同于老子"不尚贤,使民不争"这个观念的引申发挥,但他提倡用法治领导社会,并不一定需要标榜圣贤道德的政治。他说:"相爱者则比周而相誉,相憎者则比党而相非,诽誉交争,则主威惑矣。家有常业,虽饥不饿;国有常法,虽危不亡。若舍法从私意,则臣不饰其智能,则法禁不立矣。"

他说,人类社会的心理很怪。彼此喜欢"比周",大家在一起肩比肩("比"字就好像一个人在前面走,我从后面跟上来,叫做"比"。"比"字方向相反的话,就成为"背"。你向这面走,我向那面走,便是"背道而驰"。懂了这个字的写法,便可了解后世称"朋比为奸"的意义。"周"是圈圈)。彼此两三个人情投意合的,就成为一个无形的小圈子。若有人问到自己的朋友说:"老张好吗?"就说:"我那个朋友不得了,好得很。"如果有人说他朋友不好,就会与人吵起架来。相反地,"相憎者,则比党而相非",对自己所讨厌的人,就会联合其他人予以攻击。

其实,人类社会对人与人之间的是非毁誉,很难有绝对的标准。站在领导地位的人,对于互相怨憎的诽谤,和互相爱护的称誉,都要小心明辨,不可偏听而受其迷惑。如果先入为主,一落此偏差,"诽誉交争",则人主惑矣。

过去有人批评我们中国人和华侨社会说:"两个中国人在一起,就有三派意见。由此可见中国民族性不团结的最大缺点。"我说:"这也不一定,只要是人类,两个人在一起,就会有三派意见。"譬如一对夫妻,有时就有几种不同的意见,只是为情为爱的牵就,以致调和,或一方舍弃自我的意见。又例如一个大家庭里有许多兄弟姊妹,有时意气用事,互相争吵,实在难以确定谁是谁非,只可引用一个原则。凡是相争者，双方都早已有过错了。因此法家主张领导地位的人，对左派右派之间的诽誉，只有依法专断，不受偏爱所惑，就算是秉公无私了。

韩非由家庭现象，扩而充之，推及一个国家，便说："家有常业，虽饥不饿。国有常法，虽危不亡。若舍法从私意，则臣不饰其智能，则法禁不立矣。"这就是代表法家思想的一个关键，不特别标榜圣贤政治。他们认为人毕竟都是平常人，一律平等，应该以法治为根本才对。这种道理，正是与老子的"不尚贤，使民不争"互为表里，相互衬托。由此可知，法家思想确实出于道家。

道家与法家的辨贤

人文历史的演变，与学术思想相互并行，看来非常有趣，也的确是不可思议的事：有正必有反，有是就有非。正反是非，统统因时间、空间加上人事演变的不同而互有出入。同样也属于道家的鹖子——鹖熊，如果只依照传统的说法而不谈考证他的生平，那么，他比老子还要老了，应该属于周文王时代，与姜太公——吕尚齐名并驾的人物，也是周文王的军师或政略咨议的角色。但他却主张需要起用贤者，而且提出贤士的重要性。如说："圣王在位，百里有一士，犹无有也。王道衰，千里有一士，则犹比肩也。"

他的意思是说，在上古的时代，人心都很朴实，不需要标榜什么道理等等名号。上古时代，圣王在位，纵然百里之内，有一个道德学问很好的人，也是枉自虚生，好比没有用的人一样。因为在那个时代，个个都是好人，人人都差不多，又何必特地请一些贤人来治世呢！好比说，一个社会，完全安分守法，既无作奸犯科的人和事，便不需要有防止、管理作奸犯科的警察了。但他又说，后来王道衰落，社会变乱，十里之外如有一贤士，也要立刻找来，与他并肩同事以治天下。

　　从鹖冠子的理论观点来看历史，一点也不错。例如生在盛唐时代的赵蕤，也是道家人物。他纵有一肚子的谋略学问，但生在升平时代，又有什么用处？只有著书立说，写了一部《长短经》传世，自己去修道当隐士。虽受朝廷征召，始终不肯出山，因此在历史上，称他赵征君。他虽然传了一个徒弟李白——诗人李太白，晚年用非其时，又用得不得当，结果几遭身首异处之祸。好在他年轻时帮忙过危难中的郭子仪，因此后来得郭子仪力保，才得不死。如果再迟一点，在安禄山、史思明以后的乱局，也许李白可与中唐拨乱反正的名相李泌并驾齐驱，各展所长，在历史上便不只属于诗人文士之流，或者可有名臣大臣的辉煌功业呢！

　　鹖冠子他本身，就是一个很好的例子：

　　昔文王见鹖冠子年九十。文王曰：嘻！老矣！鹖冠子曰：若使臣捕虎逐鹿，臣已老矣。坐策国事，臣年尚少。

　　其实，文王说的"老矣"，是一句故意说的笑话，而且也有些为自己感慨的味道。文王用姜太公时，吕尚的年龄，已过了八十岁。他与武王的年龄不相上下。当然，九十岁以外的人，明知兴邦大业，已非自己的年龄所能做到，有如清人赵翼的诗："风云帐下奇儿在，鼓角灯前老泪多。"因此对鹖冠子开了一句玩笑——"嘻！老矣"。是鹖冠子老了？还是他感慨自己也老了？只有他自心知之。可是鹖冠子的答案，也正合文王的心意，彼此知心，一拍即合，一个是求贤若渴，一个是贤良待沽，因此而各取所需，各得其所。这岂不是"尚贤"的明证？况且法家如韩非，他虽然主张法治而不重人治，但用法者是人，不是法。人不用法，法是废物。韩非自荐，正是自认为是贤才，因此而求鬻卖于帝王。如果人主不"尚贤"，韩非又向哪里去卖弄他自己的贤能呢？

　　且让我们再来看看前汉时代，崇拜道家学术的淮南子，他提出了与法家主张相反的意见，如说："鸟穷则啄，兽穷则触，人穷则诈。

峻刑严法,不可以禁奸。"

淮南子这里所提出的相反道理,正如老子所说:"长短相较,高下相倾。"有正面就有反面,淮南子是道家,他以道家的思想,又反对法家。而法家原也出于道家,这是一个颇为有趣的问题。

淮南子说:"鸟穷则啄,兽穷则触,人穷则诈。"鸟饿了抓不到虫吃的时候,看到木头,不管什么都啄来吃。野兽真的饿了,为了获得食物,管你是人或是别的什么都敢去碰。"人穷则诈",人到穷的时候,就想尽办法,以谋生存,骗人也得要骗。如法家的韩非子说:"国有常法,虽危不亡。"淮南子却说不见得:"峻刑严法,不可以禁奸。"纵使法令非常严格,动不动就判死刑,然而众生业海,照样犯罪杀人。这就是"人穷志短,马瘦毛长"的道理,也是没有办法的事。真到穷凶极恶的时候,就胡作非为。因此而又否定法治的功能,还是要以道德的感化,才能够使天下真正地太平。

不管如何说,各家的思想,都有专长。尤其在春秋战国的时候,诸子百家的书籍,多得不可数计,有看说不完的意见。著作之多,多到令人真想推开不看了。往往我们觉得自己有一点聪明,想的道理颇有独到之处。但是,凑巧读到一本古书,脸就红了。因为自己想到的道理,古人已经说过了,几千年前就有了,自己现在才想到,实在不足为贵。总之,像上面讨论的这些正反资料,在书中多得很。

再回过来讲老子所说的"不尚贤,使民不争"。此处之贤,是指何种贤人而说? 真正所标榜的贤人,又贤到何种程度? 很难有标准。不论孔孟学说,或者老庄言论,各家所指的圣贤,要到达何种标准? 那很难确定。所以,属于道家一派的抱朴子说:"白石似玉,奸佞似贤。"一方白色的好石头,晶莹剔透,看起来好像一块白玉,但是就它的质地来看,不论硬度、密度,都不够真玉的标准。如果拿世界宝石标准来评定,充其量只能叫它什么"石"。如"青田石"、"猫眼石"等,实际上只是一种质地较好的石头而已。至于人,也是如此,有时候大奸大恶的人,看起来却像个大好的贤人。所以贤与不贤很难鉴定。我们用这些观点来解释老子的"不尚贤,使民不争"的道理,对大家研究老子这句话的内涵,相信会更有帮助。

现代化好人与老人的表扬法

老子的这本书,毫无疑问,是经人重新整理过,但大体上,已整理得很好,把每一句话的含义性质分别归类。如果各抒己见,认为它原文排列有错误,那就各成一家之言,很难下一定论。

我在介绍第一章的时候,曾首先指出,老子往往将道的体相与作用,混合在一起讨论。而且在作用方面,所谓老庄的"道",都是出世的修道,和入世的行道,相互掺杂,应用无方,妙用无穷,甚至妙不可言。所以,读老庄如读《孙子兵法》一样,所谓"运用之妙,在乎一心"。那么,要想把《老子》的内涵,完全表达出来,是很费事的。尤其在入世应用之道方面,常常牵涉到许多历史哲学。利用史实,加以选择,透过超越事实的表面层,寻求接近形而上道理的讨论。这在一般学府中应该属于一门专门课程。但是许多地方,牵涉到历史事实的时候,就很难畅所欲言了。比如说"不尚贤,使民不争"这句话,尚贤与不尚贤怎样才对,就很难定论。换一句话说,一个真正太平的盛世,就没有什么标榜好人的必要,我们只列举现代化的一两个故事,大概可以增加些许"不尚贤,使民不争"的趣味性。

几年前,台湾社会上发起一个"敬老会",对老人,表扬其年高德劭。第一次举办时,我就发现,这简直是在玩弄老人,为老人早点送终的办法。叫年纪那么大的老人坐在那儿听训、领奖,还要带去各地游览。实际上,对于老人是一种辛苦的负担,我想那些老人可能累坏了,而且更因为这种风气一开之后,就有许多人也不免想进入被"敬老"的行列,这样就变成有所争了。岂不见老子说"不见可欲,使民心不乱"吗? 又如,我们标榜好人,让好人受奖,开始动机没有什么不对,但是形成风气后,社会上就有人想办法去争取表扬。那么,表扬好人的原意,也就变质了。我每年也接到推荐好人好事的公文,但我看来,好人好事太多,推荐谁去好呢? 而且征求一下,大家只对我一笑,摇摇头,摆摆手,谁也不肯接受推荐。我常常笑着说:有两个好人,我想推荐,可惜一个已经死了,一个还未投生。大概我还勉强像小半个好人,只是我也同大家一样,讨厌人家推荐我,更怕自己推荐自己。还是相应不理,让贤去吧(一笑)。我们由这两个故事,大概就可以知道,所谓"不尚贤,使民不争",在老子当时的社会,在那个历史政治的形态中,"尚贤"已经是一种毛病,因此他提出这句话来。

闲话少说,书归正传。其实,人类历史上千古兴亡的人物,从作人与做事两个立场来讲,贤与不肖,君子与小人,忠与奸,在纯粹哲学的角度米看,很难下一确切的定论。如果单从用人行政的立场来讲,清初名臣孙嘉淦的"三习一弊"奏疏中,已经讲得相当透彻了! 其中如说:

夫进君子而退小人,岂独三代以上知之哉! 虽叔季之世(衰乱的末代时势)临政愿治,孰不思用君子? 且自智之君(自信为很高明的领袖们),各贤其臣(各人都认为自己所选拔的干部都是贤者)。孰不以为吾所用者必君子,而决非小人。乃卒于小人进而君子退者,无他,用才而不用德故也。

德者,君子之所独。才则小人与君子共之,而且胜焉。语言奏对,君子讷而小人佞谀,则与耳习投矣。奔走周旋,君子拙而小人便辟,则与目习投矣。即课事(工作的考核)考劳(勤惰的审查),君子孤行其意而耻于言功,小人巧于迎合而工于显勤,则与心习又投矣。

小人挟其所长以善投,人君溺于所习而不觉。审听之而其言入耳,谛观之而其貌悦目,历试之而其才称乎心也。于是乎小人不约而自合,君子不逐而自离。夫至于小人合而君子离,其患岂可胜言哉!

盗机与哲学

其次,老子主张"不贵难得之货,使民不为盗"。这两句话,可说"文从字顺",读来很容易了解。但说对于稀奇难得的财物,不要去珍重、宝贵它,便可使大家不会生起盗心,这就颇有问题。"盗"字有抢劫的强盗、偷窃的小盗等区别。要详细解释"盗"字,也不是容易的事。

如果以纯粹哲学的观念作解释,什么是盗贼行为的内涵?我们可以引用佛家的一个名词,凡是"不与取"的便是盗。广泛地说,"不与取"就是盗的行为,这种定义比世界上任何一种法律更为严密。所谓"与取",是指必须得到对方的同意给予。"不与取",就是没有经过对方的同意,就取为己有的意思。那么,我们就是在地下捡一块泥土回来,没有土地所有者在场,也已经属于"不与取"的行为,也犯了盗戒。所以,人要不犯盗戒,只有餐风饮露,享受江上之清风与山间之明月,才算是清白。

在道家的学术思想里,对于这一点,和佛学有同样意义,道家讲"道"便是"盗机"。《阴符经》说:"天地,万物之盗。万物,人之盗。人,万物之盗。"修道者也就是利用盗机。我们人活着是天地之盗,都是偷了天地自然的东西,偷太阳的光,偷土壤的功能,侵害万物的生命给自己当饭吃,把动物的肉和青菜萝卜吞到胃肠里去,自己还认为理所当然,这都是占了天地万物的便宜,便是盗机。所以说修道的人,也是偷盗天地的精华到我的身上来。好比用一个聚光的凸透镜,放在太阳光下,把阳光聚在一起,成一焦点,摆一根草在焦点上,到了某个程度,就烧起来,然后引火做熟食,这也是偷盗了太阳的热能来自利。修道人偷盗天地精华之机,也是如此,所以说"人，万物之盗"。但"天地，万物之盗"，人固然是偷取天地精华，天地也是偷了万物和我们的生命，才显现出天地存在的威德功能。

这样一来，照道家的看法，这个世界本来就是互相偷盗的世界，彼此相偷，互相混水摸鱼。然后又说自己很仁慈，这真是滑稽之至。比如，我们人叫人类，依上古传统文化中道家的看法，叫我们人是"倮虫"，老虎是"大虫"，蛇是"长虫"，小的爬行生物是"毛毛虫"。所谓"倮虫"的人们，也只是天地间一个生物而已。但又大言不惭地拿其他生物来披毛遮羞，然后夸耀自己为万物之灵，有的是衣冠礼仪，岂非是大盗的行为。

但在老子以及庄子等道家人物的思想中，已经从上古传统广义的盗机理论，缩小范围，归到人文世界的范畴，只讲人类社会的盗机了。最明显地，无过于庄子《胠箧篇》中的危言耸听。同时也指出最稀有最难得之货是什么东西。他说：

然而田成子一旦杀齐君而盗其国，所盗者岂独其国耶！并与其圣知之法而盗之。故田成子有乎盗贼之名，而身处尧舜之安，小国不敢非，大国不敢诛，十二世有齐国。则是不乃窃齐国，并与其圣知之法以守其盗贼之身乎？

尝试论之，世俗之所谓至知者，有不为大盗积者乎！

何以知其然耶？彼窃钩者诛，窃国者为诸侯，诸侯之门而仁义存焉。

同样地，生在多灾多难乱世中的释迦牟尼，在他所说的经典中，有的地方，也是"王贼"并称，揭穿人类贪瞋不已的变态心理。

因为《胠箧篇》对人类历史的诛心之论太透彻了，比之孔子的著《春秋》而责备贤者，使乱臣贼子惧，还要来得干脆明白，所以使千古以下的帝王们，不敢面对，不能卒读，也不可以让别人去读，只能自己偷着来读，用为谋生。用之成功的如曹操，便是"胠箧"系的毕业生;用之失败的如桓温,便是"肱篚"系考试不及格,没有毕业的学生。

在历史的经验上,从唐末天下大乱,形成五代的纷争局面,便有道家哲学思想诗的小品出现,如说:"中原莫遣生强盗,强盗生时不可除。一盗既除群盗起,功臣多是盗根株。"这首是唐末的白话诗,虽然说得很明白,到底缺乏诗人的"温柔敦厚"风格,因此我再三提到,非常欣赏近代诗人易实甫的"江山只合生名士,莫遣英雄作帝王"的含容浑厚。

历史上严禁工业科技发展的死结

有关大盗窃国、小盗窃货等的哲学观念,大概已如上述,暂时不必再加讨论,到此打住。从另一方面来看,我们三千年来的历史经验,素来朝儒道并不分家的传统思想方向施政,固守以农立国,兼及畜牧渔猎盐铁等天然资源的利用以外,一向都用重农轻商的政策,既不重视工业,当然蔑视科技的发展。甚至还严加禁止,对于科技的发明,认为是"奇技淫巧",列为禁令。因此,近代和现代的知识分子,接触西方文化的科学、哲学等学识之外,眼见外国人富国强兵的成效,反观自己国家民族的积弱落后,便痛心疾首地抨击传统文化的一无是处。如代表儒家的孔孟伦理学说,与代表道家的老庄自然思想,尤其被认为是罪魁祸首,不值一顾。

从表面看来,这种思想的反动,并非完全不对。例如老子的"不贵难得之货,使民不为盗。不见可欲,使民心不乱"等等告诫,便是铁证如山,不可否认。而且由秦汉以后,历代的帝王政权,几乎都奉为圭臬,一直信守不渝。其实,大家都忘记了,如老子的这些说法,都是当时临病对症的药方,等于某一时期流行了哪种病症,时医就对症处方,构成病案。不幸后世的医生,不再研究医理病理,不问病源所在,只是照方抓药,死活全靠病人自己的命运。

因此,便变成"单方气死名医"的因医致病了!

我们至少必须要了解自春秋、战国以来的历史社会,由周代初期所建立的文治政权,已经由于时代的更迭,人口的增加,公室社会的畸形膨胀,早已鞭长莫及,虚有其表了。这个时期,也正如太公望所说的"取天下者若逐野鹿,而天下共分其肉"。一般强权胜于公理的诸侯,个个想要称王称帝,达到独霸天下的目的,只顾政治权力上的斗争,财货取予的自恣。谁又管得了什么经纶天下,长治久安的真正策略。因此,如老子他们,针对这种自私自利的心理病态、社会病态,便说出"不尚贤,使民不争。不贵难得之货,使民不为盗。不见可欲,使民心不乱"的近似讽刺的名言。后来虽然变成犹如医药上的单方,但运用方伎的恰当与否,须由大政治家而兼哲学家的临机应变,对症抓药。至于一味地盲目信守成方,吃错了药,医错了病的责任,完全与药方药物无关。

例如我们过去历史上所讴歌颂扬的汉代文景之治,大家都知道,是熟读《老子》的汉文帝母子,信守道家的黄老之道的时代。老子传了三件法宝:"曰慈,曰俭,曰不敢为天下先。"汉文帝自始至终,都一一做到了。汉文帝的俭约是出了名的,"不贵难得之货",也是有事实证明的。他自己穿了二十年的袍子,舍不得丢掉,还要补起来穿。从个人的行为道德来说,一个"贵为天子,富有四海"的皇帝,能够如此俭约,当然是难能可贵。又有人献上一匹千里马给皇帝,他便下了一道诏书,命令四方,再也不要来献难得的货物。这是他继承帝位的第二年,有献千里马者的历史名诏。他说:"鸾旗在前,属车在后,吉行日五十里,师行三十里。朕乘千里马,独先安之?于是还其马,与道里费。"下诏曰:"朕不受献也,其令四方毋复来献。"

在我们的历史与辑著史书者的观念里,郑重记载其事的本意,就是极力宣扬汉文帝的个人行为道德,如此高尚而节俭,希望后世的帝王者效法。如用现代语体来表达这段史实,是说汉文帝知道了有人来献千里马,便说:此风不可长,此例不可开。我已经当了皇帝,要出去有所行动的时候,前面有擎着刺绣飞鸾的旗队,正步开道。后面又跟着侍候的宫人们,坐着刻画祥凤的车队,带着御厨房,平平稳稳,浩浩荡荡地向前推进,大约每天只走五十华里就要休息了。如果带着警卫的部队,加上军事设备等后勤辎重车队,大约每天只走三十华里便要休息了。那么,我当皇帝的,单独一个人骑上千里马要到哪里去呢?

无论是达官显要,乃至贵为帝王,没有周围的排场,没有军警保护的威风,也只是一个普通的人而已,并无其他的奇特之处。甚至遇到危难,还很可能正如民间俗话所说"凤凰失势不如鸡"呢!因此,他退还了这匹奉献上来的千里马,并且交代下去,还要算还送马来的来回路费和开支。同时又下了一道命令(当时把皇帝的命令叫"诏书")宣布说:"朕"(过去历史上皇帝们的自称)不接受任何名贵稀奇的奉献,要地方官们通知四方,以后不要打主意奉献什么东西上来。

这在汉文帝当时的政策作为,的确是很贤明的作风,不只是因为他的个性好尚节俭的关系。在那个时候,从战国以来到秦汉纷争的局面,长达两百余年,可以说中国的人民,长期生活在战争的苦难中。缩短来说,由秦始皇到楚汉纷争以后,直到汉文帝的时代,也有五六十年的离乱岁月。这个时候的社会人民,极其需要的便是"休养生息",其余都是不急之务。所以他的政策一上来便采用了道家无为之治,以"慈"、"俭"、"不敢为天下先"(不要主动去生事)为建国原则。首先建立宽厚的法治精神,废除一人犯罪,并坐全家的严刑。跟着便制定福利社会人民的制度,"诏定振穷、养老之令"。

诏曰:方春和时,草木群生之物,皆有以自乐。而吾百姓鳏寡孤独穷困之人,或阽于死亡而莫之省忧。为民父母将何如?其议所以振贷之。

又曰：老者非帛不暖，非肉不饱，今岁首不时（注：年初及随时的意思）使人存问长老。又无布帛酒肉之赐，将何以佐天下子孙孝养其亲哉！具为令：八十以上，月赐米肉酒。九十以上，加赐帛絮。长吏阅视，丞若尉（丞、尉都是地方基层官职名称）致二千石（地区主政官职称谓）遣都吏循行，不称者督之。

学老子的汉文帝绝对没有错。但是后代有些假冒为善，画虎不成反类犬的帝王们，却错学了汉文帝。例如以欺诈起家，取天下于孤儿寡妇之手的晋武帝司马炎，在他篡位当上晋朝开国皇帝的第四年，有一位拍错马屁的太医司马程，特别精心设计，用精工绝巧的手工艺，制作了一件"雉头裘"，奉献上去。司马炎便立刻把它在殿前烧了，并且下了诏书，认为"奇技、异服、典礼（传统文化的精神）所禁"。敕令内外臣民，敢有再犯此禁令的，便是犯法，有罪。读中国的历史，姑且不论司马氏的天下是好是坏，以及对司马炎的个人道德和政治行为又作什么评价，但历来对奇技淫巧、精密工业以及科技发展的严禁，大体上，都是效法司马炎这一道命令的精神。因此，便使中国的学术思想，在工商科技发展上驻足不前，永远停留在靠天吃饭的农业社会的形态上。

劫灰和人类的物质文明

其实，回转来追溯我们在科学发展的学术思想史上，历代并非无人，只是都怕背上传统观念中玩弄"奇技淫巧"的恶名。同时，更受到混合儒道两家思想的"玩人丧德，玩物丧志"等似是而非的解释所限制。

姑且不说老祖宗黄帝如何发明指南针、指南车，或者更早的老祖宗们在天文和数学方面，又如何一马当先地居于世界科学史上的先导地位。至于战国时代，方士们的炼丹术，成为世界科学史上化学的鼻祖。甚至五行学说的运用,在天文、地理和克服沙漠与航海等困难上,也有相当的贡献。只以科技工业来说,在战国前期,最著名的便有墨子与公输般在军事武器上的彼此互相斗巧。除此之外,《墨子·鲁问篇》与《韩非子·外储篇》上,还分别记载着墨子曾经用木材制造一个飞鸟。公输般也有用竹子、木材制造一只鸟鹊,放在空中飞了三天不掉下来的记录。还有,南北朝时期,有一位和尚,也用木材造了一个飞鸟,在空中飞翔好几天,最后又回转原处降落。不幸的是,这些比发明飞机还早的发明,受到"奇技淫巧"观念的影响,被埋没了,没有受到如西洋思想中的重视,再加研究,再加改进而成为人类实用的科学技能。

至于明代初期郑和所制造远航的大楼船,以及宋、元时代在战争中运用的大炮,是否学自西洋,或是中国的发明,辗转传到欧洲而加以改良,考证起来,实在也很困难。因此,也不敢轻信一般的定论,贸然地认为自西洋传来。

总之,在我们的历史上,自战国以下,科技的发展,都被"奇技淫巧,典礼所禁"这个观念所扼杀,那也是事实。而这个观念,是否受老子的"不贵难得之货,使民不为盗"的思想所影响,却很难肯定。老子所指的"难得之货",正如吕不韦思想中的"奇货可居"的大货。换言之,它的内涵,多半是指天下国家的名器——权力,并非狭小到像他自己——老子一样,只愿意骑上一条青牛过函谷关,决不肯坐大马车去西渡流沙。

因为讲到古代科学技术的发展、机械的发明,以及工商货品的开发,几乎每一样事物都和道家的方伎有关。例如在十九世纪最为重视的动力能源,便是煤炭。在我们的历史上,最初发现煤炭的趣话,是在汉武帝时代。汉武帝为了教练水师——海军而开凿昆明池。因为开凿昆明池这个大水库,便挖到煤炭。但是当时的人们不知道这块黑而发亮又坚硬的石头是什么古怪的东西,便呈献上来给皇帝。汉武帝看了当然也不知道,只好找以滑稽出名的东方朔来问。东方朔耍了一个关子，推说他自己也不知道，就顺水推舟说，正好西域来了一位胡僧，请他来，一定可以找到答案。这样一来，更引起汉武帝的兴趣了。找来了胡僧，问他这块黑石头样的是什么东西，胡僧便说："此乃前劫之劫灰也。"一块煤炭，叫它"劫灰"，多么富有神秘性的文学笔调啊！

其实，劫灰的典故，出在佛经。佛说物质世界的存在，也和人的生命一样，有它固定的变化法则。在人的一生而到死亡，有四大过程，叫做"生、老、病、死"，谁也逃避不了。但就物质世界的地球和其他星球而言，它的存在寿命，虽然比人的身体寿命长，结果也免不了死亡和毁灭，不过把物质世界由存在到毁灭的四大过程，叫它"成、住、坏、空"。当上一次这个地球上的人类世界被毁灭的时候，火山爆发，天翻地覆，在高温高压下，经过长时间的化学变化，没有烧化的，还保有原来形状的，就是化石。至于烧成灰块的，就是煤矿、铁矿之类。熔成浆的，就是石油。佛学中的"前劫之劫灰"，也就是我们所说的煤炭。佛学的这种说法，是被现代科学——地质学的理论所认同的。但在西汉武帝的时代，这种理论就很新奇了。

那么，我们的古人，既然知道了煤炭，为什么不早早开发来应用，却始终上山打柴，拿草木来做燃料呢？这又是另一个有趣而具意义的问题。这个思想，也出在道家的学术思想。道家认为天地是一大宇宙，人身是一小天地。地球也是一个有生机的大生命，就如人身一样。人体有骨骼、血脉、五脏、六腑、耳目口鼻以及大小便等等，地球也是一样，它有生机，不可轻易毁伤它。不然，对人类的生存，反有大害。因此，虽然知道有"天材地宝"的矿藏，也决不肯轻易去挖掘。即使挖掘，也要祭告天地神祇，得到允许。不然，只有偷偷地在地层表面上捡点便宜。其实，哪个神祇又管得了那么多？但是人心即天心，人们的传统思想是如此，神祇的权威就起了作用了。

正因为这种思想，使得我们全国的丰富的煤矿等宝藏，才保留到现在，作为未来子孙们生存的资财。例如现在人所用的能源石油，在道家的观念来讲，是万万不敢轻易多用的。因为那是地球自身营卫的脂肪或者犹同人体的骨髓，如果挖掘过分了，这个地球生命受到危害，就会加速它的毁灭。

这种思想，这种观念，看来多么可笑，而且极富于儿童神话式的浓厚幽默感。因为我们现在是科技的时代，决不肯冒昧地轻信旧说。但是，我们不要不了解，现代真正的大科学家们，他们反而惊奇佩服我们的祖先，远在十几个世纪以前，早已有类似现代科学文明的地质学和矿藏学的理论和认识。

世上无如人欲险

接着"不尚贤"、"不贵难得之货"而来的，便是以"不见可欲，使民心不乱"作为总结。换言之，"不尚贤，使民不争"是消极的避免好名的争斗，"不贵难得之货，使民不为盗"是消极的避免争利的后果。名与利，本来就是权势的必要工具，名利是因，权势是果。权与势，是人性中占有欲与支配欲的扩展。虽是贤者，亦在所难免。司马迁所谓"君子疾没世而名不称焉"、"天下熙熙，皆为利来。天下攘攘，皆为利往"，真是不易的名言。固然也有人厌薄名利，唾责名利，认为不合于道，但"名利本为浮世重，古今能有几人抛"呢？除非真有如佛道两家混合思想的人，所谓"跳出三界外，不在五行中"，也许不在此例，也许是未能确定之词。因为照一般宗教家们所说的超越人类以外的世界，也仍然脱不了权力支配的偶像，那么，无论在这个世间或是超越于这个世界，照样还是跳不出权势的圈套。这样看来，人欲真是可悲的心理行为。不过，也许有人会说，人欲正是可爱的动力，人类如果没有占有支配的欲望，这个世界岂不沉寂得像死亡一样的没有生气吗？是与非，真难说。且让我们转一个方向来反映老子的"不见可欲,使民心不乱"的说法吧!

首先,我们要确定"欲"是什么? 很明显的答案,"欲"有广义和狭义两层涵义。广义的"欲",便是生命存在的动力,包括生存和生活的一切需要。狭义的"欲",一般来说,都是指向男女两性的关系和饮食的需求。

例如代表儒家的孔子,在《周易·序卦传》中便说:"有天地,然后有万物。有万物,然后有男女。有男女,然后有夫妇。有夫妇,然后有父子。有父子,然后有君臣。有君臣,然后有上下。有上下,然后礼义有所错。夫妇之道,不可以不久也。"他在《礼记》的说明中,又说:"男女饮食,人之大欲存焉。"孔子虽然不像后来的告子一样,强调"食、色,性也"。但很显然地,他把"喜、怒、哀、乐、爱、恶、欲"七情中的"欲"字,干脆了当地归到男女饮食的范围。人的生命的存在,除了吃饱喝足之外,跟着而来的,便是男女两性的关系了。因此,他删订《诗经》开端的第一篇,便采用了"关雎"。孔子并不讳言男女饮食,只是强调在男女饮食之际,须要建立人伦的伦理秩序,要"发乎情,止乎礼"。

上面的举例,就是把"欲"的涵义,归纳到狭义的色欲范畴。此外,历来儒道两家的著述,厌薄色欲,畏惧色欲攫人的可怕说法,多到不胜枚举。宋代五大儒中,程明道的"座中有妓,心中无妓"的名言,一直是后世儒者所赞扬的至高修养境界。乃至朱熹的"十年浮海一身轻,乍睹藜涡倍有情。世上无如人欲险,几人到此误平生"等等,似乎都是切合老子的"不见可欲,使民心不乱"的名言。

到了魏晋以后,随着佛家学说的输入,非常明显地,"欲"的涵义,扩充到广义的范畴,凡是对一切人世间或物质世界的事物,沾染执著,产生贪爱而留恋不舍的心理作用,都认为是欲。情欲、爱欲、物欲、色欲,以及贪名、贪利,凡有贪图的都算是欲。不过,它把欲剖析为善与恶的层次。善的欲行可与信愿并称,恶的欲行就与堕落衔接。对于欲乐的思辨分析,极其精详,在此暂且不论。尤其佛家的小乘戒律,视色欲、物欲如毒蛇猛兽,足以妨碍生命与道业,避之唯恐不及。与老子的"不见可欲,使民心不乱"又似如出一辙。因此,从魏晋以后,由儒释道三家文化的结合,汇成中国文化的主流,轻视物欲的发展,偏重乐天知命而安于自然生活的思想,便普遍生根。有人说,此所以儒道两家思想——老子、孔子的学说,历来都被聪明黠慧的帝王们,用作统治的工具。

反正人类总是一个很矛盾的生物,在道理上,都是要求别人能做到无欲无私,以符合圣人的标准。在行为上,自己总难免在私欲的缠缚中打转。不过,自己都有另一套理由可为自己辩白。如果老子的本意,真要人们做到"不见可欲,使民心不乱","虚其心,实其腹,弱其志,强其骨。常使民无知无欲"。事实上,在人世间的现实社会里,是绝不可能的事。除非天地再来一次混沌,人类重返原始的时代,如道家所说的"葛天氏之民,无怀氏之民"的初古时期,或者可以如此。

虚心实腹与鼓气

可是在秦汉以后修学神仙丹道的道家方士们,大多都遵守老子的告诫,要极力做到"绝嗜禁欲,所以除累"的功夫,以便具有学仙得道的资格。不过,请注意我所说的"大多"这个概念。当然不包括自认为是黄帝传承的"黄老之道"的全部道家神仙方术。这些大多数的学道的人们,在基本上,除了希望自己严谨地做到"离情弃欲"为入道之门以外,最重要的,便要做到如老子所说的"虚心实腹,弱志强骨"的实证境界。尤其发展到后世,修道学神仙的,都在修炼如何虚心,如何实腹,如何弱志,如何强骨。再配上老子在后面所说的"专气致柔,能婴儿乎"等等说法,不但使修道的人都致力于追求这种境况,即如练习拳术武功的人,乃至讲究读书做学问,注意修心养性的人们,也在或明或暗地,努力于虚心实腹的功夫。

最有趣的,大家明知"绝嗜禁欲"的涵义,如果这一步做不到,根本就没有办法再继续进修到什么"虚其心"的程度。既然心不能虚,下一步的"实其腹,弱其志,强其骨"的境界,岂非纯是一片空谈。可是谁又自肯承认不对呢? 于是一概不管老子前言的"弃欲虚心"的先决条件,便只从"实其腹"的守神、练气、存想、守丹田等等五花八门的方法上去修炼,于是乔得大腹便便如富家翁,一副满面红光的发财相,就算有道之士,到了最后,仍然跳不出一般常人的规则,还不是落在高血压或心脏病等的老病死亡之列。

讲到这里,且让我们轻松一下,先来看看一些通人达士的说法,免得使一般学道修仙的人听了太过紧张,那就罪过不浅。其实,我也很相信幼年课外读物有关人道的升华,可以达到神仙的境界。这些当年幼少时期的读物,便有:"王子去求仙,丹成上九天。洞中方七日,世上已千年。"以及"三十三天天重天,白云里面出神仙。神仙本是凡人做,只怕凡人心不坚。"但到后来渐渐长大,又读过许多更深入的丹经道书,甚至全部《道藏》,真有如入"山阴道上,目不暇接"的气势。只是相反地,历观许多修道学仙人们的结果,以及一般通人达士的著作,那又不免会心一笑,黄粱梦醒,仍然回到人的本位里来。例如司马迁,曾经亲访修道学仙的人们,而有"山泽列仙之俦,其形清癯"的记载。可见并不是都像元朝以后画家们想象的八仙中的汉钟离,活像一个鱼翅燕窝吃多了的大腹贾的样子。此外,历代文人"反游仙"之类的诗词作品也很多。例如辛稼轩调寄"卜算子"的《饮酒》词,便是从人道的本位立言,不敢妄想成仙学佛:"一个去学仙,一个去学佛。仙饮千杯醉似泥,皮骨如金石? 不饮便康强,佛寿须千百,八十余年入涅槃,且进杯中物。"读了辛稼轩这首词,真可使人仰天狂笑,浮一大白。不过,我们同时要知道,这是他的牢骚,借题发挥,借酒浇愁而已。同样地,他另有一首枉读圣贤书,不能发挥忠诚爱国抱负,而借酒抒怀的名词:"盗跖傥名丘,孔子如名跖,跖圣丘愚直到今,美恶无真实。简册写虚名,蝼蚁侵枯骨,千古光阴一霎时,且进杯中物。"其余如清人的反游仙诗也很多,如借用吕纯阳做题目的,"十年橐笔走神京,一遇钟离盖便倾。不是无心唐社稷,金丹一粒误先生","妾夫真薄命,不幸做神仙"等,到处可见。

道家虚心养气的真传

尽管历来的通人达士们,口头笔下,都在反对神仙佛道,但是遇到无可奈何之处,在潜在的意识里,何尝不憧憬超越人间,徜徉于天人的美景。所以练气行功,讲究气住丹田的人们,依旧多如过江之鲫,趋之若鹜。我常常碰到有些倾心修道的人来问,如何气住丹田等等问题。我总是反问,你为什么要气住丹田来作实腹的功夫?如照道家所说的"气",有三种不同的写法和定义,必须知道。古代道书上的"气"写作"炁"。"炁"这个字的上半部"无"就是后世的"无"字,下面四点则代表了火。那么,无火之谓气,并非指空气的气,也不是呼吸的气。现在用的这个"氣"字,下面有一个米字,是指人们吃了米谷等食物后所化生的气。还有一个好像简体字的"气",是指空气的气,姑且不管它是哪个气,一个人的身躯,犹如一具装有各种零件的皮囊。假如我们把气体打入一个皮袋里,然后要叫这股气呆板固定,永久停留在某一部位,是有可能吗?很明显的答案,气是不会凝固停留在某一部位的。如果说有可能,那已经不是气体,它已变化成为一个固体的东西。在我们的身躯内,另外装进一样固体的东西,那就太可怕了,岂不成了一个瘤吗?气,本来就是"流动不居,周流六虚"的能量,你要气住丹田,充实腹部的下丹田,那只能说"徒有空言,都无实义"。如果真有如此感觉,那是注意力集中,心理控制作用所引发的感受反应而已,并非真有一样东西。

那么,老子所讲的"虚其心,实其腹"就没有它的事实根据吗?

其实,老子讲的是修养上的真实功夫,绝对是真有其事。但它的先决条件,便是从无欲虚心入门。一个人如能真做到"离情弃欲",心如止水澄波,那么,自然而然就可达到吕纯阳《白字铭》的修养境界了:

> 养气忘言守,降心为不为。动静知宗祖,无事更寻谁。真常须应物,应物要不迷。不迷性自住,性住气自回。气回丹自结,壶中配坎离。阴阳生反复,普化一声雷。白云朝顶上,甘露洒须弥。自饮长生酒,逍遥谁得知。坐听无弦曲,明通造化机。都来二十句,端的上天梯。

事实上,难就难在无欲与虚心。正因为不能无欲,因此老子才教人一个消极的办法,只好尽量避免,"不见可欲,使民心不乱"。能够利用消极的办法做到也就不错。然后再求虚心,自然可以充实内体。养之既久,也就自然可以"弱其志,强其骨"了。如果有心求之,早已背道而驰,违反"道法自然"的原则了。因此唐宋以后禅宗大师们呵斥狂妄之徒的习惯语,便反用老子所说的"虚心实腹",认为是"空腹高心"之辈,不足以言了。其实,要明白老子的"虚其心,实其腹"的真实功夫,不如引用孟子的"其生色也,睟然见于面,盎于背,施于四体,四体不言而喻"最为确实。我们现在不是专讲秦汉以后道家神仙派的丹道方术,只因老子本文的"虚心实腹,弱志强骨"的道理,牵涉到神仙丹道的养气、修气、练气等基本观念,略加说明,事关专题,不必细说,到此为止。

赵宋是再次的南北朝

至于由《老子》这章后半段所引起的:"是以圣人之治,虚其心,实其腹,弱其志,强其骨,常使民无知无欲。使夫智者不敢为也。为无为,则无不治"的无为之治的政治思想,在以往的历史上,常被误解，乃至被有些领导一个时代的帝王位，有意或无意地歪曲它的作用，那就不能完全诿过在老子身上了。这种历史上的过谬，最明显的事实，便是宋真宗的故事。

当五代的末期，由赵匡胤的陈桥兵变，黄袍加身，跃登皇帝的大位以后，历来的传统历史学者，秉承一贯的正统观念，都以宋朝为主。如果我们从历史统一大业的观点来说，整个南北宋三百年间的政权，只是与辽、金，乃至西夏等共天下，彼此分庭抗礼，等于东晋以后第二个南北朝的局面。如果从中国文化的立场来看，南北宋与辽金元，都是服膺在中国文化的大纛之下，各有千秋，辽金的文治，比起宋朝，并无太大的逊色。这一观点，也许是我对历史的看法不同，但大致不会太离谱。尤其希望青年学者们，不要忽略了当时辽金的文化与中国文化大系的关系。

在我们的历史上，宋朝的建国，版图很小，治权所及的地区，实在小得可怜。只是有宋一代，在学术文化上，比较重视文人政治，尊重儒家学术的地位，因此颇受历来学者的讴歌赞扬而已。其实，当宋太祖赵匡胤当皇帝开始，玉斧一挥，北方的燕云十六州，已非宋有。西南方的云南迤西、蒙自一带，又有以儒佛文化立国的大理国存在，也不尊奉赵宋的正朔，如果以汉唐的建国精神来讲，先武功而后文治，那么赵宋的天下，实在不无愧色。它的基本原因，因为宋太祖赵匡胤、宋太宗赵匡义两弟兄，天生本质，都是军人而兼爱好读书的学者，因此对于军机兵略，深知利害，不敢轻举妄动。从好的方面来讲，天性比较仁厚，雄长的气魄就比较薄弱，大有如唐代诗人黄松非战诗所谓"泽国江山入战图，生民何计乐樵苏。劝君莫话封侯事，一将功成万骨枯"的慈悲怀抱。

因此，宋太祖赵匡胤的初期策略，极力从事休养生息，在安定中求俭约，希望利用北人的贪得心理，以钱财来麻醉北辽，渐次买回燕云十六州的一半版图。如果我们用现代的名词来说，他是想利用财政经济的策略，来统一全国。不幸的是他的兄弟宋太宗赵匡义，没有全盘了解他哥哥的策略，继位不到几年，就把国库积存的财币，用去了大半。到了宋真宗手里，既不敢战，又不敢和，进退两难，非常棘手。好在肯接受名相寇准所坚持的决策，勉勉强强御驾亲征，博得"澶渊之役"一场军事外交的胜利战。但在当时，几乎已把宋真宗吓破了胆。这些事实，在历史的实录上，可以看得清清楚楚，明明白白。

寇准的胆识

讲到这里，再让我们多费些时间，稍微了解有关宋一代名臣寇准的表儒内道的大手笔。同时也可了解一下，道家"无为而无不为"的精神，用之在臣道的精彩一幕。寇准确是一位深信黄老之道的学者，在他担当军国大事的任内，家里还隐密地供养着一位专修神仙丹道的道人。他的作风，大胆而缜密，豪放而平实，的确是深得黄老之道的三昧。他在澶渊之役中，勉强着皇帝宋真宗御驾亲征，兵临前线，在枪杆下办外交，实在相当冒险。而且当时在宋真宗的旁边，政府内部还有势力相当的反对派。他却不顾一切，谋定而动。这比起三国时代，魏延建议诸葛亮出兵子午谷，还要冒险十倍，但是他居然做了。在这一件史实上，宋真宗肯听寇准的意见，临事能够互相配合，固然也真的很可爱，但是他在前线，与敌人面对面的当时，却不免战战兢兢，实在也很害怕，很想知道寇准的行动究竟有多少把握。于是派人去侦察寇准在做什么，派去的人回来报告，这位身当重任的相爷，公然在这样危急的前方，止与一班幕僚宾客们喝酒赌钱，满不在乎。真宗一听，总算放心了大半。寇准本来有好赌的习惯，但当时的赌局，真的是一场豪赌。他赌给敌人看，赌给宋真宗看，其实，他比诸葛亮在后花园钓鱼、五路退兵的心情，还更紧张沉重，只是不能不好整以暇而已。这就是道家的妙用，也就是老子的"欲取姑予"的姿态。因此，也就难怪他在政治上反对派的死对头王钦若,事后趁间在宋真宗面前用了一句挑拨的话,就使寇准再也不得重用。宋真宗在澶渊之役以后,因为有事而回想起与寇准当时的冒险,颇有复杂的矛盾心理,所以王钦若趁机便说,寇准在澶渊之役,不能算有大功,他只是拿陛下当一次大赌注而已。你看,只须一句便佞的口舌,就可害人不用刀,杀人不见血。好在赵宋的皇帝子孙们,本质上还很厚道,换了别的昏君,寇准的头,准会被他送到敌寇的手里去了。

宋真宗贿赂宰相

　　尽管宋真宗不敢再用寇准,不敢再谈统一的大业,运用输款和谈的政策,以图苟且偷安。但是他知道全国的人心,朝野的士气,并不甘心媚敌,更非心悦诚服这种半投降式的策略。那么,若要做到"使民无知无欲,使夫智者不敢为也。为无为,则无不治",就要另想办法。结果,他接受王钦若的建议,利用宗教来迷醉朝野,安定人心,同时也可以自我安慰,仰仗神力来保佑平安。于是他就假托天神在梦中来降,要他在正殿建"黄箓道场"一个月,当降天书、大中、祥符三篇等等诡话。又使人谎报得天书于泰山,要群臣上表,推尊道号,自称为"崇文广武仪天尊道宝应章感圣明仁孝皇帝"。从此以后,北宋的三百年天下,便与道教的神秘政策结了不解之缘。后来自称为"道君皇帝"的迷信大师宋徽宗的北狩,何尝不是宋真宗的前因所误。

　　一个国家的大政,绝对不能与宗教的作为混为一体,从古今中外人文历史的记录上去求证,凡是宗教与政治混合的时代,政教(宗教)不分的国土,结果没有一个不彻底失败的。不但污蔑了宗教,同时也断送了国家。政治,毕竟是现实智慧的实际成果。宗教,始终是升华现实的出世事业。如果强调宗教就是现实世间的事,那么不是别有用心,就非愚即狂了。所以,宋真宗要想利用宗教的迷信而"使民无知无欲,使夫智者不敢为也"的当时,最大的顾忌,就怕宰辅大臣——同平章事王旦不同意。开始是试探,结果没有办法沟通。于是一方面由王钦若来婉转疏通意见,一方面真宗派宫监夜里送重礼到王旦的相府上去,并不说明来意是为了什么要有这样重的赏赐。这是当皇帝的公然贿赂大臣的杰作。因此弄得公正持重的名臣王旦有口难言,只好随声附和。如果寇准不被挤出中朝政府,恐怕"神道设教"就无法作为这个豪赌的赌注。后来王旦在临终时,虽然宋真宗亲自到病床旁边探病,御手调药,每天还三四次派人询问病况,并由宫中送来薯蓣(山药)粥。但是王旦耿耿于怀的事,却无法因此释然。他在临死时,还吩咐家人要把他剃了须发,穿上和尚的僧衣,表示抗议,表示忏悔。自恨当时对"天书"的愚民政策,没有尽心竭力地劝谏,认为是一大罪过。

　　我们引用了这一段历史的事实,来说明《老子》这一章"使民无知无欲,使大智者不敢为也。为无为,则无不治"被宋真宗反用的前因后果,当然并非老子的本意,更不可随便又给老子背上黑锅。

　　总之,我们不要忘了老子著述的本意,首重效法自然道德的原则,假如人们都在道德的生活中,既不尚贤,又无欲而不争,那当然合乎自然的规范,也就自然是太平无事的天下了。《礼记·礼运》一篇的记载,首先说明孔子的叹息,也是如此。时代到了后世,人人不能自修道德,人人不能善自整治争心和欲望,只拿老子那些叹古惜今的话来当教条,那当然是背道而驰,愈说愈远了。

第　四　章

　　道冲而用之或不盈,渊兮似万物之宗。挫其锐,解其纷,和其光,同其尘。湛兮似或存,吾不知谁之子,象帝之先。

道在存在不存在间

　　紧接上章"为无为,则无不治"的用而勿用,勿用而用之后,便提出"道冲而用之或不盈,渊兮似万物之宗",作为"用道而不为道所用"的更进一层说明。在这里首先要了解"冲"字与"盈"字是对等性的。"冲"字在《老子》这一章句中的意思,应该作为冲和谦虚的"谦冲"解释。换言之,冲,便是虚而不满,同时有源远流长、绵绵不绝的涵义。如果解释"冲"便是用中而不执一端或不执一边的意思,也可以相通。总之,知道道的妙用在于谦冲不已,犹如来自山长水远处的流泉,涓涓汩汩而流注不休,终而汇聚成无底的深渊,不拒倾注,永远没有满盈而无止境。如果了解道的冲而不盈的妙用,它便如生生不已,永无休止,能生万物的那个想象中的宗主功能一样,就可应用无方,量同太虚。

　　能够做到冲虚而不盈不满,自然可以顿挫坚锐,化解纷扰。然后参和它的光景,互同它的尘象。但它依然是澄澄湛湛,和而不杂,同而不流的若存若亡于其间。倘使真能做到这种造诣,完成这种素养,便无法知道它究竟是"谁"之子? 似人而非人,似神而非神,实在无法比拟它像个什么。假使真有一个能主宰万有的大帝,那么,这个能创造大帝的又是谁? 这个"谁之子"的"谁",才是创造大帝与万物的根本功能,也姑且强名之叫它是"道"。但是道本无形,道本无名,叫它是"道",便已非道。因此,只好形容它是"象帝之先"。

本章的原文,大意已经如前面所讲。但它内涵的流变,传到后世,便有从个人修养去体会它本意的一面;又从对人处事等事功去领略它妙用的一面。从个人修养上去体会的,属于修习道术的神仙丹道派的居多。从事功与对人处事去领略的,则属于历来帝王或名臣将相们的行事。

从个人的修养来讲,修道的基本,首先要能冲虚谦下,无论是炼气或养神,都要如此,都要冲虚自然,永远不盈不满,来而不拒,去而不留,除故纳新,流存无碍而不住。凡是有太过尖锐,特别呆滞不化的心念,便须顿挫而使之平息。对于炼气修息,炼神养心,也都要如此,倘有纷纭扰乱、纠缠不清的思念,也必须要解脱。至于气息与精神,也须保养不拘,任其冲而不盈。如此存养纯熟,就可以和合自然的光景,与世俗同流而不合污,自掩光华,混迹尘境。但是此心此身,始终是"冲而用之或不盈"。一切不为太过,太甚。此心此身,仍然保合太和而澄澄湛湛,活活泼泼,周旋于尘境有无之间。但虽说是澄澄湛湛,必须若存若亡,不可执著。我即非我,谁亦非谁,只是应物无方,不留去来的痕迹,所谓"先天而弗违,后天而奉天时",如此而已。

但在一般道家人物的行为来说,对于"和其光,同其尘"两句,尤其重视。同时配合魏伯阳真人所著《参同契》中"被褐怀玉,外示狂夫"的两句话,奉为典范,所以有道之士往往装疯卖傻,蓬头垢面混迹于尘世。这种思想和作为,到了后世,便更有甚焉,构成小说中许多故事,影响民俗思想甚巨,如济公活佛的喝酒吃狗肉,吕纯阳三戏白牡丹等等,都从"和光同尘"的观念而来,勾画出修道人的另一番面目。全于《高士传》、《高僧传》或《神仙传》的人物,典型各有不同,大体说来,真能和光同尘的实在太难,也并不多见。

汉文帝、康熙、郭子仪

从事功方面来讲,受到老子思想的影响,建立一代事功的帝王,严格说来,只有汉文帝和清初的康熙。尤其康熙善于运用黄老之道的成就,更有过于汉文帝的作为。

汉文帝是老老实实地实行老子的哲学来治国,奠定两汉四百年的刘家天下。康熙是灵活运用黄老的法则,开建清朝统一的局面。以十多岁的少年,处在内有权臣、外有强藩的局面,而能除鳌拜,平三藩,内开博学鸿词科以网罗前明遗老,外略蒙藏而开拓疆土,都自然而然地合于老子的"冲而用之或不盈"、"挫其锐,解其纷"的法则,深得老子的妙用。因此,他特地颁发《老子道德经》,嘱咐满族亲王们加以研读,奉为领导学的圣经宝典。

姑且不谈汉文帝与康熙的老子哲学。退而求其次,随便列举历史上名将相的事功,用来说明《老子》本章中的"冲而用之或不盈",以及"挫其锐,解其纷"的作为。了解中唐名将郭子仪与名相李泌的故事,也可"得其圜中,应用无穷"了!

郭子仪,是道道地地,经过考试录取的武举异等出身,历任军职,到了唐玄宗(明皇)天宝十四年,安禄山造反,才开始诏命他为卫尉卿、灵武郡太守、克朔方节度使,屡战有功。当唐明皇仓皇入蜀,皇太子李亨在灵武即位,后来称号唐肃宗,拜郭子仪为兵部尚书、同中书门下平章事,仍总节度使的职权。转战两年之后,郭子仪从帝子出任元帅的广平王李豫,统率番汉兵将十五万,收复长安。肃宗曾亲自劳军灞上,并且对他说:"国家再造,卿力也。"但在战乱还未平靖,到处尚需用兵敉平的时候,恐怕郭子仪、李光弼等功劳太大,难以驾驭,便不立元帅,而派出太监鱼朝恩为观军容宣慰使来监军。

一个半男半女的太监,又懂得什么,但他却代表了朝廷(政府)

和皇帝，处处加以阻挠，动辄掣肘，致使王师虽众而无统率。在战场上，各个将领就互相观望，进退失据。不得已，又诏郭子仪为东畿山南东道河南诸道行营元帅，鱼朝恩因此更加忌妒，密告郭子仪许多不是，因此又诏郭子仪交卸兵权，回归京师。郭子仪接到命令，不顾将士的反对，瞒过部下，独自溜走，奉命回京闲居，一点也没有怨尤的表示。

接着，史思明再陷河洛，西戎又逼据首都，经朝廷（政府）的公认，认为郭子仪有功于国家，现在大乱未靖，不应该让他闲居散地。肃宗才有所感悟，不得已，诏他为诸道兵马都统，后来又赐爵为汾阳王。可是这时候的唐肃宗已经病得快死了，一般臣子都无法见到。郭子仪便再三请求说："老臣受命，将死于外，不见陛下，目不瞑。"因此才得引见于内寝，此时肃宗亲自对郭子仪说：河东的事，完全委托你了！

肃宗死后，当时和郭子仪并肩作战、收复两京的广平王李豫继位，后来称号为唐代宗。又因亲信程元振的谗言，暗忌宿将功大难制，罢免了郭子仪的一切兵权职务，只派他为监督修造肃宗坟墓的山陵使而已。郭子仪愈看愈不对，一面尽力修筑好肃宗的陵寝——坟墓，一面把肃宗当时所赐给他的诏书敕命千余篇（当然包括机密不可外泄的文件），统统都缴还上去，才使代宗有所感悟，心生惭愧，自诏说："朕不德，诒大臣忧，朕甚自愧，自今公毋疑。"

跟着，梁崇义窃据襄州，叛将仆固怀恩屯汾州，暗中约召回纥、吐蕃寇河西、践泾州、犯奉天、武功。代宗也同他的祖父唐明皇一样，离京避难到陕州。不得已，又匆匆忙忙拜郭子仪为关内副元帅，坐镇咸阳。这个时候，郭子仪因罢官回京以后，平常所带的将士，都已离散，身边只有老部下数十个骑士。他一接到诏命，只好临时凑合出发，藉民兵来补充队伍，一路南下，收集逃兵败将，加以整编，到了武关，又收编驻关防的部队，凑了几千人。后来总算碰到旧日的部将张知节来迎接他，才在洛南扩大阅兵，屯于商丘。因此,又是军威大震,使得吐蕃夜溃遁去,再次收复两京。

大概介绍了郭子仪个人历史的几个重点,就可以看出他的立身处世,真正做到"用之则行,舍之则藏",不怨天,不尤人的风格。他带兵素来以宽厚著称,对人也很忠恕。在战场上,沉着而有谋略,而且很勇敢。朝廷(政府)需要他时,一接到命令,不顾一切,马上行动。等到上面怀疑他,要罢免他时,也是不顾一切,马上就回家吃老米饭。所以屡黜屡起,国家不能没有他。像郭子仪这样作为,处处合于老子的"冲而用之或不盈"的大经大法。无怪其生前享有令名,死后成为历史上"富贵寿考"四字俱全的绝少数名臣之一。

郭子仪与鱼朝恩

另两件有关他个人的行谊,足以说明"挫其锐,解其纷"做法的。一是关于他与监军太监鱼朝恩的恩怨,在当时的政治态势上,是相当严重的,鱼朝恩曾经派人暗地挖了郭子仪父亲的坟墓。当唐代宗大历四年的春天,郭子仪奉命入朝。到了郭子仪回朝,朝野人士都恐怕要掀起一场大风暴,代宗也为了这件事,特别吊唁慰问。郭子仪却哭着说:我在外面带兵打仗,士兵们破坏别人的坟墓,也无法完全照顾得到,现在我父亲的坟墓被人挖了,这是报应,不必怪人。

鱼朝恩便来邀请他同游章敬寺,表示尊敬和友好。这个时候的宰相是元载,也不是一位太高尚的人物。元载知道了这个消息,怕鱼朝恩拉拢郭子仪,问题就大了。这种政坛上的人事纠纷,古今中外,都是很头痛的事。因此,元载派人秘密通知郭子仪,说鱼朝恩的邀请,是对他有大不利的企图,要想谋杀他。郭子仪的门下将士,听到这个消息,极力主张要带一批武装卫队去赴约。郭子仪却毅然决定不听这些谣传,只带了几个必要的家僮,很轻松地去赴会。他对部将们说："我是国家的大臣,他没有皇帝的命令,怎么敢来害我。假使受皇帝的密令要对付我,你们怎么可以反抗呢?"就这样他到了章敬寺,鱼朝恩看见他带来的几个家僮们戒备性的神情,就非常奇怪地问他有什么事。于是郭子仪老老实实告诉他外面有这样的谣传,所以我只带了八个老家人来,如果真有其事,免得你动手时,还要煞费苦心地布置一番。他这样的坦然说明,感动得鱼朝恩掉下了眼泪说:"非公长者,能无疑乎!"如果不是郭令公你这样长厚待人的大好人,这种谣言,实在叫人不能不起疑心的。

卢杞、李白与郭子仪

　　另有一则故事,是在郭子仪的晚年,他退休家居,忘情声色来排遣岁月。那个时候,后来在唐史《奸臣传》上出现的宰相卢杞,还未成名。有一天,卢杞来拜访他,他正被一班家里所养的歌伎们包围,正在得意地欣赏玩乐。一听到卢杞来了,马上命令所有女眷,包括歌伎,一律退到大会客室的屏风后面去,一个也不准出来见客。他单独和卢杞谈了很久,等到客人走了,家眷们问他:"你平日接见客人,都不避讳我们在场,谈谈笑笑,为什么今天接见一个书生却要这样的慎重。"郭子仪说:"你们不知道,卢杞这个人,很有才干,但他心胸狭窄,睚眦必报。长相又不好看,半边脸是青的,好像庙里的鬼怪。你们女人们最爱笑,没有事也笑一笑。如果看见卢杞的半边蓝脸,一定要笑,他就会记恨在心,一旦得志,你们和我的儿孙,就没有一个活得成了!"不久卢杞果然作了宰相,凡是过去有人看不起他,得罪过他的,一律不能免掉杀身抄家的冤报。只有对郭子仪的全家,即使稍稍有些不合法的事情,他还是曲予保全,认为郭令公非常重视他,大有知遇感恩之意。

　　讲到这里,忽然想到另外一则李太白与郭子仪有关的故事。在郭子仪初出茅庐,担当小军官时候,因为不小心犯了军法,而被扣押。这件事情被李白知道了。李白早就非常器重这位少壮军官,一听到消息,就来找到郭子仪的长官说情,这个长官也是李白的朋友,因此就从轻处置,平安无事。等到后来安禄山造反以后,天宝十五年,李白在江西浔阳,却和另一位李家的帝子,永王李璘相识,拉他参加幕府。永王名义上是起兵勤王,实际上也想趁机上台当皇帝,因此而违抗肃宗的东巡诏命,结果兵败于丹阳,李白也受到牵累,在浔阳坐牢,后来又要被流放到夜郎。好在郭子仪已收复两京,名震一时,功劳又大,他知道李白受到牵连致罪,就拿他的战功极力保奏,李白才蒙赦免。这件历史故事记载在唐人的诗话中,是否真实,我们不讲考据。不过一个名士和名将的知遇结合,却是人们情愿相信确有其事,而且也显见古人长厚,好人好事的一报还一报,很是痛快淋漓。因此昔日女诗人汪小蕴,在论史诗中有关郭子仪的名句有:"一代威名迈光弼,千秋知己属青莲。"青莲是李白的别号。

史载郭子仪年八十五而终。他所提拔的部下幕府中,有六十多人,后来皆为将相。八子七婿,皆贵显于当代。"天下以其身为安危者殆三十年,功盖天下而主不疑,位极人臣而众不嫉,穷奢极欲而人不非之。"历代历史上的功臣,能够做到功盖天下而主不疑,位极人臣而众不嫉,穷奢极欲而人不非,实在太难而特难。这都是郭子仪一生的作人处事,自然合乎"冲而用之或不盈","挫其锐,解其纷,和其光,同其尘,湛兮似或存"的原则。

半个芋头,十年宰相

李泌,也是中唐史上突出的人物,他几乎和郭子仪相终始,身经四朝——玄宗、肃宗、代宗和德宗,参与宫室大计,辅翼朝廷,运筹帷幄,对外策划战略,配合郭子仪等各个将领的步调,使其得致成功,也可以说是肃宗、代宗、德宗三朝天下的重要人物。只是因他一生爱好神仙佛道，被历来以儒家出身、执笔写历史的大儒们主观我见所摒弃，在一部中唐变乱史上，轻轻带过，实在不太公平。其实，古今历史，谁又敢说它是绝对公平的呢？说到他的淡泊明志，宁静致远，善于运用黄老拨乱反正之道的作为，实在是望之犹如神仙中人。

李泌幼年便有神童的称誉，已能粗通儒、佛、道三家的学识。在唐玄宗（明皇）政治最清明的开元时期，他只有七岁，已经受到玄宗与名相张说、张九龄的欣赏和奖爱。有一次，张九龄准备拔用一位才能不高，个性比较软弱，而且肯听话的高级臣僚。李泌虽然年少，跟在张九龄身边，便很率直地对张九龄说：“公起布衣，以直道至宰相，而喜软美者乎！”相公称自己也是平民出身，处理国家大事，素来便有正直无私的清誉，难道你也喜欢低声下气而缺乏节操和能力的软性人才吗？张九龄听了他的话，非常惊讶，马上很慎重地认错，改口叫他小友。

李泌到了成年的时期，非常博学，而且对《易经》的学问，更有心得。他经常寻访嵩山、华山、终南等名山之间，希望求得神仙长生不死的方术。到了天宝时期，玄宗记起他的幼年早慧，特别召他来讲《老子》，任命他待诏翰林，供奉东宫，因而与皇太子兄弟等非常要好。在这个时候，他已经钻研于道家方术的修炼，很少吃烟火食物了。

有一天晚上，他在山寺里，听到一个和尚念经的声音，悲凉委婉而有遗世之响，他认为是一位有道的再来人。打听之下，才知道是一个做苦工的老僧，大家也不知道他叫什么名字。平常收拾吃过的残羹剩饭充饥，吃饱了就伸伸懒腰，找个角落去睡觉，因此大家便叫他懒残。李泌知道了懒残禅师的事迹，在一个寒冬深夜，独自一个人偷偷去找他，正碰到懒残把捡来的干牛粪，垒作一堆当柴烧，生起火来烤芋头。这个和尚在火堆旁缩做一团，面颊上挂着被冻得长流的清鼻水。李泌看了，一声不响，跪在他的旁边。懒残也像没有看见他似的,一面在牛粪中捡起烤熟了的芋头,张口就吃。一面又自言自语地骂李泌是不安好心,要来偷他的东西。边骂边吃,忽然转过脸来,把吃过的半个芋头递给李泌。李泌很恭敬地接着,也不嫌它太脏,规规矩矩地吃了下去。懒残看他吃完了半个芋头便说:好!好!你不必多说了,看你很诚心的,许你将来做十年的太平宰相吧!道业却不说了!拍拍手就走了。

白衣山人——李泌

　　到了安禄山造反,唐明皇仓皇出走,皇太子李亨在灵武即位,是为肃宗,到处寻找李泌,恰好李泌也到了灵武。肃宗立刻和他商讨当前的局面,他便分析当时天下大势和成败的关键所在。肃宗要他帮忙,封他做官,他恳辞不干,只愿以客位的身份出力。肃宗也只好由他,碰到疑难的问题,常常和他商量,叫他先生而不名。这个时候,李泌已少吃烟火食。肃宗有一天夜里,高兴起来,找来兄弟三王和李泌就地炉吃火锅,因李泌不吃荤,便亲自烧梨二颗请他,三王争取,也不肯赐予。外出的时候,陪着肃宗一起坐车。大家都知道车上坐着那位穿黄袍的,便是皇帝,旁边那位穿白衣的,便是山人李泌。肃宗听到了大家对李泌的称号,觉得不是办法,就特别赐金紫,拜他为广平王(皇太子李豫)的行军司马。并且对他说:先生曾经侍从过上皇(玄宗),中间又做过我的师傅,现在要请你帮助我儿子做行军司马,我父子三代,都要借重你的帮忙了。谁知道他后来帮忙到子孙四代呢!

　　李泌看到肃宗当时对政略上的人事安排,将来可能影响太子的继位问题,便秘密建议肃宗使太子做元帅,把军政大权付托给他。他与肃宗争论了半天,结果肃宗接受了他的意见。

　　肃宗对玄宗的故相李林甫非常不满,认为天下大乱,都是这个奸臣所造成,要挖他的坟墓,烧他的尸骨。李泌力谏不可,肃宗气得问李泌,你难道忘了李林甫当时的情形吗？李泌却认为不管怎样,当年用错了人,是上皇(玄宗)的过失。但上皇治天下五十年,难免会有过错。你现在追究李林甫的罪行,加以严厉处分,间接地是给上皇极人的难堪,是揭玄宗的疮疤。你父亲年纪大了,现在又奔波出走,听到你这样做,他一定受不了,老年人感慨伤心,一旦病倒,别人会认为你身为天子,以天下之大,反不能安养老父。这样一来,父子之间就很难办了。肃宗经过他的劝说,不但不意气用事,反而抱着李泌的脖子,痛哭着说：我实在没有细想其中的利害。这就是李泌"冲而用之或不盈"的大手笔。唐明皇后来能够自蜀中还都,全靠他的周旋弥缝。

山人自有妙计

肃宗问李泌剿贼的战略,他就当时的情势,定出一套围剿的计划。首先他断定安禄山、史思明等的党羽,是一群没有宗旨的乌合之众,目的只在抢劫,"天下人计,非所知也。不出二年,无寇矣。陛下无欲速,大王者之师,当务万全,图久安,使无后害。"因此,他拟定战略,使李光弼守太原,出井陉。郭子仪取冯翊,入河东,隔断盗魁四将,不敢南移一步。又密令郭子仪开放华阴一角,让盗众能通关中,使他们北守范阳,西救长安,奔命数千里,其精粹劲骑,不逾年而蔽。我常以逸待劳,来避其锋,去蹄其疲。以所征各路之兵,会扶风,与太原朔方军互击之,徐命帝子建宁王李倓为范阳节度大使,北并塞,与李光弼相犄角以取范阳。贼失巢窟,当死河南诸将手。肃宗统统照他的计划行事,后来都不出其所料。这便是李泌的"挫其锐,解其纷"的战略运用。

后来最可惜的,是唐肃宗急功近利,没有听信李泌的建议,致使河北没有彻底肃清,仍然沦陷于盗贼之手,便自粉饰太平,因此而造成历史上晚唐与五代之际华夷战乱的后遗症。

　　为了特别褒扬久被埋没的李泌长才,再略加说明他的行谊事绩。肃宗为了尽快收复首都长安,等到郭子仪筹借到西北军大集合的时候,便对李泌说:"今战必胜,攻必取,何暇千里先事范阳乎!"李泌就说:如果动用大军,一定想要速得两京,那么贼势一定会重新强盛,我们日后会再受到困扰。现在我们有恃无恐的强大兵力,全靠碛西突骑(骑兵)、西北诸戎。假如一定要先取京师,大概在明年的春天,就可成功。但是关东的地理环境,与气候等情况,春天来得较早,气候容易闷热,骑兵的战马也容易生病,战士们思春,也会想早点回家,便不愿再来辗转作战了。那么,沦陷中的敌人,又可休养士卒,整军经武以后,必复再度南来,这是很危险的办法。但是肃宗这次,却坚决地不听李泌的战略意见,急于收复两京,可以称帝坐朝,由此便有郭子仪借来回纥外兵,从元帅广平王等收复两京的一幕出现。

　　两京收复,唐明皇还都做太上皇,肃宗重用奸臣李辅国。李泌一看政局不对,怕有祸害,忽然又变得庸庸碌碌,请求隐退,遁避到衡山去修道。大概肃宗也认为天下已定,就准他退休,赏赐他隐士的服装和住宅,颁予三品禄位。

　　另有一说,李泌见到懒残禅师的一段因缘,是在他避隐衡山的时期。总之,"天道远而人道迩",仙佛遇缘的传说,事近渺茫,也无法确切地考据,存疑可也。

英雄退步学神仙

　　李泌在衡山的隐士生活过不了多久,身为太上皇的唐明皇死了,肃宗跟着也死了,继位当皇帝的,便是李泌当年特别加以保存的皇太子广平王李豫,后来称号为唐代宗。代宗登上帝位,马上就召李泌回来,起先让他住在宫内蓬莱殿书阁,跟着就赐他府第,又强迫他不可素食,硬要他娶妻吃肉,这个时候,李泌却奉命照做了。

但是宰相元载非常忌妒他的不合作,找机会硬是外放他去做地方官。代宗暗地对他说,先生将就一点,外出走走也好。没多久,元载犯罪伏诛,代宗立即召他还京,准备重用。但又为奸臣常衮所忌,怕他在皇帝身边对自己不利,又再三设法外放他出任澧郎峡团练使,后再迁任杭州刺史。他虽贬任地方行政长官,到处仍有很好的政绩,这便是李泌的"和其光,同其尘,湛兮似或存"的自处之道。

当时奉命在奉天,后来继位当皇帝,称号为唐德宗的皇太子李适,知道李泌外放,便要他到行在(行辕),授以左散骑常侍。对于军国大事,李泌仍然不远千里地向代宗提出建议,代宗也必定采用照办。到了德宗继位后的第三年,正式出任宰相,又封为邺侯。勤修内政,充裕军政费用。保全功臣李晟、马燧,以调和将相。外结回纥、大食,以困吐番而安定边陲。常有与德宗政见不同之处,反复申辩上奏达十五次之多。总之,他对内政的处理,外交的策略,军事的部署,财经的筹划,都做到了安和的绩效。

但德宗却对他说:我要和你约法在先,因你历年来所受的委屈太多了,不要一旦当权,就记恨报仇,如对你有恩的,我会代你还报。李泌说:"臣素奉道,不与人为仇。"害我的李辅国、元载他们,都自毙了。过去与我要好的,凡有才能的,也自然显达了。其余的,也都零落死亡了。我实在没什么恩怨可报的。但是如你方才所说,我可和你有所约言吗?德宗就说,有什么不可呢!于是李泌进言,希望德宗不要杀害功臣。"李晟、马燧有大功于国,闻有谗言之者。陛下万一害之,则宿卫之士,方镇之臣,无不愤怒反仄,恐中外之变复生也。陛下诚不以二臣功大而忌之,二臣不以位高而自疑,则天下永无事矣。"德宗听了认为很对,接受了李泌的建议。李晟、马燧在旁听了,当着皇帝感泣而谢。

不但如此,他做起事来,非常认真负责,曾经与皇帝力争相权。因为德宗对他说:"自今凡军旅粮储事,卿主之。吏礼委延赏(张延赏),刑法委珲(珲瑊)。"李泌就说:"陛下不以臣不才,使待罪宰相。

宰相之职,天下之事,咸其平章,不可分也。若有所主,是乃有司,非宰相矣。"德宗听了,便笑着说,我刚才说错了话,你说的完全对。

不幸的是,宫廷父子之间,又受人中伤而有极大的误会,几乎又与肃宗一样造成错误,李泌为调和德宗和太子之间的误会,触怒了德宗说:"卿不爱家族乎?"意思是说,我可以杀你全家。李泌立刻就说:"臣惟爱家族,故不敢不尽言,若畏陛下盛怒而曲从,陛下明日悔之,必尤臣曰:吾独任汝为相,不谏使至此,必复杀臣子。臣老矣,余年不足惜,若冤杀臣子,使臣以侄为嗣,臣未知得歆其祀乎!"因呜咽流涕。上亦泣曰:"事已如此,奈何?"对曰:"此大事愿陛下审图之,自古父子相疑,未有不亡国者。"

接着李泌又提出唐肃宗与代宗父子恩怨之间的往事说:"且陛下不记建宁之事乎?"(唐肃宗因受宠妃张良娣及奸臣李辅国的离间,杀了儿子建宁王李倓)德宗说:"建宁叔实冤,肃宗性急故耳。"李泌说:"臣昔为此,故辞归,誓不近天子左右,不幸今日复为陛下相,又观兹事。且其时先帝(德宗的父亲代宗)常怀畏惧。臣临辞日,因诵《黄台瓜辞》,肃宗乃悔而泣。"(《黄台瓜辞》,唐高宗太子——李贤作。武则天篡位,杀太子贤等诸帝子,太子贤自恐不免故作:"种瓜黄台下,瓜熟子离离。一摘使瓜好,再摘令瓜稀。三摘犹自可,摘绝抱蔓归。")

德宗听到这里,总算受到感动,但仍然说:"我的家事,为什么你要这样极力参与?"李泌说:"臣今独任宰相之重,四海之内,一物失所,责归于臣,况坐视太子冤横而不言,臣罪大矣。"甚至说到"臣敢以宗族保太子。"中间又往返辩论很多,并且还告诉德宗要极力保密,回到内宫,不要使左右知道如何处理此事。一面又安慰太子勿气馁,不可自裁,他对太子说:"必无此虑,愿太子起敬起孝,苟泌身不存,则事不可知耳!"最后总算解开德宗父子之间的死结。德宗特别开延英殿,独召李泌,对他哭着说:"非卿切言,朕今日悔无及矣! 太子仁孝,实无他也。自今军国及朕家事,皆当谋于卿矣。"

李泌听了,拜贺之外,便说:"臣报国毕矣,惊悸亡魂,不可复用,愿乞骸骨。"德宗除了道歉安慰,硬不准他辞职。过了一年多,李泌果然死了,好像他又有预知似的。

历来的帝王宫廷,一直都是天下是非最多、人事最复杂的场所。尤其王室中父子兄弟、家人骨肉之间权势利害的悲惨斗争,真是集人世间悲剧的大总汇。况且"疏不间亲",古有明训。以诸葛亮的高明,他在荆州,便不敢正面答复刘琦问父子之间的问题。但在李泌,处于唐玄宗、肃宗、代宗、德宗四代父子骨肉之间,都挺身而出,仗义直言,排难解纷,调和其父子兄弟之间的祸害,实在是古今历史上的第一人。因此,汪小蕴女史咏史诗,论邺侯李泌,便有"勋参郭令才原大,迹似留侯术更淳"的名句。郭令,是指郭子仪。郭子仪的成功,全靠李泌幕后的策划。留侯,是写他与张良对比。可惜在一般史书所载的偏见评语,轻轻一笔带过,还稍加轻视的色调,如史评说:"泌有谋略,而好谈神仙怪诞,故为世所轻。"其实,查遍正史,李泌从来没有以神仙怪诞来立身处事。个性思想爱好仙佛,只是个人的好恶倾向,与经世学术,又有何妨?善用谋略来拨乱反正、安邦定国,谋略有什么不好? 由此可见,史学家的论据,真是可信而不能尽信,大可耐人寻味。

总之,大略讲了中唐时期的郭子仪与李泌的历史经验,说明本章"冲而用之或不盈,渊兮似万物之宗。挫其锐,解其纷,和其光,同其尘"的效用,见之于文武将相在事功上的成就,可观可法之处甚多。这段的发挥就暂且到此为止。

第 五 章

天地不仁，以万物为刍狗，圣人不仁，以百姓为刍狗。天地之间，其犹橐籥乎，虚而不屈，动而愈出。多言数穷，不如守中。

圣人与刍狗

从《老子》第一章"常无，欲以观其妙。常有，欲以观其徼。此两者同出而异名，同谓之玄。玄之又玄，众妙之门"，到"道冲而用之或不盈，渊兮似万物之宗"，都以似异实同，体同用异的表达，说明道体的会同和作用的差别，由个人身心体会大道和立身处事的体同用异的层次。到了本章，又特别提出一则惊世骇俗的名言谠论，致使后世众说纷纷，各抒己见。甚至，因此确认老子为阴谋家的鼻祖，或者指老子鄙夷儒家，薄视仁义，将人文的一切道德观念，视为知识的伪装。见仁见智，各执一端。谁是异端，谁是正见，本来便是各个思想上主观的认定，也无足为怪。但老子在文言字句上，确是直截了当地说："天地不仁，以万物为刍狗。圣人不仁，以百姓为刍狗。"文从字顺，难道这不是尖刻讽刺的语意吗？其实，并非如此，未必尽然。

为了说明其中的道理，必须先对本文中两个名词的内涵作个交代。一是"刍狗"，一是"仁"。"刍狗"，是草扎的狗，当然不是真的狗。说句老实话，我们的先民吃狗肉是很通常的事，直到现在，广东的同胞们还喜欢吃狗肉，并不为怪，那是先民习俗的遗风。古人所谓家有六畜以备馔食，狗便是六畜中之一。因此，上古的祭祀,用狗肉作祭品,是很普遍的事。大约到了商、周以后,在祭祀中,才渐渐免除了狗肉这项祭品。但在某些祀典中,仍然须用草扎一个象形的狗,替代杀一头真的活狗,这就是"刍狗"的来源。刍狗还未登上祭坛之前,仍是受人珍惜照顾,看得很重要。等到祭典完成,用过了的刍狗,就视同废物,任意抛弃,不值一顾了。这正如流传到现在的民俗祭神,有时简化一点,不杀活猪,便用米粉做一个猪头来拜拜,拜过以后,也就可以随便任人当副食,而不像供在祭坛上那么神圣不可侵犯了。"仁"字,在《老子》这章的本义中,当然是代表了周秦时代诸子百家所标榜的仁义的"仁",换言之,也就是爱护人或万物的仁慈、仁爱等爱心的表相。

当在春秋战国之际,诸侯纷争,攫掠一般平民的生命财产、子女玉帛,割地称雄,残民以逞,原属常事。因此,知识分子的读书人,奔走呼吁,号召仁义,揭示上古圣君贤相,要人如何体认天心仁爱,如何以仁心仁术来治天下,才能使天下太平。不但儒者如此,其他诸子百家,大概也都不外以仁义为宣传,以仁义为号召。无论是哪一种高明的学说,或哪一种超然的思想,用之既久,就会产生相反的弊病,变为只有空壳的口号,并无真正的实义了。例如佛说"平等",但经过几千年来的印度,阶级悬殊,仍然极不平等。同样地,我们先民教导了几千年的仁义,但很可惜的,又能有几多人的作为,几多时的历史,真正合于仁义之道!又如耶稣,大声疾呼要"博爱",但在西方两千年来的文化,又有哪个时代真正出现对世界人类的博爱!此正是老子叹息"大道废,有仁义。慧智出,有大伪"的来由。

如果我们了解了这些反面的道理,便可知道老子所提出正面的哲学。天地生万物,本是自然而生,自然而有。生了万物是很自然的事,死杀万物,也是很自然的事。天地既不以生出万物为作好事,同时也不以死杀万物为做坏事。天地既生了长养万类的万物,同时,也生了看来似乎相反的毒杀万类的万物。生长了补药,也生长了毒药。补品不一定是补，因补可以致死。毒物也不一定是毒，以毒攻毒，可以活命。天地并不一定厚待于人类而轻薄了万物，只是人类予智自雄，自认为天地是为了人们而生长万物，人自称为万物之灵。其实，人们随时随地，都在伤害残杀万物。假如万物有灵，一定会说人是万物的最大毒害。其实，天地无心而平等生发万物，万物亦无法自主而还归于天地。所以说："天地不仁，以万物为刍狗。"这是说天地并没有自己立定一个仁爱万物的主观的天心而生万物。只是自然而生，自然而有，自然而归于还灭。假如从天地的立场，视万物与人类平等，都是自然的，偶然的，暂时存在，终归还灭的"刍狗"而已。生而称"有"，灭而称"无"，平等齐观，何尝有分别，有偏爱呢？只是人有人心，以人心自我的私识，认为天地有好生之德，因此发出天心仁爱的赞誉。如果天地有知，岂不大笑我辈痴儿痴女的痴言痴语吗？

　　明白了这个原理，便可了知真正有道的圣人，心如天地，明比日月，一切的所作所为，自视为理所当为，义所当为的事，便自然而然地做了。并不一定因为我要仁爱于世人，或我要爱护于你，才肯去做。如果圣人有此存心，即有偏私，即有自我，已非大公。再进一层来讲，一个有道的圣人，生当天下大乱的时代，他真要为了救世而救人，既然有所作为，就不免保存了一面，而有所伤害到另一面了。残杀天下而为我，决不可为。而杀一以儆百，亦等于杀百以存一的同是杀心，亦义所不忍为。那么，圣人而要救世，就只有自杀以救天下吗？自杀既不能救天下，天下亦非残杀可救得了！所以佛说愿度尽众生，方自成佛。但以众生界不可尽故，吾愿亦永无穷尽。耶稣被钉上了十字架，只有祈祷说："我为世人赎罪！"其实，罪在人心，谁也不能为谁赎罪，除非天下人能自忏罪悔过。因此，老子对于当时现世的人们，自称为圣人之徒，号召以仁义救世者，认为他们徒托空言，都无实义。甚至假借仁义为名，用以自逞一己私欲之辈，更是自欺欺人，大不应该，他希望人们真能效法天地自然而然的法则而存心用世,不必标榜高深而务求平实,才说出"天地不仁,以万物为刍狗。圣人不仁,以百姓为刍狗"的名言,藉以警世。但老子说归说,无奈周、秦以后的英雄帝王们,便真的以百姓为"刍狗",达成一己的私欲。一旦身居王位之后,天下臣庶皆称誉之为"圣明天子",或直接誉为"当今圣人",不知"圣"从何来?"明"从何起?恐怕老子重生,也只有缄口结舌,再也不敢另加五千言,重写续本《道德经》了。

正 言 若 反

为了重申"天地不仁,以万物为刍狗。圣人不仁,以百姓为刍狗"以及后面的"圣人不死,大盗不止"、"绝圣弃智,民利百倍"等的一贯涵义,且让我们引用《庄子·外篇》的《胠箧》篇中所说的话,便可了解老子当时所以菲薄圣人讥刺仁义,都是为了世间多假借圣人的虚名,以及伪装仁义的招牌。犹如近代和现代人,任意假托自由和民主为号召,实际是为了达成私欲的借口,醉心于独裁者如此,西式民主的真实内容,又何尝不如此?举世滔滔,无可奈何。如庄子所说:

故跖之徒问於跖曰:盗亦有道乎?跖曰:何适而无有道邪!夫妄意室中之藏(事先推测估计他的财富储蓄),圣也。入先(在行动的时候,必身先士卒),勇也。出后(得手的时候,先要掩护同伴撤走,自己最后退却),义也。知可否(能判断可不可以行动),智也。分均(平均分配所得的利益),仁也。五者不备,而能成大盗者,天下未有也。

由是观之,善人不得圣人之道不立;跖不得圣人之道不行。天下之善人少而不善人多,则圣人之利天下也少而害天下也多。

在《天运》篇中又提到:"仁义,先王之蘧庐也,止可以一宿,而不可以久处,觌而多责。"

从表面看来,老子和庄子这种思想言论,好像是一种反派的哲学,尤其为狭隘观念的宗教徒,并非大宗教家或教主,甚至,为走入儒家岔路的顽固派,或明知故犯,敢用而不肯说的事功派所深恶痛绝,认为是"不经之谈"。其实,这正是"天理""良心"的公平哲学。公道自在人心,只是一般说不出所以然,或是不忍心说得太透彻,说穿了,反觉乏味。司马迁著《史记》,便用比较含蓄的论调来反映道家与老庄这类思想。到了元、明之间,民俗文学的小说家们,却在小说的著作里,表达了很多这方面的思想。说得痛快淋漓而有韵味的,如明末的贾凫西所作的《木皮散客鼓儿词》。他生当家破国亡的末造,秉着一腔忠义之忧,便借此道理而大发天地的牢骚,如说:

> 忠臣孝子是冤家,杀人放火享荣华。
> 太仓里的老鼠吃的撑撑饱。老牛耕地使死倒把皮来剥。
> 河里的游鱼犯下甚么罪?刮净鲜鳞还嫌刺扎!
> 那老虎前生修下几般福?生嚼人肉不怕塞牙!
> 野鸡兔子不敢惹祸,剁成肉酱还加上葱花!
> 古剑杀人还称至宝!垫脚的草鞋丢在山洼!
> 杀妻的吴起倒挂上元帅印!顶灯的裴瑾捱些嘴吧!
> 活吃人的盗跖得了好死!颜渊短命是为的甚么?
> 莫不是玉皇爷受了张三的哄?黑洞洞的本账簿哪里去查?
> 好兴致来时顽铁黄金色!气杀人运去铜钟声也差!世间事风里孤灯草头露!纵有那几串铜钱你慢鲹沙!

风箱式的说话艺术

老子为了说明天理的公平,与真正圣人的无主而任负化育,便直接指出天地间万事万物的生灭变化,既不是谁所主宰,也不是天地的有心制作。万物的造化生灭,都是乘虚而来,还虚而去。暂时偶然存在的一刹那,只是有无相生的动态而已。因为有刹那绵延绝续常有的动,于是误认为动态即是存在,而不承认返有还无的静态也是存在的另一表相。所以他说:"天地之间,其犹橐籥乎,虚而不屈,动而愈出。"

"橐籥",是旧式农业社会用作鼓吹通气的工具,俗话叫做风箱。也就是《淮南子》本经所说的:"鼓橐吹埵,以销铜铁"的冶炼金属的工具之一。"橐",是指它的外形的箱椟。"籥",是指它内在的往来活动的管片。但在旧式的农业社会里,用布缝成两头通,中间空,用来装置杂物的布袋,也叫做"橐"。至于"橐",是三面密缝,一面通口的布袋。"籥",便是后世的七孔笛。总之,"橐籥",是老子用通俗习惯使用的东西,来说明这个物质世间的一切活动,只是气分的变化,动而用之便有,静而藏之,就好像停留在止息状态。

其实,这个天地的万物,都在永远不息的动态中循环旋转,并无真正的静止。所谓静止,也只是相似止息而偶尤动态感觉的情景而已。因此,同样的原理,不同表达的《周易·系辞传》里便说:"吉凶悔吝,生乎动者也。"万事万物,动必有咎。在动的作为里,所谓好的成分的吉,只占四分之一。不好的凶,和仅次于凶的不好——悔、吝,便占四分之三。

然而天地与万物,毕竟都在动态中生生不已地活着。活像是动,动是活力的表现。因此,愈动而愈生生不已。生生不已和永远活动互为因果,互为生活。

既然了解到天地之间气分的变化往来,变动不息,生生不已,有无相生,动静互为宗主。那么,就可进而了解到一切人事的作为、思想、言语,都同此例。是非、善恶、祸福,主观与客观,都是不能肯定的确有一绝对性的标准。如果一定要理论上争辩到有一个绝对的道理,这个绝对也只是在文字上,人为的,暂时裁定为穷尽之处而已。其实,在动态中,愈动而愈出,永无有穷尽的一点。犹如数理在开发中,也永无尽止。同样地,人世间的是非纷争,也是愈动而愈有各种不同方面的发展,并无一个绝对的标准。"才有是非,纷然失心。"只有中心虚灵常住,不落在有无、虚实的任何一面,自然可以不致屈曲一边,了了常明,洞然烛照。这便是"多言数穷,不如守中"的关键。但也有认为老子这两句话,是明哲保身、与世无争的教条,所谓"是非只为多开口,烦恼皆因强出头"。尤其是后世修炼神仙丹道学派的道家们,认为说话是最伤元气的行为,而且是促使短命,造成不好运气的最大原因。所谓"数穷"便是气数欠佳、运气坎坷的表示。因此修道之士,便有"开口神气散,意动火工寒"的严厉训诫了。这种说法,是否绝对合理,姑且引用古体文的"其然乎,其不然乎"两句话来做结论,由大家自去思考取决了。

如果转进一层,了解到"橐籥"与风箱的作用,那么,便可明白老子所说的"多言数穷,不如守中"的话,并不完全是教人不可开口说话。只是说所当说的,说过便休,不立涯岸。不可多说,不可不说。便是言满天下无口过,才是守中的道理,才与后文老子所说"善言无瑕谪"的意旨相符。否则,老子又何须多言自著五千文呢!譬如风箱,在当用的时候,便鼓动成风,助人成事。如不得其时,不需要的时候,便悠然止息,缄默无事。倘使如"灌夫骂座,祢衡击鼓",说来无补于事,那便有违"多言数穷,不如守中"的明训了。

第　六　章

谷神不死,是谓玄牝,玄牝之门,是谓天地根。绵绵若存,用之不勤。

承接上文"天地之间,其犹橐籥乎！虚而不屈,动而愈出。多言数穷,不如守中"的法则,说明天地万物与人我生命的作用,常在于一动一静之间。要善加把握,善加运用。因此而引用本章"谷神不死"的一段,似静而实动,虽动而似至静。似乎虚无而实在含有无穷的妙用,虽然妙用无穷,但同时也蕴藏了用而无用的善巧方便。

为了切实了解本章的内涵与后世一般修炼神仙丹道者的各种注释,首先需要解决两个关键性的名词,即所谓"谷神"与"玄牝"。

"谷神"：谷,当然是一般所谓山谷的简称。但是一般所谓的山谷,大致可以归纳成为两种形态。一是如袋形的山谷,有进路而无出口。二是两山夹峙,上仄中空而较隐蔽或者曲折的狭长形通道。

第一类形的山谷,大多空气不能对流,凡有声响动静,必然会有回声。这种回声是因为空气不能对流而产生。但在某些愚昧者的观念看来,便认为这样的空谷,必是神灵的窟宅,因此而有回声。其实回声是物理的作用,并非神灵的显赫威灵。可是在愚夫愚妇的心目中,往往因此而形成宗教式的神话,塑造了多少莫须有的传说,认为其中有神。更有甚者,便套用了道家代表人物老子的名词,称它为"谷神"。

第二类形的山谷,是隐晦曲折,两头相通的狭长通道,空气对流,由这一头的传呼,便很迅速地畅达遥远的那一头。因此,也成为被人编织成神话的题材,认为其中如有神助。实际上,也是空气的传声作用,并非真有不可思议的神秘存在。

首先了解"谷神"之所以为神的道理,便是因为它的中间空洞无物,因此而形成其中的空灵作用。正因其中空而无物,才能生起看似虚无,而蕴藏似乎妙有的功用。

其次,便是"玄牝","玄"字,也通作元始、元来、根元的"元"字。元,等于是万物的初始根元,是极其微妙的第一因的代名词。"牝",在中国上古的文字中,是母性、雌性生殖机能的文雅代名词。相反的,"牡"字,便是男性、雄性生理机能的代号。在这个世界上,一切动植物,虽然由牝牡两性的结合而造成延续的生命,但个体生命绝大多数都是雌性,也就是阴性的生殖器官所出生的。因此,老子造了一个名词,叫做"玄牝"。后世的道家由此引申,认为大海荡荡的中心点有一"海眼"。"海眼"虽小,却是源源滚滚而出,成为大地层面的诸大海洋和江河的来源,它便是海的"玄牝"。至于北极,便是大地的"玄牝"。人体的"会阴"部分,则是人身生命源泉的"玄牝"之处。印度瑜伽术有关身瑜伽的术语,叫它"海底",或视为"灵能"和"灵力"的窟穴。

了解了这两个名词的内涵,然后便可大致明白《老子》本章的意义,是要体会虚灵不昧的"谷神"境界,中空无物,而有感应无方的无限妙用。正因其虚无空冥,所以生生不已,生而无生,有而不有,因此而永恒不死。后来的道教,改头换面,称之谓"洞元"、"洞虚",也就是由此而来。

"谷神"即空洞虚无而生妙有的功能,便是天地万物生命源泉的根本,取一个代名词,便叫它是"玄牝"。"玄牝"虽然中空无物,但却是孕育天地万物生命的窟宅,绵绵不绝,若存若亡。在这节文字里,必须特别留意老子行文的用字之妙——这个"若"字。"若"字和佛学的"如"字,都是同样的表相形容词,用现代语来讲,便是

"好像"的意思。在虚无中生发妙有的功用,好像是绵绵不绝的存在,但并无一个实质的东西。如真有一实质,一切的有,最终总归之于元始的虚无,这是必然的法则。和现代物理学所讲的质能互变的原理相类同。

吹毛用了急须磨

在这一节里,老子又说了一句非常重要的名言,便是"用之不勤"。相反地说,用得太勤,便是多用、常用、久用。这样一来,就会违反"绵绵若存"的绵密的妙用了。那么,怎样才是"用之不勤"的道理? 且让我们借用临济义玄禅师的一首诗偈,作为深入的说明。

> 沿流不止问如何? 真照无边说似他。
> 离相离名人不禀,吹毛用了急须磨。

所谓沿流不止,是说我们的思想情绪、知觉感觉,素来都是随波逐流,被外境牵引着顺流而去,自己无法把握中止。

如果能虚怀若谷,对境无心,只有反求诸己,自心反观自心,照见心绪的波动起灭处,不增不减,不迎不拒而不着任何阻力或助力,一派纯真似的,那么,便稍有一点像是虚灵不昧的真照用了。

总之,"道",本来便是离名离相的一个东西,用文字语言来说它,是这样是那样都不对。修它不对,不修它也不对。

但是在"绵绵若存",沿流不止的功用上,却必须要随时随地照用同时,一点大意不得。好比有一把极其锋利的宝剑,拿一根毫毛,揝着它的锋刃吹一口气,这根毫毛立刻就可截断。虽然说它的锋刃快利,无以复加,但无论如何,一涉动用,必有些微的磨损,即非本相,何况久用、勤用、常用、多用,那当然会使利剑变成了钝铁。所以说,即便是吹毛可断的利剑,也要一用便加修整。随时保养,才能使它万古常新,"绵绵若存"。这就是"用之不勤"的最好说明。

人为神的守护人

　　话虽这样说,可是后世一般修炼玄宗的神仙丹道派的人们,却把老子的"谷神"之说改头换面,拉到道教的《黄庭内景经》里面,配合上古医学的《黄帝内经》等原理,把人身的头脑、心脏、小腹等体内的机能,各个派了一个守护的神人,配合天地日月时间空间方位等法则,随时随地加以特别保养,便是修炼神仙丹法的最基本的工夫。如果用西洋的文化分类观念,这当然属于神权思想时代的代表作。但是把老子的"谷神"之说,一变而为守护谷神,可以达到长生不死而羽化登仙,这却是老子的道家思想一变为道教太上老君的第一蜕变。

　　后来由道家的神仙丹道派,会合佛家修习念身的禅观方法,再变为"内照形躯"的修炼方术,把人体的头部、胸部、腹部三处,建立了上中下三丹田"守窍"等的导引方术,由此而有动转河车、打通奇经八脉、"炼精化气,炼气化神,炼神还虚"的三步功法。由老子的"谷神"不死之说,再度为"守窍通关"超神入化的第二蜕变。

　　于是,信奉《黄庭内景经》一派的神仙修法,与后世"守窍存神"的丹道修炼,又各主一端,互有异同。只是都忘了老子的"绵绵若存,用之不勤"的告诫,或者把"绵绵若存"又专用在炼气一步工夫上去。大家都在那里死守肉身,忙忙碌碌,战战兢兢地播弄精神,不免用之太勤,太过背道而驰,无怪老子早有前知,觉得不值后顾,只好骑了一头青牛出函谷关而西迈了。

　　其实,人身本来就是一个空谷,古人曾形容它叫臭皮囊,或臭皮袋,它是生命的所属,是生命的工具,并非生命永恒的所有。至于虚灵不昧,用之如神的生命元神,则借这往来只有一气如"橐籥"作用的空壳子以显灵。如能在一动一静之间,"寂然不动,感而遂通",随时随地知时知量,知止知休,"吹毛用了急须磨"地"用之不勤","谷神"便自然不死。何况死也只是一番大休大息的作用,死即有生。"谷神"本来就是不死的,又何必要你忙忙碌碌守护它,才能使此"谷神"不死呢? 真是如此,那么神不如人,守此"谷神",又何足可贵! 这大概都是急于自求长生不死的观念太切,把《老子》断章取义,弄出来的花招。其实,再接下去,连着一读下文,便不致于被"谷神"所困,而且可以了解"用之不勤"也是天地万物自然的法则。

第 七 章

天长地久，天地所以能长且久者，以其不自生，故能长生。是以圣人后其身而身先，外其身而身存。非以其无私邪？故能成其私。

老子的不自偷生

由"天地不仁，以万物为刍狗"，到"多言数穷，不如守中"，再到"谷神不死"、"用之不勤"，便进而说明天地与万物的生命所以自然而长生的道理。因此而有"天长地久，天地所以能长且久者，以其不自生，故能长生"的说明。

但是，老子用了一个天地与生命"不自生"，又播弄得后世的推理猜测，头昏脑胀，不堪纷扰了。

"不自生"，难道说，天地是由他生而来吗？如果天地真由他生而来，那么，与一般宗教学说中天地是神所创造的，便是同一论调。即如我们先民的传说，盘古开天地，也不是无稽的神话了。那么，可见天地之上，或者说天地之外，还另有一个能主宰天地的主人了。

如果说，天地之所以能长久存在，那是因为它生育长养万物，并不为自己的需要而生，因此说它是"不自生"。那么，天地既然好心而生万物，何必既生出来，又要消灭了它？弄得生生死死，死死生生，好不耐烦。如果掉一句古文的口语，"何天地之不惮烦也？"

老子说了一句天地之所以能长久存在的原因，是因为"不自

生"，"故能长生"。既不说明是由他力而生，也不明显地说为万物
而不得已不生。只是套上"是以圣人后其身而身先，外其身而身
存，非以其无私邪？故能成其私"一段妙文，说明天地的"不自生"，
正是天地极其自私的道理。天啊！如果说"不自生"还不能算是大
公无私的表现，这样看来，这个世界，这个天地之间，就绝对没有一
个真正的大公了。

　　到此，有关公和私的辨别问题，且让我们再看看所谓道家思想
学术中另一有名的学说，那便是《阴符经》中一个类同的观念。不
过，比老子所说更为深刻。《阴符经》说："天之至私，用之至公。"这
种理论，无异是说，大公与大私本无一定的界限。全体自私到极
点，私极就是公。换言之，大公无私到极点，即是大私。不过，这样
的大私，也可以叫他作大公了。因为大小粗细，公私是非，推理到
了极点，都是无一定的界限与标准，所有这些界限与标准，都是人
为的分别而已。这在基本理论上，是绝对可通的。但是，理极情
忘，虽然可通，仍然不能完全妥恰。

　　再进一层来看，无论老子的天地"不自生"，或《阴符经》的"天
之至私，用之至公"，说来说去，说了半天，只是在道的体和用上掉
弄花枪，一时蒙人心目而已。如果用另一种语意来表达，便可说天
地能长且久而生长万物，在人们的眼光中，只从万物个体、小体的
生命看来，有生又有死，好像是很不幸的事。但在天地长生的本位
来说，生生死死，只是万物表层形相的变相。其实，万物与天地本
来便是一个整体、同体的生命，万物的生死只是表层现象的两头，
天地的能生能死的功能，并没有随生死变相而消灭，它本来便是一
个整体的大我，无形无相，生而不生，真若永恒似的存在。如此
而已。

　　因此，而引出下文，得道的圣人能效法天地的法则立身处事，
去掉自我人为的自私，把自己假相的身心摆在最后，把自我人为的
身心，看成是外物一样，不值得过分自私。只要奋不顾身，为义所

当为的需要而努力做去。那么,虽然看来是把自身的利益位居最后,其实恰好是一路领先,光耀千古,看来虽然是外忘此身而不顾自己,其实是自己把自己身存天下的最好安排。所以,结论便说"非以其无私邪",岂不是因为他的没有自私表现,"故能成其私",所以便完成他那真正整体的、同体的大私吗?当然,这个"私"字和大私,也可以说是以幽默的相反词,反衬出真正大公无私的理念。

明白了这个道理的奥妙,我们再来看看道家黄老的这种学说,在历史上作为成功的指标,到处可见。尤其用在领导军事的兵略上,用在领导为政的政略上,所谓"身先士卒"、"公而忘私"等等名言,便成为千古颠扑不破的无上法则。讲到这里,姑且让我们说一句古今不易的笑话真理:"千古文章一大偷"。我们在童年的时代,都读过范仲淹的《岳阳楼记》,范先生在这篇大作中的名言,便有"先天下之忧而忧,后天下之乐而乐"的流传警句。文章的大手笔,范先生确实当之而不愧。但是却偷袭了老子的"后其身而身先,外其身而身存"的语意而加以引申,那是毫无疑问的。"千古文章一大抄"也好,"一大偷"也好,要偷得好,偷得妙。至于现代人,完全抄袭他人,却不注明出处,反以此自以鸣高,那真是违反"盗亦有道"的道理,不值明眼人的一笑,只好由他们瞎闹瞎起哄了。(一笑。)

第 八 章

　　上善若水，水善利万物而不争，处众人之所恶，故几于道。居善地，心善渊，与善仁，言善信，正善治，事善能，动善时。夫唯不争，故无尤。

水的人生艺术

　　为了引申发挥道家的似私而实无私的妙用，进而刻画出如何才合于"后其身而身先，外其身而身存"的作用，因此便引出一段水之美的人生哲学。

　　在这节的开场，首先提出"上善若水"为提纲。一个人如要效法自然之道的无私善行，便要做到如水一样至柔之中的至刚、全净、能容、能人的胸襟和器度。

　　水，具有滋养万物生命的德性。它能使万物得它的利益，而不与万物争利。例如古人所说："到江送客棹，出岳润民田。"只要能做到利他的事，就永不推辞地做。但是，它却永远还不要占据高位，更不会把持要津。俗话说："人往高处爬，水向低处流。"它在这个永远不平的物质的人世间，宁愿自居卜流，藏垢纳污而包容一切。所以老子形容它，"处众人之所恶，故几于道"，以成大度能容的美德。因此，古人又有拿水形成的海洋和土形成的高山，写了一副对联，作为人生修为的指标："水唯能下方成海，山不矜高自及天。"

　　但在《老子》这一节的文言里，要注意它"几于道"的几字，并非说若水的德性,便合于道了。他只是拿水与物不争的善性一面,来说明它几乎近于道的修为而已。佛说"大海不容死尸",这就是说明水性至洁,从表面看,虽能藏垢纳污,其实它的本质,水净沙明,晶莹透剔,毕竟是至净至刚,而不为外物所污染。孔子观水,却以它"逝者如斯夫"的前进,来说明虽是不断地过去,却具有永恒的"不舍昼夜"的勇迈古今的精神。我们若从儒、佛、道三家的圣哲来看水的赞语,也正好看出儒家的精进利生,道家的谦下养生,佛家的圣净无生三面古镜,可以自照自明人生的趋向,应当何去何从;或在某一时间,某一地位如何应用一面宝鉴以自照、自知、自处。

但在《老子》本章讲修水观的水道,除了特别提出它与物无争,谦下自处之外,又一再强调地说,一个人的行为如果能做到如水一样,善于自处而甘居下地,"居善地";心境养到像水一样,善于容纳百川的深沉渊默,"心善渊";行为修到同水一样助长万物的生命,"与善仁";说话学到如潮水一样准则有信,"言善信";立身处世作到像水一样持平正衡,"正善治";担当作事像水一样调剂融和,"事善能";把握机会,及时而动,做到同水一样随着动荡的趋势而动荡,跟着静止的状况而安详澄止,"动善时";再配合最基本的原则,与物无争,与世不争,那便是永无过患而安然处顺,犹如天地之道的似乎至私而起无私的妙用了。

老子讲了这一连串人生哲学的行为大准则,如果集中在一个人的身上,就是完整而完善,实在太难了。除了历史上所标榜的尧、舜以外,几乎难得有一完人。不过,能有一项的美德,也就可以树立典范而垂千古了。我们来不及细数历史的古今人物,但从平常熟悉的偶忆中,顺便来说,由周太王的居邠,到周文王的以百里兴;老子自己的一生,始终以周守藏史的卑职自处;吴太伯的让国避地;张子房的自求封于"留"等等,都是效法"居善地"的道理。其余也有不少的圣君名臣,宽厚优容,做到"心善渊"的榜样。诸葛亮的三顾出山,终至于"鞠躬尽瘁,死而后已",可以说是"与善仁,言善信"的楷模。汉代的文景之治,唐代的贞观之政,君臣上下,大体都有"正善治,事善能,动善时"的精神。只是人类历史的事迹太多,一时也讲说不完,姑且到此为止。此外,在东汉史上,有一段水的有名故事,那便是尚书仆射郑崇对汉哀帝质问"门庭如市"的对话。郑崇当时理直气壮地对答说:"臣门如市,臣心如水。"因此而成为千古的名言,常被直道以事人主的大臣们所引用。那真是水的妙语。但可惜郑崇的"臣心如水",结果也难免死在昏君哀帝的手里,水也应为他呜咽兴悲了!

第 九 章

持而盈之,不如其已;揣而梲之,不可长保。金玉满堂,莫之能守;富贵而骄,自遗其咎。功遂身退,天之道。

由"上善若水"到"不争故无尤"的用世无诤三昧,引而申之,说明天道自然的法则,因而引用在人生处世的哲学艺术上,便构成本章一连串"劝世文"式的老子格言。

首先他说:"持而盈之,不如其已。"可作两个层次来理解它:

(一)一个人,真能对天道自然的法则有所认识,那么,天赋人生,已够充实。能够将生命原有的真实性,善加利用,因应现实的世间,就能优游余裕而知足常乐了。如果忘记了原有生命的美善,反而利用原有生命的充裕,扩展欲望,希求永无止境的满足,那么,必定会遭来无限的苦果。还不如寡欲、知足,就此安于现实,便是最好的解脱自在。

(二)告诫在现实人生中的人们,若能保持已有的成就,便是最现实、最大的幸福。如果更有非分的欲望和希求,不安于现实,要在原已持有的成就上,更求扩展,在满足中还要追求进一步的盈裕,最后终归得不偿失,还不如就此保持已得的本位就算了。

总之,这种观念的重点,在于一个"持"字的诀窍。能不能持盈而保泰,那就要看当事人的智慧了。如果从第二层次来讲,老子这句话,是对当时在位的诸侯和权臣大夫们有所感而发的金玉良言。

因此便有"揣而梲之,不可长保。金玉满堂,莫之能守。富贵而骄,自遗其咎"等三联引申的说法。

"揣",是比喻很突出,很尖锐的东西。"梲",原本是梁上加楹的意思。用在这里,引申发挥,则和锐利的"锐"相通。一个人如果已经把握有锋锐的利器,但却仍然不满于现状,反要在锋刃上更加一重锐利,俗谚所谓"矢上加尖",那么原有的锋刃就很难保了。这是形容一个人对聪明、权势、财富等等,都要知时知量,自保自持。如果已有聪慧而不知谦虚涵容,已有权势而不知隐遁退让,已有财富而不知适可而止,最后终归不能长保而自取毁灭。

例如财富到了金玉满堂的程度,不能透彻了解陶朱公(范蠡)三聚三散的哲学艺术,最后,要想守住已有的利益而不可得。人们常会讥笑某种程度的有钱人是"守财奴"。其实,有财而能"守",谈何容易!"守"的学问,大矣哉!因此古人便有"创业难,守成不易"、"为君难,为臣不易"等永垂千古的名训。

等而下之,一个人在既有的富而且贵的环境中,却不知富与贵的本身,便是招来后祸的因素。如果持富而骄,因贵而傲,那便是自己对自己过不去,终会自招恶果,后患无穷。

讲到这里,使我们联想到许多历史故事,可以反证老子这些名言的真实性。现在只随便提出历史上的帝王、将相,以及一般所知道的资料,稍作启发。

富贵难保的反面文章

在我们的历史经验上,有关历代帝王创业与灭亡的兴衰成败史,悉心详读,完全是一套因果报应的记录。因此,守成之君,必须要"朝乾夕惕",随时戒慎恐惧,记取《老子》本章所说的道理,才能长保基业,坐稳江山。春秋五霸之一的齐桓公,曾经对历史的怀疑,提出问题来问管仲:"昔者三王者,既弑其君。今言仁义,则必以三王为法度,不识其故何也?"

对曰(管仲说):昔者,禹平治天下,及桀而乱之。汤放桀,以定禹功也。汤平治天下,及纣而乱之。武王伐纣,以定汤功也。且善之伐不善也,自古至今,未有改之。君何疑焉!

公(齐桓公)又问曰:古之亡国,其何失?

对曰(管仲说):计得地与宝(只打算拥有国土与财富宝物的现有大业),而不计失(并不考虑将来失去的必然祸害)。诸侯计得财委(对于各地方的诸侯,只要求他输纳财物或奉献封地),而不计失(但不考虑地方诸侯怨愤反感的失策后果)。百姓计见亲(对于一般人民,只满足于目前臣服拥护的虚荣亲切),而不计见弃(并不考虑他们不是衷心悦服,将来会被大家所反对扬弃的悲惨下场)。

三者之属,一足以削。遍而有者,亡矣。古之隳国家,殒社稷者,非故且为之也。必少有乐焉,不知其陷于恶也。

这里管仲所说的"非故且为之也,必少有乐焉,不知其陷于恶也"的意义,就是指只见目前的小利,而不计后果的大恶。也就是董仲舒《春秋繁露》所指的"春秋二百四十年之中,弑君三十六,亡国五十二,细恶不绝之所致也"。"细恶",是指小小的过错,小过不慎,终酿大祸,甚至于亡家亡国。

历代创业继统的皇王帝霸,如果不深明老子所说传统道家的哲学,到头来,便有如刘宋末代的十三岁小儿皇帝宋顺帝,与明思宗两人一样的悲惨下场,至死不明为什么遭遇有如此惨痛的前因与后果。

中外历史上的悲剧

法国大革命的远因,早自十八世纪(清朝康熙中叶)法国的中兴英主开始。他就是自称为"太阳王"的路易十四,穷兵黩武之外,又加上穷奢极欲,建筑了名城凡尔赛宫等处。五六十年之间,传位到曾孙路易十五手里,在极度的豪华以后,不知"持而盈之,不如其已",反而变本加厉,"揣而梲之"。因此给后代子孙——路易十六留下国债四十亿之巨。如此局面,当然不可长保。但路易十六明知危殆,始终没有大刀阔斧的改革魄力,甚至还要矢上加尖。终至"金玉满堂,莫之能守。富贵而骄,自遗其咎"。

路易十六在凡尔赛宫的宫廷生活,耗费国家金钱之多,令人叹为观止。每当有外国君主或重臣来访,路易十六都一定要在凡尔赛宫开设盛宴,一次宴会下来,动辄就是千万金元,笙歌达旦,作长夜之欢,戏子、歌女、舞妓,日夜不停地出入宫门,跳羽衣舞,唱霓裳曲。凡尔赛宫一年所喝的葡萄酒,就值七十九万法郎之多。此外,单是鱼肉就多达三百四十七万法郎。还有点灯的蜡烛费用,也在五万法郎以上。至于王宫中所用的宫女、宫人,那更是多到令人难以置信。例如御膳房的厨师就有二五九人之多,其主任厨师的年薪是八万四千法郎。国王的秘书官将近千人之多,每个人的年薪是二十万法郎。王后的侍女也有五百人之多,每个人的年薪最少也有一万二千法郎。总计凡尔赛宫的宫女和侍臣是一万六千人,这里面还不包括一般贵族与朝臣。皇宫里的御用马匹有八千九百匹,御用车辆百多辆,所以每当路易十六出外巡幸,其行列之壮大有如祭典,无数车马排成一条长蛇阵,大臣们佩紫带黄,宫女们美服艳装,那种穷奢极欲的威风气派,真是有如天人一般。总计每年王室所花用的金钱竟相当国库总收入的五分之一。除此之外,还有将近一万的禁卫军,每年也要花费三百万元以上。王后安唐妮,那更是豪阔无度。她光是各种手镯,就能值到七八百万法郎,其他的首饰那就更不用说了。至于那些宫廷贵族的年金,还不包括在王室经费以内。当时的凡尔赛宫,位于巴黎城郊,里面有二十九个庭园,四座瞭望台,有喷泉,有瀑布,四季鲜花盛开,极尽娱游之乐。

可惜路易十六不能"持盈保泰",反而促成大革命的提早来临,徒使自己与安唐妮王后都上了断头台,留为后人唏嘘凭吊,寄予无限的同情。有人将路易十六的王后安唐妮的促成败亡之局,匹比清末的慈禧，虽不尽然，但都犯了"揣而梲之，不可长保"的错误，却是相同。其实，富贵易使人骄，得意容易忘形，这是人类心理的通病。尤其是以往历史上的帝后王孙，生育在深宫之中，长养于太监宫女之手，何尝备知人间社会的种种。因此，在我们的历史上，便常有自悲生为帝室儿孙的浩叹。

当萧道成迫使刘宋末代皇帝——十三岁小儿刘准让位的时候，可怜的小皇帝，已自知不免于死亡，惊惧万分，随口就问萧道成的帮凶大臣王敬则说："今天就要杀我吗？"王敬则说："不要怕，不过迁居别宫。官家（对皇帝的称呼）先世取司马家，也是如此。"刘准一边哭，一边说："愿后身世世，勿复生帝王家！"

同样的问题，发生在明思宗（崇祯）的时代，当李闯王率兵入宫的时候，思宗用剑砍杀他的女儿长平公主，叹曰："汝何故生我家！"

由此，更可明白深入传统道家哲学的历代隐士、高士们，薄帝王而不为，唯恐富贵来迫，于是便有"避世唯恐不早，入山唯恐不深"的思想了。

有关历史名人在富贵贫贱之际，这一类的人生经验典故，多到不胜枚举。现在我们姑且摘取数则就反面发挥的诗文，以发人深省。

仔细体会中国历史上第二个南北朝——宋、辽、金、元时期几首名人的诗，便可了解《老子》本章有关人生哲学的深意。也许说这些作品未免过于悲观低调。但人生必须要经历悲怆，才能激发建设的勇气，这便是清代史学家、大文学家赵翼先生在《题元遗山诗集》中所谓的：

> 身阅兴亡浩劫空，两朝文献一衰翁。
> 无官未害餐周粟，有史深愁失楚弓。
> 行殿幽兰悲夜火，故都乔木泣秋风。
> 国家不幸诗家幸，赋到沧桑句便工。

　　以下便是反映辽、金、元三朝有关"金玉满堂，莫之能守，富贵而骄，自遗其咎"的哲学文艺作品。

辽·《伎者歌》

百尺竿头望九州，前人田土后人收。
后人收得休欢喜，更有收人在后头。

　　人生事，的确如此。无奈人们明知而不能解脱！

金·元遗山《秋夜》

九死余生气息存，萧条门巷似荒村。
春雷漫说惊坏户，皎日何曾入覆盆。
济水有情添别泪，吴云无梦寄归魂。
百年世事兼身事，樽酒何人与细论。

　　"百年世事兼身事"，到头来，谁都难免有此感受。无论清平世界或离乱时代，大概都是如此。只可惜元遗山亲身经历兴衰成败的哲学观点，却是"樽酒何人与细论"的感慨，除非与老子细斟浅酌，对饮一杯，或许可以粲然一笑。

元·刘从益《题闲闲公梦归诗》

学道几人知道味，谋生底物是生涯。
庄周枕上非真蝶，乐广杯中亦假蛇。
身后功名半张纸，夜来鼓吹一池蛙。
梦间说梦重重梦，家外忘家处处家。

　　"学道几人知道味"可为世人读老子者下一总评。"谋生底物是生涯"，人人到头都是一样。若能了知"梦间说梦重重梦，家外忘家处处家"，又何必入山修道然后才能解脱自在呢？

元·密兰沙《求仙诗》

刀笔相从四十年，非非是是万千千。
一家富贵千家怨，半世功名百世愆。

　　牙笏紫袍今已矣,芒鞋竹杖任悠然。
　　有人问我蓬莱事,云在青山水在天。

　　"一家富贵千家怨,半世功名百世愆。"真是看透古今中外的人情世态。正因其如此,要想长保"金玉满堂"的富贵光景,必须深知"揣而梲之"的不得当,以及"富贵而骄,自遗其咎",自取速亡的可畏。

进退存亡之际

　　"崇高必致堕落,积聚必有消散。缘会终须别离,有命咸归于死。"这是佛学洞穿世事聚散无常的名言,同时也是出世思想的基本观点,可是以老子所代表道家哲学的可以出世,可以入世,他却有"挫其锐,解其纷"的不死之药,长保"散而未尽"的七字真言:"功遂,身退,天之道。"其中去了一个助语词的之字,真正只有六字真言。后世的许多文学家们,感受意犹未尽,又再插入两字一句,变成九字真言,成为"功成,名遂,身退,天之道"了。七字真言也好,九字真言也好,说尽管说,说来还很潇洒,可是在一般的观念里,总觉得它消沉低调意味太浓。其实,大家只是忘记观察自然界的"天之道",因此便觉低沉。如果仔细观察天道,日月经天,昼出夜沉,夜出昼没,寒来暑往,秋去冬来,都是很自然的"功遂、身退"的正常现象。植物世界如草木花果,都是默默无言完成了它的生命任务,静悄悄地消逝,了无痕迹。动物世界生生不已,一代交替一代,谁又能不自然地退出生命的行列呢! 如果说有,只有人类的心不肯死,不肯甘休,永远想在不可把捉中冀求把捉,在不可能永久占有中妄图占有。妄想违反自然,何其可悲!

　　至于老子这些名言,究竟是正言天道不易法则的自然哲学? 或是对他当时生存的时势,有感而发,用来警觉世人? 似乎不须争论。但在我们的上古的历史文化上，原来儒道并不分家的共通观点来看，孔子、孟子，以及其他诸子之学，动称先王，也都极力推崇尧舜的作为。尧舜之道的值得赞扬，那便是"功遂，身退，天之道"的最好范例。至于二代以后，家世天下的推位让国，想要表现一下"功遂身退"，自称为太上皇的戏剧，则几乎没有一个是出于至诚，也没有一个有美好的收场。其次，如北魏文帝的退位出家，以及和传清初顺治入五台山的剃度，都是别有心事，绝非"功遂身退"的情怀。

急流勇退的类型

等而次之，从秦、汉之后，看历史上风云人物的作为风格，取其稍微类同于道家的，如汉代的张良与诸葛亮，原本存心都想"功遂身退"，但很可惜其遭遇仍然不能遂其所愿。张良虽然不肯居功，只自谦退封于"留"地而为"留侯"，但却身不由己，不能再加上三点水而一"溜"了之，以尽绝人间烟火食的半仙之分，结果仍免不了受日后的饮食所害而殁。与其如此，还不如诸葛武侯的"鞠躬尽瘁，死而后已"，身成绝代之功，更为划算。

也许由此历史经验的教训，致使后来道家人物的作为，如东晋的抱朴子——葛洪，南朝齐梁之际的陶弘景，更加小心谨慎。葛洪便早早抽身，自求出任为勾漏令，以宦途当隐遁，暗暗修他所认为的仙道以终。陶弘景则及早挂冠神武门，悠哉游哉，造成"山中宰相"的局面，作他的洞天《真诰》，自在精神领域了事。

到了隋唐之间，文中子以儒佛道三家通才的学养，讲学河汾，造成唐初开国一班文武兼资的盛世人才，在人文文化上立下莫大功德，但结果姓名隐没不彰，反令后世多方考据，是为退身幕后的旷代奇人，虽无赫赫事功，却真合于身退之道。

至于宋初，隐逸在华山的陈抟，已经完全走入道家的神仙行列,另当别论。南宋的韩世忠,知机早退,骑驴湖上,笑傲山林,可算明智之举,难能可贵。明初的诚意伯刘基,以亦儒亦道的姿态出山,辅助朱元璋而成功帝王事业,但结果仍然难逃被毒而亡。

此外,另如佛家出家的高僧而返还俗世初服,成功留名于历史的,如元初的刘秉忠,明永乐时期的少师姚广孝,可算切实做到了"功遂身退"。此外如帮助朱元璋,专任办理西番外交政治的高僧宗泐禅师,不论道业学问,或者事功,都是第一流的人物,但照样不能"功遂身退"而圆寂于西番任所。由此可见无论如何高明的人物,毕生能完全合于"功遂身退,天之道"的,确是不易了! 难道"名缰利锁",当真牢不可破吗?

但从唐宋以后儒家思想的观点来看,对于老子的这句名言,虽然并无非议之处,只是把它换了文字的表达,变成"谦让"或"谦光"的美德而已。其实,后世的儒家是心有不甘,不敢完全苟同老子的观念,尤其反对修仙成佛之说,因此而搬弄文字的表相而已。这种思想,最有意趣的代表作品,莫如清人一首借题发挥、咏吕纯阳的诗:

> 十年囊笔走神京,一遇钟离盖便倾。
> 不是无心唐社稷,金丹一粒误先生。

介于道家、儒家的风范,能够做到"功遂身退",入世又似出世的,历史上有没有这一类的典型人物呢? 我认为从两晋清谈玄学的影响,在南北朝之间,有着不少风流人物。风格最为标准的,要算梁武帝的名臣韦睿。他善于从政,也善于用兵作战,有诸葛亮纶巾羽扇、指挥若定的丰神,又有"上善若水"、"功成不居"的意境。如遇老子,或者肯收他为徒,较之函谷关的守关吏尹子,应无逊色。可惜南北朝这一时代,在历史上不大出色,因此南北朝的人物也都被人所遗忘埋没了。

韦睿,字怀文,京兆杜陵人。他是汉丞相韦贤的后裔,系出名门世族。自少即受郡守祖征的赏识，认为是"干国家，成功业"之才。当南齐紊乱之际，他盯衡人物，认为梁武帝萧衍还可算是命世之才，便决计辅从。历迁太子右卫率，出为辅国将军、豫州刺史，领历阳太守，后迁涧合肥，以功进爵为侯。

梁武帝决心北伐，魏遣中山王元英为征南将军，率兵南来御敌。韦睿奉命统部北伐，屡建奇功。他素来体弱多病，虽在前线作战，也未尝骑马，只乘坐白木板舆，手执白如意，督厉将上，勇气无敌。平常与士卒同甘苦，极力爱护部下，令出必行，战无不胜。魏人军中有谣："不畏萧娘与吕姥，但畏合肥有韦虎。"对他畏惧万分。

当前方军情紧急的时候，梁武帝遣亲信曹景宗与他会师，而且特别对景宗说："韦睿，卿之乡望，宜善敬之。"因此，景宗见韦睿，执礼甚谨。但每当战胜，景宗与其他将领，都争先上报。独韦睿迟迟报告，不愿争功。有一次，在庆祝胜利的庆功宴会上，韦睿与景宗同席，酒酣兴至，大家倡议赌钱来作余兴，约定以二十万为赌注。景宗一掷便输，韦睿赶紧把一张骰子翻转，变成景宗是赢家，韦睿自己还连声说："奇怪！奇怪！"

其实，萧梁朝代开创之初，所有的臣僚将佐，莫过韦睿。梁武帝明知他的才能，但始终不委任他作统帅，反而用一个无大才略的宗室临川王萧宏来当元帅，而且又派曹景宗与他并肩作战，在在处处，都心存顾忌。好在韦睿自知苟全于乱世，隐避林下，并非上策，只有如此行其自处之道，不贪名利，不争功劳，而且还在功成之时，深自谦退，以免猜忌。因此他活到七十九岁而殁，遗嘱仍穿常服薄葬便了。总算在他身死的时候，感动得梁武帝亲临恸哭，完结他一生苟全于乱世，"功遂身退，天之道"的名剧。

与韦睿行迹有所不同，便是后梁元帝萧绎的功臣、荆山居士陆法和。他先识侯景必反，但没有人相信其言。到了侯景派兵攻击湘东，他自请统兵以解湘东之危，受任郢州刺史。后又向元帝建议大举定魏的政策，不为所用，自称："吾尝不希释梵天王生处，岂窥人王位耶！但于空王佛所,与王有因缘,如不能用,则奈业何!"及元帝失败,齐宣帝封他为太尉,赐甲第。他只求将府第作佛寺,终日焚香静坐偏室,预期死日。到时果然坐化,尸缩三尺如婴儿大小。这也是"功遂身退"、异常之道的一例,颇可耐人寻味。

附"功遂身退,天之道"的一些资料:

独庵老人——姚少师《自题像赞偈》
看破芭蕉拄杖子,等闲彻骨露风流。
有时摇动龟毛拂,直得虚空笑点头。

应枭姚少师影堂有《自题偈语》诗(明诗纪事)
冀北江南事已非,禅机未了说戎机。
止闻智者师黄石,曾见功臣着衲衣。
衫翠湿空春欲老,砌尘凝席客来稀。
一参偈语低徊久,飒飒灵风动素纬。

明·苍雪大师诗四首
鹤马遗踪自道林,相传野老尚堪寻。
花开不择贫家地,鸟宿偏投嘉树阴。
弃世久拼随世远,入山惟恐未山深。
命根断处各根断,十载应难负寸心。

山深麋鹿好为群,水草丰饶隔世氛。
牵犊饮流嫌污口,让王洗耳怪来闻。
鸿飞易远逃罗网,水草难求脱斧斤。
不是绝人何太甚,人情更薄是秋云。

匹夫有志实堪从,难夺三军气所钟。
圣代唐虞如在上,隐沦巢许亦相容。

楚狂昔日歌衰凤，汉室今谁起卧龙。
草木余年能遂养，大夫何必受秦封。

天子汗阳特诏宣，虎溪慧远志辞坚。
僧因赐号恩逾重，山不称臣怒受鞭。
狮子爪牙随踞地，象王鼻孔任撩天。
慧持入定今何在，老树枯禅不记年。

第　十　章

　　载营魄抱一,能无离乎? 专气致柔,能婴儿乎? 涤除玄览,能无疵乎? 爱民治国,能无知乎? 天门开阖,能无雌乎? 明白四达,能无为乎? 生之,畜之,生而不有,为而不恃,长而不宰,是谓玄德。

　　《老子》的版本,一般习惯,都沿用王弼注的编排,九九八十一章,暗寓《易经》的象数。但是否就是《老子》原著的本来面目,问题太不简单,纵使有帛书《老子》等出土,亦很难确定谁是谁非。这些工作,属于考据家的工夫学问,实在不敢妄加论断。

　　如果照惯用的王注版本来讲,也很有次序,寓意深远,不可厚非。例如由第一章所标示的道的体和用,"同功而异位"的内涵,一直到第九章的"功遂,身退,天之道"为止,似乎井然有条,已告一段落。第十章的内容,只是引申修习内养的超越现世之道,以及明了"同功而异位"的用世之道的发挥。

魂魄精神一担装

　　第十章的开始,从修习内养的超越现世之道来讲,有三个要点。第一,"载营魄抱一,能无离乎?"是第一步修身成就的要点。第二,"专气致柔,能婴儿乎?"是第二步修身成就的要点。第三,"涤除玄览,能无疵乎?"是第三步修心智成就的要点。

　　从第一要点来讲,首先要解决一个问题,什么才是"营魄"? "营"和"卫",在我们上古传统的医学,例如历来所标榜的《黄帝内经》——《灵枢》、《素问》等传述中,它便是人体生命的两大关键。

"营"，是指人体生命中的血液和养分等作用。"卫"，是指人体生命中的本能活动，属于元气的功能。"营"中有"卫"，"卫"中有"营"，这两者必须调和均衡，一有偏差，就成为病象。

至于"魄"字和"魂"字的连合互用，也屡见于我们上古传统的神仙方伎诸书。普通合称，叫它"魂魄"。这两个字，都是从田从鬼的象形会意字。"魂"字左旁的"云"字，就是象征云气的简写。一个人的精神清明，如云气蒸蒸上升，便是"魂"的象征。在白天的活动，它就是精神，在睡梦中的变相活动，它便是灵魂。"魄"字，边旁是白，一半形声，一半会意。在肉体生命中的活动力，便是它的作用。所以俗说一个人的"气魄"、"魄力"等等，就是这个意思。

以神仙丹道家学说来讲，认为生而魄在肉体生命活力中普遍存在。不经修炼，不得和魂凝聚为一，死后魄就归沉于地。因此，魂是鬼影，魄是鬼形。到了宋代的理学家们，一变为张横渠的理论，便构成"鬼神者，二气之良能也"的说法。二气，是指抽象的阴阳二气。其实，都从道家的魂魄之说脱胎转变而来。

在《老子》的本章文言中，没有"营卫"的出现，却只有"营魄"的标示。因为"营卫"是人体医学的范畴，"营魄"便是神仙方伎的滥觞。或者如此，也许不然！

《老子》的原文在"营魄抱一"之上，首先加了一个"载"字，用字非常巧妙。人身如一部车乘，当然也如一具机器，其中装载了"营"和"魄"两样重要东西。一个平凡的普通人，长年累月，随时随地，都在使用这两样东西，而且它们是各自为政，但又随时合作。

思想的纷繁，情感的嚣动，常使自己魂灵营营困扰，常在放射消散之中，散乱不堪。体能的劳动，生活的奔忙，常使精魄涣散，不可收拾。如此这般，动用不休，不能持盈保泰，终至死亡而后已。老子说，倘使人能将生命秉受中的营魄合抱为一，永不分离，便可得长生的希望了。因此说："载营魄抱一，能无离乎！"

由这个理论和实际的经验，传到春秋、战国以后的方士者流

(方伎之士),再一演变为神仙丹道的修炼方法,便摆脱老子所说的"营魄"古语,干干脆脆,用"神""气"两种名词,取而代之。而且明白指出长生不老的方术,只需将生命中的"神""气"两样东西,凝结为一,便可成功。神是能思虑的主体,气是活力的泉源。但最难的,便是这两种东西始终不听你的指挥,因此也永远不能合抱而为一体。所以后世的丹道家,便有种种方法,如何来炼气,如何来养神。甚至把神譬喻是动物中的龙,是矿物中的汞。把气譬喻为虎、为铅。种种形容,种种妙譬,仍然不出老子的"载营魄为一"而已。这便是第一步修身成就的要点。

养气与修心

其次,从另一角度来讲,假如一个人能够做到"专气致柔,能婴儿乎",也就差不多可使"营魄抱一"了。因为老子这句名言,却使后世人为了想达到"专气致柔"的效果,想尽种种方法,建立了许多门道。尤其到了近代,自有武当派张三丰的太极拳流行普及以来,到处都可看到、听到"专气致柔"的论调。但很可惜的,谁又真能修气而达到专一的地步呢? 心气既然不能专一,要想使它化刚为柔,以柔克刚,更所难能。气不能柔,哪里还能达到返老还童、状如婴儿的境界呢?

但是要从炼气而求得祛病延年、长生不老的方法,早已成为东方人文的专长。无论是中国道家的炼气功夫,或印度的瑜伽术等的炼气,都是靠一双鼻孔、一个嘴巴,加上动作来作呼吸。据我所知的统计,至少有两百多种不同的炼气法,当然也包括了道家和佛家的。

佛家自隋唐以来,由智者大师所创立天台宗的修持入门方法,便很注重用修气调息作为止观的入手法门,如《小止观》六妙门的数息、随息等基本方法。后来演变为天台宗山外的三十六步修炼气功程序,再传到了日本,便成为合气道、武士道等的功夫。又如西藏密宗的一部分修法,专门注重修气的成就,然后进到修脉、修光明而到达三昧真火的境界。总而言之,在人文的学术中,利用气息而修炼精神的,无非要做到"心息相依"、"心气合一"的程度,不谋而合于老子的"专气致柔,如婴儿乎"的原则。

其实,能从客观的立场研究养气或炼气之道,这种学理与方法,在春秋、战国之间,确已普遍地流行。不但道家者流、方士等辈,讲究其术,即如祖述儒家的孟子,也大受其道的影响。而且从古至今,一般对于养气修心的功夫,确能修到纯粹精湛的,很少能超过孟子的程度。以下便是孟子对养气修心的进度,作确切恰当的报道:

可欲之谓善,有诸己之谓信,充实之谓美,充实而有光辉之谓大,大而化之之谓圣,圣而不可知之谓神。(《尽心篇》)

孟子首先指出养气修心之道,虽爱好其事,但一曝十寒,不能专一修养,只能算是但知有此一善而已。必须要在自己的身心上有了效验,方能生起正信,也可以说才算有了证验的信息。由此再进而"充实之谓美"直到"圣而不可知之谓神",才算是"我善养吾浩然之气"(《公孙丑篇》)的成功果位。至于"其生色也,睟然见于面,盎于背,施于四体,四体不言而喻"(《尽心篇》),那是属于"有诸己之谓信"与"充实之谓美"之间所呈现的外形现象而已。

假如将孟子这些养气修心的成就之说,拿来与老子的"专气致柔,能婴儿乎"作一对比研究,是否完全一致? 可以说,从表面看来,第一,一简一繁,已有不同。第二,孟子的神化,与老子的婴儿,似乎又有形而上与形而下的差别。但是,老子的简易浅显,用婴儿的境地来形容神完神旺的情况,看来容易,其实大难。孟子的详述进度,看来愈到后来愈难,事实上,修到了"充实而有光辉"之后,却是图难反易了。这便是《老子》本章所说第二步修性命成就的要点所在。

但是,身心性命的中心,并非在身心神气两者之间而已。神气,还只是道的用,"此两者同出而异名,同谓之玄。"能使身心神气相互发挥为用的,却是无名无相的道妙。为了使世俗观念容易了解,也可勉强另为它取名叫"玄览",叫它为睿智或慧智。因此,便有第三步修心智成就的说法,所谓"涤除玄览,能无疵乎!"这是说到了道智成就的时候,澡雪精神还须洗炼,必须达到法天法地而"曲成万物而不遗"的纯粹无疵,才能返还本初,合于自然之道。到此才能心如明镜,照见万象。物来则应,过去不留。洞烛机先,而心中不存丝毫物累。

为政治国的哲学

由载营魄抱一而无离,专气致柔如婴儿,到达涤除玄览而无疵的内养之道,已有所成,便可入于内圣境界。如能出而外王,转进"同功而异位"的用世之道,又有三个要点必须做到,才能构成整体工程系统。首先提出"爱民治国,能无知乎"第一个问题。骤然看来,非常矛盾,而且也很有趣。既然要爱民治国,肩挑天下大任,岂是无知无识的人所能做得到的。即如上古儒道并不分家的历史文化所记载的黄帝或者尧、舜,都是标榜天纵神武睿知,或生而能言,或知周万物,哪里有一个无知的人而能完成爱民治国的重任? 老子突然来上一句,"爱民治国,能无知乎?"岂不是有意刁难,故弄玄虚吗?

其实,这句话的内涵,在《老子》本书第七十一章的全文,已经自作答案,不须我们另加发挥。

如说:"知不知,上。不知知,病。夫唯病病,是以不病。圣人不病,以其病病,是以不病。"这就是说明真是天纵睿知的人,决不轻用自己的知能来处理天下大事,再明显地说,必须集思广益,博采众议,然后有所取裁。所谓知者恰如不知者相似,才能领导多方,完成大业。这里所说的"知不知",也正是老子思想学术中心的"为无为",是同一道理。真能用世而成不朽的功业,正因他能善于运用众智而成功其大智。例如我们历史上最被人所喜爱第一个平民皇帝汉高祖刘邦,只从表面看来,他是满不在乎,大而化之的人物。但当他统一天下,登上皇帝的宝座以后,很坦白地说:

> 夫运筹帷幄之中,决胜千里之外,吾不如子房。
>
> 镇国家,抚百姓,给饷馈,不绝粮道,吾不如萧何。
>
> 连百万之众,战必胜,攻必取,吾不如韩信。
>
> 三者皆人杰,吾能用之,此吾所以取天下者也。项羽有一范增而不能用,此所以为吾擒也。

这便是老子的"爱民治国,能无知乎"的一个比较接近的榜样。当然绝不可以像他的曾孙刘彻——汉武帝一样,太好自知之明。或者同他末代裔孙刘禅——阿斗一样昏庸无知,那都是犯了基本原则的大过,不足为训。

同样的道理,在我们传统文化的诸子学说中,有关类似老子的"爱民治国,能无知乎"的名言,也随处可见,例如:

> 慎到曰:不聪不明,不能为上。不瞀不聋,不能为公。
>
> 鬼谷子曰:专用聪明,则功不成。专用晦昧,则事必悖。一明一晦,众之所载。
>
> 《吕氏春秋》引周公旦曰:君子屈于不己知而伸于知己。
>
> 傅子曰:智慧多,则引血气如灯火之脂膏,炷大而明,明则膏消。炷小而暗,暗则膏息。息则能长久也。

但能够透彻明白这些道理,用在济世之功的方面,千古以来,莫过于管仲。所以他能辅佐太保型的齐桓公——小白,建立霸业,"一匡天下,九合诸侯",确非偶然。那么管仲的"爱民治国,能无知乎"的表现,又在哪里呢?我们且看他对齐桓公的建议:

升降揖让,进退闲习,辩辞之刚柔,臣不如隰朋,请立为大行(主管外交使节)。

垦草入邑,辟土聚粟,多众尽地之利,臣不如宁戚,请立为大司田(主管农业水利垦殖开发)。

平原广牧,车不结辙,士不旋踵,鼓之而三军之士视死如归,臣不如王子城父,请立为大司马(主管军事)。

决狱折中,不杀不辜,不诬无罪,臣不如宾胥无,请立为大司理(主管司法)。

犯君颜色,进谏必忠,不辟死亡,不挠富贵,臣不如东郭牙,请立为大谏之官(谏官)。

此五子者,夷吾(管仲自称名字)一不如。然而以易夷吾,夷吾不为也。君若欲治国强兵,则五子者存矣。若欲霸王,夷吾在此。桓公曰:善。

这便是臣道第一人的"爱民治国,能无知乎"的最好说明了。

老子的书,倘使照条分类列来读,看来只是一项一条的格言而已。如果按照王弼注的流行本的编排来读,有时好像很矛盾。当然,也可以把这种矛盾,认为是正反的排比。例如本章开头,刚刚说了一句"爱民治国,能无知乎?"跟着而来的第二要点,便是"天门开阖,能无雌乎?"但无知无识,正好是雌阴晦昧的境界。这与天门开阖,而无雌的说法,恰好完全相反。无雌,当然是与阴柔反对的雄阳正格。雄阳,就是刚正的表相。天门是象征性的代名词,天圆盖覆,本自无门,哪里开阖?但道家却把人体的头颅顶盖天灵骨的中心点,古代医术所称的百会穴之处,叫作天门。也有别名叫"天囱"的。据说,修道的人,修到纯阳无杂的程度,天门就会自然开阖。到此程度,自然智周万物,神通天地,明达古今,超凡入圣。如果照我们上古历史类似神话的传说,自神农、黄帝以下,以及唐尧、虞舜等圣帝明王,都能在现生中修养到达这种境界。但皆退藏于密,深藏而不露,所以在爱民治国方面,都是表现其无知而知的大成就。

具备了这种知不知与天门开阖而无雌的最高修养,才能作到第三要点"明白四达,能无为乎!"为而不为,垂拱而治的德业。因此,从表面看来,虽然都是入世、治世的君主,但在实际上,同时就是超越世俗的圣哲——超人。因此,才能"生之,畜之。"而护佑万邦,安养百姓。

可是到了最后,却是"生而不有",如天地一样,虽能生长万有,但不据为己有。"为而不恃",虽然是因为他的德业作为而有此成功,但他却不自恃为己功。虽然雄长万方,但却不愿永久自居于主宰的地位。因此说"长而不宰,是为玄德","玄德"的意思,不只是大德而已。

由于道家圣人代表的老子,与儒家圣人代表的孔子等人,随处推崇以三代以上的圣帝明王的作榜样,用来阐扬上古传统文化君道的精神,因此而有宋代大儒邵康节写出微言大义的名句"唐虞揖让三杯酒,汤武征诛一局棋"的历史哲学。我们正好借来作为本章的结论,最为恰当。尧、舜都是内圣外王、出世而入世的得道明君,所以能在进退之间,互相揖让而禅位,杯酒言欢,坦率自然,绝无机诈之心。时代愈后,人心不占,到汤武革命,便用征诛手段,这便等于在棋盘之间的对弈,权谋策略,煞费心机,已与自然之道大相径庭了。所以由这两句名言的内涵,便可了解老子的人生标准,与历史哲学观点的玄言妙义了。

第十一章

三十辐共一毂,当其无,有车之用。埏埴以为器,当其无,有器之用。凿户牖以为室,当其无,有室之用。故有之以为利,无之以为用。

有上章"同功而异位"内圣外用的说法,便有本章申述道在有无动静之间的说明。

本文多用譬喻,首先提出担当任重道远的车毂,它能活用不休,轮转无穷的中心关键所在,便是中空无物,所以才能支持多方面的效用。同时也使多方面的力量,归到中心点而返还无用之用的大用,无为而无不为的要妙。

如"三十辐共一毂,当其无,有车之用。"古代造作大木车的车毂,它的中心支点只是一个小圆孔。由中心点小圆孔向外周延,共有三十根支柱辐凑,外包一个大圆圈,便构成一个内外圆圈的大车轮。由此而能担当任重道远的负载,旋转不休而到达目的地。以这种三十辐凑合而构成一个大车的轮子来讲,你能说哪一根支柱才是车轮载力的重点吗? 每一根都很重要,也都不重要。它们是平均使力,根根都发挥了它的伟大功能而完成转轮的效用。但支持全体共力的中心点,却在中心的小圆孔。可是它的中心,却是空无一物,既不偏向支持任何一根支柱,也不做任何一根支柱的固定方向。因此才能活用不休,永无止境。

透过这种物理自然的法则,便可了解修身成就的要点:"载营魄抱一,能无离乎"的修养,要在中心无物,任运于有无之间的妙用。如果用在施于大政,"爱民治国,能无知乎"! 便须如此车毂的中心,虚怀无朕,合众辅而完成大力的全功。

其次,如"埏埴以为器,当其无,有器之用。"埏,是捏土。埴,是黏土。造作陶器,必须把泥土作成一个防范内外渗漏的周延外形,使它中间空空如也,才能在需要用它的时候,随意装载盛满,达到效果。

了解这种唯其能空能无,才能具有盛满装载器物的容物价值。无论为后天修养性命之道的"专气致柔,能婴儿乎"!与出而用世的"天门开阖,能无雌乎"!都必须"虚怀若谷",与天地精神往来而得大机大用。

再次,如"凿户牖以为室,当其无,有室之用。"户是室内的门,牖是窗窦。要建造一间巨大的房屋,必须要开辟门窗,以便光线空气的流通,才能住人而养人。使人胸襟开阔,内外畅达而无阻碍。由此而说明"涤除玄览,能无疵乎"的修习心智功夫,必须要开张灵明,静居其中,见闻不隔而清净无为。如要施之于用世之道,便是"明白四达,能无为乎"的楷模。

最后重复叮咛,无论是出世之道,与入世之用,必须要切实明白道在有无之间的窍妙。因此说:"故有之以为利,无之以为用。"了解此理,才是真能懂得"利用安身"的大法则。后来到了五代,道家的神仙才子谭峭,发挥了道家学术思想的物化思想,与老庄的学说合流,写了一本名著《化书》。其中有关物理之际,有无之间的妙用,阐发得隽永透辟之至,如说:

> 博空为块,见块而不见空,土在天地开辟后也。粉块为空,见空而不见块,土在天地混沌时也。神矣哉!

理解透辟如谭子的深度,真可说是"神矣哉"!既然是"神矣哉"的境界,我们所说的都是狂言空话,不如就此煞住,无话可说了!

第十二章

　　五色令人目盲,五音令人耳聋,五味令人口爽。驰骋畋猎,令人心发狂。难得之货,令人行妨。是以圣人为腹不为目,故去彼取此。

花花世界奈聋盲

　　跟着前面所说"有之以为利,无之以为用",因应运用的原则,顺理成章地说出善于用物,而不被物所用的重点。因此而提出严重的警告,要人们对于声、色、货、利以及口腹之欲,加以节制,不要任性自欺而上当。本章原文,文从字顺,大家读了就很明白,用不着多加解释。现在我们只从实际的经验上,提供一些报告,以为大家的参考。

　　像我们这一时代的人,以现代人的眼光来看,大半是由古老的农村社会出身,从半落后的农业社会里长大,经过数十年时代潮流的撞激,在艰危困苦中,经历多次的惊涛骇浪而成长,从漫长曲折的人生道途上,一步一步走进科技密集、物质文明昌盛的今日世界。回首前尘,瞻顾未来,偶尔会发出思古之幽情,同时也正迷醉于物质文明的享受。

　　例如由我们所看到的长辈,以及我们这一代,从幼小的时期,在一盏半明半灭的青油灯下,"三更灯火五更鸡"的苦读诗书,慢慢到了有了洋油(煤气)灯,再进到电灯(日光灯),以及彩色电影和彩色电视的今天。

　　由惯听农村俚语的民俗歌谣,到达无线电的收音机,再进而发展到"身历声"的高级音响,欣赏世界各地的名歌妙曲。

　　由穿钉鞋,打油纸雨伞,踩着泥泞的道路,上学堂读书,到骑脚踏车、摩托车,甚至驾驶私家轿车(汽车)亲自接送孩子们上学读书的场面。

　　由老牛拖车,瘦马蹇驴,单桨划船,到达机帆船、轮船、油轮货柜。由仰头上空看四翼飞轮机开始,到达随时可以乘坐喷射航机环游世界的今天。

　　由磨墨涂鸦到打字影印的数十年来,不敢说读万卷书,行万里路,但所读过的书,无论在白天或灯光下面,并不亚于现代青年的努力用功,可是用到现在,老眼还不太过昏花。当然在年轻的时候,也没有现代青年的近视水准。同时,也不会因噪音的干扰而造成听觉不灵。

　　但在物质文明的现代呢! 由自然科学的进步,发展到精密科技以来,声、光、电、化等的科技进步,促使声、色、货、利的繁荣。满眼所见,传闻所及,由父母所生,血肉所成的五官机能,好像都已走样。无论眼睛、耳朵、鼻子、嘴巴,不另加上一些物质文明的成品,反而犹如怪物似的,而且应用失灵,大有不能全靠本来面目应世之慨。

　　因此反复忆及《老子》本章的话,常常使人低徊有感,不胜惆怅。由机器人来治事的日子,快要来临,甚至说,与外星人的交往,也不是幻想的虚言。那么,反观我们今日的人样,真真假假,也就不足为奇,只当大家都在活世的大银幕上一番表演而已。老子虽然为后人担忧,看来也是白费口舌,因为目盲自有眼镜架,耳聋自有助听器,口爽自有营养片,发狂又有镇定剂。老子虽圣莫惊叹,一切无妨难得的。

　　本章所说的口爽的"爽"字,是指口腔舌头的味觉出了毛病。不是爽快的意义,这要特别说明。例如中国古代医书所称的口爽,便是口腔乏味、食欲不振的意思。

　　驰骋畋猎,是古代最富于刺激性的个人户外活动,以及群众野外活动。它正如现代人的观念,认为刺激才是享受,疯狂才够刺激。那么,这个老子,也就没得什么好说了!

老子他说   139

第十三章

宠辱若惊，贵大患若身。何谓宠辱若惊？宠为下，得之若惊，失之若惊，是谓宠辱若惊。何谓贵大患若身？吾所以有大患者，为吾有身。及吾无身，吾有何患？故贵以身为天下，若可寄天下。爱以身为天下，若可托天下。

宠辱谁能不动心

从十一章以来说明，人须能用物而不为物用，不为物累。但能利物，而成为无为的大用。因此再进而说明人生宠辱境界的根本症结所在，都因为我有身而来。

宠，是得意的总表相。辱，是失意的总代号。当一个人在成名、成功的时候，如非平素具有淡泊名利的真修养，一旦得意，便会欣喜若狂，喜极而泣，自然会有惊震心态，甚至有所谓得意忘形者。

例如在前清的考试时代，民间相传一则笑话，便是很好的说明。有一个老童生，每次考试不中，但年纪已经步入中年了，这一次正好与儿子同科应考。到了放榜的一天，儿子看榜回来，知道已经录取，赶快回家报喜。他的父亲正好关在房里洗澡。儿子敲门大叫说：爸爸，我已考取第几名了！老子在房里一听，便大声呵斥说：考取一个秀才，算得了什么，这样沉不住气，大声小叫！儿子一听，吓得不敢大叫，便轻轻地说：爸爸，你也是第几名考取了！老子一听，便打开房门，一冲而出，大声呵斥说：你为什么不先说。他忘了自己光着身子，连衣裤都还没穿上呢！这便是"宠为下，得之若惊,失之若惊"的一个写照。

　　"受宠若惊",大家都有很多的经验,只是大小经历太多了,好像便成为自然的现象。相反的一面,便是失意若惊。在若干年前,我住的一条街巷里,隔邻有一家,便是一个主管官员,逢年过节,大有门庭若市之慨。有一年秋天,听说这家的主人,因事免职了,刚好接他位子的后任,便住在斜对门。到了中秋的时候,进出这条巷子送礼的人,照旧很多。有一天,前任主官的一个最小的孩子,站在门口玩耍,正好看到那些平时送礼来家的熟人,手提着东西,走向斜对门那边去了。孩子天真无邪的好心,大声叫着说:某伯伯,我们住在这里,你走错了!弄得客人好尴尬,只有向着孩子苦笑,招招手而已。有人看了很寒心,特来向我们说故事,感叹"人情冷暖,世态炎凉"。我说,这是古今中外一律的世间相,何足为奇。我们幼年的课外读物《昔时贤文》中,便有:"有酒有肉皆兄弟,患难何曾见一人?""贫居闹市无人问,富在深山有远亲。"这不正是成年以后,勘破世俗常态的预告吗?在一般人来说,那是势利。其实,人与人的交往,人际事物的交流,势利是其常态。纯粹只讲道义,不顾势利,是非常的变态。物以稀为贵,此所以道义的绝对可贵了。

　　势利之交,古人有一特称,叫作"市道"之交。市道,等于商场上的生意买卖,只看是否有利可图而已。在战国的时候,赵国的名将廉颇,便有过"一贵一贱,交情乃见"的历史经验。如《史记》所载:

　　廉颇之免长平归也,失势之时,故客尽去。及复用为将,客又复至。廉颇曰:客退矣!客曰:吁!君何见之晚也。夫天下以市道交。君有势,我则从君。君无势,则去。此固其理也,有何怨乎!

　　廉颇平常所豢养的宾客们的对话,一点都没有错。天下人与你廉大将军的交往,本来就都为利害关系而来的。你有权势,而且也养得起我们,我们就都来追随你。你一失势,当然就望望然而他去了。这是世态的当然道理，"君何见之晚也"，你怎么到现在才知道，那未免太迟了一点吧！

有关人生的得意与失意，荣宠与羞辱之间的感受，古今中外，在官场，在商场，在情场，都和剧场一样，是看得最明显的地方。以男女的情场而言，如所周知唐明皇最先宠爱的梅妃，后来冷落在长安永巷之中，要想再见一面都不可能。世间多少的痴男怨女，因此一结而不能解脱，于是构成了无数哀艳恋情的文学作品！因此宋代诗人便有"羡他村落无盐女，不宠无惊过一生"的故作解脱语！无盐是指齐宣王的丑妃无盐君，历来都把她用作丑陋妇女的代名词。其实，无盐也好，西施也好，不经绚烂，哪里知道平淡的可贵。不经过荣耀，又哪里知道平凡的可爱。这两句名诗，当然是出在久历风波，遍尝荣华而归于平淡以后的感言。从文字的艺术看来，的确很美。但从人生的实际经验来讲，谁又肯"知足常乐"而甘于淡泊呢！除非生而知之的圣哲如老子等辈。其次，在人际关系上，不因荣辱而保持道义的，诸葛亮曾有一则名言，可为人们学习修养的最好座右铭，如云：

势利之交，难以经远。士之相知，温不增华，寒不改叶，贯四时而不衰，历坦险而益固。

天下由来轻两臂

在我们旧式文学与人生的名言里，时常听到人们劝告别人的话，如"身外之物，何足挂齿"。对于得意而受到的荣宠，与失意所遭遇的羞辱来讲，利害、得失，毕竟还只是人我生命的身外之物，在利害关头的时候，慷慨舍物买命，那是很常见的事。除非有人把身外物看得比生命还更重要，那就不可以常理论了！

十多年前，有一个学生在课堂上问我，爱情哲学的内涵是什么？我的答复，人最爱的是我。所谓"我爱你"，那是因为我要爱你才爱你。当我不想，或不需要爱你的时候便不爱你。因此，爱便是自我自私最极端的表达。其实，人所最爱的既不是你，当然更不是他人，最爱的还是我自己。

那么，我是什么？是身体吗？答案：不是的。当你患重病的时候，医生宣告必须去了你某一部分重要的肢体或器官，你才能再活下去。于是，差不多都会同意医生的意见，宁愿忍痛割舍从有生命以来，同甘共苦，患难相从的肢体或器官，只图自我生命的再活下去。由此可见，即使是我的身体，到了重要的利害关头，仍然不是我所最亲爱的，哪里还谈什么我真能爱你与他呢！所以明朝的诗僧栯堂禅师，便说出"天下由来轻两臂，世间何苦重连城"的隽语了！

"轻两臂"的故事，见于《庄子·杂篇》的《让王篇》。

韩魏相与争侵地，子华子见昭僖侯。昭僖侯有忧色。子华子曰：今使天下书铭于君之前，书之言曰：左手攫之则右手废，右手攫之则左手废。然而攫之者必有天下。君攫之乎？昭僖侯曰：寡人不攫也。子华子曰：甚善。自是观之，两臂重于天下也。身亦重于两臂。韩之轻于天下亦远矣。今之所争者，其轻于韩又远。君固愁身伤生以忧戚不得也。僖侯曰：善哉！教寡人者众矣，未尝得闻此言也。

所以说："虽富贵不以养伤身。虽贫贱不以利累形。"老子亦因此而指出"吾所以有大患者，为吾有身，及吾无身，吾有何患"的基本哲学。再进而说明外王于天下的侯王将相们，所谓以"一身系天下安危"者的最大认识，必须以爱己之心，来珍惜呵护天下的全民，发挥出对全人类的大爱心，才能寄以"系天下安危于一身"的重任。这也是全民所寄望、所信托以天下的基本要点。同样的道理，以不同的说法，便是曾子的"可以托六尺之孤，可以寄百里之命，临大节而不可夺也。君子人欤？君子人也。"

由此观点，我们在本世纪中的经历，看到比照美式民主选举的民意代表们，大都是轻举两臂：拜托！拜托！力竭卢嘶地攻评他人，大喊投我一票的运动选民，不禁使旁观者联想起："贵以身为天下，爱以身为天下"、"天下由来轻两臂，世间何苦重连城"的幽然情怀了！

讲到这里，忽然看到在座诸公，有的是倾心于老子的太上老君的神仙丹道的学者，心里正在嘀咕本章的"及吾无身，吾有何患"的解释，明明是说修道的功夫境界，何苦一定要侧重下文的"贵以身为天下，爱以身为天下"的可寄可托的繁文。这却要恕我唐突，太过赞赏老子的可以入世，可以出世的道妙，因此就顺口挽胡，说到老子点化用之道的一面去了。如果从修习神仙养生之道来讲，要修到无身境界，确已不易。但无"身"之患，也未必能彻底迈到"无我"的成就。何况一般笃信老子之道者，还正在偏重虚心实腹，大作身体上气脉的功夫，正被有身之患所累呢！所以宋代的南宗神仙祖师张紫阳真人便有"何苦抛身又入身"之叹！至于说，如何才能修到无"身"之累？那就应该多从"存神返视"、"内照形躯"入手，然后进入"外其身而身先"的超神入化境界，或者可以近似了！

第十四章

视之不见名曰夷,听之不闻名曰希,搏之不得名曰微,此三者不可致诘,故混而为一。其上不皦,其下不昧,绳绳不可名,复归于无物。是谓无状之状,无物之象,是谓惚恍。迎之不见其首,随之不见其后。执古之道,以御今之有。能知古始,是谓道纪。

时空心物与道的体用

依据习用已久王弼编排的《老子》八十一章的次序,从本章开始,又另起炉灶,转入辩说物理的境界,似乎不相衔接。其实,与十三章所讲,不可为物情所累,而困扰于世俗的宠辱,因此而生起得失之心。而且进一步了解宠辱的发生,都由于我有我身之累而来,"及吾无身,吾有何患"。那么便知在现实世界中,所谓我与无我之间的关键,只因有此身的存在而受累无穷。但我身是血肉之躯,血肉的生理状态,也便是物理的造化而来。因此便进一步说明心物一元的形而上与形而下的理则,隐约之间,仍然是顺理成章,大有脉络可循。这也便是道家学说,始终从生理物理入手而到达形而上的特殊之处,大异于后世的儒家与佛家的理趣所在。

本章首先提出有一个看而不见,听而不闻,又触摸不到的混元一体的东西。要说它是物吗,它又不同于物质世界的物体那样,可以看得见,听得到,摸得着。要说它不是物吗,宇宙万有的存在,都由它造化而来。因此,在理念上名之曰"道"。在实用上,便叫它做混元一体。但在本无名相可说上,它究竟是什么东西?老子为之作了三部分的命名。

视之不见的，还有非见所及的存在，特别命名它叫"夷"。夷，是平坦无阻的表示。

听之不闻的，还有非听闻所及的作用，特别命名它叫"希"。希，不是无声，只是非人类耳目所及的大音而已。

感觉摸触不到的，还有非感官所知的东西，特别命名它叫"微"。微，当然不是绝对的没有。后来由印度传入的佛学，说到物理的深奥之处，也便借用老子的观念，翻译命名为"极微"，便有互同此理的内涵。

总之，视、听与触觉这三种基本作用，原是一体的三角形，它与物理世界的声、光、触受是有密切的相互关联性，也可以说它是一体的三种作用，不可寻探它的个别界限，因此笼统说明它是"混而为一"的。从老子以后的道家与道教，便因袭其名，叫它"混元一体"，或"混元一气"。这便是老子当时对物理的分类说法，也可以说是中国古代理论物理的粗浅说明之一。

再进一步说明，他说这个声、光、触觉"混而为一"的东西，它的本身，并无上下左右等的方位差别，也没有明暗的界别。也可以说上下明暗，"混而为一"而不可或分的，所以它具有超越时空的性质。"其上不皦"，虽在九天之上，也不受皦然光明的特色所染污。"其下不昧"，虽在九地之下，也不受晦昧不明的现象所染污。它说似无关却有关的永远不断不续似的连在一起，"绳绳不可名"。你要说它是一个具体物质的东西，它又不是物质，"复归于无物"。总之，没有固定的形状，"无状之状"也不能用任何一样东西来比拟它的现象，"无物之象"。只好给他取了一个浑号，叫作"惚恍"。关于惚恍，老子在后文又自有解说，在此不必先加说明。它是无来无去，不去不来，超越古今代谢的时空作用。来也无所从来，你要迎接它也摸不着边。去也无法追随，你要跟踪它早已无影无形，悄然如逝了。"迎之不见其首，随之不见其后。"

它本是无始无终的,但在人文的观察上,勉强分别它有始有终,有去有来,有古有今的界别。因此,以无始之始,姑且命名它为上"古"。无始不可得,上古不能留,只需切实把握现在的今天,便可体认"风月无今古,情怀自浅深"的真谛。"执古之道,以御今之有。"但切勿忘了它是无古今,无终始的本相,这样,便可把握到道的纲要了,"能知古始,是谓道纪"。

本章虽是偏重于时空、心物的关系而说明道的体用,但在一般重视用世之学的角度看来,它与后世所谓的帝王术与领导学,又有深密的哲学性关系。因为从传统的政治哲学来讲,王者设官治世的所谓"官"的定义,应有两种。

一、从政治制度来讲,官者,管也。官,便是管理的意思。

二、从人主的领导政治哲学来讲,官者,犹如人体的官能,所谓五官百骸,各有其所司的专职所司的分别事务,均须汇报终于中枢统领的首脑以作智慧的处理。

而辅助头脑最得力的官能,便是眼目的视力,耳朵的听觉,以及全身的触受所及的亲民之官。自古及今,无论为专制的帝王制度,或自由的民主制度,始终不外这一原理。然而目之所见,耳之所闻,触摸之所及,心之所思,毕竟都是有限度的。即如稍迟于老子,但在儒道还不分家时期的孔门弟子,如曾子、子思,便对此早有深入的告诫。

曾子说:"一心可以事百君,百心不可事一君。"

子思说:"百心不可以得一人,一心可以得百人。""君子以心导耳目,小人以耳目导心。"

他们都是极力主张领导者首须注重于诚意、正心的自养,而戒慎于偏信耳目的不当。所以在正统儒道学术思想的立场,大多反对"察察为明",过分偏任法家或权术的制衡作用。所谓"察见渊鱼者不祥",便是此意。

讲到这里,姑且让我们不伦不类,走出老子道家的范围,插入一段晚唐时代一个禅宗的故事,或可得"他山之石,可以攻玉"的妙悟之趣。

古灵禅赞禅师悟道以后,有一天,看到他的受业本师在窗下看经,正好有一只蜂子飞投纸窗钻不出来。古灵便趁机说:"世界如许(这样)广阔,不肯出。钻他故纸驴年去(驴年,是代表永远没有这一年的意思。因地支十二生肖里没有驴)。"遂说偈曰:"空门不肯出,投窗也大痴。百年钻故纸,何日出头时。"他的受业本师,因此启发而终于大彻大悟。后人对于这个学案,又写了一首诗偈说:"蝇爱寻光纸上钻,不能透过几多难。忽然撞着来时路,始信平生被眼瞒。"

人活老了,便可知道有许多人间世事,被自己耳目所欺骗,被自己情感主观所蒙蔽的,非常之多。既然自己的耳目亦难全信尽为真实,只有用心体会历史法则的"执古之道,以御今之有。能知古始,是为道纪"才较为切实得当。同样的道理,相反的表达,便有子思在《中庸》篇中所谓的"生乎今之世,反古之道。如此者,灾及其身者也"。其实子思与老子一样,极其重视历史哲学与历史经验的因果法则,鄙薄"予智自雄"、"师心自用",但重"察察之明"的不当。由此而反照今日世界,普遍都靠耳目收集资料,作为统计的政治方针。甚至凭藉电脑统计的资料以定人事的管理。有时碰到电脑本身的误差,或人为有意对电脑的错误操作时,想起老子"此三者不可致诘,故混而为一"的妙语,在无可奈何之处,便只好哑然作会心的一笑了!

第十五章

　　古之善为士者,微妙玄通,深不可识。夫唯不可识,故强为之容。豫兮若冬涉川,犹兮若畏四邻,俨兮其若容,涣兮若冰之将释,敦兮其若朴,旷兮其若谷,浑兮其若浊。孰能浊以静之徐清,孰能安以动之徐生。保此道者不欲盈。夫唯不盈,故能蔽不新成。

老子的"士"的内涵

　　上古时代所谓的"士",并非完全同于现代观念中的读书人,"士"的原本意义,是指专志道业,而真正有学问的人。一个读书人,必须在学识、智慧与道德的修养上,达到身心和谐自在,世出世间法内外兼通的程度,符合"微妙玄通,深不可识"这八个字的原则,才真正够资格当一个"士"。以现在的社会来说,作为一个士,学问道德都要精微无瑕到极点。等于孔子在《易经》上所言:"絜净精微。""絜净",是说学问接近宗教、哲学的境界。"精微",则相当于科学上的精密性。道家的思想,亦从这个"絜净精微"的体系而来。

　　所以老子说:"古之善为士者,微妙玄通。"意思是说精微到妙不可言的境界,絜净到冥然通玄的地步,便可无所不知,无所不晓了。而且,"妙"的境界勉强来说,万事万物皆能恰到好处,不会有不良的作用。正如古人的两句话:"圣人无死地,智者无困厄。"一个大圣人,再怎么样恶劣的状况,无论如何也不会走上绝路。一个真正有大智慧的人,根本不会受环境的困扰,反而可从重重困难中解脱出来。

"玄通"二字,可以连起来解释,如果分开来看,那么"玄之又玄,众妙之门"。这正是老子本身对"玄"所下的注解。更进一步具体地说,即是一切万物皆可以随心所欲,把握在手中。道家形容修道有成就的人为"宇宙在手,万化由心。"意思在此。一个人能够把宇宙轻轻松松掌握在股掌之间,万有的千变万化由他自由指挥、创造,这不是比上帝还要伟大了吗? 至于"通",是无所不通达的意思,相当于佛家所讲的"圆融无碍"。也就是《易经·系传》所说的:"变动不拘,周流六虚。""六虚"也叫"六合",就是东南西北上下,凡所有法,在天地间都是变化莫测的。以上是说明修道有所成就,到了某一阶段,便合于"微妙玄通,深不可识"的境界。

因此老子又说:"夫唯不可识,故强为之容。"一个得道有所成就的人,一般人简直没有办法认识他,也没有办法确定他,因为他已经圆满和谐,无所不通。凡是圆满的事物,站在哪一个角度来看,都是令人肯定的,没有不顺眼的。若是有所形容,那也是勉勉强强套上去而已。

接着老子就说明一个得道人所应做到的本分,其实也是点出了每一个人自己该有的修养。换句话说,在中国文化道家的观念里,凡是一个知识分子,都要能够胜任每一件事情。再详加研究的话,老子这里所说,正与《礼记·儒行篇》所讲上古时一个读书人的行为标准相符。不过《老子》这一章中,所形容的与《儒行篇》的说辞不同。以现在的观念看来,《礼记》的描写比较科学化、有规格。道家老子的描写则偏向文学性,在逻辑上走的是比喻的路线,详细的规模由大家自己去定。

"豫兮若冬涉川",一个真正有道的人,做人做事绝不草率,凡事都先慎重考虑。"豫",有所预备,也就是古人所说"凡事豫立而不劳"。一件事情,不经过大脑去研究,贸然就下决定,冒冒失失去做、去说,那是一般人的习性。"凡事都从忙里错,谁人知向静中修。"学道的人,因应万事,要有非常从容的态度。做人做事要修养到从容豫逸,"无为而无不为"。"无为",表面看来似没有所作所为,实际上,却是智慧高超,反应迅速,举手投足之间,早已考虑周详,事先早已下了最适当的决定。看他好像一点都不紧张,其实比谁都审慎周详,只因为智慧高,转动得太快,别人看不出来而已。并且,平时待人接物,样样心里都清清楚楚,一举一动毫不含糊。这种修养的态度,便是"豫立而不劳"的形相。这也正是中国文化的千古名言,也是颠扑不破、人人当学的格言。如同一个恰到好处的格子,你无论如何都没有办法逾越,它本来就是一种完美的规格。

但是"豫兮"又是怎样"豫"法呢? 答案是"若冬涉川"。这句话在文字上很容易懂,就是如冬天过河一样。可是冬天过河,究竟是个什么样子? 在中国南方不易看到这类景象,要到北方才体会得出来个中滋味。冬天黄河水面结冰,整条大河可能覆盖上一层厚厚的冰雪。不但是人,马车牛车各种交通工具,也可以从冰上跑过去,但是千万小心,有时到河川中间,万一踏到冰水融化的地方,一失足掉下去便没了命。古人说:"如临深渊,如履薄冰",正是这个意思。做人处事,必须要小心谨慎战战兢兢的。虽然"艺高人胆大",本事高超的人,看天下事,都觉得很容易。例如说,拿破仑的字典里没有"难"字。事实上,正因为拿破仑目空一切,终归失败。如果是智慧平常的人,反而不会把任何事情看得太简单,不敢掉以轻心;而且对待每一个人,都当作比自己高明,不敢贡高我慢。所以,老子这句话说明了,一个有修为的人,必须时时怀着好比冬天从冰河上走过,稍一不慎,就有丧失生命的危险,加以戒慎恐惧。

接着,老子又举了另外一个比喻,"犹兮若畏四邻",来解释一个修道者的思虑周详,慎谋能断。"犹"是猴子之属的一种动物,和狐狸一样,它要出洞或下树之前,一定先把四面八方的动静,看得一清二楚,才敢有所行动。这种小心翼翼的特点,也许要比老鼠伟

大　点。我们形容做事胆子很小，畏畏缩缩，没有信心而犹豫不决，另有一句谚语，便是"首鼠两端"。这句话的涵义和犹豫不决差不多。只要仔细观察老鼠出洞的模样，便会发现，老鼠往往刚爬出洞来几步，左右一看，马上又迅速转头退回去了。它本想前进，却又疑神疑鬼，退回洞里；等一会儿，又跑出来，可是还没多跑几步路，又缩回去了。如此，大概需要反复几次，最后才敢冲出去。"犹"这种动物也一样，它每次行动，必定先东看看，西瞧瞧，等一切都观察清楚，知道没有危险，才敢出来。

这是说，修道的人在人生的路程上，对于自己，对于外界，都要认识得清清楚楚。"犹兮若畏四邻"，如同犹一样，好像四面八方都有情况，都有敌人，心存害怕，不得不提心吊胆，小心翼翼。就算你不活在这个复杂的社会里，或者只是单独一个人走在旷野中，总算是没有敌人了吧！然而这旷野有可能就是你的敌人，走着走着，说不定你便在这荒山野地跌了一跤，永远爬不起来。所以，人生在世就要有那么的小心。

接着，"俨兮其若容"，表示一个修道的人，待人处事都很恭敬，随时随地绝不马虎。子思所著的《中庸》，所谓的"慎独"，恰有类同之处。一个人独自在夜深人静的时候，虽然没有其他的外人在，却也好像面对祖宗，面对菩萨，面对上帝那么恭恭敬敬，不该因独处而使行为荒唐离谱，不合情理。

大家晓得中国文化有　部最根本的书籍——《礼记》。这部《礼记》，等于中华民族上古时期不成文的大宪书，也就是中华文化的根源，百科宝典的依据。一般人都以为，《礼记》只是谈论礼节的书而已，其实礼节只是其中的一项代表。什么叫做"礼"？并不一定是要你只管叩头礼拜的那种表面行为。《礼记》第一句话："毋不敬，俨若思"，真正礼的精神，在于自己无论何时何地，皆抱着虔诚恭敬的态度。处理事情，待人接物，不管做生意也好，读书也好，随时对自己都很严谨，不荒腔走板。"俨若思"，俨是形容词，非常白尊自重,非常严正、恭敬地管理自己。胸襟气度包罗万物,人格宽容博大,能够原谅一切,包容万汇,便是"俨兮其若容"雍容庄重的神态。这是讲有道者所当具有的生活态度,等于是修道人的戒律,一个可贵的生活准则。

上面所谈,处处提出一个学道人应有的严肃态度。可是这样并不完全,他更有洒脱自在,怡然自得的一面。究竟洒脱到什么程度呢?"涣兮若冰之将释"。春天到了,天气渐渐暖和,冰山雪块遇到暖和的天气就慢慢融化、散开,变成清流,普润大地。我们晓得孔子的学生形容孔子"望之俨然,即之也温",刚看到他的时候,个个怕他,等到一接近相处时,倒觉得很温暖,很亲切。"俨兮其若容,涣兮若冰之将释",就是这么一个意思。前句讲人格之庄严宽大,后句讲胸襟气度的潇洒。

不但如此,一个修道人的一言一行,一举一动,也要非常厚道老实,朴实不夸。像一块石头,虽然里面藏有一块上好宝玉,或者金刚钻一类的东西,但没有敲开以前,别人不晓得里面竟有无价之宝。表面看来,只是一个很粗陋的石块。或者有如一块沾满灰泥,其貌不扬的木头,殊不知把它外层的杂物一拨开来,便是一块可供雕刻的上等楠木,乃至更高贵、更难得的沉香木。若是不拨开来看,根本无法一窥究竟。

至于"旷兮其若谷",则是比喻思想的豁达、空灵。修道有成的人,脑子是非常清明空灵的。如同山谷一样,空空洞洞,到山谷里一叫,就有回声,反应很灵敏。为什么一个有智慧的人反应会那么灵敏?因为他的心境永远保持在空灵无着之中。心境不空的人,便如庄子所说:"夫子犹有蓬之心也夫",整个心都被蓬茅塞死了,等于现在骂人的话:"你的脑子是水泥做的,怎么那样不通窍。"整天迷迷糊糊,莫名其妙,岂不糟糕! 心中不应被蓬茅堵住,而应海阔天空,空旷得纤尘不染。道家讲"清虚",佛家讲空,空到极点,清虚到极点,这时候的智慧自然高远,反应也就灵敏。

其实，有道的人是不容易看出来的。老子在上面已说过："和其光，同其尘。"表面上给人看起来像个"混公"，大混蛋一个，"浑兮其若浊"，昏头昏脑，浑浑噩噩，好像什么都不懂。因为真正有道之士，用不着刻意表示自己有道，自己以为了不起。用不着装模作样，故作姿态。本来就很平凡，平凡到混混浊浊，没人识得。这是修道的一个阶段。依老子的看法，一个修道有成的人，是难以用语言文字去界定他的。勉强形容的话，只好拿山谷、朴玉、释冰等等意象来象征他的境界，但那也只是外形的描述而已。

濯足浊流人自清

因此须要再来两句话，"孰能浊以静之徐清，孰能安以动之徐生"是连接上文讲的表现了老子文章的独特风格。上面几句话一路下来，一直写得很轻松自然，假使我们只从文字表面去读，起先好像是懂了，若仔细深一层去研究，那便有点捉摸不定了。

现在这两句话，到底是形容修道人的模样呢？还是说反面话，我们对照前后文看看，还是不易搞清楚，究竟为何而说。读古人的书很难，首先暂且不要去看前人的注解。前人也许比我们高明，但也有比我们不明的地方。因为著书立说的人，难免都有先入为主的观念，除非真把古今各类书籍，读得融会贯通，否则见识不多，随便读一本书，就把里面别人的注解、观念，当做稀有至宝，一古脑遢全装进自己的脑袋瓜子里去，成为先入为主的偏见。然后，再来看讨论同样的问题的第二本书，如果作者持着相反的意见，便认为不对，认为是谬论，死心眼地执著第一本书的看法，这不很可怜吗？却不晓得研究中国文化的图书，几千年下来，连篇累牍，不可胜数。光是一部《四库全书》就堆积如山，而《老子》一书的注解，可说汗牛充栋，各家有各家的说法。有人读到焦头烂额，无法分清哪一种说法合理，只好想一套说词，自圆其说。最后又再三推敲，自己又怀疑起来。因此，我们最好还是读《老子》的原文，从原文中去找答案，去发现老子自己的注解。

前文提到"浑兮其若浊"，用来说明修道之士的"微妙玄通"，接着几句形容词，都是这个"通"字的解说。也就是从哪一方面来讲，都没有障碍。像个虚体的圆球，没有轮廓，却是面面俱到，相互涵摄。彻底而言，即是佛家所言"圆融无碍"。成了道的人，自然圆满融会，贯通一切，四通八达，了无障碍。而其外相正是"混兮其若浊"，和我们这个混浊的世界上一群浑浑噩噩的人们，并无两样。

这不就说完了吗？不就已透露出"孰能浊以静之徐清，孰能安以动之徐生"所隐含的消息吗？现在更进一步，解释修道的程序与方法，作为更详细的说明。人的学问修养、身心状况，如何才能达到微妙玄通，深不可识的境界呢？只有一个办法，好好在混浊动乱的状态下平静下来，慢慢稳定下来，使之臻于纯粹清明的地步。以后世佛道合流的话来说，就是"圆同太虚纤尘不染"，不但一点尘埃都没有，即便连"金屑"，黄金的粉末也都找不着，务必使之纯清绝顶。

同时，我们还要认清一个观念。什么叫"浊"呢？佛学在《阿弥陀经》上有"五浊恶世"之说。因此，我们古代的文字，也常描写这个世界为"浊世"。例如形容一个年轻人很英俊潇洒，就说他是"翩翩浊世之佳公子也"，相当现在穿牛仔裤的年轻小伙子，长发披头，眼睛乌溜溜，东瞟西瞟，女孩子暗地里叫声"好帅"一样。

生长在世局纷乱，动荡不安的时代里，我们静的修养怎样能够做到呢？这相当困难，尤其现代人，身处二十世纪末叶，二十一世纪即将来临的时代。人类内在思想的紊乱，和外在环境的乱七八糟，形成正比例的相互影响，早已不是"浊世"一词便能交待了事了。什么"交通污染"、"噪音污染"、"工业污染"、"环境污染"等等后患无穷的公害，又有谁能受得了？

因此，"孰能浊以静之徐清"，谁却能够在浊世中慢慢修习到身心清静？这在道家有一套经过确实验证的方法与功夫。譬如，一杯混浊的水，放着不动，这样长久平静下来，混浊的泥渣自然沉淀，终至转浊为清，成为一杯清水，这是一个方法。然而，由浊到静，由静到清，这只是修道的前三个阶段，还不行。更要进一步，"孰能安以"，也就同佛家所讲的修止修观，或修定的功夫，久而安于本位，直到超越时间空间的范围，然后才谈得上得道。

这等于儒家的曾子所著的《大学》注重修身养性的程序，"知止而后有定，定而后能静，静而后能虑，虑而后能得"是同一个路线，只是表达不同而已。如果我们站在道家的立场，看儒道两家的文化，可套句老子的话作结论："此二者同出而异名。"

动 的 哲 学

然而，由浊起修，由静而清，由清而安，这还只是修道的一半，另一半"动之徐生"，才是更重要的。否则，那只不过是小乘的境界罢了。只管自己，未能积极济世，自己一个人躲到山上静坐一万年，那又与庞大的人群有何相干？因此，还得"安以动之徐生"，由道体上起种种妙用。

此处的"动"，不是盲从乱动，不是浊世中人随波逐流的动，不是"举世多从忙里错"的乱动。世上许多人钻营忙碌了一辈子，究竟为谁辛苦为谁忙？到头来自己都搞不清楚。真正的动，是明明白白而又充满意义的"动之徐生"，心平气和，生生不息。我们也可以说一句俏皮话，这就是老子的秘密法宝吧！老子把做工夫的方法，修养的程序与层次都说了，告诉你在静到极点后，要能起用、起动。动以后，则是生生不息，永远长生。佛家说"无生"，道家标榜"长生"，耶稣基督则用"永生"，但都是形容生命另一重意义的生生不已。只是在老子，他却用了一个"徐生"来表达。

"徐生"的涵义，也可说是生生不息的长生妙用，它是慢慢地用。这个观念很重要。等于能源一样，慢慢地用，俭省地用，虽说能源充满宇宙，永远存在，若是不加节制，乱用一通，那只是自我糟蹋而已。"动之徐生"，也是我们作人做事的法则。道家要人做一切事不暴不躁，不"乱"不"浊"，一切要悠然"徐生"，慢慢地来。态度从容，怡然自得，千万不要气急败坏，自乱阵脚。这也是修道的秘诀，不一定只说盘腿打坐才是。作人做事，且慢一拍，就是道理。不过，太懒散的人不可以慢，应快两拍，否则本来已是拖拖拉拉要死不活，为了修道，再慢一拍，那就完了，永远赶不上时代，和社会脱了节。

"徐生"是针对普通一般人而言，尤其这个时代，更为需要。社会上，几乎每一个人都是天天分秒必争，忙忙碌碌，事事穷紧张，不知是为了什么，好像疯狂大赛车一样，在拼命玩命。所以更要"动之徐生"。如果做生意的话，便是"动之徐赚"。慢慢地赚，细水长流，钱永远有你的份；一下赚饱了，成了暴发户，下次没得赚，这个生意就不好玩了。"动之徐生"，所可阐述的意义很多，可以多方面去运用。浅显而言，什么是"动之徐生"的修道功夫？"从容"便是。

生命的原则若是合乎"动之徐生"，那将很好。任何事情，任何行为，能慢一步蛮好的。我们的寿命，欲想保持长久，在年纪大的人来说，就不能过"盈"过"满"。对那些年老的朋友，我常告诉他们，应该少讲究一点营养，"保此道者不欲盈"，凡事做到九分半就已差不多了。该适可而止，非要百分之百，或者过了头，那么保证你适得其反。

比方年轻人谈恋爱，应该懂得恋爱的哲学。凡是最可爱的，就是爱得死去活来爱不到的。且看古今中外那些缠绵悱恻的恋爱小说，描写到感情深切处，可以为他殉情自杀，可以为他痛哭流涕。但是，真在一起了，算算他们你侬我侬的美满时间，又能有多久？即便是《红楼梦》，也不到几年之间就完了，比较长一点的《浮生六记》，也难逃先甜后惨的结局。所以人生最好的境界是"不欲盈"。

虽然有那永远追求不到的事,却同李商隐的名诗所说:"此情可待成追忆,只是当时已惘然。"岂非值得永远闭上眼睛,在虚无飘渺的境界中,回味那似有若无之间,该多有余味呢! 不然,睁着一双大眼睛,气得死去活来,这两句诗所说的人生情味,就没啥味道了。

中国文化同一根源,儒家道理也一样。《书经》也说:"谦受益,满招损。""谦"字亦可解释为"欠"。万事欠一点,如喝酒一样,欠一杯就蛮好,不醉了,还能惺惺寂寂,脑子清醒。如果再加一杯,那就非丑态毕露,丢人现眼不可——"满招损"。又如一杯茶,八分满就差不多了,再加满十分,一定非溢出来不可。

大家千万注意老子的话,吉事怎样方得长久? 有财富如何保持财富? 有权利如何保持权利? 这就要做到"不欲盈"。曾有一位朋友谈到人之求名,他说有名有姓就好了,不要再求了,再求也不过一个名,总共两个字或三个字,没有什么道理。

有一次,从台北坐火车旅行,与我坐在同一个双人座的旅客,正在看我写的一本书,差不多快到台南站,见他一直看得津津有味。后来两人交谈起来,谈话中他告诉我说:"这本书是南某人作的。"我说:"你认识他吗?"他答:"不认识啊,这个人写了很多书,都写得很好。"我说:"你既然这样介绍,下了车我也去买一本来看。"我们的谈话到此打住,这蛮好。当时我如果说:"我就是南某人。"他一定回答说:"久仰,久仰。"然后来一番当然的恭维,这一俗套,就没有意思了。

"此情可待成追忆,只是当时已惘然",名利如此,权势也如此。即使家庭父子、兄弟、夫妻之间,也要留一点缺陷,才会有美感。例如文艺作品的爱情小说而言,情节中留一点缺陷,如前面所说的《红楼梦》、《浮生六记》等,总是美的。又如一件古董,有了一丝裂痕,摆在那里,绝对心痛得很。若是完好无缺的东西摆在那里,那也只是看看而已,绝不心痛。可是人们总觉得心痛才有价值,意味才更深长,你说是吗?

因为能不盈不满,所以才能"夫唯不盈,故能蔽不新成"。"蔽",就是保护很好的旧东西,由于东西永远是旧的,是原来的样子,一直小心使用,并没有坏。因此,旧的不去,新的不来。这便是"不生不灭,不垢不净,不增不减"的长生之道。所以最难还是在能否做到"不欲盈"。其实,现在修道做功夫的人很多,为什么大家功夫都不上路,就因为违反了"不欲盈"的原则,而都在求盈。打坐时,境界稍好一点,下意识便希求更好,拼命执著这个境界,这样"欲盈"的结果,功夫反而不上路。如果了解"保此道者不欲盈",把这做功夫的原则把握住了,自然受益无穷。

第十六章

致虚极,守静笃。万物并作,吾以观复。夫物芸芸,各复归其根。归根曰静,是谓复命。复命曰常,知常曰明。不知常,妄作凶。知常容,容乃公,公乃王,王乃天,天乃道,道乃久。没身不殆。

静 的 妙 用

"致虚极,守静笃。万物并作,吾以观复。夫物芸芸,各复归其根。归根曰静,是谓复命。"这是道家修道的原则和方法,离开此原则都不对。有些人想修道、学静坐,那便应该读懂此文,彻底了解真正的方法。其实,只要有个方法在,已不叫求静,而是求动。既然要放心打坐,那么你还再加个什么方法,那岂不更乱更忙吗?

《老子》及一切道家学神仙丹道的经论,合成《道藏》,有八千余卷之多,《老子》只是其中一卷,看是看不完的。你若读完,准有发疯的可能。但我全读完了,却没有发疯。看过以后,我明白了这一卷所谓的"那个",就是那一卷所说的"这个",自然而然加以融会贯通。大概地说,八千多卷的《道藏》,根本离不开老子的六个字:"致虚极,守静笃。""虚"差不多等于佛家的"空",有些道家丹经上干脆也用空,那是唐、宋以后丹书受了佛家影响的原故。

以往的道家只有"清"与"虚"两个字。"清"是形容那个境界,而"虚"则是象征那个境界的空灵,二者其实是一回事。"致"是动词,是做到、达到;"致虚极",要你做到空到极点,没有任何染污。至于空到极点是个什么样子呢? 若还有个样子就不叫空了。空没得个相貌可寻。

而"守静笃"讲的是功夫、作用,硬要你专一坚持地守住。且用禅宗黄龙南禅师的几句形容词:"如灵猫捕鼠,目睛不瞬,四足据地,诸根顺向,首尾直立,拟无不中。"一只精灵异常的猫,等着要抓老鼠,四只脚蹲在地上,头端正,尾巴直竖起来,两只锐利的眼珠直盯即将到手的猎物,聚精会神,动也不动,随时伺机一跃,给予致命的一击。这是形容一个参禅的人,参话头,作功夫,精神集中,心无旁骛的情况。不如此,道功无法成就。

禅宗大师们另外还有个比喻:"如鸡之孵卵。"这就不像猫捕老鼠,瞪眼张爪,蓄势待发了。而是闭着眼睛,迷迷糊糊,天塌下来都不管,你踢它一脚,它叫也不叫,理也不理,只是死心眼直守着那个心肝宝贝的鸡蛋。这样也是一种修定的功夫,也是形容虚到极点,静到极点,如同老子所说的"致虚极,守静笃"这六字真言。这六字,已经把所有修道做功夫的方法,与修道的境界、层次,都说完了。世界上各宗各派、各式各样的修道方式,都是为了达到这个目的。下面接着加以说明理由。

"万物并作,吾以观复。""作"是形容词,宇宙万物,山河大地,无时无刻不在变动,永无止境地发展创化。一直在动中,并没有静过,宇宙的表现,是一个动态的世界。每一个人都在不停地忙碌,每一根草都在生生不息地成长,这是一种道的作用状况。所有生命都在生化中,这是合理的;生化到了尽头,自然死亡,这也是合理的。"万物并作",都在创造变化,活活泼泼朝向死亡之路走去。因此,庄子解释天地万事万物说:"方生方死。"刚刚出生落地的那一天,就是死亡开始的那一天。一个小孩生下来满一个月,亲戚朋友高高兴兴来庆祝,而在前面的二十九天的生命现象已成为过去了。早已死亡。就算后来活一百年,但在前面的九十九年,也都已死亡,消逝得无影无踪。

从生命的两头来看,庄子很幽默地指出人生的一切,根本就是

"不亡以待时尽"。"方生方死",生命看来似幸福平安,实际是在那里等死而已。只不过排着队比别人多等些时候罢了。从第一天出生开始,等到最后一刻结束,这有多么的滑稽可笑!道家这种看法,未免太伤感了。其实,更深一层体会,方生方死,方死方生,即生即死,即死即生,又何必那么看不开呢?

那么如何才能使自己不死?"万物并作,吾以观复。""复"是回头的来路,如果借用佛家"无量无边"的形容词来说生命的力量,本是无穷无尽,一直保留在那里,永远不生不灭。不生并非断灭相,不是枯寂,更不是完全没有东西,而是说永远有无限的能量存在那里,用而不用,不会消耗殆尽。这种无比伟大的生命价值,姑名之为不生,在老子叫"复"。"复"也是个卦名,复卦又称做"地雷复"——䷗,上面是坤卦,表征为地,下面是震卦,表征为雷。雷表示电能,生命发展的能源,从此发生。因此老子在后文提出"反回去"的观念"反者,道之动",回归生命本初的状态。修道是返回根本,追求生命最初来源的那个东西。

"万物并作,吾以观复",有志向道的人,不是鲁莽地横冲直撞,向前穷进,而是回头走,走到生命来源之处。禅宗后世的惯用语"还我本来面目",可当参考,作为此话的注解。真发现自己本来面目,明心见性,便开始接上那生命本具、源源不断、庞大无比的能源。

芸芸众生的命根

"夫物芸芸,各复归其根,归根曰静,是谓复命,复命曰常。"我们看看,天地间的万物,生长最快的是什么?——草。"野火烧不尽,春风吹又生。"把它的根挖掉以后,只要有一点不尽之处,它又会很快地长出来。生生不息的力量,草木似乎算是最快、最明显的例子。依中国人阴阳五行的术语来说,木是代表了生发之机,东方把木表现作生生不息的现象。草木是同一词意。"芸芸"代表一种普普通通的草,也用来形容宇宙万物的生生不息。死了一批,又生一批,越生越多,叫做"芸芸"。后世便由这道家的"芸芸",和佛家的"众生",演变成文学上一个很优美的名词"芸芸众生"。后来又有"林林总总"一词的出现,也是形容犹如草木的多得不可胜数的情形。

老子说,一切万物那么多彩多姿,"各复归其根",他观察每一个生命,皆是依赖它自己的根本而活。草木无根,活不了的。人也有根,人的根在哪里? 我常常看到许多朋友一心求道,却是盲修瞎炼,拼命把丹田当作根,那是不对的;也有人误认为根在肚脐,更是离谱。肚脐只是未出生时和母亲接连一起吸收养分的通口而已,一落地就剪断了,怎么会是修道的根呢? 人的根是在虚空,在头顶上。虚空就是我们的泥土,这就是人与万物不同之处。植物的根栽在泥土中,人与植物相反,根栽在虚空中。所以,道家讲修道,"还精补脑,长生不老",此"精"不完全是指精虫之精,只是与精虫有连带关系。我们看中国国画,主寿的寿星老人——南极仙翁,他那个脑袋被画得比平常人高出一重来,叫做"寿头"。脑子也是智慧的渊源。所以,婴儿刚生下来时,头顶的囟门凹处,里面还是洞开的,与天根相接,对人的肉体生命来说,所谓"天根月窟常来往",便指此处。等到此处封闭坚硬以后,他就慢慢开始会讲话,意识渐渐成长,天根便截断了。要修到还精补脑,长生不老,脑的内涵,就是指此"根"。

但是,要如何"归根"呢? 唯一的方法,就是求静。"归根曰静,是谓复命。"能够静到极点,才能找到生命的本源,回归生命的根本。这个根是什么? ——虚空。"致虚极,守静笃。"在佛家则直截了当地告诉我们"空"。所谓空,也只是个形容词而已,千万别认为空就是没有,那就错了。空等于老子所说的"清虚"。那么,"归根曰静,是谓复命",静到极点是怎样的一种状况呢? 道家有两句话:

"虚空粉碎,大地平沉",描述这个静到极点的境界,连空也要打破,才是真静。

道家讲修道的过程,"炼精化气,炼气化神,炼神还虚",其原则没错,但这之间的种种程序变化,麻烦得很。一定要做到,不但没有身形人我的感觉,连这个物质世界、意识影像,甚至虚空的感受都没有了,才算合乎"致虚极,守静笃"的境界。

老子的文章刚刚在此露出一点道的曙光,马上笔锋一带,又转回去了。如同打太极拳一样,看似一拳打过来,却又缩回去,你说不打嘛,等一下那只手又从另一边攻来,难以提防,挡也挡不住。这是道家神龙见首不见尾的精神。《老子》这本书的编述也是这样,因此接着又说明道体作用的现象。

"复命曰常",找到生命的根源,便能"不生不死",永远常在,永远存在。"知常曰明",你体会到生命根源是不生不灭,那就叫作明道,成了明白人,再也不懵懵懂懂,迷迷糊糊了。如果人不明白道的根本,不明白生命的本来,"不知常,妄作凶",乱作妄为,必然大凶大害,没有好结果。不知生命真理所在,莫名其妙,乱用道体,下场的危险性,自不待言。

我们拿中国哲学的看法来讲,不管是佛学也好,道家也好,《易经》也好,讲人生都没得呆板、固定的结论。本来嘛!历史上有哪一个人真能找到结论呢?我们看《易经》最妙了,八八六十四卦,最后一卦是未济——☲ 火水未济,是永远没完,下不了结论的。一切事物的发展,永远没得底,无量无边,永无止境,难以捉摸。也可以说它永远自有源头活水来,滔滔不绝,滚滚而来。如何加以形容,那是各人各家的主观。《易经》由乾坤开始,到未济而终。我们若读懂了,就体会到古人所说"闲坐小窗读《周易》,不知春去几多时"两句诗的意味了。

我经常对同学们说,有两样东西必须要学——佛学与《易经》。但这两门学问,穷一辈子之力,并不易学通,也不需学通。不学通,永远追求不到,似通非通的那个样子,其味无穷,一辈子有事消遣——老了也不寂寞,越研究越有趣。古人说,"夜读《易》",如果夜里读《易经》,鬼神都受不了。我的经验,是夜里读《易经》,保险睡不着觉。刚刚读啊读,看出一点名堂,便想弄个清楚,继续看下去,等告一段落再睡,结果一段接一段,不知不觉天已经亮了。真是"闲坐小窗读《周易》,不知春去几多时",一整个春天何时溜走了,都不知道,这个味道很好。

若是学通了的人,把人生看得一清二楚,透透彻彻,这个人生还有什么味道? 还有什么美感? 隐隐约约蛮好,拉开人生的内幕,一望无遗,那就一点都不艺术了。也许这是笑话,总之,假如真把易学贯通了,"微妙玄通",通达一切,那也好。

"常"并不全等于永恒,一个人不知常,那就要从自己的生命回过头来找。"夫物芸芸,各复归其根,归根曰静,是谓复命。"也就是说宇宙生命的来源,本来是清虚的。"本来无一物,何处惹尘埃?"又何必对什么事都抓得很牢,不肯放手呢? 其实没有一样东西可以抓住。你别刻意去计较,整个宇宙万物,本来都属于你嘛! 人家问我,怎样学布施才不过分贪心营利集财? 我说:"地球都是你的,你为什么不布施。"反正达观不犯法,地球也是你的、他的、大家的,也是自己的。这是知常。我们生命的本来,不生不灭,对这不生不灭的本原,要把握得住,认识得透彻。"不知常,妄作凶",醉生梦死,盲目人生,那将没有好结果的。

知"常"要把握住道的本原,才懂得做人,才懂得做事。知"常"便能"容",胸襟可以包容万象,盖天盖地。因为有此胸襟,智慧的领域扩大,不可限量,故说"容乃公",自然做到天下为公,毫无私心。

既然能"容乃公",当然"公乃王"。王者,旺也,望也,助也。一切万物皆欣欣向荣,活活泼泼,彼此得助。命相家常告诉看相的人,依你八字要做某一件事,需选某一个自己的"旺相日"。是初一,还是十五? 比如说,某人属火,而木能生火,那么那个属木的日子,便是他的"旺相日"。"相"是辅助,帮助的意思。在五行中,各人有各人的旺相日,你的旺相日对你比较有利,对于他人,那就不一定了。

"公乃王",此"王"并不一定作王解。照现代意思解说,一切为社会,佛家则言一切为度众生;忘了自我,处处为人着想,你度众生,众生亦度你。若用一般合作的标语说,那便是"人人为我,我为人人。"你为人人,人人为你,最后不分彼此,都是一样的。"公乃王,王乃天",就符合天地自然法则。天地生长万物,日月照临万物,公平无差,并不计较报酬,这是"天乃道"的自然法则。

有天地一样无所不包的胸襟,便合乎道的原则,那么才能"道乃久",源远流长,长生不老。佛家所说的"无我",就是"大公",就是"天道"。明白了天道,就"没身不殆"了。"没身",是说我们这个生命,活到最后一口气不来,死后骨头化成灰尘,肉体了了,但是生命的精神却永远常存。长生不老,它的重点,全在"致虚极,守静笃"这六个字上。

第十七章

太上，下知有之，其次，亲而誉之；其次，畏之；其次，侮之。信不足焉，有不信焉。悠兮其贵言，功成事遂，百姓皆谓我自然。

人生哲学与道的层面

这一章，老子另起炉灶，又提出一个名称叫做"太上"。"太上"等于《易经·系传》上的："形而上者之谓道。"现在我们讲中国哲学，有"形而上"三个字，是译自西方名词，但采用《易经》中的观念。"形而上者之谓道"，是说万物尚未生长以前，名之为道。"形而下者之谓器"，是说有形象的万般事物生长起来了，各式各样，五花八门不可胜数，就叫"器世界"——物理世界。形成物理世界之前，名之为"道"，《易经》称为"形而上"。

道家"太上"的名称，初见于《老子》。其实殷商以前就有"太上"这个名词了。中国文学上有句"太上忘情"。固然，人生最痛苦最难做到的是忘情，人之所以活着，大都靠着人情的维系。人是感情的动物，古人说："无情何必生斯世，有好终须累此身"，有你我就有感情，有感情就有烦恼，有烦恼就有是非，有是非就有痛苦。因情受苦，忘情更难。然而"太上忘情"，并非无情，而是大慈大悲，无偏无私的大情，譬如天地生育万物，平等无差，不求回报。

老子所讲"太上"，是太过多情又似忘情之道，只有"下知有之"。所谓"下知有之"的意义，是说有一种下等人，我们认为他很笨，其实他倒是真智慧，早已领悟到"道"的人。真正的哲学家，都出在乡曲地方，虽然一辈子没读过书，真同一个大哲学家、大思想家，当他遭遇到痛苦时，就痛痛快快哭一阵，想想自己命苦就算了。我有时常有此感触，尤其在偏远的落后地区，看到茅屋破寮里头，有些老人家，穿得破破烂烂，食不果腹，有一餐没一餐的，日子苦死了。你问他："为什么不住儿子家养老？"他很轻松回答说："我这一生注定命苦，只有认命！"真令人听了肃然起敬。他比谁都懂得人生哲学，"认了"就好了。

像我们有些人，自认是第一等读书人，其实并不如乡愚的智慧。他们才是宗教家、哲学家。尤其有些年轻人学佛学道，刚看了一点佛学，就自以为只差那么一点点，好像同佛差不多了，很可悲。而那种表面看似下愚的人，却倒知道有一个东西，不管是叫"佛"、叫"天"、叫"上帝"、或者以中国古代的代号叫"命"，他就认定那个东西，至死不渝，比别人都看得开，都豁达。这便是"太上，下知有之"的道理。

再下一等人，相信要烧香供养，磕头拜拜，赞叹不绝，每天还要反反复复唱念几次，这是属于宗教性的仪式活动，便是"其次，亲而誉之"的楷模。更有其次的人，他也许不信宗教，亦不信道，但内心无形中却有一个可畏的东西。实际上，我们认为最下愚的人，往往才是真正第一等的修道人。要不然，须要有真正智慧超越的人才能修道。我经常说，有两种人可以学禅。一种是一个字也不认得，像张白纸，本身很容易修道开悟。另一种硬要智慧透彻，聪明绝顶才行。像我们这些不上不下的半吊子，半通不通的，最要不得，修道往往一无所成。老子讲了这三种人，侧重于"大智若愚"的要点，换言之，大愚也就若智了。

如此，等而下之的，"其次，侮之。"又下一等的人，偏不信道。"上士闻道，勤而行之"，真高明的人一闻道就悟了，并且百分之百地奉行。"中士闻道，若存若亡"，这种人听尽管听，说是不信吗？却又每个礼拜天一定上教堂祈祷礼拜。一到初一、十五，便一本正经跑庙子,上香拜佛。平常庸庸碌碌、随随便便,好像只有那一天才有菩萨、神明显灵,其他时间,胡作非为都可以,这便是若存若亡。还有些人,听人传道说法,自认为最高明,认为别人都是神经病,一笑,就走开不理了,这就是"其次,侮之"的典型。"下士闻道,大笑而走之",便是如此。后人又补上一句:"不笑不足以为道",那是说,如果不这样不屑地嘲笑一下,那还算有道吗?彼此顽固托大,都自以为是,看来多么可笑。

再说"其次,侮之"的人,根本不管天高地厚,根本不信道,以为信道对人格是一种侮辱。总之,"信不足焉,有不信焉"。人的智慧参差不齐,有些人信是信,却不彻底,半信半疑,因为他没有把真理穷究彻底。有些人根本就不信,硬说个"老子偏不信邪",你也把他没有办法。此中的千差万别,老子并没有再详加分析。这等于人类天生智能的分级,佛学则分为众生的五种"种性",也就是所谓的"根器"之说,颇为相似。

这一章,老子最后下一结论,形容这个道说:"悠兮其贵言,功成事遂,百姓皆谓我自然。"这等于说,道是天地的公道。学道并没有什么秘密的,只要你程度够,诚心向学,一定便可得道。道为天下所共有,既不属于你,也不属于我,若你懂得的话,方知本来属于你,也属于大家,不是某一个人享受的禁脔。千万别认为真理只在自己这边,非要求道求法的人巴结你,向你磕头行礼才能传道。我认为这种作风,是作践自己,多没意思。

道不藏私,但却"悠兮其贵言"。"悠兮"是悠然自得,所谓"其贵言"的意思,却很难说得清楚。"贵言",不是说应该很宝贵地告诉你这个意思,而是再怎样高明的语言文字,都很难形容出道的境界。那么,道在何处见?——在行为上、现象上见。道的本体,无形无相,"说似一物即不是",不能用世间名相来界定它。"有生于无",宇宙万物就从这"清虚空灵"的"无"中建立起来,故曰"功成事遂"。

一个修道人真通达了道，才能看透道的表达作用，才能认识道的本来面目，和如何创造千变万化的宇宙事物。道体所表达出来的东西，只是其第二重的影子而已。我们要认识它的根本，只好在这第二重的投影上，在这道体所创造出来的事功上去了解。这个事功尚分二重意义。依儒家世间的学问，即平常我们所讲事业的成就，比如，学科学应该有所发明。你学什么？学物理，那你还在学习阶段，不是物理学家，更不是物理科学家。你学化学，那也不算化学家，或者化学科学家。那开始发明，发明物理或化学原理的，才算摸到宇宙科学的真髓，而由当中表达出一套事物的规则，再由这套理论科学的规则中，进一步发展应用科学的实用技术，生产出令人目不暇接的生活用品，利益世人，或者伤害世人。

如此，学道，学世间各种知识，都是一层一层地进到内部的核心，也都一层一层由内部核心，表现出具体的功用来。这之间层次深浅的不同，事功的大小也就有别。这是"功成事遂"。等到事情有所成就，"百姓皆谓我自然"。等你的事功表达出来，久而久之，大家习惯成自然，就说这本来就合于自然之道，没有什么好大惊小怪的。道是自然而有的，可是我们一般人要回转到这道的本来境界上，那是有得修的，这之间还有一个非常重大的历史哲学问题。就是中国哲学与宗教哲学，以及历史哲学的发展史问题，牵涉太广，而且各个问题都可成为专题，暂时到此打住，以后有机会再讲。

第十八章

大道废,有仁义。智慧出,有大伪。六亲不和有孝慈。国家昏乱有忠臣。

忠臣孝子的伪装

从第十七章的道的层面而相关于中国历史哲学的演变角度来看,我们可以看出老子思想的特殊之处。老子的历史哲学与儒家的观念,乃至一般社会人生的态度,另成一格,大异其趣。从前面所说的天道自然,到此,他便提出反对仁义和智慧等的语句。只从文字上看,他是说,中国文化从上古以来,就是一个道,道衰微了,后来的人便提倡仁义道德,结果越强调越糟糕,适得其反。其次,老子也反对智慧。换句话说,知识越发达,教育学问越普及,人类社会阴谋诡诈,作奸犯科的事也就越多,越摆不平。接着,他举出更明显的理由,"六亲不和有孝慈",在家庭中所谓的六亲,那便是父母、兄弟、夫妇,彼此之间有了矛盾、冲突,才看得出来:何者孝?何者不孝?

如果家庭是个美满的家庭,一团和气,大家和睦相处,那么个个看来都是孝子贤孙,根本用不着特别标榜谁孝谁不孝。如果家中出了个孝子,相对之下,便有不被认同的不孝之子,这其间问题就大了。因此说,六亲不和,才有所谓的"父慈子孝"。我们若是深入研究中国文化特别标榜的"二十四孝",将发现许多值得讨论的问题。比如拥有大孝美名的舜,其父母可以说不伦不类,很不像话,充分显示了舜的父母,是处在一个问题家庭中,是非不断,非常悲哀,因此,舜才成为第一孝子。老子并不喜欢这样,由于一个人的坏,衬托出另一个人的好,那是不幸的事,他希望每个家庭都和乐幸福。

"国家昏乱有忠臣",同样道理,老子不希望历史上出太多的忠臣义士,忠臣义士并非好现象。我们历史上所谓的忠臣,如岳飞、文天祥、史可法等人,皆为大家所景仰,因为他们对国家民族忠心耿耿,临危受命,连个人宝贵的生命,都可牺牲。然而,这些可歌可泣的忠臣事迹,无不发生于历史混乱、生灵涂炭的悲惨时代。一个忠臣的形成,往往反映了一代老百姓的苦难。假使国家风调雨顺,永处太平盛世;社会上,大家自重自爱,没有杀盗淫掠之事,那么岂不个个是忠臣、人人是好人了吗?因此,他主张不需特别赞美某人好、某人不得了。四十多年前,我在川西灌县灵岩寺,看到有人书刻在灵泉石壁上的两句话:"愿天常生好人,愿人常做好事。"便是老子此意,也才是天大的幸福。

老子这几句话,从字面上粗浅一看,似乎非常反对儒家提倡仁义道德,但有几点我们必须注意。

第一,老子在世的那个时代,正是春秋时期,社会面临转型时的种种变动,一个新社会形态逐渐形成,这中间产生了很多病态的现象。老子在此病态社会中,体会出他的人生哲学,才会有这样的说法。他的话,乍看起来是唱反调,但仔细研究一下,这正是一种非常宝贵的正面教育。

我们可以另外举一个反证。例如把孔子作的《礼记》中的《礼运篇》,加以整体研究后,就会发现孔子亦有老子这样的看法。中国文化,素来重视道德的价值,《礼记》中的《礼运篇》已经表达得很清楚。所谓的"德"乃归于"道"中,德是道的用,道是德之体。而这个道又是什么呢?老子自己认为道就是自然,但是由远古到黄帝的时代,人为的一切,已经渐渐不合于道了。

第二,从黄帝以前的远古史来看,在《列子》书中,假托黄帝本身梦想的文章,便是梦游"华胥国",这是不是真实的故事,此处暂且不加讨论。文中提到,黄帝做梦,到了另外一个国家,那里到处太平安详,没有任何不幸之事,是人类盼望中的天国。这篇"华胥梦"等于中国文化所向往的理想国。其他像柏拉图的"理想国"、莫耳的"乌托邦",乃至佛家的"极乐世界"、基督教的"天堂",都是其来有自,反映了这个世间的人类,苦难重重,无时不在斗争战乱中,因此人们便自然而然地追求另一个幸福圆满的境界。而老子所谓的大道,正代表了它的内涵与精神。

其实,老子讲"大道废,有仁义。智慧出,有大伪"的说法,未免失之太刻薄,但这也是爱之心切,所以责之更严。孔子在《礼运篇》也讲得差不多,只是表达方式不同而已。此即儒道二家的态度差别之处,但是道理是相互贯通的。

孔子在《礼运篇》上说:"故用人之智去其诈。用人之勇去其怒。用人之仁去其贪。饮食男女,人之大欲存焉。死亡贫苦,人之大恶存焉。故欲恶者,心之大端也。人藏其心,不可测度也,美恶皆在其心,不见及色也。欲一以穷之,舍礼何以哉!"人有了智慧,智慧的反面就是奸诈,用得好就是大智大慧,用歪了就是老奸巨猾,全在一念之间。因此孔子强调"用人之智去其诈"。而大勇的人,往往气魄大,脾气也大。大勇的反面,就是多怒,佛家称之为"嗔"。假使一个大英雄、大丈夫,没有暴烈的坏脾气,那就很可贵了。"用人之仁去其贪",仁慈本是件好事,但是仁慈太过了,变得婆婆妈妈,待人接物软塌塌的,心理上难免有一种不自觉的贪恋、执著。因此,能够保持一片仁慈博爱之心,而无这层贪着之念,那便不会发生不良的副作用了。从这里,我们已可明确地看出,老子的"大道废,有仁义。智慧出,有大伪",其意和孔子所讲的道理,并无矛盾冲突之处,只是文学的手法不一样而已。

孔子又说:"饮食男女,人之大欲存焉",吃好的、喝好的,以及喜欢男女间的关系,这是人生根本的欲望。"死亡贫苦,人之大恶存焉",至于死亡和贫穷痛苦,那天底下的人都害怕,都讨厌碰上。所以,"故欲恶者,心之大端也",一个人爱好追求饮食男女的享受,逃避死亡与贫穷的来临,这是心理现象的根本。但是,"人藏其心,不可测度也",人的思想、念头,从外表是很难看出来,也很难测验得知的。一个人动什么脑筋,打什么主意,心地善与不善,只要不表现于行为,有谁会知道?"美恶皆在其心,不见及色也",一切的好坏,全凭他心念的变化,根本没有颜色、声音可资辨别。所有的动机想法都深藏在一个人的内心深处,那么,"欲一以穷之,舍礼何以哉",要把这些人心的根本问题加以整理、统一,使之去芜存菁,转劣从良,恶行成善举,除了"礼"——文化教育外,还有什么办法呢?

春秋两大名医——老子与孔子

整个比较起来,孔子代表儒家的思想,与老子代表的道家思想在理上是一贯的。现在再作更进一步的说明。我们中国讲"仁义"思想,春秋以前也有这种观念,但很少刻意提倡。为什么?那时社会上背情绝义的病态较少。我常说,中国文化里头,经常提到"孝道",与世界其他文化相较,孝道是中国特有的优点,其高明可贵之处,无可置疑。但这同时也说明了,这几千年来,我们不孝之举太多了,因此孔子才不得不提倡孝道。同样地,社会上不仁不义的故事层出不穷,所以圣贤们才用心良苦,提供这服"仁义"的药方,希望社会有所改善。孔子是个文化医生,他把当时文化中的疑难杂症诊断出来,投以对症的药石,尝试解决这些令人头痛的问题。

老子也是个医生,但他是研究医理的医生,也就是医生的医生。他认为儒生们开的药方,对是对,但是药吃多了,难免又会出毛病，副作用在所难免。光讲仁义道德，说得天花乱坠，有人自然要加以利用，做出假仁假义、欺世盗名之事，结果弄巧成拙，照样害人。春秋战国时代的社会病态最为严重，强调仁义，便最积极。老子身处其境，讨厌这种风气，所以从反面来对症下药。

他说："大道废，有仁义。智慧出，有大伪。"智慧与奸诈，乃一体两面，一线之隔。聪明与狡猾、老实与笨蛋，根本是息息相关的孪生兄弟。诚实的智慧合于"道"，用之于世，为人类社会谋福造利，那就对了，名之为"德"。道是体，德是用。然而，诚实虽是好事，若是用不得当，那也会适得其反，坏了事情。

老子这段话，千万不要随随便便看过。近几十年来，我发现有人研究老子，读了此章之后，不作深入一层的体会，便骤下错误的评语说，老子反对仁义，反对智慧，反对作忠臣，反对作孝子。这不曲解得太严重了吗！其实老子并不反对这些，他只是要我们预防其中可能产生的不良作用而已。

每一件事，皆有其正反两面，我们同时必须考虑到。或者时间久了，思想搞不通，走了样；或者某一个观念流行多年，时迁境移，已不合宜，并且流弊丛生，失其原意，这就要懂得《大学》的"苟日新，又日新，日日新"的道理了，此时必须知道变通。所以，老子的思想与《易经》的思想是一样的，都在一个"变"字。

《易经》有五种学问——"理、象、数、通、变"。"理"是哲学的，《易经》每一个卦，背后皆有其哲学道理。"象"，一件事物，一个东西，都有它本身的现象。比如虚空，也有它的现象，空空洞洞，不可捉摸。每一种现象的发生，必须有其形成的哲学道理。而这"理"和"象"二者，也可以借数字符号来表达、整理。那便是"数"了。"理"、"象"、"数"是《易经》三个根本所在，必得将之透彻研究后，才知道"通"，只知"理"，不通"象"、"数"；只知"象"、"数"，不通"理"，都不行。要样样深入，全部融会贯通，方能达"变"，方能洞烛机先，随时知变、适变、应变。知道变，而能应变，那还属下品境界。上品境界,能在变之先,而先天下的将变时先变。等到事情已经迫在眉睫才变,那也恰恰只合于变通而已。老子对仁义、智慧所提的这番道理,也属于变通的一种。

第十九章

　　绝圣弃智,民利百倍。绝仁弃义,民复孝慈。绝巧弃利,盗贼
无有。此三者以为文不足,故令有所属。见素抱朴,少私寡欲。

"王""贼"并列的烂账

　　由这一章的反证,更可以看出老子的精神,不是如后代所说的
反对仁义、反对孝慈。他只是提出当时社会不对劲的地方,希望当
时的人慎重处理,将之归导于正途。而千古以来,注解老子的学者
专家,往往只知其一,不知其二,困于老子的语言文字,没有听出弦
外之音,把老子误解得太厉害、太离谱了。实际上老子、孔子都是
同一精神,表达方式不同而已。

　　老子对春秋时代社会的批评,是要"绝圣弃智"。我们研究春
秋、战国的历史,那真是越读越使人感到高明。孔子作《春秋》,是
中国第一部历史书籍。有人说《春秋》不能读,读了会使人奸诈狡
猾。孔子自己也说过:"知我者《春秋》,罪我者《春秋》。"历史读多
了,好的榜样没学成,坏的手段全学上了。例如,一般人读历史小
说《三国演义》,诸葛亮难效,曹操易仿。看小说都想当书中的主
角,读《三国演义》,想当刘备者不少,想当赵子龙、关公者更多。很
多人将自己的欲望,投射到书中有大能力、大聪明的角色情境中,
结果在不知不觉中,变成了画虎不成反类犬,何其可悲!

　　其实,在《春秋》一书里,好的道理处处可寻,坏的现象也连篇
累牍。那个时候,对圣人的标榜特别的多,几乎每一个会讲会说的

都是圣人,聪明才智之士,比比皆是。从春秋到战国这一阶段,在我们整个历史中,真是人才辈出的时期。我们读春秋、战国时的著作,有时看到某人讲的话,非常有理,但是再从反面想想,又觉不对,应是反面正确才是,然后再转到另一个层面来看,则前述二者不无可疑。每个人的意见都很高明,也都有值得商榷之处。当时真是一个文化变乱、社会变乱的时代。西方人有一个历史观点:社会历史到了末期,在变乱不安时,才产生哲学家、思想家。然而,依我们的历史哲学看来,与其如此,不如不要这些哲学家来得好。高度的哲学智慧,是从痛苦变乱中的刺激锻炼而成,代价未免太高。

所以,老子反对标榜圣人,反对卖弄世智辨聪。春秋、战国之间,善于奇谋异术的高人,一个比一个高明。例如范蠡,他帮助越王勾践复国,实行他老师计然子所教的六法,不过用了其中的三四项策略,便稳定了国际情势,而越国也复兴了。最后名与利、功勋等等,一样也不要,自己一走了之,到别的地方做生意去了。至于做生意的方法,也是他老师计然子教的。像春秋、战国这一类的智慧之学,简直看不完,太热闹了。

然而,那个时代的世局也就特别地动荡不安。假使我们身历其境,蒙受其害,便晓得那种痛苦,不堪消受。古人有句话“宁作太平犬,莫作乱世人”。那乱世的人命,的确不如太平盛世的鸡犬,人命危如累卵,随时都有被毁灭的可能。老子对那个时代,深深感到痛苦和不满,因此便说:“绝圣弃智,民利百倍。”人们如果不卖弄聪明才智,本来还会有和平安静的生活,却被一些标榜圣人、标榜智慧的才智之士搅乱了。

战国时期,真正能摆布那个时代二三十年之久的,只有苏秦、张仪两人,不管他们摆布得对或不对。所以后来司马迁、刘向等人,都非常佩服苏秦,这么一个书生,年纪轻轻出来,竟使国际间二十几年不发生战争。我们现在听来,二十几年的和平,好像算不了什么，但是春秋战国的时候，几十个国家随时随地都在作战。每一次战争都要死亡一大批的人。老太太、老太爷们，辛辛苦苦将自己心爱的儿孙慢慢养大，然后一上战场，几分钟的时间便结束了生命。难怪司马迁认为苏秦只是个文弱书生，却纵横六国之间，消弭战争达二十多年之久，这本事够大的了，很令人佩服，因此特别在《史记》上记上一笔。

老子当时的社会情况，虽不比苏秦、张仪那个时候的混乱、糟糕，但已迈向大变不祥的道路上去，他痛心之余，就有"绝圣弃智，民利百倍"的主张。仁义的道理也是一样，那时不只是孔子提倡，但孔子综合了仁义的精华，传给后代。在春秋、战国时候，各国之间，相互争战，彼此攻城掠地，都以仁义的美名作口号。你们要讲仁义道德，那很好，我也跟着讲。但是你们一切都得照我吩咐，要跪便跪，要杀便杀，反正我也可向外宣布这是为了仁义道德，不得不尔。仁义道德的用法，一至于此，那已是天下大乱，不可救药了。所以老子非常讨厌，又主张"绝仁弃义，民复孝慈。"社会上不需以仁义作宣传口号，越是特别强调仁义，越是尔虞我诈，毛病百出。

唯大英雄能本色

并且，人也需抛弃自己引以为傲的聪明——"巧"，抛弃自私自"利"的贪图之心，那么自然不会有盗贼作奸犯科。这是"绝巧弃利，盗贼无有。"此处"盗贼"二字，须引用《庄子·胠箧篇》的大盗——盗跖，来作注解。说句严重的话，春秋、战国时候的诸侯，几乎都是盗跖。

老子提出了上述的道理后，接着说："此三者，以为文不足，故令有所属。""文"，代表思想、理论。他说，为什么要抛弃圣智、仁义、巧利这三项东西呢？这个哲学道理发挥起来太多太多，一言难尽，因此暂不讲它，只要把握住这个观念就行了。这等于乡下人经常说:"我命苦,只好这样。"命就是一个确定不移的观念,不需一大堆道理来解释,只要从实际生活便可体会。中国过去家庭,也只抓住一个观念——孝,其中道理,天经地义不需多说。

那么,把这些绝圣弃智的观念,归纳到怎样的生命理想呢?——"见素抱朴,少私寡欲"。社会人类真能以此为生活的态度,天下自然太平。乃至个人拥有这种修养,一辈子便是最大的幸福。其实,这正是大圣人超凡脱俗的生命情操。"见素","见"指见地,观念、思想谓之见,"素"乃纯沽、干净。孔子在《论语》上小讨论到此问题。"素"如一张白纸,毫不染上任何颜色。人的思想观念要随时保持纯净无杂。也就是佛家禅宗的两句话:"不思善,不思恶",善恶两边皆不沾,清明透彻。而"抱朴","朴"是未经雕刻、质地优良的原始木头。有些书用"璞"字,"璞"与"朴"通用,没有经过雕琢的玉石外壳为璞。"朴"与"璞",表面看来粗糙不显眼,其实佳质深藏,光华内敛,一切本自天成,没有后天人工的刻意造作。我们的心地胸襟,应该随时怀抱这种原始天然的朴素,以此态度来待人接物,处理事务。如此,思想纯洁无瑕,不落主观的偏见。平常做事,老老实实,当笑即笑,当哭即哭。哭不是为了某个目的,哭给别人看;笑不是因为他讲一句笑话,我不笑对不起他,只好矫揉造作裂开嘴巴,露出牙齿装笑。这就不是"见素抱朴"的生命境界。

再来,"少私寡欲"这一点要特别注意。儒道两家,并没有叫人做到绝对的"无欲",彻底无欲,简直不可能,假使做到了,那就超凡入圣了。只有佛家修行,先要无欲,因此被儒家批评为陈义太高,难以企及。儒道二家认为"少私寡欲",已经是了不起之事。"少私寡欲"可以近乎道,但尚未完全合于道。

老子主张"绝仁弃义",不以圣人为标榜,不以修行为口号,只要老老实实、规规矩矩做人,那便是真修道。"绝仁弃义",要废除那些假仁假义,伤天害理的做法。有时候,我们看到历史上的故事,很多是口头上大吹仁义道德,要帮忙人家、救助人家,结果对方倒了大霉。这种仁义其名,侵略其实的勾当,非常要不得。至于"绝巧弃利",那是针对人类喜欢耍自己的聪明才智,自认高明而言。东西方宗教皆认为使巧用计,想办法耍手段,一般都是为了图利自己,那是强盗心理,是不道德的。因此,老子提出"见素抱朴,少私寡欲",作为我们生活修养的中心原则。随着,下面再告诉我们学道的榜样,做人做事的涵养,继续沿着他一贯的理路发挥。

第二十章

　　绝学无忧,唯之与阿,相去几何? 善之与恶,相去若何? 人之所畏,不可不畏。荒兮其未央哉! 众人熙熙,如享太牢,如登春台。我独泊兮其未兆,如婴儿之未孩,傫傫兮若无所归。众人皆有余,而我独若遗。我愚人之心也哉! 沌沌兮。俗人昭昭,我独昏昏,俗人察察,我独闷闷。澹兮其若海,飂兮若无止。众人皆有以,而我独顽且鄙。我独异于人,而贵食母。

知识是烦恼的根源

　　"绝学无忧"这四个字,有些人重新整理《老子》,将它归于前面一章,成为"见素抱朴,少私寡欲,绝学无忧"。

　　"绝学无忧"做起来很难。绝学就是不要一切学问,什么知识都不执著,人生只凭自然。汉朝以后,佛学从印度传入中国,佛学称成了道的大阿罗汉,为"无学位"的圣人,意思是已经到了家,不需再有所学了。其实,严格而言,不管是四果罗汉,或者菩萨,都还在有学有修的阶段,真正"无学",那已经是至高无上的境界了。

　　古人有言:"东方有圣人,西方有圣人,此心同,此理同。"就是说真理只有一个,东西方表达的方式不同。佛学未进入中国,"无学"的观念尚未在中国弘扬,老子就有"绝学"这个观念了。后来佛家的"无学",来诠释老子的"绝学",颇有相得益彰之效。

　　修道成功,到达最高境界,任何名相、任何疑难都解决了、看透了,"绝学无忧",无忧无虑,没有什么牵挂。这种心情,一般人很难感觉得到。尤其我们这一些喜欢寻章摘句、舞文弄墨的人,看到老子这一句话,也算是吃了一服药。爱看书、爱写作,常常搞到三更半夜,弄得自己头昏脑胀,才想到老子真高明,要我们"绝学",丢开书本,不要钻牛角尖,那的确很痛快。可是一认为自己是知识分子,这就难了,"绝学"做不到,"无忧"更免谈。"读历史而落泪,替古人担忧",有时看到历史上许多事情,硬是会生气,硬是伤心落下泪来,这是读书人的痛苦毛病。其实,"绝学无忧"真做到了,反能以一种清明客观的态度,深刻独到的见解,服务社会,利益社会。

接着,老子便谈道德最高修养的标准。他说:"唯之与阿,相去几何?善之与恶,相去若何?人之所畏,不可不畏。""唯"与"阿"两字,是指我们讲话对人的态度,将二者译成白话,在语言的表达上都是"是的"。但同样"是的"一句话,"唯"是诚诚恳恳的接受,"阿"是拍马屁的应对,不管事实对或不对,一味迎合对方的意见,这便是"唯之与阿,相去几何"之处。许多青年朋友和我们谈话时,每说:"你的看法很好,不过我……",这就是"阿"。"不过"、"但是"这类转语,往往隐含着低声下气,不敢得罪人的顺从心理。然而,真理是没有讨价还价的余地,不能随便将就别人,做顺水人情的。

尤其是做学问,汉儒辕固生就骂过汉武帝的丞相公孙弘说:"公孙子,务正学以言,无曲学以阿世。"一个读书人,不可在学问上、思想上、文化上将就别人,附和别人,为了某种私利拐弯抹角,那就不对了,儒家非常重视读书人这一点的基本人格。"唯"与"阿"实质内容并不一样,但是表面上不易分别。

老子说这些道理,并非教我们带着尖刻的眼光,专门去分析他的言行举止,是"阿"是"唯";而是提醒我们自己,学习真诚不佞的"唯",避免虚伪造作的"阿"。千万别读了老子这句话,结果处处挑剔别人,不知一切道德修养,应从反求诸己开始。

另外,"善之与恶,相去若何?"善与恶若是往深一层去观察,那也许是划分不出距离的。善恶之间,很难分辨。往往做了一件好事,反而得到恶果。据我个人的人生经验,以为以前救过的人,现在想想,倒觉得是件坏事。因为他们以后继续活下去的那种方式,反而是伤害到其他更多的人。所以,善与恶的分际,简直难以捉摸。而且,所谓善恶、是非、好坏,若真以哲学的立场彻底研究,那更无法确定出一个绝对的标准。

虽然绝对的道德标准难求,但是一个社会因时因地所产生的相对道德标准,一个修道人也应该遵守,这是"人之所畏,不可不畏"。即使你超越了相对的窠臼,到认了绝对的境界,在这个世界上,你仍有必要陪大家遵守这个世界的种种规则,避免举止怪异,惊世骇俗。此即老子的另一句话:"和其光,同其尘。"不可不畏,不得不畏,不能不畏,在文字上虽只一字之差,但是其意义相去甚多。不可不畏乃发自于自己内心的认识与选择,为了利益众生而随顺众生,不是受外在环境的制约,执著一般相对的价值标准。比如有个东西,大家都认为是黑色,这只是一种约定俗成的语言称呼,你也就跟别人说是黑的,不必硬说是白的,否则将有麻烦,无法彼此沟通。

我发现我们一些老朋友,天天翻报章杂志,天天大作文章,相劝省点力气,少写一点,可是都自认为没有办法,因为他有一副忧世忧国的心肠,总想对社会贡献出一点力量。像有好几位老教授,我也经常互相劝勉,你少教一点书吧,多保养自己一点,同样也做不到,因为他们对国家民族的前途,还是担忧挂虑得不得了。因此,要"绝学无忧",逍遥自在,除非得了道。未得成道之先,忧世之心,或者挂虑个人的安危,是免不了的。

老子素描修道者的人生

接着,下面一段,可以说是老子的"劝世文"。"荒兮其未央哉","荒"是形容词,像荒原大沙漠一样,面积广大无边,永远没有尽头。这句话放在这一段里,应作什么解呢?——《易经》最后一卦"未济"。我们看看历史,看看人生,一切事物都是无穷无尽,相生相克,没有了结之时。

时末崇祯年间,有个人画了一幅画,上面立着一棵松树,松树下面一块大石,大石之上,摆着一个棋盘,棋盘上面几颗疏疏落落的棋子,除此之外,别无他物,意境深远。后来有个人拿着这幅画,来请当时的高僧苍雪大师题字。苍雪大师一看,马上提起笔来写道:

> 松下无人一局残,空山松子落棋盘。
> 神仙更有神仙着,毕竟输赢下不完。

这一首诗,以一个方外之人超然的心境,将所有人生哲学、历史哲学,一切的生命现象,都包括尽了。人生如同一局残棋,你争我夺,一来一往。就算是传说中的神仙,也有他们的执著,也有他们一个比一个高明之处。这样一代一代,世世相传,输赢二字永远也没有定论的时候。苍雪大师这首名诗,相当能够表达老子"荒兮其未央哉"的意思。

那么,在这一个永远向前推进的时空中,一个修道人该如何自处呢?"众人熙熙,如享太牢,如登春台,我独泊兮其未兆,如婴儿之未孩。""熙熙"二字,并不见得是好事,单就文字解释,是很太平、自然、舒适、自在,看起来很好的样子。所以许多人的名字都取个"熙"字,如清朝皇帝"康熙"。

然而,"熙"字是好而不好,吉中有凶。司马迁《史记》上提到:"天下攘攘,皆为利往;天下熙熙,皆为利来。"我们看这个世上,每个人外表看来好像没怎样,平平安安活着,其实内心却有诸多痛苦,一生忙忙碌碌,为了生活争名夺利,一天混过一天,莫名其妙地活下去,这真的很快乐、很满足吗?老子指出一般人这样生活,自认"如享太牢,如登春台。"好像人活着,天天都上舞厅,天天都坐在观光饭店顶楼的旋转厅里，高高兴兴地吃牛排大餐；又好像春天到了，到郊外登高，到处游山玩水，颇为惬意。牢是牛，古代祭礼以牛作大祭的牺牲。

老子对人生的看法，不像其他宗教的态度，认为全是苦的；人生也有快乐的一面，但是这快乐的一面，却暗藏隐忧，并不那么单纯。因此，老子提醒修道者，别于众人，应该"我独泊兮其未兆"，要如一潭清水，微波不兴，澄澈到底。应该"如婴儿之未孩"，平常心境，保持得像初生婴儿般的纯洁天真。老子一再提到，我们人修道至相当程度后，不但是返老还童，甚至整个人的筋骨、肌肉、观念、态度等等，都恢复到"奶娃儿"的状态（大陆的湖北、四川地区，称呼还在吃奶的婴儿为"奶娃儿"）。一个人若能时时拥有这种心境，那就对了。这和上面讲过"专气致柔，能婴儿乎"的道理是一样的。

还有，下面一句话也是修道人的写照。"傫傫兮若无所归，众人皆有余，而我独若遗。""傫傫"，如同孔子在《易经》上说的"确然而不可拔"，自己站在那里，顶天立地，如一座高山，不可动摇。"无所归"，也就是孔子所言，"君子不器"，不自归于任何典型。你说他是个道人，却又什么都不像，无法将他归于某一种范围，加以界定。而"众人皆有余"，世上的人，都认为自己了不起，拼命追求，什么都想占有；而我什么都不要，"遗世而独立"，好像世界上的人，都忘了我一样。

这种风范，做起来还真不易。辛稼轩有两句词说："须知忘世真容易，欲世相忘却大难。"自己要将这个社会遗忘，还算容易，但要社会把你轻易地忘掉，那可不简单。"人怕出名，猪怕肥"，尤其在社会上有了一点名气的人，更难做到。到时你想远离这个社会，归隐山林，不再过问世事，这倒好办，因为只要你真看得开，放得下便可。但是，你一躲到深山野地去，有许多人还是会千方百计找你出来，说你有道啊，要你干这干那，绝不放过你。这就是"欲世相忘却大难"了。所以老子最后只好骑着那头青牛，悄悄逃出函谷关去了。

《老子》这第二十章，实际上全部在阐述前面他所说"和其光，同其尘"的道理。我们研究古文典籍，大可不必另外从别处引经据典，大作文章，只要以原书各节内容互相对照诠释，便可寻出其原本含意。老子亦是如此，他的每一个观念，在本文中自有他的注解。

只是同流不下流

因此，老子又说："我愚人之心也哉，沌沌兮。""愚"，并非真笨，而是故意示现的。"沌沌"，不是糊涂，而是如水汇流，随世而转，但自己内心清清楚楚。有些人学道家学坏了，故意装糊涂，却走了样，弄巧成拙，反而坏事。所以，这种外昏内明的功夫，不是随便装疯卖傻便是有道的。一个修道有相当体悟的人，他可以不出差错地做到："俗人昭昭，我独昏昏，俗人察察，我独闷闷，澹兮其若海，飂兮若无止。""昭昭"，就是高明得很，什么事都很灵光的样子。一般俗人都想这么高人一等。相对地，"我独昏昏"，修道人不以为聪明才智高人一等，给人看起来，反是平凡庸陋，毫无出奇之处。"我独昏昏"，同时也说明了修道人的行为虽是入世，但心境是出世的，不斤斤计较个人利益，因此给别人看成傻子。

并且，"俗人察察，我独闷闷"，普通人对任何小事都很精明，事事精打细算，但是我倒是"闷闷"笨笨的，外表"和光同尘"，混混沌沌，而内心清明洒脱，遗世独立。你们要聪明，就让你们去聪明，你们到处吹毛求疵，斤斤计较，但我倒是无所谓，视而不见。

再者，一个修道人的胸襟也要"澹兮其若海"，像大海一样，宽阔无际，容纳一切细流，容纳一切尘垢。儒道两家都一样，要人胸襟宽大，包容一切。这就得学习"淡泊明志，宁静致远"的修养，然后自己的精神思想才能从种种拘限中超越出来。

"飂兮若无止",这种境界,要自己住在高山上,方能有所体会。"飂",不是台风,而是高雅的清风,如空中大气清远徐吹。这很难用其他字眼来形容,"大风朗朗",或者堪作相似的形容。尤其身处高山夜静时分,一点风都没有,但听起来又有风的声音,像金石之声;尤其在极其宁静的心境中听来,在那高远的太空里,好像有无比美妙的音乐,虚无飘渺,人间乐曲所不能及。此即庄子所讲的"天籁"之音,没有到达这个境界,是体会不出的。

如此,俗人有俗人的生活目的,道人有道人的生命情调。"众人皆有以,而我独顽且鄙"。一般人对人生都"有以",都有目的,或求升官发财,或求长命百岁。而以道家来讲,人生是没有目的的,亦就是佛家所说"随缘而遇";以及儒家所说"随遇而安"的看法。但是老子更进一步,随缘而遇还不够,还要"顽且鄙"。"顽",是非常有个性,永远坚持不变。"鄙",就更难做到了,所有的言行举止,非常给人看不起,糟糕透了。譬如,民间流传已久的《济公传》,其中主角济公和尚,他时常弄些狗肉吃吃,找点烧酒喝喝,疯疯癫癫,冥顽不灵,人们都瞧他不起。你说他是疯子吗?他又好像清楚得很,你说他十三点,有些事却又正经八百。一下由这庙趸过来,一卜被那庙趸过去,个个庙子都不欢迎他住。"鄙"到这等地步,他却是最解脱、最不受限制的人。这一点,一般凡夫是难以理解的。

如此"我独异于人,而贵食母"这种处世态度,虽然和众人不同,却不是标新立异,惊世骇俗。这乃因为自己"贵食母","母"字代表生我者,也就是后世禅宗说的"生从哪里来,死向何处去"的生命本来。"贵食母"意即死守善道,而还我本来面目,永远回归到生母的怀抱——道的境界中去。

本章老子所提出来的处世态度,我们假使拿来和《论语》的《乡党篇》比较研究,相当有趣。《乡党篇》是孔子的弟子们记载孔子生活的艺术,孔子在办公室是个什么态度,对朋友又是个什么态度,穿衣如何穿法,吃饭如何吃法。孔子吃饭很讲究卫生,并且一定要点葱蒜摆在前面才吃。这些都是他的弟子形容孔子平常生活的习惯。老子形容修道人入世而又出世的处世态度,恰与孔子大有不同,刚才已作了相当的介绍。真要做到这样,那是相当难的。

老子处世哲学的人证

老子所说的这种处世哲学,人生态度,除了我们传统文化中真实笃信道家的神仙们,用之在一般社会的人群,是不可能的。如果要找出这种榜样,当然,在历代道家《神仙传》里,却多得很。不过,都像是离经叛道,古里古怪,不足为法。其次,只有近似道家的隐士、高士们,介于出世入世之间的,却可在《高士传》里找出典型。

现在我们只就一般所熟悉的,由乱离时期到治平时代的两位中间人物,作为近似老子所说的修道者的风格。在西汉与东汉转型期中,便有严光。在唐末五代末期到赵宋建国之间,便有陈抟。

严光,字子陵。他在少年时代,与汉光武刘秀是同学。别的学问不说,单从文学词章的角度来讲,严子陵高到什么程度,已无可靠的资料可寻。但是,看刘秀——汉光武的少数文章词藻,的确很不错。在刘秀做了皇帝以后,唯独怀念这位同学,到处查访,希望他来一见,就可想见严光的深度,并不简单。也许他也是一个在当时局势中,不作第二人想的人物。但是他也深知刘秀不简单,这个位置已属于刘秀的,他就悠游方外,再也不想钻进圈套了。因此他就反披羊裘,垂钓在浙江桐庐的富春江上。这种作风,大有近似老子所说的:"众人熙熙,如享太牢,如登春台。我独泊兮其未兆,如婴儿之未孩,儽儽兮若无所归,众人皆有余,而我独若遗。"后来,他虽然也和当皇帝的老同学刘秀见了面,而且还在皇宫里如少年时代一样,同榻而眠,过了一夜,还故意装出睡相不好,把脚搁在刘秀的肚子上睡觉,似乎又目无天子。总算刘秀确有大度,没有强迫他作官,终于放他还山,仍然让他过着悠游自在,乐于江上垂钓的生涯。

　　因此相传后世有一位上京考功名的秀才，路过严子陵的钓台，便题一首诗说："君为名利隐，我为名利来。羞见先生面，夜半过钓台。"这真是："有人辞官归故里，有人漏夜赶科场"的对比写照。但是相反的，后人有对他作极其求全的批评说："一着羊裘不蔽身，虚名传诵到如今。当时若着蓑衣去，烟水茫茫何处寻。"这又是何等严格的要求，好像专为老子的哲学作人事考核似的。他是说，严子陵反披羊裘去钓鱼，分明是故意沽名钓誉，贾等汉光武来找他，用此为求成名的手段。如果真想逃名避世，当时只着一般渔人所穿的蓑衣斗笠去钓鱼，谁又知道富春江上多了一位渔人便是严子陵呢！那么，当皇帝的同学刘秀，岂不是永远也无法找到你吗？因此他批评严光是有意弄噱头，求虚名，而非真隐的诚意人物。

　　如照这种严格的要求隐士、高士、处士的标准来讲，凡是被历史文献所记载，为人世所知的人物，乃至神仙传记或佛门中的高僧，也都是一无是处的。宋代的大诗人陆放翁便说过："志士栖山恨不深，人知已自负初心。不须更说严光辈，直自巢由错到今。"平庸一生，名不见于乡里，终与草木同腐的，或者庶乎近焉！

　　陈抟，道号希夷。当然，他早已被道家推为神仙的祖师。一般民间通称，都叫他陈抟老祖。他生当唐末五代的末世，一生高卧华山，似乎一点也不关心世事。等到宋太祖赵匡胤在陈桥兵变，黄袍加身，当起皇帝来了，他正好下山，骑驴代步，一听到这个消息，高兴得从驴背跌下来说，从此天下可以太平！因为他对赵宋的创业立国，有这样的好感，所以赵氏兄弟都很尊重他。当弟弟赵匡义继哥哥之后，当上皇帝——宋太宗，还特别召见过他。在《神仙传》上的记载，宋太宗还特别派人送去几位宫女侍候他。结果他作了一首诗，把宫女全数退回。"冰肌为骨玉为腮，多谢君王送到来。处士不生巫峡梦，空劳云雨下阳台。"这个故事和诗也记在唐末处士诗人魏野的账上，唐人诗中也收入魏野的著作。也许道家仍然好名,又把他栽在陈抟身上,未免有锦上添花、画蛇添足的嫌疑。

其实,希夷先生,生当乱离的时代,在他的少年或壮年时期,何尝无用世之心。只是看得透彻,观察周到,终于高隐华山,以待其时,以待其人而已。我们且看他的一首名诗,便知究竟了。

> 十年踪迹走红尘,回首青山入梦频。
> 紫绶纵荣争及睡,朱门虽富不如贫。
> 愁看剑戟扶危主,闷听笙歌聒醉人。
> 携取旧书归旧隐,野花啼鸟一般春。

从这首七言律诗中,很明显地表露希夷先生当年的感慨和观感,都在"愁看剑戟扶危主,闷听笙歌聒醉人"两句之中。这两句,也是全诗的画龙点睛之处。因为他生在唐末到五代的乱世中,几十年间,这一个称王,那一个称帝,都是乱七八糟,一无是处。但也都是昙花一现,每个都忙忙乱乱,扰乱苍生几年或十多年就完了,都不能成为器局,所以他才有"愁看剑戟扶危主"的看法。同时又感慨一般生存在乱世中的社会人士,不知忧患,不知死活,只管醉生梦死,歌舞升平,过着假象的太平生活,那是非常可悲的一代。因此便有"闷听笙歌聒醉人"的叹息。因此,他必须有自处之道,"携取旧书归旧隐",高卧华山去了。

这也正如唐末另一位道士的诗说:"为买丹砂下白云,鹿裘又惹九衢尘。不如将耳入山去,万是千非愁煞人。"他们所遭遇的境况和心情,都是一样的痛苦,为世道而忧悲。但在无可奈何中,只有如老子一样,走那"我愚人之心也哉!沌沌兮,俗人昭昭,我独昏昏。俗人察察,我独闷闷。澹兮其若海,飂兮若无止,众人皆有以,而我独顽且鄙。"看来虽然高不可攀,其实,正是悲天悯人,在无可奈何中,故作旷达而已吧!

第二十一章

　　孔德之容，惟道是从。道之为物，惟恍惟惚。惚兮恍兮，其中有象；恍兮惚兮，其中有物；窈兮冥兮，其中有精。其精甚真，其中有信。自古及今，其名不去，以阅众甫。吾何以知众甫之状哉？以此。

老子的物是什么东西

　　"孔德"是大德之意。依佛教习惯，写信给老前辈之尊称为某某"大德"。古代佛学从梵文翻译成中文的同义字，本来是有"孔德"，但因孔子姓孔，后来才将"孔德"改成"大德"，孔是大，德代表真正有道者的行为。"容"，则指内涵的包容作用。一个真正有道德修养的人，他的内涵，只有一个东西——"道"。"惟道是从"，二六时中，随时随地，每分每秒，都在要求自己合于道的原则，起心动念，一言一行，无有稍微违反道业。"澹兮其若海"，永远包容一切，容纳细流，会归于一，没有离谱走样的情况出现。这是本章开头提出做人的大原则，也是说明修道人出世的态度，以及道是如何修法。

　　这一章需要一口气念下来，不可间断，这样味道才够。古人读书的时候，总是摇晃着脑袋念，有时一口气念得接不上，不得已切断文气，那不行。学古人文章，当那文气一路顺下来时，管它中间句子对不对，总要先把握住一气呵成，如果中途停顿，再接下来就差多了。写毛笔字也一样，即使笔上墨已不够，字未写完，也不想再蘸一下，因为再停下来蘸墨，那股淋漓尽致的气势便中断了，划不来。那硬是像打球一样，手用力一挥，球嗖的一声，形成一个强劲有力的曲线，就过去了。好的文章，好的诗词，同样讲究气势，气势不足，或者不连贯，必然影响它的美感，这之间的微妙之处，很难阐述清楚。

"道之为物，惟恍惟惚。"我们后世许多研究老子哲学的人中，有一派说老子是唯物的，不是唯心的。因为在老子的书中有好多处，提到"物"字。这一点确须特别注意，在春秋时代，并没有所谓唯心、唯物的理论。那个时候所说的"物"，等于我们现在讲"这个东西"。这在古书诸子百家中可以引出很多证据。我们现在的常用语"你这个东西"或"是什么东西"，假使五百年或一千年后的人，来考证这一句话，也许会觉得十九世纪到二十世纪的中国人，语言真麻烦。"东西"是什么？东是东边，西是西边，两个方向怎么能合拢成一个名词呢？

例如，我们现在有些人，喜欢骂别人"你是什么东西！"我觉得这话骂得很好，因为我自己再怎么找，也找不出自己是个什么东西。我是个人，并不是什么东西。然而，这一代的语言"东西"二字，合拢来就是一个观念。这个观念很难下注解，"物"可以叫东西，"人"也可以叫东西。古人讲"物"，也同样是这种意思，并不限制确定只是表示物质。

事隔两千多年的后人，不明此理，糊里糊涂把"物"当成"唯物"之物，硬以现代人的文字观念诠释古人的文字观念，这不是很严重的拿着鸡毛当令箭吗？比如，庄子说他的话，十之八九为"寓言"，"寓言"一词最先出自庄子。近代日本翻译西方文化，将那些幻想假托的故事，便借用"寓言"一词做代表。结果现在年轻人不懂，以为寓言就是文学家凭空幻想、所创作出来的东西，如《伊索寓言》一样，反而视庄子所说的寓言都虚假靠不住。这岂不是颠倒是非、阴错阳差了吗？

　　老子讲"物",千万不能当"唯物"的物解。老子所说的物,用现代名称来说,便是"这个东西"的意思。东西就是东西,是勉强指陈某一种事物,再进一步讲不出一个所以然的代名词。这等于佛家说,有一个不可思议的"自性光明",西方人崇高无比的"上帝",这些形容绝对性的宗教词句,一到了禅宗祖师们手中,就把所有宗教的外衣都剥光了,而以"这个"来代替。"这个"是"那个"? "那个"是"这个"! "这个"又是什么东西? 东西便是东西,无法注解,只有自己亲身见到证到才知道。我们了解了"物"在当时的文字概念,自然不会随便给古人栽赃,说他是唯物思想,否则那太离谱、太莫名其妙了。不过,有人还会误认孔明就是孔子的弟弟,这也是令人啼笑皆非,无可奈何的自由心证,只好由他去认定属实吧!

　　至于说,"道之为物,惟恍惟惚"。这其中牵涉到中国文字问题,更是复杂。我们现在一听"恍惚"一词,就解释为精神散乱,昏头昏脑,类似现在流行吃"强力胶",注射"速死坑"者的精神迷幻状态。因此,有些年轻人拼命吃强力胶,以为是享受,结果把身心搞砸了。其实,"恍惚"是指心性光明的境界,我们姑且不用繁琐的训诂学来解释这两个字,单就字形,便可看出"恍"是竖心旁加一个"光"字;"惚"是竖心字旁加一个"忽"字,意谓心地光明,飘然自在,活活泼泼,根本不是颠三倒四,昏头昏脑。如果修道的结果,像喝醉酒一样,迷迷糊糊,东倒西歪,需要好几个人扶着,才叫做"恍兮惚兮",那还算修道吗?

　　老子是说,"道"这个东西,它是"惟恍惟惚"的。勉强来描述,是说它有这么一个不可思议的光明洒脱境界。所谓"惚兮恍兮,其中有象"。"兮"字,源自古代南方楚国语助词的用法。楚国文化,遍布长江南北,自成一个系统,就历史而言,当时的楚国,乃祝融氏之后,也与神农的文化有关。孔子的文章章法,是属齐鲁文化的传承,具有北方朴实敦厚的气质。老子的文章,潇洒而有韵律,具有南方文学的风格。而在老子之后,代表南方楚国的文学,便有屈原楚辞《离骚》的出现。"兮"字,古时是否念做"西"的音,是个问题,只是我们现在一直把它读做"西"字的音罢了。严格而言,古代"兮"字,不念"西"音,其性质类似现在唱歌时常用的"啊"字,或"哑"字,讲不出一个具体的含意来。有人主张,此字应以闽南音或客家音的"唉"或"哎",拉长声调而唱。如果它构成一个词,该是两个字以上连在一起,而形成一个独立形容词,并非完全无意义的填入文章之中。

春秋时代南北文学的境界

研究历史文化,需要了解当时不同地区的文字风格的趋势。楚辞,以及词赋等华贵美丽的文学作品,出于南方。后代思想的发展,老庄、禅宗皆在南方,尤其长江流域一带最为盛行。这一点,年轻一代的后起之秀,在研究中国文化,重新整理中国文学、哲学时,有必要加以特别注意。一般来说,北方民风,温柔敦厚,朴实无华。方方正正,顶天立地的仁道文化,往往由北向南发展。而思想高明、空灵优雅的文化,则诞生于南方之地。这几乎成了一个定律。我常以此观念,研究欧洲历史,美国历史也一样。欧美方面,北部出来的人物,或文化思想,就与南方不同,北部的人们,行为笃厚,气质浑厚。南方出来的人物,像卡特就很有问题。这很奇怪,只由于东、南、西、北地区方向的差别,冥冥中影响山川人物以及文化的异同问题,和《易经》象数的法则又大有关系。

老子又说,在"惚兮恍兮,其中有象"。换言之,在毫无边际、活活泼泼的一片光明境里,就有这么一个境界。"象"者,境界也。"恍兮惚兮,其中有物"。而且在这个光明的境界里,似乎确有这么一个东西。等于佛家所说:"即空即有,即有即空。"在空空洞洞里边,又非真的空空洞洞。这个"其中有物",既非唯心,亦非唯物,而是心物一元的那个东西。修道人可以到达这种莫可名状,光明无际,"荒兮其未央哉"的灵活自在,若虚若实的境界。但是这个境界,这个东西,老子不想再加上一个名词去解释,恐怕以词害意,只好简单地用"象"、用"物"来表达它。在佛学中,也常说"不可思议",或"不可说"来结束其词,个中况味,只好说"如人饮水,冷暖自知"了。

此精不是那精

接下来,老子又搞出一个大问题。"窈兮冥兮,其中有精","窈"是形容其深远,"冥"是形容其高大。如果当时用齐鲁文化的文笔写来,或者使用"巍巍乎"三字来形容。"窈"、"冥"可以用太空的现象作比喻,如"飞入清冥",代表远远到达无穷高、无穷尽的太空中去,甚至还遗忘了太空的观念。一个人的修养如果达到这种程度,便可了解这中间确是"其中有精"。但是提到"精",便须千万注意,不可以物质观念来解释这个精。当然,不是如后世的旁门左道所指的精虫卵子之精,它是包含"精灵"、"精华"之意,不可测量、不可捉摸的精神之精。

但后世道家所讲的"炼精化气,炼气化神,炼神还虚",究竟有没有这回事呢?——有这回事。但千万别误认所指是人体生理周期所产生的精虫卵子。如果这样认定,就有毫厘之差,千里之失。有一位在美国研究心理学的同学,回来跟我讲:真糟糕,现在美国心理学家,提倡老人可以结婚,享受充分的性生活,并不承认中国道家"十滴血一滴精"的说法,而且不反对多交、杂交,这不是要把老人玩死了吗!这位同学毕竟是知识分子,不能做到"绝学无忧",一直担心得不得了。

于是,我问他:你知不知道所谓"十滴血一滴精"的说法,是怎么传到美国去的? 他说:道书上都这么讲。我告诉他:这不是正统的道书,这种书把"精"认作男性精子及女性卵子,根本大错特错,事实上精子卵子也不是单靠血液变出来的。美国这些心理学家、生理学家,拼命攻击这种观念,是有其道理的。人家有科学上的根据,岂会随随便便相信你的说法,怪只怪我们自己贩卖中国文化的人搞错了。

所谓"精",很难加以明确的界说。如果在人身上而言,可以包括各种荷尔蒙——内分泌等等,但不仅止于此,很难细说。至于"气""神"二者,更有待于另做专题讨论。如果根据《黄帝内经》所载,在医学方面,所指的"精",也不是精虫卵子,早已有了特别的说明。比如,我们听人说:"这个人精神很好!"你总不会认为说他精神好,就是他体内的精虫特别多吧!当然没有这种道理。精神是无法以言词作具体形容的。然而真没有这个东西吗?却毫无疑问可感觉到人身确具有这股活力的作用。精神好或精神萎靡,与人体的生理机能和心理状况,有相互作用的关系。

一个学道者,倘若经年累月地打坐,结果一日一日,越坐越没精神,越修越昏头昏脑,那就错了。这可不是"窈兮冥兮"。真正到达"窈兮冥兮"的空灵境界,只要你眼神稍稍凝定几分钟,就等于常人几小时的睡眠,这是"其中有精",由此才谈得上"炼精化气"的功夫。像这老子、庄子书中,谈修道功夫境界的文字,非常多,不是一般哲学观念、或文人的艺术想象所能理解诠释的。那硬要实修实证,方能体会个中真相。

然后,老子又形容精神之重要,"其精甚真,其中有信"。此处之"精",在用法上,几乎已到达佛家所说"不生不灭"的境界。佛经名典《楞严经》亦云:"心精圆明,含裹十方。"修心养性到此等地步,可以盖天盖地,包容整个宇宙。因此,老子说:"其精甚真",它是个绝对真实的东西,无始无终,不生不灭的。"其中有信",确是实有其事,确有这个消息,只要你从身心上,真修实证,到时便自然有一步一步的征信效验。

孟子的证道

讲到这里,且让我们借用《孟子·尽心章》的话来注解老子的"其中有信",却很恰当。孟子说:"可欲之谓善,有诸己之谓信,充实之谓美,充实而有光辉之谓大,大而化之之谓圣,圣而不可知之之谓神。"如果大家要谈修养功夫,只是一时兴来,随便搞搞打坐,认为好玩,没有将它当作人生第一件事,那么也只是混混日子,没有什么好结果的。假如真把它当作人生第一件事,朝暮念兹在兹,没有须臾荒废,如此便是到达"可欲之谓善",随时随地有如抽鸦片烟上瘾一样,到时间不上座,就显得无精打采,非坐一下不可。所谓抽鸦片一样有了瘾,这是比喻之辞而已,不可误会。

这么用功上路,渐渐就会到达"有诸己之谓信"。那是说,火候到了,必然会有它的境界呈现,可以征信无疑。孟子这一段话,一路下来,讲的都是修持功夫的层次经验,不只是"比量"的理论而已。老子对精、气、神三样东西,是分开揭出的,"其精其真,其中有信",只要锲而不舍,不退失道心,久而久之,精神气息的妙用象征,一步一步呈现,一层一层往上提升,终至契入形而上的"道"妙。

因此便说,形而上的"道","自古及今,其名不去。"它是参天地的造化之机,不生不灭,永恒存在。从古至今,真理只有一个,无二亦无三。但是世界上表达"不二法门"的道之名称,可有千差万别,不只一个而已。叫它是"道",是"神",是"心",是"物",是"天",是"帝",是"如来",都同是代表这个不二之道的别名。这个东西永远不会改变,永远不可磨灭,横竖三际,遍弥十方。我们的传统文化,便名它是道。

如实悟了大道之后,"以阅众甫,吾何以知众甫之状哉? 以此。"这是说,等到证得了真理,那么你便能无所障碍地观察一切众生相,了知一切众生的根性。"众甫"就是众人,"甫"也作"父"解,代表男性。古代社会，处处以男性为重。读古人文章，假如有一个人名张大，替别人写一篇序，下面落款是："某朝某年某月某日张大甫序。"后世人看了，不明就里，以为这篇文章是"张大甫"作的。有时候名字外又加号，比如他号"小仙"，于是落款写成："张大小仙甫序。"这么，就会有人误认此人名"张大小"，号"仙甫"。实际上，作者真名叫"张大"，号"小仙"，"甫"乃表示他是男人。古时代有许多文章署有此字，究竟从哪个时代开始发生此一现象，有待查证。其实，作者是道道地地的男人，谁又会把你当成女人看？一个"甫"字加在其中，实在容易混淆不清，引起误解。像我们的大诗人杜甫，这么一来，不就要被看成"杜男人"了吗？这些地方，便是中国文化中，过分玩弄文字常有的流弊，的确需要改革简化明白才好。

"众甫"同于后世佛家所说的"众生"，当你得了真理大道之后，芸芸众生的种种习性、种种因缘，千差万别的生命状态，皆可一目了然，看得透彻。所以老子说："吾何以知众甫之状哉？以此。"我为什么能够了解一切人的根性，一切人的心理思想呢？就是"以此"而来。因为得了道，由这个至高无上、恍恍惚惚的道，通达变化无穷的宇宙万有，照见无涯无际的生命现象，所以才能无所不知。

说到这里，据我所了解，目前有一些年轻人，喜欢学打坐，各式各样的方式都去试试看，却不懂得真正静坐的身心原理，盲修瞎炼，坐得头昏昏，脑钝钝，有时前面稍一有光，便以为是"惟惚惟恍"、"其中有信"，是有道的现象，这是要不得的。像这样的"现象"，你若刻意执著，自以为是，它便是得道的信，那么，就可以警告你快要到精神病医院去了。于此，你必须参看佛典《金刚经》的"凡所有相，皆是虚妄"的道理，以免玩弄精神，走上歧途。

一般打坐，那点些微之光的"恍恍"，并不是道。我看很多青年人，智力不够，慧学不通，一下便误入其中，认为自己不得了，确实令人叹息。老子讲"惚兮恍兮，其中有象"，或者"其精甚真，其中有信"等话，百分之百没错，但那是指心光广大，漫天盖地，类似佛典

《楞严经》所说的"心精圆明，含裹十方"的道理。况且，这些词句还只是对"言语道断，心行处灭"的勉强形容而已，千万不要看到一点小亮光，就在那里大惊小怪，如痴如狂。

还有，中国的道书，流传下来有八千多卷，书中常常形容"道"那样东西为"圆陀陀，光灼灼"。于是许多热中此道的人，便落在这个语言文字的窠臼中，只要闭上眼睛，看到意识中有个圆光出现，就把它当作"圆陀陀，光灼灼"，一时便已得道了似的。香港有一位修道的朋友，写信来说，他已得到那个"圆陀陀，光灼灼"的灵光，可是最近不知怎么掉了，希望我能告诉他，如何再把那个境界找回来。我看了信，啼笑皆非，真想买几颗发亮的玻璃珠寄给他玩玩。

"圆陀陀，光灼灼"，这只是道家对于修道某一种境界的形容词而已，有同于老子所说的"恍惚"之处。然而，为何会有诸如此类的境界出现呢？因为你在静坐中，虽然妄想减少，但是身上血液、气脉还在运转流行，身心气血，二者相互摩擦生电，形成这种现象。如果你认清楚了这个还不是道，只是静坐过程中必然的阶段而已，那么很恭喜你，你再一切放下，不执不著，顺其自然，慢慢身心会一步一步变化，一层一层提升，这就是某种程度的"其中有信"。

同时，也不要认为"圆陀陀，光灼灼"，和老子所讲的"精"是一回事，那也不对。这个"精"是什么？它包括了整个身心良性的转化。你说你已得到"圆陀陀，光灼灼"，那好，我问你，你身心健康变化了没有？如果有变化，又变化到什么程度？真正学佛修道，只要到某一阶段，必然变化气质，心境开朗，即使没有返老还童，至少也能祛病消灾，身体健康。若不如此，那就很有问题。

所以，老子特别强调"恍兮惚兮，其中有物"，这个光明灿烂的境界里，有这么个东西，大家不要把这个东西，视为实际具体的事物，否则便是自我作践，自己为难自己，为了求道，适得其反，那就很罪过了。这一点一定要认识清楚。

第二十二章

曲则全,枉则直,洼则盈,敝则新,少则得,多则惑,是以圣人抱一为天下式。不自见故明,不自是故彰,不自伐故有功,不自矜故长。夫唯不争,故天下莫能与之争,古之所谓曲则全者,岂虚言哉!诚全而归之。

曲直分明转一圈

讲到这里,《老子》一书的文章编排又不同了,由讲"道体"而一转到由体起"用"的因应。大家须知,道家的思想在可以出世亦能入世之间,有"体"有"用"。只主道体,光修道,而鄙弃用,那是不对的。只出世而不能入世,固然不对。只讲用,而不讲体,亦落在另外一边,亦是错误。

老庄与孔孟之道,都从《易经》的同一渊源而来,老子每举事例,即正反两面都说到,这就是"一阴一阳之谓道"的作用。所以我们说,老祖宗留下来的《易经》,是哲学中的哲学,经典中的经典。它认为一体都含两面,两两分化,便成多面。有人说,《易经》真是了不起啊! 与黑格尔的辩证法一样啊! 这种论调真是笑话! 我经常有一个比喻:你看到一个祖父与孙子走在一道,你硬要说,你这个祖父了不起,你长得与你孙子一样啊! 讲《易经》与黑格尔的辩证法一样,等于说,你的祖父了不起,居然和孙子一模一样。哪有这个道理。黑格尔的辩证法,只是正、反、合三段论法,而《易经》不只是三段论法,《易经》的辩证是八段乃至十段现象。因为,大家没有学过"卦"的道理，每一个卦的错综复杂，真是八面玲珑，都有八面的看法，最深点来讲，且有十面的看法。假若任何理论只是正、反、合，肯定、否定，矛盾统一，那么，也叫说永远只有否定，也可以说永远都是肯定啰！此其所以一变再变，而形成"误尽苍生是此言"了！由这个道理，我们一再说明老庄的思想与孔孟的学说，都是由《易》理而来，以便明白中国文化源远流长的所自来。

例如："曲则全"这一原则，也不是老子所独创的，《易经》中早就有了。尤其在孔子《系辞传》中述说《易》理，对这个原则说得更彻底，孔子在《系辞传》上也说"曲成万物而不遗"。因为我们老祖宗早就晓得这个宇宙都是曲线的，是圆周形的，圆周便非直线所构成。在这物理世界，没有一样事物是直线的，都是圆的，圆即是直的。所谓直，是我们把圆切断拉开，硬叫它直，所以说宇宙万物，都是曲线的，故曰"曲成万物"。譬如我们人的生命——身体，道家形容它是一个小天地，人体与大地宇宙的变化法则是一样的，气象的变化和太阳月亮互相变化的关连，完全一样。例如道家有一本书，叫做《太上阴符经》。有人说它是老子的老子所著，老子的老子的妈妈那个老太太叫做"太上"，这当然是说笑话。《阴符经》上说："观天之道，执天之行，尽矣！"你要深切观察到这个天地的自然法则，把握住大地运行的原理，那么，修道的功夫方法，都可信手得来，完全清楚不过了。上古文化，就用那么简单的两句话，包括说明人身便是一个小天地。

现在，为了了解"曲则全"这句话，把问题扯开了。

老子把我们老祖宗传统文化的原则抓住，指出做人处世与自利利人之道——"曲则全"。为人处事，善于运用巧妙的曲线只此一转，便事事大吉了。换言之，做人要讲艺术，便要讲究曲线的美。骂人当然是坏事。例如说："你这个混蛋！"对方一定受不了，但你能一转而运用艺术，你我都同此一骂，改改口气说："不可以乱搞，做错了我们都变成豆腐渣的脑袋，都会被人骂成混蛋！"那么他虽然不高兴,但心里还是接受了你的警告。若说:"你这个混蛋,非如此才对。"这就不懂"曲则全"的道理了,所以,善于言词的人,讲话只要有此一转就圆满了,既可达到目的,又能彼此无事。若直来直往,有时是行不通的。不过曲线当中,当然也须具有直道而行的原则,老是转弯,便会滑倒而成为大滑头了。所以,我们固有的民俗文学中,便有:"莫信直中直,须防仁不仁"的格言。总之,曲直之间的"运用之妙,存乎一心"。

"枉则直。"枉是纠正,歪的东西把它矫正过来,就是枉。我们老祖宗早就知道宇宙间的物理法则,没有一样东西是直的,直是人为的、勉强的,因此,便形成"矫枉过正"的成语,矫正太过又变成弯曲了。一件东西太弯左了,稍加纠正一下即可。如果矫正太过,又弯到右边去了,偏左、偏右,都有差错。这中间的逻辑哲学,发挥起来就太多,如果把老子在这里所说的每一句话拉开来讲,就扯得很远了。总之,"枉则直",究竟是对或不对,还是问题。直,虽然是人为的、勉强的,但是它能合乎大众的要求,也就不能不承认"枉则直"了!

本章由讲"曲则全,枉则直,洼则盈,敝则新,少则得,多则惑",一气呵成的几句话,看来在文字的气势上,非常有力,容易懂。可是它所包涵的哲学道理,可以启发我们灵智的地方,内涵却非常的多,可以从各个方面,每个不同的角度来看,此所谓老庄哲学的本身,自有一个原则。比如孔孟之道,讲仁义的观念,多方运用起来,也能启发思想与灵智,亦同样是有多角性的。上次我们提过,宇宙的法则是圆的,走曲线的,绝对没有直的,人世间有直的路,是人为把它加工切断拉直的。因此美学与艺术,大多注重自然的,曲线的美。现在为了说明在人事应用上曲线的艺术,由记忆所及,临时找出一些资料,作一说明。但是,这点资料并不足以用来完全解释老子"曲则全"的原意,也只是在做人处世上,大概是有用的。虽不足为常经常法,但可以作为变通的参考。所以只是举出历史的事实,来说明这个原则,对大家或许有所帮助,但也很容易产生流弊,苟非其人,即易着魔。希望要切实记住,要基于最高的道德,偶一为之,不可用作为人处世的手段。此外,还可用很多的资料来说明,那有待于各人自己的启发。例如前面已经说过骂人的艺术,"曲则全"的原则,转一个弯,大家心平气和,彼此相安无事。莫名其妙地骂人,那是属于粗暴的行为,反而会偾事。

尧的儿子,汉武帝的奶妈

历史上"曲则全"的例子很多,比如尧舜传位。尧的儿子叫丹朱(他虽是皇帝的儿子,那时候还没有太子的名称),所谓丹朱不肖,大不如他的父亲,其实也没有大坏处,只是顽皮。尧用尽了种种办法教导他,始终不太成材。一个世家公子,有钱、有地位、有势力,在教育立场上看,有他先天性的优越,同时也有先天性的难以受教的缺失。据说,尧为这个儿子,发明了围棋(我们现在玩的围棋,便是尧所发明的),以此来教他的儿子,训练他的心性能够缜密宁静下来,但是,丹朱在下棋方面,也没有达到国手的境界,到底还是无效。因此,尧把帝位传给了舜,历史上称谓"公天下"。在后来历史学家,认为帝尧真是高明,因此而有政治上最高尚的道德,同时也是保全自己后代子孙的最高办法。如果当时由丹朱即位做了皇帝的话,也许可能是作威作福,反而变成非常坏、非常残暴,那么尧的后代子孙,也可能会"死无噍类"了。他把天下传给了舜,反而保全了他的后代,这便是"曲则全"最高运用的道理。

现在,再举三则历史实例:

汉武帝乳母,尝于外犯事。帝欲申宪,乳母求东方朔。朔曰:此非唇舌所争,而必望济者,将去时,但当屡顾帝,慎勿言此,或可万一冀耳。乳母既至,朔亦侍侧,固谓曰:汝痴耳!帝今已长,岂复赖汝哺活耶！帝凄然，即赦免罪。

　　《史记》载救乳母者，为郭舍人，现在据刘向《说苑》等记，说是东方朔。余姑且认为是东方朔，较有趣味。

　　在历史的记载上的汉武帝，有人说他是"穷兵黩武"，与秦始皇并称，同时也是历史上的明主。汉武帝有个奶妈，他自小是由她带大的。历史上皇帝的奶妈经常出毛病，问题大得很，因为皇帝是她的干儿子，这奶妈的无形权势，当然很高，因此，"尝于外犯事"，常常在外面做些犯法的事情。"帝欲申宪"，汉武帝也知道了，准备把她依法严办。皇帝真发脾气了，就是奶妈也无可奈何，只好求救于东方朔，东方朔在汉武帝面前，是有名的可以调皮耍赖的人。汉武帝与秦始皇不同，至少有两个人他很喜欢，一个是东方朔，经常与他幽默——滑稽、说笑话，把汉武帝弄得啼笑皆非。但是汉武帝很喜欢他，因为他说的做的都很有道理。另一个是汲黯，他人品道德好，经常在汉武帝面前顶撞他，他讲直话，使汉武帝下不了台。由此看来，这位皇帝独对这两个人能够容纳重用，虽然官做得并不很大，但非常亲近，对他自己经常有中和的作用。所以，东方朔在汉武帝面前，有这么大关系。奶妈想了半天，不能不求人家。皇帝要依法办理，实在不能通融，只好来求他想办法。他听了奶妈的话后，说道，此非唇舌所争——奶妈：注意啊！这件事情，只凭嘴巴来讲，是没有用的。因此，他教导奶妈说："而必望济者，将去时，但当屡顾帝，慎勿言此，或可万一冀耳！"你要我真帮忙你，又有希望帮得上忙的话，等皇帝下命令要办你的时候，一定叫把你拉下去，你被牵走的时候，什么都不要说，皇帝要你滚只好滚了，但你走两步，便回头看看皇帝，走两步，又回头看看皇帝。千万不可要求说："皇帝！我是你的奶妈，请原谅我吧！"否则，你的头将会落地。你什么都不要讲，喂皇帝吃奶的事更不要提。"或可万一冀耳！"或者还有万分之一的希望，可以保全你。

　　东方朔对奶妈这样吩咐好了，等到汉武帝叫奶妈来问："你在外面做了这许多坏事,太可恶了!"叫左右拉下去法办。奶妈听了,就照着东方朔的吩咐,走一两步,就回头看看皇帝,鼻涕眼泪直流。东方朔站在旁边说:你这个老太婆神经嘛!皇帝已经长大了,还要靠你喂奶吃吗?你就快滚吧!东方朔这么一讲,汉武帝听了很难过,心想自己自小在她的手中长大,现在要把她绑去砍头,或者坐牢,心里也着实难过,又听到东方朔这样一骂,便说算了,免了你这一次的罪吧!以后可不要再犯错了。"帝凄然,即敕免罪。"暂且交付看管起来,也就好了。

像这一类的事,看起来,是历史上的一件小事,但由小可以概大。此所以东方朔的滑稽,不是乱来的。他是以滑稽的方式,运用了"曲则全"的艺术,救了汉武帝奶妈的命,也免了汉武帝后来的内疚于心。

假如东方朔跑去跟汉武帝说:"皇帝!她好或不好,总是你的奶妈,免了她的罪吧!"那皇帝就更会火大了。也许说:"奶妈又怎么样,奶妈就有三个头吗?""而且关你什么事,你为什么为她说情?""可能她的犯罪,都是你的坏主意吧!"同时把你的讲话家伙也一齐砍下来,那就吃不消了。他这样一来,一方面替皇帝发了脾气,你老太婆神经病,十三点!如此一骂,皇帝难过了,也不需要再替她求情,皇帝自己后悔了,也不能怪东方朔,因为东方朔并没有请皇帝放她,是皇帝自己放了她,恩惠还是出在皇帝身上,这就是"曲则全"。

刘备的淫具,齐景公的刽子手

(先主)刘备在蜀,时天旱,禁私酿,吏于人家,索得酿具,欲论罚。简雍与先主游,见男女行道,谓先主曰:彼欲行淫,何以不缚?先主曰:何以知之?对曰:彼有其具。先主大笑而止。

三国时代，刘备在四川当皇帝，碰当天旱——夏天长久不下雨，为了求雨，乃下令不准私人家里酿酒，就如现在政府命令，不准屠宰相类同。因为酿酒，也会浪费米粮和水，就下令不准酿酒。命令下达，执行命令的官吏，在执法上就发生了偏差，有的在老百姓家中搜出做酒的器具来，也要处罚。老百姓虽然没有酿酒，而且只搜出以前用过的一些做酒工具，怎么可算是犯法呢？但是执行的坏官吏，一得机会，便"乘时而驾"，花样百出，不但可以邀功求赏，而且可以借故向老百姓勒索、敲诈，报上去说，某人家中，搜到酿酒的工具，必须要加处罚，轻则罚金，重则坐牢。虽然刘备的命令，并没有说搜到酿酒的工具要处罚，可是天高皇帝远，老百姓有苦无处诉，弄得民怨处处，可能会酝酿出乱子来。简雍是刘备的妻舅，有一天，简雍与刘备两郎舅一起出游，顺便视察，两人同坐在一辆车子上，正向前走，简雍一眼看到前面有一个男人与一个女人在一起走路，机会来了，他就对刘备说："这两个人，准备奸淫，应该把他俩捉起来，按奸淫罪法办。"刘备说："你怎么知道他们两人欲行奸淫？又没有证据，怎可乱办呢？"简雍说："他们两人身上，都有奸淫的工具啊！"刘备听了哈哈大笑说："我懂了，快把那些有酿酒器具的人放了吧。"这又是"曲则全"的一幕闹剧。

当一个人发怒的时候，所谓"怒不可遏，恶不可长"。尤其是古代帝王专制政体的时代，皇上一发了脾气，要想把他的脾气堵住，那就糟了，他的脾气反而发得更大，不能堵的，只能顺其势——"曲则全"——转个弯，把他化掉就好了。这是说身为大臣，做人家的干部，尤其是做高级干部，必须要善于运用道理。历史上这些故事多得很，我们再看第三个：

齐有得罪于景公者，公大怒。缚至殿下，召左右肢解之，敢谏者诛，晏子左手持头，右手磨刀，仰而问曰：古者明王圣主肢解人，不知从何处始。公离席曰：纵之，罪在寡人。

周朝，春秋时代的齐景公，在齐桓公之后，也是历史上的一位明主。他拥有历史上第一流政治家晏子——晏婴当宰相。当时有一个人得罪了齐景公，齐景公乃大发脾气，抓来绑在殿下，要把这人一节节地砍掉。古代的"肢解"，是手脚四肢、头脑胴体，一节节地分开，非常残酷。同时齐景公还下命令，谁都不可以谏阻这件事，如果有人要谏阻，便要同样地肢解。皇帝所讲的话，就是法律。晏子听了以后，把袖子一卷，装得很凶的样子，拿起刀来，把那人的头发揪住，一边在鞋底下磨刀，做出一副要亲自动手杀掉此人，为皇帝泄怒的样子。然后慢慢地仰起头来，向坐在上面发脾气的景公问道："报告皇上，我看了半天，很难下手，好像历史上记载尧、舜、禹、汤、文王等这些明王圣主，要肢解杀人时，没有说明应该先砍哪一部分才对？请问皇上，对此人应该先从哪里砍起？才能做到像尧舜一样地杀得好？"齐景公听了晏子的话，立刻警觉，自己如果要做一个明王圣主，又怎么可以用此残酷的方法杀人呢！所以对晏子说："好了！放掉他，我错了！"这又是"曲则全"的另一章。

晏子当时为什么不跪下来求情说："皇上！这个人做的事对君国大计没有关系，只是犯了一点小罪，使你万岁爷生气，这不是公罪，私罪只打二百下屁股就好了，何必杀他呢！"如果晏子是这样地为他求情，那就糟了，可能火上加油，此人非死不可。他为什么抢先拿刀，要亲自充当刽子手的样子？因为怕景公左右有些莫名其妙的人，听到主上要杀人，拿起刀来就砍，这个人就没命了。他身为大臣，抢先一步，把刀拿着，头发揪着，表演了半天，然后回头问老板，从前那些圣明皇帝要杀人，先向哪一个部位下手？我不知道，请主上指教是否是一刀刀地砍？意思就是说，你怎么会是这样的君主，会下这样的命令呢？但他当时不能那么直谏，直话直说，反使景公下不了台阶，弄得更糟。所以他便用上"曲则全"的谏劝艺术了！

大概把这些历史故事了解以后，可作人生做人处事的参考。

世间有很多事情都是如此,即使家庭骨肉之间朋友之道,也是一样。人非修学不可,读了书要学以致用,但有时候书虽读得多,碰到事情的现场,脾气一来,把所读的书都丢掉了,那就没有办法的事。

枉则直的教育法

其次,我们再用历史故事说明"枉则直"的道理。汉文帝是研究老子的好学生,所以,我们讲老庄的思想学术,引用他的故事亦蛮多的,现在又要借用他的一则历史故事:

> 汉文帝初即位,立太子母窦氏为皇后。后兄长君。弟广国,字少君。初为人略卖,传十余家。闻皇后立,乃上书自陈。厚赐田宅,家于长安。周勃、灌婴等曰:吾属不死,命且悬此两人。两人所出微,不可不为择师傅宾客,恐又复效吕氏也。乃选士有节行者为居。两人由此为退让君子,不敢以尊贵骄人。

过去宗法社会,重视长子,大儿子可以继承皇帝位子,这是古代传统的习俗。汉文帝的大儿子的妈妈姓窦,儿子当了太子,母亲便顺理成章当上皇后(过去皇帝的妻子很多,看哪一个生儿子生得快,做太子的希望就大)。可是,窦家这位皇后,家庭履历并不太高明,她是贫贱出身。皇后的哥哥名字叫做"长君",有个弟弟名叫"广国",又名"少君"。窦家这个小兄弟更惨,年轻的时候,被骗子骗走,把他卖掉,这家买来,卖给那家,辗转卖了十多次。到了二十几岁时,听到姊姊当了皇后,他便写信给皇后,说明彼此之间同胞姊弟的关系。窦皇后接到信以后,既惊喜,又怀疑,写信的人究竟是不是被人骗走卖掉的兄弟呢?可是他再向皇后说明小时候同胞手足间,如何共同生活,姊弟如何相亲相爱,列举事实证明,皇后才相信这真是他的兄弟了,因为报告中所说的事,只有他们姊弟之间才晓得。从此归宗认亲，一步登天，"厚赐田宅"，赏赐田宅很多；"家于长安"，住到国都所在地来，以便姊弟间可以时常相聚，享受天伦之乐。

可是我们晓得汉朝的历史，一起手，便有外戚之祸。汉文帝之所以能当上皇帝，就是因为汉朝刘家的老太太吕后造反出了问题，才有机会轮到他当皇帝。汉高祖死后，吕后当权，想要把刘家——汉高祖后代都弄光，给自己娘家吕氏后代当皇帝。这件政变的大祸事，全靠跟刘邦同时起义的老干部周勃与陈平他们设计平息了。周勃与灌婴，都是追随汉高祖刘邦一同起来打天下的、立有汗马功劳的将领。他两人看到窦皇后姊弟之间这个情形，便联想到刚刚过去吕后与吕家的故事，就商量说，我们这些人，与汉高祖一起出来打天下，出生入死，总算留下一条老命，现在业已过了退休高龄，将来要想保全身家性命不死，可是照现在情形看来，我们的命运，还须掌握在窦家姊弟的手里，而且这两姊弟出身贫贱，知识、道德、修养都很低。像这种人，一旦进入政治舞台，手上有了权势，如果残暴起来，比知识分子出身的人，还要残暴得多。周勃与灌婴，在几千年前，虽然出身行伍，但凭人生经验，就早已看出没有受过良好教育、没有正确中心思想和深厚学术修养的人，一旦出来当政，后果是不堪设想的。有此远见，的确高人一等，无怪能做开国功臣之一。商量结果，唯一办法，只有首先教育他们读书明理，"不可不为择师傅宾客"。唯一的补救办法，为了他们好，为了窦家好，为了我们全体高级老干部，将来不再受冤枉的迫害，只有教育他。因此审慎选择一批好的老师和一班好的青年子弟，和他做朋友，来辅导他步入正途。周勃他们认为，如果不这样做的话，不从教育着手，"恐又复效吕氏也"，这两个人将来当权了，恐怕要学吕家的模子，那就太危险了。"乃选士有节行者为居"，于是选拔有学问、有道德、有节行的人（有学问的人，不一定品行好，因此必须要加一项有节行）与他做朋友，并教他读书。窦家兄弟两人，受了良好教育造就,从此便变成谦虚退让的君子,与世无争,这有多好啊! 皇亲国戚之间,还有谁敢欺负他,他也不欺负人。身为皇亲国戚的人,只有如此,不以尊贵骄人,自然更为高贵了! 这两兄弟后来学问成就,不像其他皇帝的亲属,他们是非常讲学问、讲道德,绝对不以自己的尊贵,去欺负人家,傲视人家,不要法律的约束,都能自尊自重。他自己有了这样的学问、这样的修养,因此而终前汉世代,窦氏世泽绵长,成为世家大族。这就是"枉则直"的道理。

实际上,周勃、灌婴对窦皇后姊弟之间这样处理,也很不公平,可以说是别有私心的。他们是为了自己将来不受冤枉的迫害,怕自己会被陷害,所以也非圣人之道。圣人之道,是不考虑自己的利益,应为大众着想。倘认为像窦少君兄弟这样的人,到了第一等高位,便应该加以教育而造就他为国家所用的人才,并非只顾私人的利害,那就是仁人的用心了。孔孟之道,固然应当如此,老庄之道,也不例外。历史上记载得很明显,他们两个人的动机,不是为别人着想,也不是为国家天下着想,而只为自己的身家性命着想,而有此一动机的,所以只能说是一种权术手段。但是这个手段,已经够高明,够美好,事实上也合乎老子《道德经》"枉则直"的原则了!

下面晏子这一个"枉则直"的故事,是道德的"枉则直"的道理:

> 晏子(婴)谓曾子曰:今夫车轮,山之直木也。良匠揉之,其圜中规,虽有槁暴,不复赢矣。故君子慎隐揉。和氏之璧,井里之困也。良工修之,则为存国之宝也,故君子慎所修。

晏子是曾子的前辈,字平仲,他是孔子相交最好的朋友,孔子也很佩服他这个人(大概曾子那时年纪很少,该叫他世叔吧)。有一次,晏子对曾子说:"今夫车轮,山之直木也。"古代的车轮,是用木头做的,不像现代是橡皮的。车轮是圆的,可是山上的木头是直的,没有弯曲的,"良匠揉之,其圜中规"。好的木工,把直的木头拿来加工,变成弯的圈圈,一经雕凿过,这个圆圈刚好中规中矩,刚刚是一个圆圈，没有一点偏差。

"虽有槁暴，不复赢矣！"木头的本身，虽有枯槁的地方，或者是有暴节的凸出来，或者是木头有一个地方凹下去，这两种情形，都是木头的缺点，可是经过木工的雕凿，"不复赢矣！"这个木头，如有缺点做成车轮，要载很重的东西，那怎么行呢！但是经过一个木工的整理过，它没得缺点了，便可发出坚强的作用来。

"故君子慎隐揉。"什么叫"隐揉"呢？慢慢地、渐渐地。所以说，要学会做一个君子，便要谨慎小心，致力学问修养，一天一天慢慢地琢磨成器，如同木工做车轮子一样，慢慢地雕凿，平常看不出效果，等到东西做成功了，效果就出来了，到这时候，才看出成绩。所谓"慎隐揉"，就是慢慢地、渐渐地、静静地、不急躁地去做。这就是告诉曾子，人生的学问道德修养，不是一下做得好的。

第二个观念，"和氏之璧"。在中国历史上，是一块大的宝石——玉，就是蔺相如见秦昭王"完璧归赵"的那块玉。原是楚国的玉工卞和，观察到荆山有一块大石头，断定它里面缊藏有一方美玉。最初还没有人相信，指他说慌话骗人，卞和因此还受了刑罚，两腿被锯断了。后来事实证明，的确其中有玉，一跃而成为价值连城的宝玉。卞和好冤枉啊！但这块宝玉，当它还没有开凿出来，只不过是一块璞石而已。如同乡巴佬，生活没得办法，到山上弄块石头——去找玉石——如果一下看准了，凿开了里面有玉，就会发财。这和穷人到沙滩上淘金是一样的。可是，石头固然找对了，但必须经过良工加以切磋、雕琢，制作成为上好的珍品，那么，这块石头才能成为"存国之宝"，象征保全一个故国的大宝了。它本来不过是山里一块没有人要的石头，连牛羊都可以在上面大便，等到挖出来后，经过人工雕凿整理，就变成"存国之宝"。引用这个故事来比喻，"故君子慎所修"。一个普通的人，要想变成一个圣人，或者是要开创一番事业，处处需要学问、道德、知识、技能，但须看你自己平常所学、所修养、所注意的是什么？这就是说明了"枉则直"的一则作用。

狐狸、豹皮的吸引力

再说"洼则盈"的故事：

晋文公时，翟人有献封狐、文豹之皮者。文公喟然叹曰：封狐、文豹何罪哉？其皮之罪也，大夫栾枝曰：地广而不平，财聚而不散，独非狐豹之罪乎？文公曰：善哉说之。栾枝曰：地广而不平，人将平之。财聚而不散，人将争之。于是列地以分民，散财以赈贫。

"洼则盈。"水性下流，凡是低洼的地方，流水积聚必多，最容易盈满。春秋时代，齐桓公、晋文公都是五霸之一。但春秋所谓的霸主，并非后来项羽自称为"西楚霸王"的霸王。后世所谓的"霸王"，应该等于现在世界上的发达国家，在国际间有它了不起的武力和特殊的政治声望威力。尤其晋文公是春秋时候第二个霸主，而且他更与齐桓公所遭遇家庭问题所发生的变故，类似而又不同。他因为后娘的争权而发生变故，逃亡在外，历尽艰危险阻，吃尽苦头，饿过饭，几乎把命都丢掉，流亡了十九年，获得了丰富的人生经验，最后复国，所以晋国在他手里成为一个霸主。当他当了霸主的时候，翟这个地方(在今山东)，有一个老百姓，来献"封狐文豹之皮者"，向晋文公贡献一件长得很大的——起码是有七八百年的道行、成了精灵的狐狸，结果也难免有此一劫，被人抓到杀了，得了一张大皮。在过去以狐皮制成的衣服叫狐裘，是第一等衣料，非常名贵，普通老百姓是穿不起的，没有这种资格和本钱，因此得到这样好的一张特等狐皮，自然要献给君主。另外一张豹的皮，也是有特别花纹的皮色，都是上等皮货。晋文公收到老百姓所献上这样的珍品，因为自己在外流亡多年，什么苦头都吃过，所以看了以后，不免引起感慨，大叹一声说道："封狐、文豹何罪哉，其皮之罪也。"狐狸长大了也不犯法，豹子毛长得漂亮，也不犯法，动物有什么罪呢？可是这两个家伙，硬是被人打杀了，只是因为它的皮毛长得太过漂亮，所以才免不了祸害的降临！

这时，曾经跟他流亡多年的一位功臣，名叫栾枝的大夫，听了晋文公的感叹，就接着说："地广而不平，财聚而不散，独非狐豹之罪乎？"这几句话是很妙的双关语，他说："一个国家拥有广大的土地(春秋时候，人口很少，没有开发的地方很多)，君主内府(宫廷)的财帛又那么多，但是老百姓仍然没有饭吃。那岂不是如这两头被杀害的狐狸、豹子一样的可怕吗？"栾枝这话说得很幽默，换句话说，他当时所讲的话与后世禅宗祖师们的话头一样，都具有面面观的价值，要有高度理解力，能听别人吹牛的天才，才可听得懂。像齐桓公、晋文公、汉高祖这些人，专门会听别人吹大牛的，自然心里有数。栾枝的话也可以解释为：我们国家的土地那么广大，而你私人皇宫的财产又那么多，"福者祸之所倚"，说不定有一天也像这狐豹的皮件一样，落到别人的手里啊！这几句话很难解释，很难作明白的表达，直译成白话，就没有含蓄的美了，此之所以为古文，则自成为一套文学逻辑。古文为什么不明讲呢？如果用现在的白话文的体裁语气，讲完了以后，等于在洗澡堂里看裸体，一览无余，一点味道也没有。而且在说话的艺术上，变成太直，等于顶撞，绝对是不行的，不合乎"曲则全"的原则。同样的语意，经过语言文字的修饰，便可以当作指责，也可以当作比喻。不要认为文章只是文章而已，古人讲话未必真会那么讲。在我的经验中，晓得前辈说话，真的那么讲，因为我小时候听到前辈先生们讲话，他们嘴里讲出来的话就是文质彬彬的。自己读书没有读好，听他们讲话往往会听错了，不像现在一般讲话，一点韵味也没有。例如：好的！好的！偏要说成"善哉！善哉！"这又为了什么？因为古人认为语意如不经修饰，就不足以表示有学问的修养。现在如果用这种语汇，说委婉的话，却反遭人讥诮为"咬文嚼字"了。

晋文公是何等聪明的人,他因看到狐豹的皮而引出内心的感慨,再经过跟在他身边的亲信接上这么一句"独非狐豹之罪乎?"晋文公便说:"善哉说之!"意思是说:好! 你的道理说得对,你就把你要说的道理直接讲个彻底吧! 不要含含糊糊,有所顾忌了!

栾枝说:"地广而不平,人将平之;财聚而不散,人将争之。"你没有平均地权,把没有开发的地区分配给人民耕种,将来就会引起老百姓的反感,别人就会起来分配。你宫廷中财产那么多,没有替社会谋福利,将来就会有人将你皇宫的宝藏拿走了。晋文公说:你说的全对! 因此马上就实施政治改革,"于是列地以分民,散财以赈贫。"这就是"洼则盈"的道理。

我们再说一个"洼则盈"的故事:

> 晋文公问政于咎犯。咎犯对曰:分熟不如分腥,分腥不如分地,地割以分民而益其爵禄,是以上得地而民知富,上失地而民知贫,古之所谓致师而战者,其斯之谓乎?

"咎犯"是一个人名,不要认为"咎"是过错,"犯"是犯了罪,这样解释那就糟了(一笑)。咎犯和栾枝,都是晋文公身边的高级干部,而且都是跟晋文公流亡在外十九年吃尽苦头的人。有一天晋文公与他讨论政治的道理,咎犯对曰:"分熟不如分腥,分腥不如分地,地割以分民而益其爵禄,是以上得地而民知富,上失地而民知贫。"咎犯答复说:你要在经济上、财政上,做平均的分配,合理的分配。比如我们分配一块肉,煮熟了来分配,还不如分腥的好。拿一块生的猪肉分给人家,五斤也好,十斤也好,分到猪肉的人,也许红烧,也许清炖,比较方便,一定要煮熟切片再分送给人家,那么,人家就固定非吃白切肉而不可了! 这样,就有点强迫别人的意志了! 这是分熟的不如分腥的涵义,是用譬喻的逻辑。再说,分食物给人家,不如分地给人家自己去耕地好。也就是说,最好是把王室的私有财产——土地,平均地权,分配给老百姓以后,"而益其爵禄",不但分配给他土地,使其生活安适,而且给他适当的职务,使他有事情可做。这样一来,自己的财产虽然分配给了老百姓,在形态上好像是把财产分掉了,其实老百姓富有了,也就是王室国家的富有。"是以上得地而民知富,上失地而民知贫。"这两句义是什么内涵呢?因为万一有敌人来侵犯,全国老百姓不要你下达命令,自然会起来作战,如果我们共有的国土被敌人占据了,那大家也完了。何谓"致师而战者"?"致师",是不等到下达命令,老百姓自动地都来动员,因为国家的灾难,就是人民自己的灾难,这是"致师而战"的内涵,同时也说明了"注则盈"的原理。

我们现在费了很多时间力气,说明了这几句话的道理,下面再讲一则历史故事,来说明"敝则新"。

赵简子谓左右车席泰美,夫冠虽贱,头必戴之。履虽贵,足必履之,今车席如此泰美,吾将何以履之。夫美下而轻上,妨义之本也。

赵简子也是战国时代的大政治家之一,"谓左右车席泰美"。他看到左右的人,如一般官吏或侍随官等人,都把他的车子里铺的席子,做得太讲究了,拿现在比喻,地毯太好了,所以,他很不高兴,向左右的人说:为什么把我车子里面布置得那么漂亮,那么名贵呢!帽子再坏,还是戴在头上。鞋再名贵,还是穿在脚底下,踏在地面。现在你们把车子铺上那么好的地毯,那么我要穿上什么鞋子,才能踏这地毯上面,以便名贵中更加名贵呢!即使换了一双更名贵的鞋子,我可无法再到我妈妈那里找一双漂亮的脚来穿这双好的鞋子呢!那怎么办!"夫美下而轻上,妨义之本也。"这句话,就同参禅一样是话头,人只顾眼前,不顾将来,"美上而轻下"也是不合理的,这不是道德的根本。他吩咐把漂亮的地毯拿掉,保留原来的朴实,那才是永远是常新的。

我们引用历史的故事,来说明老子这几句话的作用,使大家了解在行为上、做人处事的原则。一个人做人做事，无论大事小事，一定要把握住道家的精神——"曲全"、"枉直"、"洼盈"、"敝新"这几个原则才好。这是人生的艺术，自己要把这一生的生活，个人的事业前途，处理得平安而有韵味，就应该把握这一些原则。而这四个原则，归纳起来，统属于"曲则全"的延伸而已。

有了富贵，失去欢乐

接着，更加引申"曲全"之道的正面告诫，便说出"少则得，多则惑"的名言。当清末民初的时期，有一山西商人，生意做得很大，财产很多，可是这人一天到晚，必须自己打算盘，亲自管理会计。虽然请有账房先生，但总账还是靠自己计算，每天打算盘打到深夜，睡又睡不着，年纪又大，当然很烦恼痛苦。挨着他的高墙外面，却住了一户很穷的人家，两夫妻做豆腐维生，每天凌晨一早起来磨豆子、煮豆浆、做豆腐，一对活宝穷开心，有说有笑，快快活活。可是这位富商，还睡不着，还在算账，搅得头晕眼花。这位富商的太太说："老爷！看来我们太没意思！还不如隔壁卖豆腐这两口子，他们尽管穷，却活得很快乐。"这位富商听了太太这样讲，便说："那有什么难，我明天就叫他们笑不出来。"于是他就开了抽屉拿了一锭十两重的金元宝，从墙上丢了过去。那两夫妻正在做豆腐，又唱歌、又说笑，听到门前"扑通"一声，掌灯来看，发现地上平白地放着一个金元宝，认为是天赐横财，悄悄地捡了回来，既不敢欢笑，更不想歌唱了，心情为之大变。心里想，天上掉下黄金，这怎么办！这是上天赐给我们的，不能泄露出去给人家知道，可是又没有好地方储藏——那时候当然没有使用保险柜——放在枕头底下不好睡觉，放在米缸里也不放心，直到天亮豆腐也没磨好，金元宝也没有藏好。第二天，两夫妻小组会议，这下发财了，不想再卖豆腐了，打算到哪里买一幢房子，可是一下子发的财，又容易被人家误以为是偷来的，如此商量了三天三夜，这也不好，那也不对，还是得不到最好的方法，夜里睡觉也不安稳，当然再也听不到他两口子的欢笑声和歌唱声了！到了第三天，这位富商告诉他的太太说："你看！他们不说笑、不唱歌了吧！办法就是这么简单。"

穷人没有见过很多的钱，也没有经历过财富的日子，以为财富很好，认为财富多了，就会快乐和幸福。过去的时代，住在海边的穷人家就很可怜，一年到头，只吃一点番薯干，掺了一些糙米做稀饭，除此之外，一点腌得发臭的咸鱼，算是佐餐的副食。偶然吃到一点青菜、豆腐，那是一种大享受。曾经有一个穷人，发了一个大愿，他说，如果我某人将来有钱的时候，天天要吃青菜豆腐，才够意思，这就是他一生的最高欲望了！他可不知道，有钱的人吃青菜豆腐，并不算一回事，他以为青菜豆腐便是世上最好的菜肴。但是，谁又真能了解，知识愈多，烦恼愈大。财富越大，痛苦越深呢！所以佛经里把烦恼叫做"烦惑"，愈有烦恼，思想就愈迷惑不清。

"是以圣人抱一为天下式。"老子说：自古以来，有道的人——圣人，必是"抱一为天下式"，确然而不可拔，固守一个原则以自处。但是，什么叫"一"？"一"者，道也。下面会有解释，这里暂时保留。总之，他是说人生于世，做人做事，要有一个准则，例如现在很多青年同学，并不如此。问到他们的人生观是什么？他们都茫然不知所对。许多读到大专毕业的同学，甚至拿到硕士、博士的人，谈到他的人生观，总是说还没有确定。你作木匠就作木匠，做泥水工就做泥水工，当皇帝与作泥水工，只是职业上的不同，人格则仍然是一样的。人要认定一个人生的目标，确定自己要做什么。要做一个学者，就准备穷一辈子，如果又怕穷，又想当学者，几乎是不可兼得，无法两全的事。但是人生观总是要有个确定的目标才对。所以"圣人抱一而为天下式"是为至要。

四不的领导学

接着一式以后，便讲："不自见故明，不自是故彰，不自伐故有功，不自矜故长。"道家的老庄，与佛家、儒家，三家教人的道理，几乎都是一样的。不过佛家、儒家是从正面上讲，老庄道家是从反面上说的。反面说的意义深刻，不但深刻，而且更具有启发性的作用。因为佛家与儒家是从正面上说的，往往变成了教条式的告诫，反而使人产生抗拒性的意识。至于老庄道家的说法，却合乎"曲则全"的作用，比较使人容易接受。

"不自见故明。"人本来要随时反省，使自己看见自己才好，为什么在这里却说要"不自见故明"呢？这是说，要人不可固执自己主观的成见，执著了自己的主观成见，便同佛家所说的"所知障"，反为自障了！因为自有主观成见，就无法吸收客观的东西，因此而说"不自见故明"。尤其对一个当领导的人来讲，千万不要轻易犯了这个错误，即如一个公司的老板、董事长，一旦事业成就，便不可得意忘形，须有"不自见"，才能更加明白事理。有人说，老庄是帝王学，是伟大的领导术，也许重点就在这些至理名言中。当一个领导群众的人，千万不可有"自见"，需要多听听别人的意见，把所有的智慧，集中为你自己的智慧，你的智慧就更大了。那就合乎"不自见故明"的道理了。

"不自是故彰。""自是"与"自见"差不多是同一个道理，但同中有异。"自是"是主动的认为我一定都对的，我的绝对没有错。譬如现在的人，喜欢引用拿破仑说的："拿破仑的字典里没有难字"。乍听很有气魄似的，其实，拿破仑就太"自是"，所以变成拿破了轮，结果还是要失败。只引用拿破仑的话，没有看到拿破仑的一生，他不过是像项羽一样的人物，并没有真正成功的内涵。他的字典里面没有难字，那是"自是"，所以，成功果然很难，人不自是，才能开彰大业。

"不自伐故有功。""自伐",是自我表扬的代名词。有了功劳的人爱表功,差不多是人们的常态。尤其许多青年同学们,很容易犯这个毛病,虽然只做了一点事情,就想人家表扬一下,要鼓励鼓励。常常以此来作为课题,考察青年同学,看他能稳得住多久时间。有些人稳几天可以稳得住,多过几天,心里就稳不住了,我做的事这么久了,好像老板都不知道一样,就要想办法表现出来。真正有修养的人要不自伐,有功等于无功,儒家的人常以尧舜来做标榜,"功在天下","功在国家",而他自己好像一点都没有做一样,而且更加谦虚,觉得自己没有什么贡献似的,那才是不自伐的最高竿,当然不会埋没了你真正功高望重的知名度的,因为天下明眼人毕竟很多。

"不自矜故长。""自矜",也就是现在所讲的自尊心,说好听点叫自尊心,说不好听就叫做傲慢,自尊心与傲慢,几乎是同一心态,但用处不同,效果也不一样。比如,走在街上,看到别人的钞票掉了,很想把他捡起来,但又不敢去捡,为什么? 因为有自尊心。那你就干脆捡起来等人来认领,或是送到警察派出所招领,这也没有什么不对,所以自尊与傲慢,看是用在什么地方,用得不对了,就是傲慢,用得好就是自尊。傲慢的人不能成功,所以要不自矜才能成长。"不自见故明,不自是故彰,不自伐故有功,不自矜故长"。这四不的名句,是告诉我们,为人立身处世必然要记住的道理,岂止要把它作为"座右铭",应当要把它作为"额头铭",要贴在额头上,记在脑子里,则终身受用不尽。

"夫唯不争,故天下莫能与之争,古之所谓曲则全者,岂虚言哉,诚全而归之。"讲到这里,全篇还是一句老话——"曲则全"。

刚才是分开作解说,现在老子他说:因为人能够真做到无争才行。要怎样才能做到无争呢? 好处都属于别人的。例如佛家所说,就要菩萨发心,慈悲爱人,爱一切世人,一切牺牲都是为别人,自己不想得到任何一点报酬。因此，"天下莫能与之争"。纵然要争，也没有用，我既什么都不要，本来便是空，与"空"争个什么！人之所以有祸害、有痛苦、有烦恼，就是因为想抓住点什么，既然一切都不要、都舍出去了，那自然无争，自然争不起来。综合上面这些道理，也都是为了"曲则全"原则的发挥，看来都是反面文章，同现实一般的人生，都是相反。其实，相反地，正是为了正面可保全自己，成就自己的道德，完美自己的人格，所以，老子加重语气说："岂虚言哉"！这不是空话啊，不是空理论啊！

"诚全而归之。"这句话可以作两种解释。一种是说："曲则全"最重要，人生最伟大的作为，不必要求成功在我，无论在道德学问上的成功，或是事业上的成功。如果"功成、身退而不居"，一切付之全归，这赤裸裸的坦诚，就是"曲则全"的大道，这才是人生的最高艺术。"诚"字，可以把它作动词用，说明实在要走"曲则全"的道理，才能够得上为天下之所归，众望之所属。另外的一种解释是："诚"字下面加一标点，构成"诚，全而归之"。这样一来，便是说明如何做到"曲则全"的真正条件，那只有一个"诚"字才可。绝对不能把"曲则全"当做手段，要把它当做道德，要真正诚诚恳恳地去做。如果知道"曲则全"的名言，却把它当成手段去做，那就"不诚无物"，完全不对了。所以，也可以读成"诚，全而归之"。这种解释，也不是我的发明，看了很多古人的注解，果然早已有这一见解。所以，书读多了，常常发现自己不能"自见"、"自是"，好像有很了不起的见解，以为前无古人，但过了几年以后，忽然看到另一本书，就脸红了，原来你的见解，古人早已说过，所以人不能"自是"。固然我并非偷袭古人的见地，但古人也绝不是偷去你的。

这是《老子》第二十二章，他在讲"曲则全"之后，下面再给我们申述了很多。也由此可以发现《老子》这本书的编排，有很多章第一句话是最重要，下面即是这个纲要的申述，等于现在写文章一样，先标出一个纲要，纲要下面就说出很多重要的道理。

第二十三章

希言自然。故飘风不终朝,骤雨不终日。孰为此者?天地。天地尚不能久,而况于人乎?故从事于道者,道者同于道,德者同于德,失者同于失。同于道者,道亦乐得之。同于德者,德亦乐得之。同于失者,失亦乐得之。信不足焉,有不信焉。

这自然不是那自然

什么叫"希言"呢?我们都晓得在长江一带,很久未见面的朋友,偶然来访,每称"稀客",意思是说少见的尊客。"希言",小即平常较少用的名言。而进一层来讲,便是"无言之言,不说之说"的意思。例如佛典所说的"不可说"之说,最高的道理,最高的境界,不是文字语言所能表达的。同样地,形而上最高的道理,也没有极其妥当的文字来表达的,这就是"希言"的内涵。

什么叫"自然"呢?这里所说的自然,不是自然科学的自然。"希言自然",并不是很少说到自然科学的理论。"自然"一词,在这里不可作为物质世界和自然,而是哲学的名词,勉强解释,也可说是"原来如是"的表诠,犹如佛家的"法尔如是"一词相同。"法尔如是",也便是表示本来原是这样的意思。

"故飘风不终朝,骤雨不终日。"飘风,即飓风,又叫台风,台风在夜里比较大,所以在夜里来的台风最可怕。但台风过境不会超过二十四小时以上的,最大的风速中心不过几个小时就过去了,不会整天吹的。无论如何强大的台风,到了中午,都会减弱缓慢一点。故说任何飘风,都不会终朝不变的,就是说正午十二点左右就会变弱了。骤雨,是夏热季节的大雷雨,大概一两个小时就过去了。最多三小时,超过三小时就不得了,就可能涨大水。所以夏天的大雷雨,只是一阵,不会下一整天的。而且雷雨一来,一定是连续三阵——今天、明天、后天——大多是三天连着的,但每天雷雨的时辰,都会渐渐向后延,慢慢减小。"孰为此者?"这是什么道理,谁在主宰其事呢!这是天地间自然的法则。老子没有讲神或天帝在作主,也没有讲菩萨在使神通,只是讲"天地"自然规律,如此而已。等于说,冥冥中自有一个能力,但它的功能,不像其他宗教所说的,把它变成人格化,或者是神格化。也不把它变成民俗观念中的一个如来佛祖,或是雷公、风神、雨师等菩萨。只是自然而然,有那么一个能力的存在,它就是"道"。

但需再重复一遍,老子所讲这个"自然"不是佛家所说的那个"自然"。前面已经说过,道家这个"自然",与佛家的"法尔"相同——法尔如是。因为印度有一学派,称为自然学派,佛学名之为"自然外道"。印度的自然外道,绝不可相同于中国老子所讲的自然外道相提并论。当年玄奘法师,固然把梵文的佛经翻成中文,同时也把中国的《老子》翻成了梵文传译到印度去。因此唐朝以后的许多佛学与密宗的道理,掺杂有中国道家的成分。不过当时玄奘法师翻译过去的《老子》,可惜在印度已经湮没不彰,再也找不到了。所以,中国道家老子的自然,不和佛说印度外道学派的那个自然相同,这一点需要特别了解清楚。但在正统的佛经里面,"自然"这个名词,从来未曾用过,因此一般就误认为老子所说的自然,与印度的一派哲学相同,那么,老子也牵连而打入"自然外道"。

非人力所及的因果变灭律

老子说:"飘风不终朝,骤雨不终日。孰为此者?天地。天地尚不能久,而况于人乎?"在中国的固有文化中,无论道家或儒家以及后来的佛家,早就知道,宇宙之所以成为宇宙,以及这个地球世界,有始有终,终会归于泯灭。有开天辟地的时候,也有天翻地覆,终归结束的时候。佛家所说的"成、住、坏、空","诸法无常"。老子也说:"天地尚不能久"。白居易诗:"天长地久有时尽,此恨绵绵无绝期"。因此,有人说:"天若有情天亦老。"天地也不能永远无尽而长生不老的! 不管是经过多少年代,即使是几百千万亿年,终归要有结束的一瞬。"天地尚不能久,而况于人乎?"那么,人生更不能希求长久的永存了。

我曾经做过研究,不过还没有时间坐下来完成,但统计资料已搜集好几年了。我发现这个鸡蛋一样椭圆型的地球世界,以世纪为标准,东方的中国,诞生了哲学家的老子、孔子。印度也诞生了释迦牟尼,西洋也诞生了苏格拉底,事实上,都是同在一个世纪之中。太阳轮转到的地区,某一个世纪出了些什么人物,都有同样的类型。某一个世纪结束了,而这一个世纪某些关键性事情也都结束了。例如在某一世纪中,东方出来一个了不起的人物,在同一时代的相近差距中,地球的另一半,也会有同样的了不起的人物出现。曾费了很多年时间,把这些资料搜集、整理、统计、分析。但是,这个研究,还需要找出它的根本理由来。那么,这个地球和人类时空的命运,当然就可以推算出来。不过最好不要彻底研究清楚,所谓"察见渊鱼者不祥",人何必需要前知呢? 万事还是不要前知,人生才富于追求的意味。

可是,由于老子这几句话的道理,说明了他早已了解这个宇宙是有生有灭的。因此,人生的规律,逃不过的一个法则,必然也是有生有灭的。只是人类却有一个愚不可及的呆劲,总希望什么事情,都要永久地把握在自己的手里,事实上,是绝对把握不住的。"天地尚不能久,而况于人乎!"这是原则。这个原则的归结,便是那所希言的自然之道了。"希言",也等于佛曰"不可说"。道固不可说,因此而"希言"其故。可是自然的法则,它却有必然性的因果规律可循,佛学重视因果定律,其实老、庄、孔、孟诸家,也都是讲究说明"因果必然"的道理,只是表达的说法不同而已。

因此,老子又告诉我们:"故从事于道者,道者同于道,德者同于德,失者同于失。同于道者,道亦乐得之。同于德者,德亦乐得之。同于失者,失亦乐得之。"这几句话,从文字上看,自说自话,好像在玩嘴皮,并不重要。其实,他是说人事物理的同类相从的道理。比如一个从事于修道的人,"道者同于道",修道的人,自然会与修道的人结合在一起,这是很简单的原则。一个喜欢讲道的人,自然喜欢与讲道的人结合在一起,来做朋友,志同道合,切磋学问。一个喜欢吹牛的人,结交的朋友,一定也会吹牛,否则两个人就吹不起来了。今天,有一位朋友告诉我一个形容词的新意义,就是现在社会上颇为流行的一句话,所谓"手忙脚乱"。手忙者,打麻将也。脚乱者,跳舞也。喜欢打牌跳舞的人,总会合在一起。这也就是"道者同于道"的反证。换句话来说明"道者同于道,德者同于德"的内涵,也可以说一个人真为道德而努力修养自己,那么,你就会天天发现自己在道德上的进境了。

德,就是用,秦汉以上的思想、学术,道与德两个字,往往是各自分开的。道、德两个字合起来做一个名词用,是秦汉以后的事。道,是形而上的"道",它与形而下的"德"字对称。德,是代表用,德者,得也。所以我们可以解释,德是良好行为的成果。我们懂得了这个字义,在文句上就容易了解了。"失者同于失",你要是走倒霉路线的人,自然碰到的都是倒霉鬼挤在一起。你要向失败方向走,失败的因素都会来凑合你。这就同西方的谚语所说:上帝要毁灭一个人,先要使他发疯。发疯与毁灭当然差不多了。所以,一个人倒霉了,他所交往的人和事,也都不对了,都是随倒霉而来的。况且你还偏要和那个倒霉的方向去凑合。

"同于道者,道亦乐得之",也就是如孔子所说的话"德不孤,必有邻",恰好相同。真正为道德而努力,不要怕寂寞、怕凄凉,纵然不得之于一时,也得之于万古,这一点先要认识清楚。有许多年轻人说:"我一辈子要做学问,修持道德。"我说:不容易啊!那你必须先要准备寂寞一辈子才行。要甘愿寂寞一辈子还不够,还要更进一步,懂得如何来享受寂寞。例如学道成佛,那都是千秋事业,不是一时侥幸的成功,乃至也不求千秋之得失,证无所证,得无所得,那就差不多了。

所以,谈学问、道德,不要表面上做功夫,好像什么都不要,只要学问,只要道德,不在乎其他。功夫做到胃出血的时候,看你在乎不在乎?那真在乎啦!但是,真要为道德的人,真要有这个精神,寂寞、穷苦、疾病所不能移其节操,才能说到出世入世,志在利他之心。没有这个观念,平日吹牛没有用的。所以说:"同于道者,道亦乐得之。同于德者,德亦乐得之。同于失者,失亦乐得之。"这些话,都是正反两面,各尽其词,要自己去细心体会,不要轻忽视之。

本章由"飘风不终朝,骤雨不终日,孰为此者,天地!天地尚不能久,而况于人乎"开始,把自然现象的因果律,用比喻来反复说明,告诉我们一切都在无常变化中,须要认识人间世事的现象,以及人与事,没有一分一秒不在变。它是随时随地都在变,既不是你的力量可以把握住它,而且也无须要去把握它。只有一个超越现实,是我们生命所本有的,就是那个自然本有的东西。那一功能,能变、所变、受变的,却是天人合一,变而不变的那个东西。但那个东西又怎么可以体会它呢?只有从"道者同于道,德者同于德,失者同于失"去体认它,才能自然证得。但是有的人虽然相信这个道理,并不能真肯实信,所以便又说:"信不足焉!"此外,大多数人,就根本不相信形而上者有一个自然之道的存在,同时也不相信现象界中的自然因果定律。所以说:"有不信焉!"真是无可奈何!

总之,读《老子》不要把它一句句地读,你如果分开来一句句地读,倒不如干脆把它写成书笺,当格言看好了。你要完全了解它的宗旨,以原书原文来理解它本身,就可融通无碍。当然,这是很难的,等于我们欣赏一首诗,有人会作诗,确有诗的天才,语出惊人。但是只有好句,却不能构成一篇好诗,有好句无好诗,便非好文章。好的文章是全面的,绝不能拿一句来代表全体。我们读古书同样容易犯此毛病,往往断章取义,抓住一句好句子,忘记了全篇的大义所在,所以不能透彻了解,不能融会贯通,那就太可惜了! 这样说,也许便是"希言",或者可以说,那才是"自然"的呢! 欲知后文如何? 且听下回分解。

第二十四章

企者不立,跨者不行,自见者不明,自是者不彰,自伐者无功,自矜者不长,其在道也,曰:余食赘行,物或恶之,故有道者不处。

企鹅的步伐,猩猩的醉舞

由第二十二章开始,接连到二十五章为止,反复地申明,道体自然,切莫乱加造作,因此,当起用因应在万事万物时,亦须效法天地自然的规律,"曲全"而成事。本章衔接上两章内涵,再提出反证,作为正面的告诫。因此开始便由"企者不立"讲起。什么叫"企者不立"呢?且看我们现在有许多公司,取名叫企业公司。什么叫"企"呢?把脚尖踮起来,不断向前开展叫"企"。这样踮起脚尖来,能站多久呢?其实,是难以长久立足的,练过功夫的人,也不过站一短暂的时间。平常时,人们很少要那么踮起脚来站立,也许是个矮子,为了与人比高,才这样做,或者,偶然远望,才那么踮起脚来。但是,到底是站不久的。这便是"企者不立"的道理。

"跨者不行"是说跨开大步在走路,只能暂时偶然的动作,却不能永久如此。如果你要故意跨大自己的步伐去行远路,那是自取颠沛之道,不信,且试跨大步走一二十里路看看。大步走,跨大步是走不远的。因此,老子用这两个人生行动的现象来说明有些人的好高骛远,便是自犯最大的错误。"企者",就是好高,"跨者",就是骛远。如果把最浅近的、基础的都没有做好,偏要向高远的方面去求,不是自找苦吃,就是甘愿自毁。由这两个原则的说明,就可明白"自见者不明,自是者不彰,自伐者无功,自矜者不长"四不的道理。

"自见"、"自是"、"自伐"、"自矜",是人类的通病,一般人的心理,大多具有这些根本病态。举一个现在社会上常见的例子,当我们经常到一家名餐厅宴会,这家会做菜的名厨师,在我们吃饭当中,出来打一照面,招呼贵宾的时候,我们就要向他恭维几句,或者敬他一杯酒,表示他做的菜真是高明,不然,他就很扫兴,"嗒然若丧其耦"了! 如果说,你的菜做得天下第一好,那么,虽然他这时还挂着一脸的油烟,累得要死,可是心里的滋味,却舒服得很,这是一般的常理。所以,老子在这里再三说明,一个人有了"自见"、"自是"、"自伐"、"自矜"的心病,一定要能反省,知道自加改正才好。但从道理法则上讲,这些心理的行为,却是"余食赘行"。"余食"是多余吃的。等于一个人饭已吃饱了,再吞一口都吞不下去,但还要再吃一个大面包,这一下非得胃病不可,甚至还要去看医生,或者是要开刀呢! 赘就是瘤子,等于甲状腺肿大,脖子就会长粗了。我们正常的身体,在任何部位,长出一个瘤子,那当然是多余的。像我们合掌的时候,五指就够用了,有的人长出六个指头,这就是"赘指"。多一个指头就麻烦,手套还要另做。"物或恶之",任何一样东西,都有自然的定形,变体都是不正常的,即使是植物,过分地长出来一个多余的附件,不但自己增加负担,而且令人讨厌。何况一个平常的人呢! 假使你这个人已经很高明,高明就高明,又何必一定要别人加说一句你太高明。你是不是高明,别人慢慢自会看清楚的。假如自己天天喊我很高明,除了做广告以外,那还有什么用呢? 所以有道之士,自处绝不如此,绝对没有这种心理行为,才算合于道行。

投鞭断流的苻坚

但是,所谓"有道者不处"的"有道者",难道是专指"入山唯恐不深,避世唯恐不远"的山林修道之士吗？当然不是如此,综合老子所谓的"道",既不如佛家一样的绝对出世的,也不是如儒家一样的必然入世的,它是介于两者之间,可以出世,亦可以入世的。换言之,有体有用,道体在形而上的自然,道用却在万物万事,平常日用之间。因此,他的道,也正如孔子的门人曾参所著《大学》一书中所说的"自天子以至于庶人",都不能离开此道。

因此,老子前后所说的知四不——不自见、不自是、不自伐、不自矜,在体而言,有同于佛说的离四相——我相、人相、众生相、寿者相;在用而言,又同于孔子所说的戒四毋——毋意、毋必、毋固、毋我,恰如其分。所以,它不但只限于个人自我的修养,仅是修道者的道德指标,同时,也是所谓帝王学——领导哲学最重要的信守,最基本的修养。我们现在随便举出古今历史上两个事例,说明凡是要立大功、建大业的人,只要一犯此四个原则,绝对没有不彻底失败的。

第一个例子,就是东晋时期,史称五胡十六国乱华的时代,秦主苻坚的故事。

苻坚弑其君——姚生,自立为王,正当东晋穆帝——司马聃升平元年(公元三五七年),他起用了那个在野的名士、平时扪虱而谈天下事的王猛为政,不过十三四年之间,北灭燕云,南胁东晋,大有不可一世的气势。再过不了几年,王猛得病将死(王猛当政也只十六七年),苻坚不但为他百计祈祷,并且还亲自到病榻访问后事。王猛对他说:

"善作者不必善成(成功不必在我之意),善始者不必善终(也就是《易经》坤卦无成有终的意思)。古先哲王,知功业之不易,战战兢兢,如临深谷。伏惟陛下,追踪前圣,天下幸甚。"

又说:

"晋虽僻处江南,然正朔相承,上下安和。臣没之后,愿勿以晋为图(告诉他,切莫轻易南下用兵图谋东晋)。鲜卑、西羌,我之仇敌,终为大患,宜渐除之,以安社稷。"

王猛一死,苻坚三次亲临哭丧。而且对他的儿子(太子)苻宏说:"天不欲使吾平一六合耶? 何夺我景略(王猛字)之速也。"过不了七八年,苻坚一反常态,不顾王猛的遗嘱,便欲将百万之众,南下攻击东晋。

当他聚集高级臣僚开军事会议时,左仆射(相当辅相的权位)权翼持不同的意见说:"晋虽微弱,未有大恶,谢安、桓冲,皆江表伟人,君臣揖睦,未可图也。"

太子左卫率(相当于侍卫长官,警备总司令)石越曰:"今岁镇(天文星象的岁月,镇星)守斗(自南斗十二度数起,到须女星的七度,属星纪,正在吴越分野之处)。福德在吴(古代抽象天文学,认为太岁所在,其国有福),伐之必有天殃。且彼据长江之险,民为之用,殆未可伐也。"

苻坚却坚持自己的意见说:"天道幽远,未易可知,以吾之众,投鞭于江,足断其流,又何险之足恃乎?"这便是苻坚的最大自伐、自矜之处。

会议席上,文官武将,各人就利害关系,正反面的意见都有,始终无法决议。苻坚便说:"此所谓筑室道旁,无时可成。吾当内断于心耳!"

当时这个时候,再也没有一个人,如王猛一样,教他先求修明内政,建立最高的文化政治以巩固基础的建议了!

散会以后,苻坚特别留下亲王的阳平公——苻融商量,苻融说:"今伐晋有三难,于道不顺,晋国无衅。我数战兵疲,民有畏敌之心。群臣言晋不可伐者,皆忠臣也。愿陛下听之。"

　　苻坚听了他的意见，便正色地说："汝亦如此，吾复何望"。苻融听到他的坚持自见与自是，愈觉不对劲，便哭着说："晋未可灭，昭然甚明。且臣之所忧，不止于此。陛下宠鲜卑、羌羯，布满畿甸。太子独与弱卒，留守京师。臣惧变生肘腋，不可悔也。臣之顽愚诚不足采。王景略一时英杰，陛下尝比之诸葛武侯，独不记其临没之言乎？"

　　苻坚仍然不听他的意见。等到回到后宫，他最宠爱的妃子张夫人，也苦苦来劝谏他勿出兵侵略东晋。苻坚便说："军旅之事，非妇人所当预。"换言之，军事的事，不是你们女性所应该参与意见的。

　　他最喜欢的小儿子苻铣也来劝谏。苻坚便训斥他说："天下大事，孺子安知。"换言之，你这个小孩子，哪里懂得天下国家的大事。

　　大家没有办法阻止苻坚的主观成见，便来找他最相信的和尚道安法师，请他设法劝阻。道安婉转劝说，也不成功。弄得太子苻宏没有办法，只好再拿天象来劝谏说："今岁在吴分。又晋君无罪。若大举不捷，恐威名外挫，财力内竭耳！"

　　苻坚还是不听，转对儿子说："昔吾灭燕，亦犯岁而捷。秦灭六国，岂皆暴虐乎？"

　　这样一来，只有一个人在冷眼旁观，待时而动，乘机而起的燕人慕容垂，独对苻坚说："陛下断自圣心足矣！晋武（晋武帝司马炎）平吴，所仗者张杜二三臣而已。若从众言，岂有混一之功乎？"

　　这一下，正好投合苻坚的心意，因此，便大喜说："与吾共定天下者，独卿而已。"谁知不到一个月之后，秦王苻坚，自统六十余万骑兵南下，一战而败于淝水，比起曹操的兵败赤壁，还要悲惨。慕容垂不但不能与他共天下，正好趁机讨好，溜回河北，不但复兴后燕，而且还是促成苻坚迅速败亡最有力的敌人。

　　我们读历史，看到历史上以往的经验，便可了解古人所推崇的古圣先贤的名言学理是多么的重要，多么的可贵。譬如苻坚的暴起暴亡,抵触老子所说的四不戒条,无一不犯,哪有不败之理。苻坚虽有豪语,所谓"投鞭足以断流",其实,正是他投鞭以断众见之流,因此而铸成大错、特错。所以老子说"故有道者不处",正是为此再三郑重其言也。

山泉绕屋知深浅

第二个例子,也是现代史上众所周知的国民革命成功后,孙中山先生"推位让国",由袁世凯来当中华民国第一任大总统。结果,他却走火入魔,硬要作皇帝,改元"洪宪"。一年还不到,袁大头就身败名裂,寿终正寝,所留下的,只有一笔千秋罪过的笑料而已。袁世凯个人的历史,大家都知道,他的为人处事,素来便犯老子的四不——自见、自是、自伐、自矜,原不足道。《红楼梦》上有两句话,大可用作他一生的总评:"负父母养育之恩,违师友规训之德。"

袁的两个儿子,大的克定,既拐脚,又志在做太子,继皇位,怂恿最力。老二克文,却是文采风流,名士气息,当时的人,都比袁世凯是曹操,老二袁克文是曹植。我非常欣赏他反对其父老袁当皇帝的两首诗,诗好,又深明事理,而且充满老庄之学的情操。想不到民国初年,还有像袁克文这样的诗才文笔,颇不容易。袁克文是前辈许地山先生的学生,就因为他反对父亲当皇帝,作了两首极其合乎老子四不戒条的诗,据说惹得老袁大骂许地山一帮人,教坏了儿子,因此,把老二软禁起来。我们现在且来谈谈袁克文的两首诗的好处。

乍著吴棉强自胜,古台荒槛一凭陵。
波飞太液心无住,云起魔崖梦欲腾。
偶向远林闻怨笛,独临灵室转明灯。
剧怜高处多风雨,莫到琼楼最上层。

起首两句便好:"乍著吴棉强自胜,古台荒槛一凭陵。"吴棉,是指用南方苏杭一带的丝棉所做的秋装。强自胜,是指在秋凉的天气中,穿上南方丝棉做外衣,刚刚觉得身上暖和一点,勉强可说好多了!这是譬喻他父亲袁世凯靠南方革命成功的力量,刚刚有点得意之秋的景况,因此他们住进了北京皇城。但是,由元、明、清三代所经营建筑成功的北京皇宫,景物依稀,人事全非,那些历代的帝王又到哪里去了!所以到此登临览胜,便有古台荒槛之叹。看了这些历史的陈迹,人又何必把浮世的虚荣看得那么重要!

"波飞太液心无住,云起魔崖梦欲腾。"华池太液,是道家所说的神仙境界中的清凉池水。修炼家们,又别名它为华池神水,服之可以祛病延年,长生不老。袁克文却用它来比一个人的清静心脑中,忽然动了贪心不足的大妄想,犹如华池神水,鼎沸扬波,使平静的心田永不安稳了。

跟着便说一个人如动心不正,歪念头一起,便如云腾雾暗,蒙住了灵智而不自知。一旦着了魔,就会梦想颠倒,心比天高,妄求飞升上界而登仙了。

"偶向远林闻怨笛,独临灵室转明灯。"这是指当时时局的实际实景,他的父兄一心只想当皇帝,哪里知道外界的舆论纷纷,众怨沸腾。但诗人的笔法,往往是"属词比事",寄托深远,显见诗词文学含蓄的妙处,所以只当自己还正在古台荒槛的园中,登临凭吊之际,耳中听到远处的怨笛哀鸣,不胜凄凉难受。因此回到自己的室内,转动一盏明灯,排遣烦恼。灵室、明灯,是道佛两家有时用来譬喻心室中一点灵明不昧的良知。但他在这句上用字之妙,就妙在一个转字。"转明灯",是希望他父兄的觉悟,要想平息众怨,不如从自己内心中真正的反省,"闲邪存正"。

"剧怜高处多风雨,莫到琼楼最上层。"最后变化引用苏东坡的名句:"琼楼玉宇,高处不胜寒。"劝他父亲要知足常乐,切莫想当皇帝。袁世凯看了儿子的诗,赫然震怒,立刻把他软禁起来,也就是这两句使他看了最头痛,最不能忍受的。

另一首:

> 小院西风向晚晴,嚣嚣恩怨未分明。
> 南回孤雁掩寒月,东去骄风动九城。
> 驹隙去留争一瞬,蛩声吹梦欲三更。
> 山泉绕屋知深浅,微念沧波感不平。

这起首两句,"小院西风向晚晴,嚣嚣恩怨未分明。"全神贯注,在当时民国成立之初,袁世凯虽然当了第一任大总统,但是各方议论纷纷,并没有天下归心。所以便有"嚣嚣恩怨未分明"的直说。所谓向晚晴,是暗示他父亲年纪已经老大,辛苦一生,到晚年才有此成就,应当珍惜,再也不可随便乱来。

"南回孤雁掩寒月,东去骄风动九城。"南回孤雁,是譬喻南方的国民党的影响力量,虽然并不当政,但正义所在,奋斗孤飞,也足以遮掩寒月的光明。东去骄风,是指当时日本人的骄横霸道,包藏祸心,应当特别注意。

"驹隙去留争一瞬,蛩声吹梦欲三更。"古人说,人生百岁,也不过是白驹过隙,转眼之间而已。隙,是指门缝的孔阙。白驹,是太阳光线投射过门窗空阙处的幻影,好比小马跑得那样快速。这是劝他父亲年纪大了,人生生命的短暂,与千秋功罪的定论,只争在一念之间,必须要作明智的抉择。蛩声吹梦,是秋虫促织的鸣声。欲三更,是形容人老了,好比夜已深,"好梦由来最易醒",到底还有多少时间能做清秋好梦呢?

"山泉绕屋知深浅,微念沧波感不平。""在山泉水清,出山泉水浊。"人要有自知之明,必须自知才德能力的深浅才好。但是,他的父兄的心志,却不是如此思想,因此,总使他念念在心,不能平息,不能心安。

这是多么好的两首诗。所以引用它,也是为了说明历史的经验,证明老子四不的告诫,是多么的正确。袁克文的诗文才调,果然很美。但毕竟是世家出身的公子,民国初年以后,寄居上海,捧捧戏子,玩玩古董,所谓"民初四大公子"之一。无论学术思想,德业事功,都一无所成,一无可取之处。现在我们因诗论诗,不论其人。我常有这种经验,有的人,只可读其文,不必识其人。有的人,大可识其人,不必论其学。人才到底是难两全的。至于像我这种人,诗文学术,都一无可取之处。人,也未做好。只好以"蓬门陋巷,教几个小小蒙童"勉强混混而已。

第二十五章

有物混成,先天地生。寂兮! 寥兮! 独立而不改,周行而不殆,可以为天下母,吾不知其名,字之曰道,强为之名曰大。大曰逝,逝曰远,远曰反。故道大,天大,地大,王亦大。域中有四大,而王居其一焉。人法地,地法天,天法道,道法自然。

天下大老母

在前面几章我们连续谈到道的妙用,是在日常生活中,就在种种为人应事的行为上。现在《老子》本书,又回转来而进一步说明"体用合一"的道理。然而,究竟"道"是什么? 什么是"道"呢? 这是最根本的哲学问题。但在《老子》本书中,已处处以各式各样别出心裁的语言文字,要人们从各个不同的角度去认识它,并且它已用或显或隐的文字言语来表达,透露了个中消息,本不需要后人画蛇添足,多加注解。

《老子》五千言,洋洋洒洒,信手拈来,道的真相,答案自在其中。第一章一开头便直截了当地说:"道可道,非常道。"颇有拨云见日之势,一笔扫开所有相对名言的障碍。现在本章又说:"有物混成,先天地生。寂兮! 寥兮! 独立而不改,周行而不殆,可以为天下母,吾不知其名,字之曰道。"

自古以来,很多人研究《老子》,竟有不少认为老子是偏重于物的"唯物思想者",现代一般人,受到西洋哲学的影响比较深刻,有更多认定,向唯物思想方向作注解。这种错用现代意识或西方观念,附会中国古文的文意,因此而使人认识不清,个人实在不敢苟同。老子在书上从头至尾所表达的理念,是在说明宇宙与生命的存在是"心物一元"的,殊无可疑。

"有物混成",这个"物"字,并不同于现代人所了解的"物质"观念的物字,这一关键,前面已曾提过,古代"物"字的含义,等于现在一般口语中的"有一个东西",这个"东西",可指非物质的存在状况,例如精神、心理或者"力"、"能"等等,也可代表物质之"物"。此处"有物混成"的物,是"道"的同义字,这个道的内涵,包括了物质与非物质,是"心物一元"混合而成的。

这种"心物一元"的思想观念,源自《易经》。《易经》是中国几千年历史文化的根本,哲学中的哲学,经典中的经典。中国的文化思想,始终是讲"阴""阳"两个符号,以二者彼此之间的相互变化、相生相克,从中去建立它的宇宙观、伦理观。如果我们以"阳"为精神的代号,那么"阴"则为物质的代号,阴阳配合,心物互融,便创化衍生了从极微到至大,应有尽有、无穷无尽的有情世界与无情世界。

然而,心物还只是一体所现的两面,这个浑然一体的道,它是"先天地而生",宇宙万有的形成与消灭,全是它的功能所起的作用。在南北朝时代,南朝梁武帝时,有一位禅宗大师傅大士(傅翕),他的悟道偈就说:"有物先天地,无形本寂寥,能为万象主,不逐四时凋。"此一偈颂中所表达的思想,乃是中国道家老子思想与佛学合流的典型。

"有物先天地",它本无形象,先于天地的存在,宇宙万有的本来就是它。一切万象的种种变化,生起与消灭,那只是两种不同的现象而已,虽然与这超越一切事物的"道"有密不可分的关系,但却无法影响它的本质。等于我们日常所熟悉的光明与黑暗一样,明来暗去,暗来明去,明暗二者的交互转换,只是两种不同现象的轮替,那个能作明作暗的本身,并不随着明暗的变化而生灭;但是它的功能妙用,就表现在日夜明暗的来来往往之间。所谓形而上的道、本体,其实已经彻底地、无所隐藏地显现在它所创造的万象万境中,本体与现象的关系是一而二,二而一的。而佛家所讲的"缘起性空,性空缘起",可以说是这个道理进一步的诠释与发挥。

那么,"有物混成,先天地生",究竟是怎么的一种情况呢?老子形容说:"寂兮!寥兮!独立而不改,周行而不殆。"老子的思想与印度的佛学对形而上道的表达有所不同,佛学到最后只以一个"空"字代表,而老子则用"寂"用"寥"。寂是绝对的清虚,清静到极点,毫无一点声色形象。"寥"是形容广大,类同佛学的"无量无边"。

佛家专用的名词"空",是从道体的原则上说;而道家所用的"寂"、"寥",则是形容其境界与现象,在表达上各有各的好处,也各有各的缺点。谈"空",难免有人会误认为是断灭思想;说"寂"说"寥",又易使人执著一个现象,落在境界的窠臼中。

老子说这个道,"寂兮!寥兮!",清虚寂静,广阔无边,没有形象声色可寻,永远看不见、摸不着;"独立而不改",超越于一切万有之外,悄然自立,不动声色,不因现象界的物理变化而变化,不因物理世界的生灭而生灭。但我们在这里要注意,老子说的是"独立而不改",他并没有说"独立而常住"。"常住",让人感觉是指具备形象的实有,但道并不适合以实有称之。因为它"非心非物",可是也不能说不是实有,因为它"即心即物"。"周行而不殆",它无所不在,在在处处都有道。不论"物"也好,"心"也好,都有它的存在,永远无穷无尽,遍一切处。"可以为天下母,吾不知其名,字之曰道。"这个东西是一切宇宙万有的根本,具足一切的可能性,实在很难用一般世间的语言文字来形容,所以我们中国古代的老祖宗们,不得已,姑且叫它做"道",以"道"来统括所有万法的究竟归处。

万道不离王道与人道

　　道之为名,在原始的中国文化,是超然于宗教性质的代名词,西方哲学称之为"第一因",但在内涵上彼此仍有差别之处。以宗教性的名词来说,基督教、天主教叫它"上帝"、"主宰"、"神",伊斯兰教叫它"阿拉",佛教则以"如来"、"佛"来称之。像这一类的宗教性字眼,一般人很容易根据自己的知识、习惯以及下意识观念,在自己的心理意识上,构成另一种偏离原意的想象概念,混淆不清,甚至都蒙上了一层浓得化不开的神秘色彩。譬如我们一提到"上帝",差不多都把它想成一个能控制一切,主宰一切,拥有宇宙最大威权的神明。而一提到"如来",大部分人的观念马上想到坐在寺庙大殿上,低眉垂目、不食人间烟火的塑像。这种单凭一己的好恶与想象所形成对形而上真理的认识,其中牵涉的问题是相当严重的。

　　早期的中国文化思想,对于"道"这个东西,并未附以它任何宗教形态,或者将它专属于某一种哲学派别。道的名称之外,尚有几个与它同义的名词,老子又提出来说:"强为之名曰大",因为它实在无量无边,太大了,所以也可叫做"大";"大曰逝",大也就是"逝","逝"是永远的向内外四面八方延伸发展,等于说宇宙是无限的扩张。谈到这里,我们看到这个"逝"字觉得很有趣。引申列子的话来说,便是:"东方有圣人出焉,西方有圣人出焉,此心同,此理同。"老子认为道的本身,大到无量无边,无有涯际,因此名之为"逝"。同样的意义,佛经上"佛"亦有十个名号,"善逝"是其中之一。这个"善逝"的"逝",除了具有"无常"的含义外,同样代表无尽无限,形容难以言喻之大,与老子所说的"大曰逝",有不谋而合之处。但是我们知道,佛经翻译到中国来,距离老子时代之后,已经有相当一段的时间,然而老子在中国上古文化,早已有相同的看法和用词了。

　　既然"大曰逝",那么"逝曰远",无远弗届,四通八达,"放之四海而皆准",没有不及的地方,也是无量无边,无穷无尽的意思。然而,就是因为"道"太大太远了,它遍一切处,通于古今,尽未来际,我们若求大、求远地去追求它,反而难以企及,搞不好还会迷失在五花八门、千奇百怪的现象界里,不能自拔。其实"道"就在每个人的自身上,须臾不离,若能反求诸己,回头自省,见"道"才有希望。所以"逝曰远,远曰反"。最远的就是最近的,最后的就是最初的,只要神志清醒清醒,好好张眼一看,天边就在目前。

　　我们晓得中国过去的观念,称宇宙万有的本体为"道",另外还有"大"、"逝"、"远"、"反"等名称,甚至于儒家所讲的"天",或者"帝",也都是"道"的代号,总共算起来,至少也有十来个"道"的别名。后来印度文化传播到中国来,其中佛教对于形上本体的说法,也有佛的十个代号,与中国原有的那些"道"的称呼相互比较,颇得异曲同工之妙,几乎是同样的道理,雷同的说法,这不知是否当时双方曾开过联席会议,互相对此问题详加协调过,否则又怎能如此巧合、遥相呼应呢?(一笑。)其实这正是"东方有圣人出焉,西方有圣人出焉,此心同,此理同"的道理。世界上真理只有一个,无二亦无三,只是东西方在表达方式上有些不同罢了。

　　接着,老子说"故道大,天大,地大,王亦大"。这一段谈"天"说"地",却又忽然钻出一个"王"来,王是代表人。依中国传统文化,始终将"天、地、人"三者并排共列,而人在其中。为什么呢? 因为中国文化最讲究"人道",人文的精神最为浓厚,人道的价值最被看重。假定我们现在出个考试题目,"人生的价值是什么?"或者"人生的目的是什么?"若以中国文化思想的观点来作答,答案只有一个——"参赞天地之化育"(《周易·系辞传》)。

　　"参赞天地之化育",正是人道价值之所在。人生于天地之间,忽尔数十年的生命,仿如过客,晃眼即逝,到底它的意义何在? 我们这个天地,佛学叫做娑婆世界,意思是"堪忍",人类生活其上,还勉勉强强过得去。这个天地并不完备,有很多的缺陷,很多的问题,但是人类的智慧与能力,只要它能合情合理地运用,便能创造一个圆满和谐的人生,弥补天地的缺憾。

譬如,假若天上永远有一个太阳挂着,没有夜晚的话,人类也就不会去发明电灯,创造黑暗中的光明。如果不是地球有四季气候的变化,时而下雨,时而刮风,人类也不会筑屋而居,或者发明雨衣、雨伞等防御用具。这种人类因天地间种种现象变化所作的因应与开创,就叫做"参赞"。此等人类的智慧与能力太伟大了,所以中国文化将他和天地并举,称为"天、地、人"三才。这是旧有的解释。

那么,"道大,天大,地大,王亦大。域中有四大,而王居其一焉"。"域"是代表广大的宇宙领域。此处道家的四大,与佛家所谓的四大不同。佛家四大,专指物质世界的四种组成元素——地、水、火、风。而道家所讲的四大,是"道、大、地、人"。这个"四大"的代号由老子首先提出,并非如佛家的四大。老子说,在这一无穷无尽的宇宙中,有四种东西是最主要,是关键性的,而人的价值占了其中之一。四大中人的代表是"王",中国上古文化解释"王"者,旺也,用也。算命看相有所谓的"旺相日",在古代文字中,也有称"王相日"的。每个人依据自己的八字选择对自己有利的旺相日那一天去做某一件事,认为便可大吉。宇宙中何以人能与"道大、天大、地大"同列为四大之一呢? 这是因为人类的聪明才智,能够"参赞天地之化育",克服宇宙自然界对人存在不利的因素,在天地间开演一套渊源流长的历史文化。

好不容易自然

既然人的地位有这么的重要,这么的特殊,下面老子便接着告诉我们做人做事的法则,如何修道,如何行道。"人法地,地法天,天法道,道法自然。"这是老子千古不易的密语,为老子思想的精华所在,懂了这番话的道理,也就差不多掌握了修道、行道的关键了,在这里这个"法"字是动词,是效法、学习的意思。人要效法大地,大地则依法于天,这里的"天",是指有形的太阳系统的自然物理的天,也就是天文学上的天体之天,它不是抽象的概念。地依法于天,天则要效法道,以道为其运行的依归。那么,道又以什么为效法的对象呢?"道法自然。"

现在首先要解释"自然"的问题。目前新兴的"比较宗教学"或称"宗教哲学",把世界上各地的宗教,如佛教、道教、伊斯兰教、基督教、天主教等等,每一宗教的哲学理论与实况综合起来研究,相互比较,寻求其中异同和彼此间的关系,已经发现了不少有趣的问题,值得更进一步去深入探讨。我们若以比较宗教的态度,抛开那些粗浅的宗教情绪心理,把眼光放在一般宗教教人如何行善做好事的普通伦理层面上,那也个个满好,满合于同一的水平。至于再进一步,要透彻各个宗教实际内涵程度的深浅,则问题重重,就不能颟顸笼统,值得仔细研究、体会。

长期以来,有不少佛家的著作,批评道家是"自然外道"。因为他们看到老子讲"道法自然",便自然而然地将二者联想在一起。其实,印度释迦牟尼佛在世时,与佛教对立的几十种哲学思想,尤其当时同释迦牟尼佛影响一样大的几个大学派之一,专讲"唯物思想"的"自然外道",和中国老子所说"道法自然"的自然,并不相关。二者并未结为姊妹道,或者兄弟道什么的,并无彼此互通声气之嫌。

印度当时的自然外道,属自然学派,其所谓的"自然",完全从物理观点而说。但是老子的思想绝非如此。近代中国翻译西方典籍,把物理、化学等学科,统称为自然科学,这是借用老子的名词,我们不能因此便认为老子说的"自然",就等同物理范畴的自然。

将老子的思想硬往上套,这是指鹿为马,栽赃前人,非常没有道理的。

虽然老子并未给予直接的定义,但老子的"自然"究竟是什么意思? 我们却也不可以如法庭上的法官们,审判一个案件,可以采用了"自由心证",随便判决学术思想的归化,乱下断语,硬是认定老子所说的"自然"也就是印度的"自然外道";不分青红皂白地将老子一竿打入"唯物哲学"的窠臼,这是千错万错、人错特错的误解。这种情况,如借用佛学名称来说,就是"众生颠倒","颠倒众生",这所谓"颠倒",是指我们在见地观念上和思想上的错误,因此而形成见惑、思惑。由于我们一直被这见惑、思惑两种认识上的不清所障碍,因此不能成道,无法彻见宇宙天地间的真谛。

那么老子说:"人法地,地法天,天法道,道法自然。"这个"自然"的确实含义又是如何呢? 答案很简单,"自然"二字,从中国文字学的组合来解释,便要分开来讲,"自"便是自在的本身,"然"是当然如此。老子所说的"自然",是指道的本身就是绝对性的,道是"自然"如此,"自然"便是道,它根本不需要效法谁,道是本来如是,原来如此,所以谓之"自然"。

我们如果将大乘佛学彻底贯通了,必然不会对于宇宙本体和现象的哲学问题,感到左右为难。佛家有一个名词"法尔如是",它是说明诸法本身本来就是这个样子。人生来怎么会成那个样子? 人就是那个样子。你怎么会是这个样子? 我就是这个样子。一切本来就是如此,一切法便是一切法的理由,更没有什么其他原因不原因的,这样就叫"法尔如是"。从"法尔如是"来看"道法自然",最清楚不过了。"道法自然",而"自然"自己本身原来就是如此这般,没有别的规范可寻,再也找不到一个东西可以另为之主,"道"就是"自然","自然而然",就是"法尔如是",古人翻译佛经,怕与老子的"自然"混合了名词,只好另创一词,便叫"法尔如是"。

讲到这里,我曾经一再强调,我们后世之人读古人的著作,常常拿着自己当代的思想观念,或者现代语言文字的习惯,一知半解地对古人下了偏差的注解,诬蔑了古人,这是何等的罪过。读什么时代的书,首先自己要能退回到原来那个时代的实际状况里去,体会当时社会的文物风俗,了解当时朝野各阶层的生活心态,以及当时的语言习惯,如此掌握了一个时代文化思想创造的动源,看清这个历史文化的背景所在,这才能避免曲解当时的哲学思想和文艺创作,并给予正确合理的评价。

比如,我们研究释迦牟尼佛的经典,也要退回到二千多年前的古印度的农业社会,设身处地替当时的人民想一想。那时的印度是一个贫富差距极大,极不平等,到处充满愚昧和痛苦的世界。假若你读历史,真能"人溺己溺,人饥己饥"地将自己整个投入,身历其境,于那种痛苦如同亲尝,那么方能真切地了解到释迦牟尼佛何以会提倡"众生平等",何以会呼吁人人要有济度一切众生的行愿,才能体会到当时的佛陀真正伟大之处。如果天下太平,世界本来就好好的,大家生活无忧无虑,什么都不虞缺乏,汽车、洋房、冷暖气,样样俱足,日子过得满舒服的;即使比这种情况差一点,那也还甘之如饴,又何必期待你去救度个什么? 帮助个什么呢?

念天地之悠悠

话说回来,老子说"人法地"。人如何效法地呢? 人要跟大地学习很难。且看大地驮载万物,替我们承担了一切,我们生命的成长,全赖大地来维持,吃的是大地长的,穿的是大地生的,所有一切日用所需,无一不得之于大地。于是,我们回报它的是什么? 只不过是死后一把又脏又臭的腐烂掉的脓血和败坏了的朽骨头罢了。

人活着时,不管三七二十一,将所有不要的东西,大便、小便、口水等等乱七八糟地丢给大地,而大地竟无怨言,不但生生不息滋长了万物,而且还承载了一切万物的罪过。我们人生在世,岂不应当效法大地这种大公无私、无所不包的伟大精神吗？其实中国传统文化，一直非常强调此一精神。《易经》的"坤卦"，形容大地的伟大为"直"、为"方"、为"大"，指出大地永远顺道而行、直道而行。包容一切，不改其德。佛家对此的看法也是一样，后来翻译《华严经》，冠以"大方广佛"为经题，也可以说是受"坤卦"卦辞影响的关系。

再者，我们效法大地，除了上述的道理之外，同时还要了解大地自久远以来运动不止的意义。地球永远在转动。地球一天不转动，甚至只消一分一秒停止，我们人类和其他万有的生命，都要完结。

地球的转动，人们以为是近代科学知识，其实中国上古早已知之，只是我们自己不加详察而已。又有人根据中国若干书籍上说的"天圆地方"，便一口咬定古人的观念认为地球是方的。这种不明就里人云亦云的说法，非常错误，孔子的弟子曾子，就曾讲过地球是圆的，不是方的，而且一直在旋转，所谓："天道左转，地道右旋"的观念，早已由来悠久。我们人欲效法大地，就应该如《易经》卦辞所言："天行健，君子以自强不息。""行健"，是天地的运行转动，永远是健在地前进，所以人要效法它的勇往直前的精神，一分一秒绝不偷懒，时时刻刻向前开创，永远生机蓬勃，永远灵明活泼，这才是合乎大地所具有的"德行"。

但是，宇宙间日月星辰与地球，究竟是谁使它在转动呢？由哪个作主呢？是上帝吗？是神吗？是佛吗？老子却不采用这些具有人神造作化的名词，他只是根据上古传统文化中固有的名称，无以名之，仍然称之为"道"，称为"自然"，最恰当不过了。所以便说"天法道，道法自然"。抽象而言，道是自然地具备无穷尽的功能，拥有不可思议的"生灭"力量。这股力量，在佛学而言，便叫它做"业力"，业力并不一定不好，有好有坏，坏的叫"恶业"，好的叫"善业"。其实，天地本身这股力量在运转，本无善恶，所谓善恶，都是人类自己附加上去的价值判断而已。

道的力量,生生不息,源源而来,生天生地,神鬼神帝,都是由道的自然功能所分化。但是,它又为什么要生长了这些万有的存在呢? 有时我们不得意时,实在很埋怨这个道,为什么它要生生不已,而又转化不已呢? 道不转化便不会生成你和我,不生你和我,又何来这些纠扯不清的恩恩怨怨、痛苦烦恼! 这个道,何必跟我们如此过不去呢? 生了大地,又生了我们的爸爸妈妈,再生下我们,以及后代的子子孙孙,然后为了一个小问题,都痛苦得不得了,一下成功,一下失败,时而悲伤,时而喜乐,究竟这个道、这个上帝、这个主宰,在开我们什么玩笑呢? 如果亘古"不生不灭",我们能够平平静静、安安详详地休息,那该多好啊!

像这一类的疑问,不消说我们一般的凡夫俗子弄不清答案的真相,就是千古以来,许多人穷尽毕生精力,追究这个问题的哲学家、思想家,也都困在这个穷求"第一因"的谜题里,东奔西窜,寻不着出路,愈陷愈深,不能自拔。现在的科学家们,也正为这些问题向前直冲。

老子呢? 他说道就是道,自然就是自然,此外再也没有一个由来,既没有为什么,也不是为了什么,本来就是这样,原封未动;无始无终,无前无后,不生不灭;而由这个不生不灭中,本然而创造了宇宙天地和万有生命的生生灭灭的现象,产生了时间、空间前前后后的无意识的意识。我们研究道家思想,"自然"这个名词,是一大关键。而佛家的终究处也是"法尔如是",这两者值得相互参究。一般修炼道术的学道者,若无法直识本来,看透这层"法尔如是"的事实,即便是在静坐禅定的工夫上如何了得,那还似依旧仆仆风尘,流浪生死,有家归不得的游子,前途一片茫茫。不信,你去问老子试试看。

自 然 神 仙

　　再说,道的本身即是自然生生不息,但很多人修道,偏要打坐求静,认静是道都不对吗? 你在静坐,真能静吗? 其实,内心里面,妄想纷飞,动得乱七八糟,并无片刻安闲休息。真正的静坐入定,也只是进到另一个大运动的境界而已,因为大动,反而不觉其动,便说是静。或者可说是接近于那个大自然运动的核心,好像静止而已。譬如一个旋转中的圆形,越接近圆周的地方,运动的路线越大,而接近圆心的地方,运动的路线越小,而圆心所在,在旋转的时候,则完全不离原地,根本不动,其实它是整个圆转得最起劲之处,原来不静,所以说,真的能静止似的,那是到达于一个更雄浑无迹的运动境界,只是你自己未察觉到它的究竟而已。静坐之所以能使人健康长生不老,正是由于这个静中的大动似乎不动的效果。这个动,实是自然法则的功能。

　　人们学道,学些什么呢? 如果只知守窍练气,吐故纳新,那是小道。大道无为,什么都不需守,没有那些啰哩啰嗦的名堂。"道法自然",自自然然就是道,若不如此,便不合道。普通的人,照修炼神仙家的看法,都是凡夫俗子。然而凡夫俗子只要能做到在日常生活中,一切任运自然,便不离于道了。

　　中国道家有句名言:"人身是一小天地",认清这个观念,打坐修道就容易上路,你只须让自己的身心自然:"人法地,地法天,天法道,道法自然"那般自然,岂不真得自在。传统的道家,认为我们人身便是一个小天地,胃就像大地,地球上有长江、黄河,和胃连带关系的,在前面管道便是长江,在后面的管道便是黄河;其他别种器官,有的代表月亮,有的代表太阳,都在不停地运动。人打起坐来,心理上让它自然地清静,不去干扰身体各个器官的运作与血液循环,使之自自然然地合乎天地运转的法则,身体就会自然越来越健康。平常我们身体所以四大不调,疾病丛生,都是脑子里的意识、思想太多太乱,扰乱了体能原本合于自然的运行法则,因此才产生了疾病的现象,才有苦乐的感受。

　　至于佛家的修道路线也很多,通常所知的都教人要空、放下,不要妄想,它和道家的清静、无为有相通之处。清静、无为,就是什么都不去想,但是如果你静坐,心里想:"我绝不乱想",那你早就又落入那"想不要想"的想里去了。"道",本来自然生生不息在动,而你硬要千方百计不让它动,那岂不是道法太不自然了吗? 不自然行吗? 其实修道打坐,甚至在日常生活中,你只须让一切自然地任运流行,它就是自然的静,不假造作,自由自在,那就对了,又何必头上安头,作茧自缚呢?

　　自老子之后,到了东汉时期,道家出现了魏伯阳真人作的《参同契》这部名著,素来被称为是千古丹经的鼻祖,学道家神仙长生不老之术的,非要仔细研究这部书不可,但其中所阐述的修道原理和方法,重点仍然在于老子的"道法自然"。那么,怎么又叫做《参同契》呢? 因为修炼神仙长生不老的方法,与老庄、周易、丹法,三样的原理完全相同的。所以必须参合研究,而将其中的道理相互贯通、彼此发明,故叫《参同契》。"契"是指书契一样,可以核对得丝毫都无差错。中国古代订契约,是在一块竹简刻上一式二份的标记和约定的条文,然后剖析成两片,中间分际接合处,彼此丝丝入扣,可为日后印证真假之辨的,便名曰"契"。《参同契》所论述的修道原理和过程,相当复杂、奥妙,但其根本所在,仍然不外乎"道法自然"的大法则。

　　我们人体是个小宇宙、小天地,在这个宇宙天地里,气机如何运行,血液如何流通,一切均有固定不易的法则,分秒不能勉强,不可勉强,不必勉强,假使真懂了这种道理,自己便会明白怎么来修道摄生养命,但是总归结的道理,不外老子的"人法地,地法天,天法道,道法自然"。

第二十六章

重为轻根,静为躁君。是以圣人终日行而不离辎重,虽有荣观,燕处超然。奈何万乘之主,而以身轻天下?轻则失本,躁则失君。

一肩挑尽古今愁

由上章的四大——道大,天大,地大,王亦大,和四法——人法地,地法天,天法道,道法自然,跟着而来,就有本章人法地的引申说明,即所谓"重为轻根,静为躁君,是以圣人终日行而不离辎重"。

重和轻,静和躁,都是相对两种现象。重和轻,是物理现象的相对。静和躁,是生态现象的相对。但从原文文字上看来,老子侧重"重"和"静"的重要,只偏向一头,而舍置它相互影响的关系。

正如我们现代,有了科学知识以后,知道物质的重量,是受万有引力——地心吸力的作用而来。倘使物质脱离了地心吸力,在太空中,便会失去重心的作用,都是飘浮自在,轻便悠游的。我们人生的肉体生命,也是如此。所以心思高飞远举,但肉体的生命,脱离不了万有引力的作用,仍在原地不动,即使尽量锻炼体能,也只有相当的限度,不能达到想象的自由。道家的学术,也早已知道这个原则,因此,才产生对生命功能超越物质世界的方术,所谓神仙丹道之学。

修炼丹道的方法,首先是从习静着手,久久习静而舍离后天躁动的习性,也正是从《老子》第十六章所说:"致虚极,守静笃,万物并作,吾以观复。夫物芸芸,各复归其根,归根曰静,是谓复命"的原理而来。如此习静修炼,锻炼精神和肉体,互相合一而归于至静之极的不动之动,便可达到神仙"冲举"的成果。这便是中国神仙方伎学术的根据。老子,当然与神仙丹道不能脱离关系。"冲举",便是后世学仙者所期望能修到"白日飞升"的古文辞之简称。当然,其中修炼习静的法则与修炼过程中的变化,却并不是三言两语可以概括它的大要。

那么,为什么在本章中,又似乎特别注重"重"和"静"的关系有如此的重要呢?难道说,重到极点,才能"轻举"吗?其实,从道家仙道修养的理论来讲,对于这里所用的"重"字,可以牵强作为重厚沉静的意义来解释,如第三章所谓"虚其心,实其腹。弱其志,强其骨"的理论配合。后世有合儒道两家的修养原理,概括其扼要,而以"沉潜静定"作为修道的根基的,也可以说,是完全相合的。

但如连合本章的上下文句来说,那便须脱离神仙丹道的修养方术,专从人生日用的道用上立论了。虽然是偏向一面倒的理念,但是可以强调地说它没有错。因为"重为轻根,静为躁君",才能作为下一句"圣人终日行而不离辎重"的基准。

重是轻的根源。静是躁的主宰。"辎"字的内涵,是车上装载着行李或物件的意思。辎重,便是车子装载重量行李的统称。那么,为什么圣人要终日行而不离辎重呢?在这里,不妨让我先说一个笑话。我在年轻的时候,出门走路,总喜欢手上抓一样东西,才觉得合适。如果两手空空,甩来甩去,自己觉得好像毫无把握,很怪很怪似的。有时不带书包或公文袋,也要抓一本书或刊物,卷在手里拿着。再不然,拿一根手杖,才觉得稳实。有人笑问我这是为了什么,说也说不明白,只好对他说,这是学了老子的"圣人终日行而不离辎重"。我非圣人,但姑妄学学,听者讲者,彼此都哈哈一笑了事。

其实,是不是这样呢?谁又知道。如果做圣人真的要终日行不离辎重,那好辛苦,不如不作圣人的好。而且,整天都不离负担重物的劳工朋友们,他们早已成圣成贤了!难道,老子自己西出函谷关的时候,骑在青牛背上,还要挑负一肩行李,或背着一个包袱吗?如果不是这样,老子何以扯谎教人要"终日行而不离辎重"呢?

谁肯放下自私的包袱

笑话说过了,再来正经的。读本章这一节原文的深意,以我个人的浅见来说,已如上面讲过,正是老子指明"人法地"的准则。我们生命立足点的大地,负载万物和一切,生生不已,终日运行不息而毫无怨言,也不索取人们和万物付予任何代价。它总是默默无言地,静静前进,不断地轮转,而给予所有生物生命的滋养。所以生而为人,也应静静地效法大地,要有负重载物的精神。尤其是要学圣人之道的人,更应该有为世人与众生,挑负起一切痛苦重担的心愿,不可一日或离了这种负重致远的责任心。这便是"圣人终日行而不离辎重"的本意。尤其是告诫身负国家社会人民所期望者的君主——领导人和官吏们,更当有如此这般的存心,才是合道的明君或良臣。因此,在下文,便有"虽有荣观,燕处超然"的名言。

"终日行而不离辎重"是说志在圣贤的人们,始终要戒慎恐惧,随时随地存着济世救人的责任感。如在颠沛流离中的大舜,始终以大孝于天下存心。如大禹的治平洪水,九年在外栉风沐雨,腓无胈、胫无毛,三过其门而不入。但古人又说:大德者,必得其名,必得其位,必得其寿。这是善有善报的必然因果律。倘使你能做到功在天下国家,万民载德的地位,当然会得到最光荣的酬佣,正如隋炀帝杨广所说的:"我本无心求富贵,谁知富贵迫人来。"如果真正有道之士,到了这种地位,虽然处在"荣观"之中,仍然恬淡虚无,不改本来的素朴;虽然燕然安处在荣华富贵之中,依然有超然物外,不受功成名遂、富贵荣华而自累其心,这才是有道者的自处之道。这里的"荣观"的"观"字,是破音字,应作古代建筑物的"观"字读,不可作观看的"观"字来读。"燕"字,通作"晏",便是安静的意思。

然而,在老子当时所见闻中的各国诸侯君主们,当然都不能明白传统文化中君道和臣道的这种原则。因此,他才有深深感叹说:"奈何万乘之主,而以身轻天下。轻则失本,躁则失君。"所谓"身轻天下"的语意,是说他们不能自知修身涵养的重要,犯了不知自重的错误,不择手段,只图眼前攫取功利,不顾丧身失命的后果。因此,不但轻轻易易失去了天下,同时也戕杀了自己,这就是触犯"轻则失本,躁则失君"的大病。

两臂重于天下

讲到身轻天下的说明,我们且看善于承继老子之学的庄子的发挥,最为清楚。《庄子·外篇》中的《让王篇》提到:

韩、魏相与争侵地,子华子见(韩)昭僖侯。昭僖侯有忧色。子华子曰:今使天下书铭于君之前。书之言曰:左手攫之则右手废。右手攫之则左手废。然而攫之者必有天下,君能攫之乎?

昭僖侯曰:寡人不攫也。子华子曰:甚善。自是观之,两臂重于天下也。身亦重于两臂。韩之轻于天下亦远矣。今之所争者轻于韩又远,君固愁伤生以忧戚不得也。僖侯曰:善哉!教寡人者众矣,未尝得闻此言也。子华子可谓知轻重矣。

人的生命之价值,在于我有一个完整无瑕的现实身体的存在。志在天下国家,成大功、立大业者,正为我有身存,老子所谓:"及吾无身,又有何患。"现在正因为还有此身的存在,应该戒慎恐惧,燕然自处而游心于物欲以外,然后不以一己的个人自私而谋天下国家大众的大利,立大业于天下,才不负天赋所生生命的价值。可是,很可惜的,便是当时的君主们,以及后来的君相们,大多都只图眼前的私利而困于个人权势的欲望中,以身轻天下的安危而不能自拔,因此而引出老子有奈何! 奈何! 奈若何的一叹!

我们引用了《庄子·外篇》"两臂重于天下"的说法,看来,似乎过于消极,太过于为个人自私了。但从人道的观点来看,立身爱己,正是大有为于天下的开始,所以儒家才有"孝子不立于危墙之下"的大戒。修身养身无道,又哪里能够担当起天下国家危难的大任呢? 同时须知,人无超然出世的修养,而贸然谈利益天下国家的大业,正是失其轻重权衡之处,所谓"轻则失本,躁则失君"。因此,使我临时想起明代栯堂禅师的一首诗,从表面看来,又似乎很消极,但细人深究,它正是人生积极的透彻观。

诗口:

人生不满一百岁,今是昨非无定名。天下由来轻两臂(便是上面所讲庄子书中子华子说昭僖侯的故事),世间何故重连城(价值连城的璧玉,也就是赵相蔺相如夺秦惠王卞和之璧的故事)。尤亡大泽群鳅舞(秦失其鹿,大下争逐的翻版),兔尽平原走狗烹(范蠡给文种书所说的"飞鸟尽,良弓藏。狡兔死,走狗烹"的名言。后来韩信临死时也引用过)。满日乱坡眠白石(古往今来的一切人等,最后都是如此),有时特地忆初平(道家神仙传称广成子名董初平。但这里所说的初平,是指企望天下初平的盛世而言)。

超然轻重的历史故事

老子的话,本来已如珠之走盘,周延涵盖,无所不通,仁者见之为仁,智者见之谓之智。何况又是以简朴的古文写成,难作明确的界说。因此,又被黠慧者用作专制时代的帝王权术,或为大臣者的自处箴言,当然亦是在所难免。如果根据历史的经验,从每一朝代帝王制度的政策来看,对于"重为轻根,静为躁君"的理解,也有完全偏向于另一角度了。

例如周朝建国的政策,重点放在中央集权,诸侯分治,开创一套完整的周代封建制度,适合于当时时代环境最好的一个策略。但天下事往往"重为轻根",你所认为已经把握了的重点,将来发生弊病的,也往往出在这个重点上面,正如唐徵君赵蕤所谓:

天下大器也,群生重蓄也。器大不可以独理,蓄重不可以自守。故划野分疆,所以利建侯也。亲疏相镇,所以关盛衰也。

昔周监于二代,立爵五等,封国八百,同姓五十五,深根固本,为不可拔者也。故盛则周召相其沿,衰则五霸扶其弱,所以夹辅王室,左右厥世,此三圣(周文王、武王、周公)制法之意。

然厚下之典,弊于尾大。自幽平以后,日以陵夷。爵禄多出于陪臣,征伐不由于天子;吴并于越,晋分为三,郑兼于韩,鲁灭于楚,海内无主,四十余年而为战国矣。

这便是重为轻根的最好说明。到了秦始皇统一天下,看到周代封建后期的弊病,就废封建改为郡县,完全走中央集权的路线,自以为可以建万代帝王世系的基业。谁又知道过不了十多年,天下大乱,封疆无得力的防守,就易姓为王,成了刘邦的汉室天下。

汉初鉴于秦始皇中央集权的缺点,又仿照周代封建的办法,分封同姓子弟为王(非同姓者当然都不能为王),认为一旦天下有变,同胞血肉,必能拱卫帝系。谁知不到十多年,先乱于刘邦的老婆——吕后,杀戮刘氏宗室几乎殆尽。虽然由汉文帝刘恒的复兴,但过不了十多年,又有景帝刘启时代同室操戈的七王造反。因此,不敢再信外藩,变成宫室后族的外戚操权,和一班宦官太监们把持朝政,终有前汉的外戚王莽篡位,后汉的曹操逼宫等故事发生。

从此以后,中国帝王政治体制,造成变乱的弊病,不外是外藩、内戚、太监、女祸等几个基本的因素,互相消长。唐代开始乱于藩镇,宋代又鉴于唐朝的弊病,重用文人政治而采取中央集权,终至半壁江山,始终不能完成统一的局面。后来的元、明、清三朝,大致也难逃此例。

总之,无论任何政治体制,开创的时期,如何计虑周详,毕竟跳不出"重为轻根,静为躁君"大原则的演变。即使如西洋史上的规律,也逃不了老子——太上老君这个八卦炉。自法国路易十四以后直到现在,君主固然不好,民主法治也未见得是完美的政体。将来的天下,正因为人类社会高估民主的可贵而终于毁灭在民主的变相。且看今日域中的英、美,其未来的祸根,早已埋伏在现在所谓假象幸福的社会福利和重量不重质、哗众取宠的民主自由的制度之中了!

道家老子的哲学,看透了"重为轻根,静为躁君"和"祸者福之所倚,福者祸之所伏"自然反复演变的法则,所以才提出"虽有荣观,燕处超然"的告诫。也正因为先有老子的这些告诫,后有人生的种种经验,造成历代的高明从政者,如范蠡等人,以及较为知机的张良,想要极力作到"功成,名遂,身退"。但很可惜,他始终不如正统道家的隐士们,干脆早自全身隐遁,不蹈混水。退而求其次,又不如范蠡的隐遁而去。至于如韩信一流的人物,李煜一流的角色,只是志在功名,或志在富贵的迷梦中,始终不知轻重根源的关键,更不知"虽有荣观,燕处超然"的妙用。尤其是李煜,更为可怜,在他当时那样的时代环境中,不知戒慎恐惧、奋发图强的自处之道,反而真的玩起"燕处"危巢的超然词章文学,只知填些"蝶恋花"的"一片芳心千万绪,人间没个安排处",写些缠绵悱恻的妙文。难怪后来赵匡胤对他的评语说:李煜如果把作诗词的工夫拿来专心搞政治,也未必会为我所擒。这也确是赵匡胤说的一句老实话。

至如韩信的开场与收场,基本上就犯了老子的"重为轻根,静为躁君,圣人终日行而不离辎重。虽有荣观,燕处超然"的错误,而且更缺乏这种学养。所以宋代越王钱镠的孙子钱俶,有一首借题

发挥论韩信的诗,说得最好,诗曰:

> 登坛拜将恩虽重,蹑足封时虑已深。
> 隆准由来同鸟喙,将军应起五湖心。

韩信,的确是很可爱的具有侠义人性的人物。他善于用兵,而缺乏政略和大谋略的修养。他重视恩情而不顾怨怼的爽朗胸襟,极可钦佩。他对刘邦当时的登坛拜将的作风,早已埋下"英雄生怕受恩深"的情怀。所以后来提出封假三齐王的要求,也是基于这种受恩的深情而讲的真话。刘邦被张良踢了一足,便立刻变盛怒为假惺惺,马上真的封他为三齐王的时候,早已埋下后来的结局。隆准,是汉高祖刘邦长相的特征,鼻子特别高又厚,相法所谓伏犀贯顶的通天鼻。长颈鸟喙,是范蠡对文种讲越王勾践长相的特征,头颈特别长,嘴巴很尖锐,所谓"长颈鸟喙,可以共患难,不可以共安乐"的评语。古今中外的君主领导人们,虽然各有不同的特别外形,但都有同一模式的猜忌心理。其实,这是人性的根本问题,除非圣贤,谁能遣此,最为可哀。

因此钱俶评论韩信,早已应该知道自己的收场结果,何以不学范蠡一样,功成,名遂,身退,泛舟五湖,飘然远引呢? 其实,钱俶这首诗,正是针对他朝见赵匡胤的时候,赵匡胤封了一箱东西,叫他回去在路上拆看。他出了京城,打开一看,箱里所装的,都是大臣们的建议,要赵匡胤扣留或杀了钱俶的报告。但赵匡胤不杀钱俶,也不扣留他,叫他安心回去,正是要他老老实实自己奉献越国,乖乖归顺的手法。钱俶懂得很深,也很清楚当时的情势,因此,借评韩信的诗来发挥自己胸中的块垒,奉表称臣,正是学范蠡的泛舟五湖的最好自处,恰又合了老子的"燕处超然",不以身轻天下的法则。杭州保俶塔的建立,应该是钱俶朝见赵匡胤的时候,他的亲信人们,为他祈福消灾所建的纪念物。后来杭州人对保俶塔有各种不同的传说,似乎都是歪曲事实了。当然,这是顺便一提,或可判为事出有因,查无实据,而不足为凭。这是说为人臣立场的,必须具有"虽有荣观,燕处超然",知机知时的自处之道。不然,便会有如清初名臣尹善所自慨的名句"鸟入青云倦亦飞"欲罢不能之叹了!

但是老子的话,正如临济禅师所谓"一语中具三玄门,一玄门中具三要义"。它是随方逐圆,面面俱到的。历史的经验留给我们的殷鉴,有关类似"虽有荣观,燕处超然"而不以身轻天下的反面事实也很多。例如公子小白,与鲍叔的同谋,身居莒地,正当公子纠当政,处于荣观得意的时候,他们把握成熟的时机,轻车简从,举手之间,就能复国正位,为齐桓公。"一匡天下,九合诸侯",成为春秋五霸之首。

又如燕昭王重用乐毅,报复齐国的宿仇,五年之间,攻坚破锐,连下七十余城。但田单却看准燕王对乐毅存有猜忌的隐忧,同时也看准乐毅心里早已存有防止燕王的猜忌,似有意似无意地留下"即墨"及"莒"二城,作为观望的作用。因此田单反用不以身轻天下而振作自重,整经教武,一举而复国成功,名垂千古,便是反用乐毅的"虽有荣观,燕处超然"的人臣之道;而田单却不以身轻天下的自重与静观机变之智,成就他的不世功业。也就是老子所谓"同出而异名"的上智运用之妙,存乎一心的应变了。

乐毅是乐羊子的后人,他的家族,本来就有深通黄(帝)老(子)之道的,乐毅的成就,更是得力于黄老的学术精华。司马迁赞乐氏之说:

> 乐臣公学黄帝、老子,其本师号曰河上丈人,不知其所出。河上丈人教安期生。安期生教毛翕公。毛翕公教乐瑕公。乐瑕公教乐臣公。乐臣公教盖公。盖公教于齐高密胶西,为曹相国(参)师。

正因为乐毅善学老子,因此,他报燕(惠)王书,有谓:"夫免身立功以明先王之迹,臣之上计也。"汉魏之间的夏侯玄,有一篇论乐毅的专论,是比较有见地的史论,而且也正是发挥乐毅与黄老的学

术修养有关的独到论文,如说:

观乐生遗燕惠王书,其殆庶几乎知几合道,以礼终始者与!又其喻昭王曰:伊尹放太甲而不疑,太甲受放而不怨,是存大业于至公,而以天下为心者也。

夫欲极道德之量,务以天下为心者,必致其主于盛隆,合其趣于先王。苟君臣同符,则大业定矣。于斯时也,乐生之志,千载一遇。夫千载一遇之世,亦将千载一道,岂其局迹当时,止于兼并而已哉!

夫兼并者,非乐生之所屑,强燕而非道,又非乐生之所求。不屑苟利,心无近事,不求小成,斯意兼天下者也。则毕齐之事,所以运其机而动四海也。夫讨齐以明燕王之义,此兵不兴于利矣。围城而害不加于百姓,此仁心著于遐迩矣。举国不谋其功,除暴不以威力,以至德全于天下矣。迈全德以率列国,则几于汤武之事矣。

乐生方恢大纲,以纵二城。收民明信,以待其弊。将使即墨莒人,顾仇其上,愿释干戈,赖我犹亲。善守之智,无所施之。然则求仁得仁,即墨大夫之义仕穷,则从微子适周之道。开弥广之路,以待田单之徒。长容善之风,以申齐士之志。使夫忠者遂节,勇者义著,昭之东海,属之华裔。我泽如春,民应如草。道光宇宙,贤智托心。邻国倾慕,四海延颈。思戴燕主,仰望风声。二城必从,则王业隆矣。虽淹留于二邑,乃效速于天下也。

不幸之变,世所不图。败于垂成,时运固然。若乃逼之以威,劫之以兵,攻取之事,求欲速之功,使燕齐之士,流血于二城之下,奢杀伤之残,以示四海之人,是纵暴易乱,以成其私,邻国望之,其犹豺虎。既大堕称兵之义,而丧济弱之仁,且亏齐士之节,废兼善之风,掩宏通之度,弃王德之隆,虽二城几于可拔,霸王之事,逝其远矣。

然则,燕虽兼齐,其与世主何以殊哉!其与邻国何以相倾。乐生岂不知拔二城之速乎哉!顾城拔而业乖也,岂不虑不速之致变哉,顾业乖与变同。由是观之,乐生之不屠二城,未可量也。

附　录

历代《老子》研究书目

　　有关《老子》之版本及研究《老子》之专书论述，几过千种有余，本篇所辑自两汉以迄明、清，仅止于各图书馆及藏书家目录中之较常见到而有登录者，是故遗漏之处颇多，尤其有关近代学者及日、英、德、法等诸国学者之著述，一概从略，或俟他日收集完全，另行增刊补足，敬请涵谅(此篇目录，大多选录自王有三先生编著《老子考》一书，欲求详审，请另参阅之)。

老子《道德经》

　　老子《道德经》载于《隋书·经籍志》。按：此书《汉志》不载，而载邻氏、傅氏、徐氏、刘向四家说。于《老子》邻氏经传下注云："姓李名耳，邻氏传其学。"亦未著书名及卷数。《史记》老子传曰："著书上下篇，言道德之意，五千余言。"以此最为先见。老子书古本甚多，有六朝唐人写本，有唐宋刻石本，有宋刊本，以及最近出土之马王堆帛书甲乙本。

　　《史记》老子本传：老子者，楚苦县厉乡曲仁里人也。姓李氏，名耳，字聃，周守藏室之史也。孔子适周，将问礼于老子，老子曰："子所言者，其人与骨，皆已朽矣，独其言在耳！且君子，得其时则驾，不得其时，则蓬累而行。吾闻之：良贾深藏若虚，君子盛德，容貌若愚；去子之骄气与多欲，态色与淫志，是皆无益于子之身，吾所以告子，若是而已。"孔子去，谓弟子曰："鸟吾知其能飞,鱼吾知其能游,兽吾知其能走;走者可以为罔,游者可以为纶,飞者可以为矰,至于龙吾不能知其乘风云而上天! 吾今日见老子,其犹龙邪?"老子修道德,其学以自隐无名为务。居周久之,见周之衰,乃遂去。至关,关令尹喜曰:"子将隐矣! 强为我著书。"于是老子乃著书上下篇,言道德之意,五千余言,而去。莫知其所终。或曰:老莱子亦楚人也,著书十五篇,言道家之用,与孔子同时云。盖老子百有六十余岁,或言二百余岁,以其修道而养寿也。自孔子死之后百二十九年,而史记周太史儋见秦献公曰:"始秦与周合,合五百岁而离;离七十岁而霸王者出焉。"或曰儋即老子,或曰非也,世莫知其然否。老子,隐君子也。老子之子名宗,宗为魏将,封于段干。宗子注,注子宫,宫玄孙假,假仕于汉孝文帝。而假之子解,为胶西王卬太傅,因家于齐焉。世之学老子者则绌儒学,儒学亦绌老子,道不同不相为谋,岂谓是邪? 李耳无为自化,清静自正。

《汉书·扬雄传》赞引桓谭语:昔老聃著虚无之言两篇,薄仁义,非礼学,然后世好之者尚以为过于五经。自汉文景之君,及司马迁,皆有是言。

牟子《理惑论》:老子绝圣弃智,修身保真,万物不干其志,天下不易其乐,天下不得臣,诸侯不得友,故可贵也。又曰:夫转蓬漂而车轮成,窊木流而舟楫设,蜘蛛布而罻罗陈,鸟迹见而文字作,故有法成易,无法成难。吾览佛经之要,有三十七品,老氏道经亦三十七篇,故法之焉。

阮籍《通老论》:道者法自然而为化,侯王能守之,万物将自化。《易》谓之"太极",《春秋》谓之"元",《老子》谓之"道"见《太平御览》引。

陆德明《经典释文·叙录》:老子者姓李名耳河上公云名重耳。字伯阳,陈国苦县厉乡人也。《史记》云,字聃,又云曲仁里人,一云陈国相人。生而皓首。刘向《列仙传》云,受学于容成,生于殷时。为周柱下史，《史记》云为周守藏史。或言是老莱子，盖百六十余岁，或言二百余岁，众家皆云先为柱下史，转为守藏史。葛洪云，文王时为主藏史，武王时为柱下史。或云老子在黄帝时为广成子，一云为天老，在尧时为务光子，在殷时为彭祖，在周为柱下史。睹周之衰，乃西出关，周敬王时。为关令尹喜说《道德》二篇。尚虚无无为。刘向云，西过流沙，莫知所终。班固云："道家者清虚以自守，卑弱以自持，此人君南面之术也。"汉文帝窦皇后好黄老言。有河上公者居河之湄，结草为庵，以《老子》教授。文帝徵之不至，自诣河上责之，河上公乃踊身空中，文帝改容谢之，于是作《老子章句》四篇，以授文帝，言治身治国之要。其后谈论者莫不宗尚玄言，唯王辅嗣妙得虚无之旨。今依王本，博采众家，以明同异。

宋濂《诸子辨》：《老子》二卷，《道经》《德经》各一，凡八十一章，五千七百四十八言，周柱下史，李耳撰。耳字伯阳，一字聃。"聃"，耳漫无轮也。或称周平王四十二年，以其书授关尹喜。今按平王四十九年，入春秋，实鲁隐公之元年；孔子则生于襄公二十二年，自入春秋下距孔子之生，已一百七十二年，老聃、孔子所尝问礼者，何其寿欤？岂《史记》所言"老子百有六十余岁"及"或言二百余岁者"果可信欤？聃书所言，大抵敛守退藏，不为物先，而一返于自然。由其所该者甚广，故后世多尊之行之。"视之不见名曰夷，听之不闻名曰希，搏之不得名曰微。"道家祖之。"谷神不死，是谓玄牝，玄牝之门，是谓天地根。"神仙家祖之。"吾不敢为主而为客，不敢进寸而退尺，是谓行无行，攘无臂，仍无敌，执无兵。祸莫大于轻敌，轻敌几丧吾宝，故抗兵相加，哀者胜矣。"兵家祖之。"道冲而用之，或不盈，渊乎似万物之宗。挫其锐，解其纷，和其光，同其尘，湛兮似若存，吾不知谁之子，象帝之先。"庄、列祖之。"将欲翕之，必固张之；将欲弱之，必固强之；将欲废之，必固兴之；将欲夺之，必固与之。"申、韩祖之。"以正治国，以奇用兵，以无事取天下。"张良祖之。"我无为而民自化，我好静而民自正,我无事而民自富,我无欲而民自朴。"曹参祖之。聃亦豪杰士哉! 伤其本之未正,而末流之弊,至贻士君子有"虚玄长而晋室乱"之言,虽聃立言之时,亦不自知其祸若斯之惨也! 呜呼! 此姑置之。道家宗黄老,黄帝书已不传,而老聃亦仅有此五千言。为其徒者,乃弃而不习,反依仿释氏经教以成书。开元所列三洞琼纲,固多亡缺;而祥符《宝文统传》所记,若大洞真,若灵宝洞元,若太上洞神,若太真,若太平,若太清,若正一诸部,总四千三百五十九卷,又多杂以符咒、法箓、丹药、方技之属,皆老氏所不道。米巫祭酒之流,犹自号诸人曰:"吾盖道家,吾盖道家"云。

河上公《老子章句》二卷

存。四库本,道藏本,知上,作四卷。四部丛刊本,四子本,纂图互注五子本六子本,十子本,二十子本,景龙碑本,广明经幢残本,古写本。见日本足利学校《贵重书目录》。

《隋志》:老子《道德经》二卷,周柱下史李耳撰,汉文帝时河上公注;《旧唐志》:《老子》二卷,河上公注;《新唐志》:《老子道德经》二卷,河上公注;《宋志》:河上公《老子道德经注》一卷;《释文·叙录》:《河上公章句》四卷。不详名氏。

王应麟《汉书艺文志考证》:《隋志》:梁有汉长陵三老毋丘望之《注老子》二卷,《汉志》不著录。晁氏公武曰:"以周平王四十二年授关尹喜,凡五千七百四十有八言,八十一章,言道德之旨。其末云,使民复结绳而用之,盖三皇之道也。"东莱吕氏曰:"孔子尝问礼焉,今载于曾子问者,与五千言殊不类;盖告孔子者其所职,著于书者自其所见也。"陆德明《叙录》云:"周敬王时西出关,为关令尹喜说《道德》二篇,尚虚无无为,汉文帝时河上公作《章句》四篇,以授帝,言治国治身之要。"《志》无河上公章句,邻氏傅氏徐氏刘向传说今皆亡。王禹玉曰,今资善堂所写御本,独无章名,章名疑非老氏之意。薛氏曰:"古文老子《道德》上下经,无八十一章

之辨，今文有河上公注分八十一章。"《史记》："乐臣公本师河上
丈人，教安期生，再传至于臣公，其弟子盖公为曹相国师，修黄帝
老子学。"则丈人者乃今所谓河上公也。自晋世已言其教汉文
帝，叙述尤怪诞。景迂晁氏曰："常善救人，故无弃人，常善救物，
故无弃物，独得诸河上公，古本无有也，傅奕能辨之。王弼题曰
《道德经》，不析道德而上下之，犹近古欤？"叶氏曰：老氏之书，其与
孔子异者皆矫世之辞，而所同者皆合于《易》。

邻氏《老子经传》四篇

　　佚。见《汉书·艺文志》，班固自注云："姓李名耳，邻氏传
其学。"

傅氏《老子经说》三十七篇

　　佚。见《汉书·艺文志》，自注云："述老子学。"

徐氏《老子经说》六篇

　　佚。见《汉书·艺文志》，自注云："字少季，临淮人传《老子》。"

刘向《说老子》四篇

　　佚。见《汉书·艺文志》。

毋丘望之《老子注》二卷　《老子指趣》三卷

　　佚。《隋志》注：汉长陵三老毋丘望之《注老子》二卷；《隋
志》：《老子指趣》三卷，毋丘望之撰；《旧唐志》：《老子章句》二
卷，安丘望之撰，《老子道德经指趣》，四卷，安丘望之撰；《新唐
志》：安丘望之《老子章句》二卷，又《道德经指趣》三卷；《释文·
叙录》：毋丘望之《章句》二卷。字仲都，京兆人，汉长陵三老。

　　按：焦竑《国史经籍志》，载毋丘望之《老子注》二卷，《老子
章句》二卷，《老子指趣》三卷，《注》与《章句》系一书，盖焦氏重收
也。又《隋志》注，《释文》叙录。《隋志》皆只载一书而名不同，疑
亦本一书，新旧《唐志》又重收也。谢守灏《老君实录》，谓"安丘
望之本，魏太和中寇谦之得之。"又按《后汉书·耿弇传》："父况，
字侠游，以明经为郎，与王莽从弟伋，共学《老子》于安丘先生。"

章怀注引皇甫谧《高士传》云："望之著《老子章句》，故《老子》有安邱之学。扶风耿况王伋等皆师事之，从受《老子》。"则安邱望之固精于《老子》之学者也。

严遵《老子注》二卷

　　佚。《隋志》注：汉隐士严遵《注老子》二卷；《释文·叙录》：严遵《注》二卷。字君平，蜀都人，汉徵士。又作《老子指归》十四卷。

严遵《老子指归》十三卷

　　残。四库本，道藏本，能上中下。汲古阁本，津逮秘书本，秘册汇函本，学津讨源本，汉魏丛书九十六种本，唐宋丛书本。

　　《隋志》：《老子指归》十一卷，严遵注；《旧唐志》：《老子指归》十四卷，严遵注；《新唐志》：严遵《指归》十四卷；《宋志》：严遵《老子指归》十三卷。

　　晁公武《郡斋读书志》：《老子指归》十三卷。右汉严遵君平撰，谷神子注。其章句颇与诸本不同，如"以曲则全"章末十七字，为后章首之类。按《唐志》有严遵《指归》十四卷，冯廓《指归》十三卷，此本卷数与廓注同，其题谷神子而不显姓名，疑即廓也。

马融《老子注》

　　佚。见《后汉书》马融本传。

　　《后汉书》马融本传：马融字季长，扶风茂陵人也。才高博洽，为世通儒。施养诸生，常有千数。善鼓琴，好吹笛，达生任性，不拘儒者之节。尝欲训左氏《春秋》，及见贾逵郑玄注，乃曰贾君精而不博，郑君博而不精，既精既博，吾何加焉！但著《三传异同说》。注《孝经》、《论语》、《诗》、《易》、三礼、《尚书》、《列女传》、《老子》、《淮南子》、《离骚》，所著赋颂、碑诔、书记、表奏、七言、琴歌、对策、遗令，凡二十一篇。

宋衷《老子注》

　　佚。见陆德明《老子音义》。

刘陶《匡老子》

佚。见《后汉书》刘陶本传。

《后汉书》本传：刘陶字子奇，一名伟，颍川定阴人。为人居简，不修小节。陶明《尚书》、《春秋》，为之训诂，推三家《尚书》及古文，是正文字三百余事，名曰《古文尚书》。拜侍御史。灵帝素闻其名，数引纳之。后疑陶与贼通情，于是收陶下黄门北寺狱，掠按日急，陶自知必死，遂闭气而死。天下莫不痛之。陶著书数十万言，又作《七曜论》、《匡老了》、《反韩非》、《复孟轲》，及上书言当世便事条教赋奏书记辩疑，凡百余篇。

想余《老子注》二卷

佚。见《经典释文·叙录》。

按：《释文·叙录》云："不详何人。一云张鲁，或云刘表。鲁字公旗，沛国丰人，汉镇南将军关内侯。"杜光庭《道德经广圣义疏序》云："《想尔》二卷，三天法师张道陵所注。"殆即指此书，杜氏恐系臆断，说详下。又《旧唐志》有湘《注老子》二卷，盖指此书。

张陵《老子注》

佚。见《弘明集》。

钟繇《老子训》

佚。见《世说新语·言语篇》注。

董遇《老子训注》

佚。见《三国志》注。

张揖《老子注》

佚。见《文选》注引用书目。

虞翻《老子注》二卷

佚。见《隋书·经籍志》注按侯姚《补志》所称《七录》者，即指《隋志注》也。

姚振宗《补三国艺文志》：《吴志》本传："翻又为《老子》、《论语》、《国语》训注，皆传于世。"《释文·叙录》：老子虞翻《注》二卷。

《隋书·经籍志》:梁有虞翻《注老子》二卷,亡。

王弼《老子注》二卷

存。四库本,道藏本,得上。古佚丛书仿唐卷子本,聚珍板丛书本,杭州小聚珍本,江苏小聚珍本,中立四子本六子本,二十二子本,百子本,孙矿老庄合刻本,四部备要本,浙江书局复刻华亭张氏本,浙江图书馆复刻浙局本,闵齐伋刊本,日本明和考订本,日本享保刊本。

《隋志》:《老子道德经》二卷,王弼注;《新唐志》:《老子道德经》二卷,王弼注;《宋志》:王弼《老子注》二卷;《释文》:王弼《注》二卷;《道藏目录》:《道德真经注》四卷,山阳王弼注。

陈振孙《直斋书录解题》:《老子注》二卷,魏王弼撰。魏晋之世,玄学盛行;弼之谈玄,冠于流辈。故其注《易》,亦多玄义。晁说之以道曰:“弼本深于《老子》,而《易》则末也。其于《易》多假诸《老子》之旨,而《老子》无资于《易》,其有余不足之迹,可见矣。”世所行《老子》,分《道德经》为上下卷,此本《道德经》且无章目,当是古本。

王弼《老子略论》一卷

佚。见《郡斋读书志》。

晁公武《郡斋读书志》:《老子略论》一卷。右魏王弼撰。凡十有八章。景迂公:“弼有得于《老子》,而无得于《易》;注《易》资于《老子》,而《老子论》无资于《易》,则其浅深之效可见矣。”

王弼《老子指例略》二卷

佚。见《经典释文·叙录》及两《唐志》。

姚振宗《补三国艺文志》:《魏志》钟会附传注:何劭为弼传曰:弼注《老子》,为之《指略》,致有理统。《释文·叙录》:弼又作《老子指略》一卷。《唐书·经籍志》:《老子指例略》二卷,不著撰人;《艺文志》:王弼《老子指例略》二卷。《宋艺文志》:王弼《道德略归》一卷。

何晏《老子道德论》二卷

　　　佚。见《隋书·经籍志》注。

　　　姚振宗《补三国艺文志》:《世说·文学篇》:"何晏注《老子》未毕,见王弼,自说《注老子》旨,何意多所短,不复得作声,但应诺诺,遂不复注。因作《道德论》。"又曰:"何平叔《注老子》始成,诣王辅嗣,见王注精奇,乃神伏曰:若斯人可与论天人之际矣! 因以所注为《道德》二论。"

何王等《老子杂论》一卷

　　　佚。见《隋书·经籍志》注。

王肃《玄言新记道德》二卷

　　　佚。见《新唐书·艺文志》。

钟会《老子道德经注》二卷

　　　佚。严可均辑,四录堂类集本。按《铁桥漫稿·答徐星伯同年书》:钟会等《注老子》一卷,可均辑,未刊。

荀融《老子义》

　　　佚。见《三国志》注。

范望《老子注训》二卷

　　　佚。见《经典释文·叙录》。

葛仙公《老子序次》一卷

　　　佚。见《隋书·经籍志》注。

　　　侯康《补三国艺文志》:葛仙公《老子道德经序诀》二卷。名玄,吴时学道得仙。玄事见《晋书·葛洪传》及《抱朴子》。《初学记》卷二十三引《道德经序诀》曰:"周时复托神李母剖左腋而生,生即皓然,号曰老子。"《御览》卷六百六十七,引《道德经序诀》曰:"尹喜知紫气西迈,斋戒,想见道真,及老子度关授二篇经义。"《玉海·艺文》引葛玄序:"老子西游天下,关令尹喜曰,大道将隐乎? 愿为我著书;于是作《道德》二篇,五千文,上下经。"《史记·老子传》索隐引葛玄曰:"李氏女所生,因母姓也。"又云:"生而指李树，因为姓焉。"

羊祜《老子道德经解释》二卷

　　佚。《隋志》注：《老子道德经》二卷，晋太傅羊祜解释；《旧唐志》：《老子》二卷，羊祜注，《老子解释》四卷，羊祜撰；《新唐志》：羊祜《注》二卷，又《解释》四卷；《释文》：羊祜《解释》四卷。字叔子，泰山平阳人。晋太傅，卸平成侯。

王伦《老子例略》

　　佚。见《世说新语·排调篇》注。

阮籍《通老论》

　　佚。见《太平御览》引用书目。

郭璞《老子注》

　　佚。见《文选》注引用书目。

　　文廷式《补晋书艺文志》：《文选·上林赋》注："张揖曰：此三字疑衍。郭璞《老子经注》曰，虚无寥廓，与元通灵，言其所乘气之高，故能出飞鸟之上，而与神俱者也。"按此条亦不似《注老子》，今姑存其目，俟考。

蜀才《老子道德经注》二卷

　　佚。《隋志》注：《老子道德经》二卷，蜀才注；《旧唐志》：《老子》二卷，蜀才注；《新唐志》：蜀才《注老子》二卷；《释文·叙录》：蜀才《注》二卷。

　　按：《释文·易类》："蜀才《注》十卷。《七录》云，不详何人。《七志》云，是王弼后人。"案：蜀李书云："姓范名长生，一名贤，隐青城山，自号蜀才。李雄以为丞相。"

佛图澄《老子注》二卷

　　佚。见杜光庭《道德经广圣义序》。

张凭《老子道德经注》二卷

　　佚。《隋志》注：《老子道德经》二卷，张凭注；《旧唐志》：《老子》二卷，张凭注；《新唐志》：张凭《注》二卷；《释文》：张凭

《注》二卷。

李轨《老子音》一卷

　　佚。《隋志》注:《老子音》一卷,李轨撰;《新唐志》:李轨《老子音》一卷;《日本国见在书目》:《老子音》　卷,李轨撰。

邓粲《老子注》

　　佚。见《晋书》本传。

戴逵《老子音》一卷

　　佚。《隋志》注:晋散骑常侍戴逵选;《释文·叙录》:戴逵《音》一卷。字安道,谯国人,晋散骑常侍,太子中庶子,徵不就。

刘黄老《老子注》

　　佚。见《晋书》刘隗附传。

　　《晋书》刘隗附传:邵族子黄老,太元中为尚书郎。有义学,注《慎子》、《老子》,并传于世。

鸠摩罗什《老子注》二卷

　　佚。《旧唐志》:《老子》二卷,鸠摩罗什注;《新唐志》:鸠摩罗什《注》二卷。

孙登《老子注》二卷

　　佚。《隋志》注:《老子道德经》二卷,晋尚书郎孙登注;《旧唐志》:《老子》二卷,孙登注;《新唐志》:孙登《注老子》二卷;《释文·叙录》:孙登《集注》二卷。字仲山,太原中都人,东晋尚书郎。

孙登《老子音》一卷

　　佚。见《隋书·经籍志》。

王尚《老子述》二卷

　　佚。《隋志》注:《老子经》二卷,东晋江州刺史王尚述注;《旧唐志》:《老子》二卷,王尚注;《新唐志》:王尚《注》二卷;《释文·叙录》:王尚《述》二卷。字君曾,琅邪人,东晋江州刺史,封杜忠侯。

程韶《老子集解》二卷

　　佚。《隋志》注:《老子》二卷,晋郎中程韶集解;《旧唐志》:

《老子》二卷,程韶集注;《新唐志》:程韶《集注》二卷;《释文·叙录》:程韶《集解》二卷。钜鹿人,东晋郎中关内侯。

袁真《老子道德经注》二卷

佚。《隋志》注:《老子道德经》二卷,晋西中郎将袁真注;《旧唐志》:《老子》二卷,袁真注;《新唐志》:袁真《注》二卷;《释文·叙录》:袁真《注》二卷。字彦仁,陈郡人。东晋西中郎将,豫州刺史。

裴处恩《老子注》二卷

佚。见张君相《三十家老子注》。

张嗣《老子道德经注》二卷

佚。《隋志》注:《老子道德经》二卷,张嗣注;《释文·叙录》:张嗣《注》二卷。

巨生《张子道德经解》二卷

佚。《隋志》注:《老子道德经》二卷,巨生解;《释文·叙录》:巨生《内解》二卷。不详何人。

邯郸氏《老子注》二卷

佚。《隋志》注:《老子》二卷,邯郸氏注;《释文·叙录》:邯郸氏《注》二卷。不详何人。

常氏《老子注》二卷。

佚。《隋志》注:《老子》二卷,常氏传;《释文·叙录》:常氏《注》二卷。不详何人。

盈氏《老子注》二卷

佚。《隋志》注:《老子》二卷,盈氏注;《释文·叙录》:盈氏《注》二卷。

僧义盈《老子注》二卷

佚。《旧唐志》:《老子》二卷,释义盈注;《新唐志》:义盈《注》二卷。

僧肇《老子注》四卷

佚。见杜光庭《广圣义序》。

　　按:《广圣义序》:"沙门僧肇晋时人,《注》四卷。"金赵秉文《道德真经集解》内,尚存其说。

刘遗民《老子玄谱》一卷

　　佚。《隋志》注:《老子玄谱》一卷,晋柴桑令刘遗民撰;《旧唐志》:《老子玄谱》一卷,刘道人撰;《新唐志》:刘遗民《玄谱》一卷,刘道人《老子玄谱》一卷;《释文·叙录》:刘遗民《玄谱》一卷。字遗民,彭城人。东晋柴桑令。

　　《陶渊明集》有《和刘柴桑诗》,陶注引《莲社高贤传》云:"刘程之字仲思,彭城人,汉楚元王之后。少孤,事母以孝闻。谢安刘裕嘉其贤,相荐之,皆力辞。裕以其不屈,乃旌其门曰遗民。"

玄景先生《老子道德经简要义》五卷

　　佚。见《旧唐书·经籍志》。

释彗观《老子义疏》一卷

　　佚。见《隋志》注。

　　按:严可均《全宋文编》:"彗观俗姓崔,清河人。初咨彗远,北访罗什。元嘉中,终京师道场寺。"

释惠琳《老子道德经注》二卷

　　佚。《隋志》注:《老子道德经》二卷,释慧琳注;《新唐志》:僧慧琳《注》二卷;《释义·叙录》:释慧琳《注》二卷。

　　按:严可均《全宋文编》:"慧琳本姓刘,秦郡秦县人,出家住冶城寺。元嘉中,朝廷大事皆与之议。有《孝经注》一卷,《庄子·逍遥篇注》一卷,《集》九卷。"

释慧严《老子注》二卷

　　佚。《隋志》注:《老子道德经》二卷,释惠严注;《旧唐志》:《老子》二卷,释惠严注;《新唐志》:释慧严《注》二卷;《释文·叙录》:释慧严《注》一卷。陈留人,本姓范,宋世沙门。

王玄载《老子道德经注》二卷

　　佚。《隋志》注:《老子道德经》二卷,王玄载注;《释文·叙录》:王玄载《注》二卷。

顾欢《老子义纲》一卷　《老子义疏》一卷

　　　　佚。《隋志》:《老子义纲》一卷,顾欢撰,《老子义疏》一卷,顾
欢撰;《旧唐志》:《老子道德经义疏》四卷,顾欢撰;《新唐志》:顾
欢《道德经义疏》四卷,又《义疏治纲》一卷;《释文·叙录》:顾欢
《堂诰》四卷。一作《老子义疏》。

沈麟士《老子要略》

　　　　佚。见《南齐书》沈麟士本传。

祖冲之《老庄义释》

　　　　佚。见《南齐书》祖冲之本传。

梁武帝《老子讲疏》六卷　《老子义疏理纲》一卷

　　　　佚。《隋志》:《老子讲疏》六卷,梁武帝撰;《旧唐志》:《老子
义疏理纲》一卷,《老子讲疏》六卷,梁武帝撰;《新唐志》:梁武帝
《讲疏》四卷,又《讲疏》六卷;《日本国见存书目》:《老子义疏》八
卷,梁武帝撰。

贺玚《老子讲疏》

　　　　佚。见《梁书·贺玚传》。

陶弘景《老子注》四卷

　　　　佚。《旧唐志》:《老子注》四卷,陶弘景注;《新唐志》:陶弘景
《注》四卷。

庾曼倩《庄老义疏》

　　　　佚。见《梁书》庾诜附传。

梁简文帝《老子义》二十卷

　　　　佚。见《梁书·简文帝本纪》。

梁简文帝《老子私记》十卷

　　　　佚。《隋志》注:《老子私》十卷,梁简文帝撰;《旧唐志》:《老
子私记》十卷,梁简文帝撰。按《释文·叙录》:"近世有梁武帝父
子及周弘正讲疏",则简文帝似尚有讲疏。但所谓《老子义》《私

讲疏》等,恐系一书而异名。

梁元帝《老子讲疏》四卷

　　　　佚。见《玉海·艺术》。

张系天《老子注》

　　　　佚。

陆先生《老子注》

　　　　佚。并见敦煌新出《义疏》。

孟安排《老子注》二卷

　　　　佚。《隋志》注:《老子注》二卷,孟氏注;《释文·叙录》:《孟子
　　　注》二卷。或云孟康,康字公休,安平广宗人。魏中书监,广陵
　　　亭侯。

孟智周《老子义疏》五卷

　　　　残?敦煌新出唐写本,古籍残丛本。

　　　　《隋志》:《老子义疏》五卷,孟智周私记;《旧唐志》:《老子义
　　　疏》四卷,孟智周撰;《新唐志》:孟智周《义疏》五卷。

窦路《老子注》四卷

　　　　佚。见杜光庭《道德经广圣义序》。

　　　　按:《广圣义序》:"梁道士窦路《略注》四卷,与武帝罗什所宗
　　　无异。"

臧玄静《老子疏》四卷

　　　　佚。见杜光庭《道德经广圣义序》。

韩壮《老子玄示》一卷

　　　　佚。《隋志》注:《老子玄示》一卷,韩壮撰;《旧唐志》:《义子
　　　玄旨》八卷,韩庄撰;《新唐志》:韩庄《玄旨》八卷。

　　　　按:《文选》注引用书目有韩庄《解老子》。

宗塞《老子玄机》三卷

　　　　佚。见《隋书·经籍志》注。

山琼《老子幽义》五卷　《老子志》一卷

　　　　佚。见《隋书·经籍志》注。

卢光《道德经章句》

  佚。见《北史》卢同附传。

刘仁会《老子注》二卷

  佚。见杜光庭《道德经广圣义序》。

周文帝《老子注》二卷　《老子义疏》四卷

  佚。见《日本国见存书目》。

卢景裕《老子道德经传》二卷

  佚。见《隋书·经籍志》。

  按:《魏书》本传:"卢景裕字仲孺,小字白头,范阳涿人也。注《周易》、《尚书》、《孝经》、《论语》、《礼记》、《老子》,其《毛诗》、《春秋左氏》未讫。"

梁旷《老子注》四卷　《道经品》四卷

  佚。《隋志》:《老子》四卷,梁旷注,《老子道德经品》四卷,梁旷注;《新唐志》:梁旷《道德经品》四卷。

卢景裕梁旷等《老子注》二卷

  佚。见《新唐书·艺文志》。

杜弼《老子道德经注》二卷

  佚。见《北齐书》杜弼本传。

周弘正《老子疏》五卷

  佚。见《陈书》周弘正本传。

  《陈书》本传:周弘正字思行,汝南安城人。十岁通《老子》、《周易》。弘正特善玄言,兼明释典,虽硕学名僧,莫不请质疑滞。太建六年,卒于宫,时年七十九,谥曰简子。所著《周易讲疏》十六卷,《论语疏》十一卷,《庄子疏》八卷,《老子疏》五卷,《孝经疏》两卷,《集》二十卷,行于世。

诸糅《老子玄览》六卷

  佚。见杜光庭《道德经广圣义疏序》。

  按:杜序:"陈道士诸糅,作《玄览》六卷。"又张君相《集解》有褚糅,当是一人。疑作褚糅是。

张讥《老子义》十一卷

　　　佚。见《陈书》张讥本传。

陈湨《老子庄子义》

　　　佚。见《隋书》张照附传。

韦录《老子义疏》四卷

　　　佚。见《隋书·经籍志》作韦处玄。

　　　按：杜光庭《广圣义疏序》："法师韦录,字处玄,注兼义四
卷。"

李播《老子注》二卷

　　　佚。见《新唐书·艺文志》。

　　　按：杜光庭《广圣义疏序》："隋道士李播,注上下二卷。"又
《唐书·方技传》："李淳风,岐州雍人,父播,仕隋高唐尉。弃官为
道士,号黄冠子,以论撰自见。"

刘仲融《老子道德经》二卷

　　　佚。《隋志》：《老子道德经》二卷,刘仲融注；《新唐志》：刘仲
融《注》二卷。

戴诜《老子义疏》九卷

　　　佚。《隋志》：《老子义疏》九卷,戴诜撰；《新唐志》：戴诜《义
疏》六卷。

无名氏《老子章门》一卷

　　　佚。《隋志》：《老子章门》一卷；《旧唐志》：《老子章门》一卷；
《新唐志》：《章门》一卷。

无名氏《老子节解》二卷

　　　佚。《隋志》：《老子节解》二卷；《旧唐志》：《老子节解》二卷；
《新唐志》：《节解》二卷；《释文·叙录》：《节解》二卷。不详作者。
或云老子所作,一云河上公作。

刘进喜《老子通诸论》一卷

　　　　佚。见《新唐书·艺文志》。

刘进喜《老子疏》六卷

　　　　佚。见杜光庭《广圣义疏序》。

　　按:《旧唐书·陆德明传》:"时徐文远讲《孝经》,沙门惠乘讲《波若经》,道士刘进喜讲《老子》。"

陆德明《老子疏》十五卷

　　　　佚。见《新唐书·艺文志》。

陆德明《老子音义》二卷

　　　　佚。《经典释文》本。

　　按:《释文·叙录》云:"唯王辅嗣妙得虚无之旨。今依王本,博采众家,以明同异。"

颜师古《玄言新记明老部》五卷

　　　　残。唐写本。

魏徵《老子要义》五卷

　　　　佚。见杜光庭《广圣义疏序》。

　　按:吕知常《进道德经讲义表》:"魏徵相唐,作嵩山之《正义》",当指此书。

傅奕《老子注》二卷

　　　　佚。《旧唐志》:《老子》二卷,傅奕注;《新唐志》:傅奕《注老子》二卷;焦竑《国史志》:傅奕《注老子》二卷。

傅奕《校定古本老子》二卷

　　　　存。道藏本。

　　按:晁以道跋《老子》王弼注本:"常善救人,故无弃人;常善救物,故无弃物,独得诸河上公,而古本无有也,懒傅奕能辩之";又谢守灏《老君实录》:"《道德经》,唐傅奕考核众本,勘数其字"云云,盖均指此书。

傅奕《老子音义》二卷

　　　　佚。《新唐志》:傅奕《老子音义》;《宋志》:傅奕《道德经音义》二卷。

按:《新唐书》傅奕本传:"傅奕,相州邺人。贞观十三年卒。注《老子》,并集魏晋以来与佛议驳者,为《高识篇》。"又《旧唐书》本传:"注《老子》,并撰《音义》。"

成玄英《老子注》二卷　《道德经开题序诀义疏》七卷

佚。《旧唐志》:《老子》二卷,成玄英注;《新唐志》:道士成玄英《注老子道德经》二卷,又《开题序诀义疏》七卷;《宋志》:成玄英《道德经开题序诀义疏》七卷,焦竑《国史经籍志》:成玄英《注老子》二卷,《道德经开题序诀义疏》七卷,成玄英。

李荣《老子道德经注》二卷

佚。见《宋史·艺文志》。

贾大隐《老子述义》十卷

佚。《旧唐志》:《老子述义》十卷,贾大隐撰;《新唐志》:贾大隐《老子述义》十卷;《日本国见存书目》:《老子述义》十卷,贾大隐撰。

辟闾仁谞《老子注》二卷

佚。《旧唐志》:《老子》二卷,辟闾仁谞注;《新唐志》:辟闾仁谞《注老子》二卷。圣历司博士。

按:《唐书·张齐贤传》,辟闾仁谞武后时为太常博士。

孙思邈《老子注》

佚。见《新唐书·艺文志》。

杨上善《老子道德经注》二卷　《老子道德指略论》二卷

佚。《旧唐志》:《老子道德经指略论》二卷,杨上善撰;《新唐志》:杨上善《注老子道德经》二卷,又《老子指略论》二卷。太子文学。

宋文明《老子义泉》五卷

佚。

车惠弼《老子疏》七卷

佚。并见张居相《集解》,杜光庭《广圣义疏序》。

张君相《三十家老子注》八卷

存。道藏本,分上中下。嘉业堂丛书本。均误题顾欢著。《宋志》:《老子道德经三十家注》六卷。唐道士张君相集解;《日本国见存书目》:《老子疏》四卷,张君相撰;焦竑《国史经籍志》:《道德经三十家注》八十卷,张君相。

晁公武《郡斋读书志》:《三十家注老子》八卷。右唐蜀郡岷山道士张君相,集河上公、严遵、王弼、郭象、钟会、孙登、羊祜、罗什、卢裕、刘仁会、顾欢、陶隐居、松灵仙人、斐处恩、杜弼、节解、张凭、张嗣、臧元静、大孟、小孟、窦略、宋文明、褚糅、刘进喜、蔡子晃、成玄英、车惠弼等注;君相称三十家而列其名止二十有九,盖君相自以为一家言,并数之尔。君相不知何时人,而谓成玄英为皇朝道士,则唐天宝后人也。以"绝学无忧"一句,附"绝圣弃知"章末,以"唯之与阿",别为一章,与诸本不同。

卢藏用《老子注》二卷

佚。《新唐志》:卢藏用《注老子》二卷;《国史志》:卢藏用《注老子》二卷。

按:《唐书》本传:"卢藏用字子潜,幽州范阳人。长安中召授左拾遗。能属文,善蓍龟九宫术,工草隶大小篆八分,善琴弈。"

尹知章《老子注》

佚。见《新唐书·艺文志》。

按:《唐书·儒学传》:"尹知章绛州翼城人。于《易》、《老》、《庄》书尤悬解。所注传颇多行于时。"

冯朝隐《老子注》

佚。见《新唐书·艺文志》

按:《唐书·儒学传》:"长乐冯朝隐,能推索老庄秘义。终太子右谕德。"

陈廷玉《老子疏》

佚。见《新唐书·艺文志》。云："开元二十年上，授校书郎。"
邢南和《老子注》

佚。见《新唐书·艺文志》。云："开元二十一年上。"
唐明皇《道德经注》二卷

存。道藏本，男下。作四卷。开元二十六年易州龙兴观御注碑本，开元二十七年邢州龙兴观碑本。

《新唐志》：玄宗《注道德经》二卷；《宋志》：唐玄宗《注老子道德经》二卷，有序；《崇文总目》：《道德经》二卷，唐明皇注。

《自序》：昔在元圣，强著玄言，权舆真宗，启迪来裔。遗文故在，精义颇乖，撮而指归，虽蜀严而犹病，摘其章句，自河公而或略，其余浸微，固不足数，则我玄元妙旨，岂其将坠！朕诚寡薄，常感斯文，猥承有后之庆，恐失无为之理，每因清宴，辄叩玄关，随所意得，遂为笺注。岂成一家之说，但备遗阙之文，今兹绝笔，是询于众：公卿臣庶，道释二门，有能起予类于卜商，补疾同于左氏，渴于纳善，朕所虚怀，苟副斯言，必加厚赏。且如谀臣自圣，幸非此流，悬市相矜，亦云小道，既其不讳，咸可直言，勿为来者所哂，以重朕之不德。

《墨林快事》：唐玄宗注《道德经》，诸文士共成之。又是时占注俱存，有古哲之源流，而无后人之穿凿，五千言中得者十九。即本文未经浊乱，其辞既简奥，而义反精深，其为老聃之家嗣也，无可疑矣！于是遍诸区夏，多有刻石，而兹易水，独传苏灵芝之笔，他书易中多有，而不及此石之善。
唐明皇《道德真经疏》十卷

存。道藏本效上下。

《新唐志》：玄宗《道德经疏》八卷；《宋志》：唐玄宗《道德经音疏》六卷；《日本国见存书目》：《老子疏》六卷，玄宗御制；《崇文总目》：《道德经疏》六卷，唐玄宗撰；《结一庐书目》：《道德真经疏》十卷，唐玄宗明皇帝撰。

《白云霁道藏目录详注》:唐玄宗《御制道德真经疏》,卷一之十内分章逐句解言,穷理尽性,闭缘息想,处实行权,坐忘遗照,捐事无为,理身国理之论。

唐明皇《道德真经疏》四卷

　　　存。道藏本。男下。

　　　按:此书不见《道藏目录》,诸史志亦未收;惟《天一阁见存书目》云:"《道德真经疏》十卷,唐玄宗撰,又一部四卷,与十卷本迥异",当即此书。

李含光《老子学记》一卷　《老子义略》一卷

　　　佚。见《新唐书·艺文志》。

　　　按:《新唐志》云:"道士李含光《老子》、《庄子》、《周易》学记三卷,又《义略》三卷。含光扬州江都人,本姓弘,避孝敬皇帝讳改焉。天宝间人。"

尹愔《老子新义》十五卷

　　　佚。见杜光庭《广圣义序》。

　　　按:《唐书·儒学传》:"尹愔秦州天水人。博学,尤通《老子》。初为道士,玄宗尚玄言,有荐愔者,诏对,喜甚,厚礼之。开元末卒,赠左散骑常侍。"

吴善经《道德经注》二卷

　　　佚。见《新唐书·艺文志》。云"贞元中人"。

吴善经《道德经小解》二卷

　　　佚。高似孙《子略》:吴善经《小解》二卷;《通志·艺文略》:吴善经《小解》二卷。

王真《道德论兵要义》四卷

　　　存。道藏本,下器。指海本。

　　　阮元《四库未收书提要》:《道德经论兵要义》四卷,唐王真撰。案:真此书独取《道德经》所论兵战之要,撷拾元微。本上下二卷,后更分为四卷,与郑樵《通志》所载卷数合。元和间进之于朝,唐宪宗尝手诏褒美之,具载篇首。《老子道德经》五千言,备举大道至德修身理国之要,数十章后,乃言及于用兵,其旨微,其言博,自河上公为之训释后,若严氏指归,开元注释,固已发蕴指微,而真所著《要义》,独于论兵之法,经悉言之。夫真以朝议郎出领汉州军事,久列戎行,而考其谈兵意指,顾深求乎老子之说。唐人之书不多是宜录也存。莫存艺邸亭知见传本书目略同。

李约《老子道德经新注》四卷

> 诸藏本。熊上。

> 《宋志》:李约《老子道德经注》四卷;《国史志》:李约《道德经新注》四卷;《天一阁见存书目》:《道德真经新注》四卷,李约撰;秘书省续编《四库阙书目》:李约《注老子道德经》四卷。

> 彭耜《道德真经集注杂说》:唐兵部郎李约,勉之子也。注《道德经》四卷,其说谓世传此书为神仙虚无言,不知六经乃黄老之枝叶尔。

陆希声《道德经传》四卷

> 存。道藏本,必上。指海本。

> 《新唐志》:陆希声《道德经传》四卷;《宋志》:陆氏《道德经传》四卷;《崇文总目》:《道德经传》四卷,唐陆希声撰。

> 阮元《四库未收书提要》:《道德真经集传》四卷,唐陆希声撰。案:希声吴郡人,景融四世孙。《唐书》本传,称其善属文,通《春秋》、《易》、《老子》,论著甚多,此书见于《唐书·艺文志》,卷帙相符。赵希弁《读书附志》、陈振孙《书录解题》皆不著录,凡储藏家亦皆无之。唯见于《道藏》"必"字号。明白云霁《道藏目录详注》,称其"以事理元会通变机宜,探至精之迹,可谓神解",其称许如此。今考此书,发明老氏之旨,条达曲邑,视宋人之援老入佛者大不侔矣。唐人遗书传世日少,今从《道藏》校录,卷帙完善,洵可宝也。

杨上器《太上玄元皇帝道德注》二卷

佚。见《旧唐书·经籍志》。

陈嗣古《老子注》二卷

　　佚。《旧唐志》:《老子》二卷,陈嗣古注;《新唐志》:陈嗣古
《注》二卷。

树钟山《老子注》二卷

　　佚。《旧唐志》:《老子》二卷,树钟山注;《新唐志》:树钟山
《注》二卷。

李允愿《老子注》二卷

　　佚。《旧唐志》:《老子》二卷,李允愿注;《新唐志》:李允愿
《注》二卷。

冯廓《老子指归》十三卷

　　佚。《旧唐志》:《老子指归》十三卷,冯廓撰;《新唐志》:冯廓
《老子指归》十三卷。

谷神子《注诸家道德经疏》二卷

　　佚。见《宋史·艺文志》。

白履忠《老子注》

　　佚。见《新唐书·艺文志》。

符少明《道德经谱》二卷

　　佚。杜光庭《广圣义序》:道士符少明作《道谱荣》二卷;《宋
志》:符少明《道德经谱》二卷;《国史志》:《道德经谱》二卷,道士
符少明。

刘应真《道德经解意》

　　佚。见《浙江通志》。

　　按:《浙江通志》云:见《括苍汇纪》。

　　又按:杨上器以下九家,不详其年代。除谷神子、刘应真、
符少明外,均见两《唐志》,故次于唐末。

胡超《老子义疏》十卷

　　佚。

安丘《老子指归》五卷
　　　　佚。
尹文操《老子简要义》五卷。
　　　　佚。
王玄辩《河上公释义》十卷
　　　　佚。
徐邈《老子注》四卷
　　　　佚。
何思远《老子指趣》二卷　《老子玄示》八卷
　　　　佚。
赵坚《老子讲疏》六卷
　　　　佚。
贾至《道德经述义》十一卷
　　　　佚。
黎元兴《老子注义》四卷
　　　　佚。
任太玄《老子注》二卷
　　　　佚。
申甫《道德经疏》五卷
　　　　佚。
龚法师《老子集解》四卷
　　　　佚。并见杜光庭《广圣义序》。
张慧超《老子志玄疏》四卷
　　　　佚。见杜光庭《广圣义序》。
　　　　按：《宋史·艺文志》有张惠超《道德经志玄疏》三卷,当即张
　　慧超。
张思齐《道德真经玄德纂疏》二十卷
　　　　存。道藏本。使上至覆上。

白云霁《道藏目录详注》:《道德真经玄德纂疏》,卷一之二十。唐玄宗御注并疏,河上公、严君平、李荣注,西华法师、成玄英疏,蒙阳强思齐纂。言明道无为,显德有用,以道德二字为一部之关键也。

杜光庭《道德经广圣义疏》五十卷

存,道藏本。羔上至行下。

《宋志》:杜光庭《道德经广圣义疏》三十卷;《崇文总目》:《道德经广圣义》三十卷,唐杜光庭撰;《国史志》:《道德经广圣义》三十卷,唐杜光庭;《道藏目录》:《道德真经广圣义》卷一之五十,唐广成子杜光庭述;《万卷堂书目》:《道德真经广圣义》五十卷,杜光庭。

丁丙《善本书室藏书志》:《道德真经广圣义》五十卷,明钞道藏本。唐广成先生杜光庭述。前有天复元年九月十六日序,云:老君降迹行教,远近有四:历劫禀形,随方演化,即千二百号,百八十名,散在诸经,可得征验;其二,自五太之首,逮殷周之前,为帝王师,代代应见;其三,以商阳甲之代,降神寓胎,武丁之年,诞生于亳,周昭王癸丑年,以经授关尹,世得而闻;其四,将化流沙,与尹喜期会于西蜀青羊之肆,示现降生,即昭王丁巳年也。此经自函关所授累代诠疏笺注六十余家,均有详目。后学披卷,多曹本源,采撷众书,研寻篇轴,随有比况,咸得备书,纂成《广圣义》五十卷。《道藏目录》云:内述太上事迹,氏族,降生年代,叙经大义,解疏序,引释御注序,释题明道德义。《天一阁书目》著录此书,白纸蓝格,或即其散出之遗。

乔讽《道德经疏义节解》二卷

佚。宋乔讽《道德经疏义节解》二卷;《国史志》:《道德经疏义节解》四卷,蜀,乔讽。

徐铉《三家老子音义》一卷

佚。见《玉海·艺文》。

僧文傀《道德经疏义》一卷

　　　佚。见《宋史·艺文志》。

司马光《道德论述要》二卷

　　　存。道藏本,得上。刊本。

　　　晁公武《郡斋读书志》:温公《道德论述要》二卷,右皇朝司马
光撰。谓道德连体,不可偏举,故废《道经》、《德经》之名,而曰
《道德论》。《墓志》载其目。"无,名天地之始;有,名万物之母。
常无,欲以观其妙;常有,欲以观其徼。"皆于"无"与"有"下断句,
不与先儒同。

张说《老子注》

　　　佚。见王云《老子注》自序。

吕大临《老子注》二卷

　　　佚。《文献通考·经籍考》:吕氏《老子注》二卷;《国史志》:吕
大临《注老子》二卷。

邓御夫《老子注》

　　　佚。见《鸡肋集》。

吕惠卿《老子注》二卷

　　　存。道藏本。必下。

　　　《文献通考·经籍考》:吕惠卿《注》二卷;《国史志》:吕惠卿
《注老子》二卷;《道藏目录》:《道德真经传》卷一之四,吕惠卿撰。

王安石《老子注》二卷

　　　佚。《通考·经籍考》:王介甫《注》二卷;《国史志》:王安石
《注老子》二卷。

　　　晁公武《郡斋读书志》:右皇朝王安石介甫注。介甫平生最
喜《老子》,故解释最所致意。首章皆断"无""有"作一读,与温公
同。后其子雱,及其徒吕惠卿、陆佃、刘仲平,皆有《老子注》。

王雱《老子注》二卷

　　　佚? 按道藏本《道德真经集注》梁回后序云:"参其四说,河上

公、王弼、唐明皇、王雱。无复加损,刊集以行于时。"则王书固尚存也。

　　《通考·经籍考》:王雱《注》二卷;《国史志》:王雱《注老子》二卷。

陆佃《老子注》二卷

　　佚。《通考·经籍考》:陆佃《注》二卷;《国史志》:陆佃《注老子》二卷。

刘槩《老子注》二卷

　　佚。《通考·经籍考》:刘仲平《注》二卷;《国史志》:刘仲平《注老子》二卷。

刘泾《老子注》二卷

　　佚。见晁公武《郡斋读书志》。

　　晁公武《郡斋读书志》:刘巨济《注老子》二卷。右皇朝刘泾巨济注。泾蜀人,笃志于学,文辞奇伟,早登苏子瞻之门,晚受知于蔡京,除太学博士。

张氏《道德真经集注》十卷

　　存。道藏本。靡上至恃上。

　　白云霁《道藏目录详注》:《道德真经集注》卷一之十,唐明皇撰序,左仙公葛玄序;唐明皇、河上公、王弼、王雱四家集注。

蒋之奇《老子解》二卷　《老子系辞解》二卷

　　佚。见《宋史·艺文志》。

陈象古《道德真经解》二卷

　　存。道藏本。知下。

宋徽宗《老子注》二卷

　　存。道藏本才下。作四卷。

　　《宋志》:徽宗《老子解》一卷;《通考·经籍考》:《御注老子》二卷;《国史志》:宋徽宗《注老子》二卷。

江徵《道德真经疏义》十四卷

　　　　存。道藏本。莫忘两号。

　　　　白云霁《道藏目录详注》：《道德真经疏义》卷一之七。宋徽宗
注，太学生江徵疏。内逐句解，以庄易文理参证。

章安宋徽宗《道德真经解义》十卷

　　　　存。道藏本。良上中下。

贾青夷《老子义疏》四卷

　　　　佚。高似孙《子略》：贾青夷《义疏》四卷；《国史志》：《老子
疏》四卷，贾青夷撰；秘书省续编《四库阙书目》：贾青夷《道德经
手疏》四卷。

陈鼻《解老子》

　　　　佚。见刘惟永《道德真经集义》诸家姓氏。

　　　　按：高似孙《子略》有陈枭，当即陈鼻，疑作"枭"是。

李畋《老子音解》一卷《通志》作二卷。

　　　　佚。《遂初堂书目》：李畋《老子音解》；《通志·艺文略》：李畋
《老子音解》二卷；焦竑《国史志》：《老子音解》一卷，李畋。

毛大可《解老子》

　　　　佚。见《遂初堂书目》。

　　　　按《中国人名大辞典》有毛友，字达可，不知即大可否？

王懋才《老子解》

　　　　佚。见《遂初堂书目》。

苏辙《老子注》二卷

　　　　存。四库本，道藏本，得下，作四卷。明刊本，宝颜堂秘笈本，
两苏经解本，金陵刻经处刊本。

　　　　《宋志》：苏辙《老子道德经义》二卷；《通考·经籍考》：苏子由
《注老子》二卷；《国史志》：苏子由《注道德经》四卷。

　　　　晁公武《郡斋读书志》：苏子由《注老子》二卷，右皇朝苏辙子
由注。子由谪官筠州，颇与学浮屠者游，而有所得焉，于是解《老
子》。尝曰："《中庸》云：喜怒哀乐未发谓之中，发而皆中节谓之

和,致中和,天地位焉,万物育焉,此盖佛法也。六祖谓不思善,不思恶,则喜怒哀乐之未发也。盖中者,佛法之异名,而和者,六度万行之总目,致中极和,而天地万物生于其间,非佛法何以当之? 天下无二道,而所以治人则异,古之圣人,中心行道,而不毁世法以此耳,故解老子,亦时有与佛法合者。”其自序云耳。其解,是谓袭明以为释氏《传灯》之类。

陈振孙《直斋书录解题》:《老子新解》二卷,苏辙撰。东坡跋曰:“使战国有此书则,无商鞅韩非;使汉初有此书,则孔老为一,使晋宋间有此书,则佛老不为二。”

张耒《道德经义》

佚。见焦竑《老子翼》采摭书目。

詹秋圃《老子解》

佚。见刘惟永《道德真经集义》诸家姓氏,云:“宋儒林,讳节,号漫叟,作解。”

廖粹然《老子解》

佚。见刘惟永《道德真经集义》诸家姓氏,云:“号希夷大师,作解。”

陈景元《道德经注》二卷

佚。见《宋史·艺文志》。

陈景元《道德真经藏室纂微篇》十卷

存。道藏本。欲上至难上。

邵若愚《道德真经直解》四卷

存。道藏本改下。

《国史志》:本来子《道德经直解》四卷;《绿竹堂书目》:《老子》邵若愚直解一册;《天一阁现存书目》:《道德真经真解》四卷,宋邵若愚撰。

吴沆《老子解》四卷

佚。见《江西通志》。

叶梦得《老子解》二卷

　　　佚。叶德辉辑木。宣统辛亥叶氏家刻本。

刘骥《老子通论语》二卷

　　　佚。见《宋史·艺文志》。

赵实庵《老子解》

　　　佚。见刘惟永《道德真经集义》诸家姓氏。

　　　按：刘惟永《集义》诸家姓氏云："赵实庵冲真宝元大师，浮
　　山玉虚观住持，赐紫子明举，讳道升，绍兴壬申作解。"

王志然《老子解》

　　　佚。见刘惟永《道德真经集义》诸家姓氏，云："王志然，号见
　　独大师，乾道己丑作解。"

程大昌《易老通言》十卷

　　　佚。《宋志》：程大昌《易老通言》十卷；《国史志》：《易老通
　　言》十卷，程大昌。

员兴宗《老子解略》一卷

　　　存。在《九华集》内。

晁公武《老子通述》二卷

　　　佚。见《宋史·艺文志》。

　　　按：《郡斋读书志》，《老子道德经》下，似即此书序文。谓
　　"因以诸家本，参校其不同者近二百字，互有得失，乙者五字，注
　　者五十五字，涂者三十八字，其间徽宗御注，最异诸本"云。

黄茂材《老子解》

　　　佚。见刘惟永《道德真经集义》诸家姓氏云："黄茂材宋知荆
　　州军事，淳熙甲午作解。"

吕知常《道德经讲义》十二卷

　　　存。京师图书馆藏明刊本。

　　　《宋志》：吕知常《老子讲义》十二卷；《也是园书目》：吕知常
　　《道德经讲义》十二卷；《述古堂书目》：吕知常《道德讲义》十二

卷,二本,抄;《天一阁见存书目》:《道德经讲义》十二卷,宋吕知常撰;《万卷堂书目》:《道德经讲义》十二卷,吕知常。

刘师立《老子节解》

　　佚。见焦竑《老子翼》采摭书目,云:"真静子,绍熙间造。"

葛长庚《道德宝章》一卷

　　存。四库本,汇秘笈本,明刊本,光绪八年白云观影刊赵孟頫写本。

　　钱曾《读书敏求记》:白玉蟾《道德宝章》一卷。序称赵孟頫爱其言,不类诸家,手书以传。予观所注,皆修炼之言,存于道家可耳。

　　周中孚《郑堂读书记》:《道德宝章》一卷,汇秘笈本。宋葛长庚撰。长庚字白叟,别号白玉蟾,闽清人。为道士,居武夷山,嘉定间徵赴阙下,封紫清真人。《四库全书》著录,倪氏《宋志补》作《老子道德经宝章》。是书离章析句,稍加笺注,有类禅偈。盖佛老本同源而异派,白叟并为一解,欲读者于言外领取其旨耳。前有明陆树声跋,及万历癸未适园居士二跋,而不著名氏,或即与眉公同校此书之秀水陈诗教云。

葛长庚《道德经指玄篇》八卷

　　佚。见《千顷堂书目》。

曹道冲《老子注》二卷

　　佚。见焦竑《国史经籍志》。

　　按:彭耜《宋解经姓氏》云"道真仁静先生曹道冲,字希蕴,女道士。世号曹仙姑,赐号清虚文逸大师道真仁静先生。"

彭耜《道德真经集注》十八卷

　　存。道藏本,忄中至长上。道藏辑要本。

　　《国史志》:《道德经集注》十八卷,彭耜纂;《天一阁见存书目》:《道德真经集注》十八卷,宋彭耜纂。

彭耜《道德真经集注释文》一卷

　　存。道藏本,长下。真意堂丛书本,经学丛书本。

谢图南《道德经注》

　　　　佚。见刘惟永《道德真经集义》诸家姓氏。

李荣《道德真经义解》四卷

　　　　存。道藏本,丝上下。道宗六书本。

　　　　丁丙《善本书室藏书志》:《道德真经义解》四卷,明刊道藏本。
息斋道人解。《道藏目录》入洞神部,作《义解》四卷,注云:"九天
观道士息斋李荣注。深达窈妙,出入无有。"荣宁嘉谋,宋叫人,
行事无所考。《道藏》收其著述,亦潜心道笈之羽士也。其解顺
文衍义,明白晓畅,为读王弼注之阶梯。

李荣《道德真经》四卷

　　　　存。道藏本,丝下。道宗六书本。

董思靖《道德经集解》四卷

　　　　存。道藏本,短中下。十万卷楼丛书本。作二卷。

　　　　《国史志》:董思靖《道德经集解》四卷;《万卷堂书目》:《道德
真经解》四卷,董思靖。

　　　　白云霁《道藏目录详注》:《道德真经集解》卷一之四,董思靖。
引诸家句解,并太上史略。

林希逸《老子口义》二卷

　　　　存。道藏本,彼上。作四卷。鬳斋三子口义本。

　　　　《国史志》:林希逸《老子口义》四卷;《述古堂藏书目》:《老子
林鬳斋口义》二卷;《绿竹堂书目》:《老子林希逸口义》一册。

　　　　丁丙《善本书室藏书志》:《老子鬳斋口义》二卷,明刊本。鬳
斋林希逸。前有鬳斋自撰《发题》一篇。希逸字肃翁,福清人,官
至中书舍人。鬳斋者其居室也。书以"口义"者,谓其不为文,杂
俚俗而直述之也。《四库》与列子同未著录。

张冲应《老子解》

　　　　佚。

张灵运《老子或问》

　　佚。并见刘惟永《道德真经集义》诸家姓氏云："张冲应玉清
上相，讳明道，宝祐癸丑造解；张灵应讳亚宋，封神文圣武孝德忠
仁王，造《或问》。"又按范应元《古本集注》引有张冲应说。

徐君约《道德经解事》

　　佚。见刘惟永《道德真经集义》诸家姓氏，云："宋鄂州诸军
料院，讳权，景定壬戌解事一章。"

李若愚《道德真经注》一卷

　　佚。见《宋史·艺文志》

范应元《老子道德经古本集注》二卷

　　存。傅沅叔先生藏宋刊本，续古逸丛书影印本。

褚伯秀《老子解》

　　佚。见刘惟永《道德真经集义》诸家姓氏，云："古杭道士，作
解。"

吕皓《老子支离解》

　　佚。见《敬乡录》。

　　按：余未见《敬乡录》；傅沅叔先生云："《老子支离解》，宋永
康吕皓子旸撰，见《敬乡录》。"

赵至坚《道德真经疏义》六卷

　　残。道藏本。悲下。原缺卷一之三。

　　《宋志》：赵至坚《道德经疏》三卷；《国史志》：赵至坚《老子
疏》四卷；《天一阁见存书目》：《道德真经疏义》六卷，赵至坚撰，
存卷四，五，六。

陆修静《老子道德经杂说》一卷

　　未见。《宋志》：陆修静《老子道德经杂说》一卷；《国史志》：
《道德经杂说》一卷，陆修静；秘书省续编《四库阙书目》：陆修静
撰《道德经杂说》一卷。

陈焕《老子释言》

　　　佚。见《江西通志》。
谢守灏《老子解》一卷
　　　佚。见万历《温州府志》。
熊方《道德经注》二卷
　　　佚。见《江西通志》。
赵令穆《老子道德经解》二卷
　　　佚。
王顾《老子道德经疏》四卷
　　　佚。
尹先牛《老子道德经内节解》二卷
　　　佚。并见《宋史·艺文志》。
龚士卨《老子句解》
　　　佚。见《绿竹堂书目》。
刘辰翁《老子道德经评点》
　　　存。刘须溪批点九种本。
雷思齐《老子本义》
　　　佚。见钱大昕《补元史艺文志》。
　　按：思齐有《易图通变》、《易筮通变》二书，《四库》著录。
《提要》云：思齐字齐贤，临川人。宋亡之后，弃儒服，为道士，居
乌石观，后终于广信。事迹具袁桷所撰《墓志铭》。是编前有揭
系斯序，称所著有《老子本义》、《庄子旨义》数十卷云云。
张庆之《老子注》
　　　佚。见钱大昕《补元史艺文志》。
　　按：《苏州府志》："庆之字子善。出入经史百氏，绝意什进，
好为山水游。著《虎丘赋》，因号海峰野逸。仿五柳先生作《海峰
遗民传》，以伯夷蒋诩陶潜司空图自况。"兹亦用提要之意，列于
宋末。
时雍《道德经全解》二卷

　　　存。道藏本。罔中下。

　　　白云霁《道藏目录详注》:《道德经全解》,二卷。毫社时雍逍
遥解,言阴阳理焉。

李霖《道德经取善集》十二卷

　　　存。道藏本。墨上至悲中。

寇才质《道德经四子古道集解》十卷

　　　存。道藏本,过上中下。道藏辑要本。

　　　白云霁《道藏目录详注》:《道德真经四子古道集解》,卷一之
十。古襄寇才质集,其解多以《南华》、《通玄》二经理会。

赵秉文《道德经真经集解》四卷

　　　存。道藏本,罔上中。小万卷楼丛书本。

王守正《道德真经衍义手钞》二十卷

　　　残。道藏本。量上至墨上,原阙卷一卷二。

　　　白云霁《道藏目录详注》:五峰清安逸士王守正集;序称重阳
宫主玄学师,盖守正号清安逸士,曾为重阳宫主玄学师也。

休休庵《老子解》

　　　佚。见刘惟永《道德真经集义》诸家姓氏云:"休休庵号蒙山
绝牧叟,名德异,至元戊寅作解。"

牛妙传《老子或问》

　　　佚。见刘惟永《集义》诸家姓氏,云:"牛妙传通真大师,前成
都万寿宫知官提学,号澄明子。至元庚辰作或问。"

喻清中《道德经集义》

　　　佚。见刘惟永《集义》诸家姓氏,云:"至元乙酉作解。"

杨智仁《老子解》

　　　佚。见刘惟永《集义》诸家姓氏,云:"杨智仁号无物子,至元
丁亥作解。"

李纯甫《老子集解》

　　　佚。见《金史》本传。

刘处玄《道德经注》

　　　　佚。见《山东通志》。

　　　　按：《山东通志》云："见《海上七真人传》。"又《四库提要》有
　　"《阴符经注》一卷，金刘处元撰。处元即王重阳七弟子之一也。"

胥八虚《老子解》

　　　　佚。见刘惟永《集义》诸家姓氏，云："胥六虚讳元一，号六虚
　　散人。至元辛卯作解。"

李是从《老子解》

　　　　佚。见刘惟永《集义》诸家姓氏，云："李是从特赐纯粹先生
　　号谷神子，造解。元贞乙未刻本。"

薛致玄《道德真经藏室纂微开题科文疏钞》五卷

　　　　存。道藏本。难上下。

薛致玄《道德真经藏室纂微手钞》二卷

　　　　存。道藏本。难下。上卷原阙。

　　　　按：刘惟永《集义》诸家姓氏云："薛庸斋讳玄，大元河南路
　　提学，作解。"当即薛致玄。

刘惟永《道德真经集义》十七卷

　　　　存。道藏本。染中至赞下。

　　　　白云霁《道藏目录详注》：《道德真经集义》，卷一之十七。刘
　　惟永、丁易东编集各家解义。

　　　　按：书首题"凝远大师常德路玄妙观提点观事刘惟永编集，
　　前朝奉大夫太府寺主簿兼枢密院编修丁易东校正。"又按以上诸
　　序，并见《道德真经集义》大旨卷三，当即此书序跋，故移置于此，
　　并依旧题为大旨序跋云。

邓锜《道德经三解》四卷

　　　　存。道藏本。改上中。

李道纯《道德会元》二卷

　　　　存。道藏本。谈上。

李道纯《道德经注解》三卷

　　佚。见《万堂卷书目》。

杜道坚《道德经原旨》四卷

　　存。道藏本。彼中。

　　白云霁《道藏目录详注》:《原旨》序详切而渊博也。《发挥》十二章。前六章述皇帝王迫道德功力之叙,后六章述太上降生西游之略,总之不外理炁象数。有大德十年道坚自序,及弟子句章任士林后序。此帙棉纸蓝格,尤属明钞,当是甬东范氏遗籍。

杜道坚《玄经原旨发挥》二卷

　　存。道藏本。彼下。

　　白云霁《道藏目录详注》:《玄经原旨发挥》,二卷。杜道坚述。《原旨发挥》十有二章:前六章述皇帝王伯道德力功之叙,后六章述太上降生西游之略,总之不外理炁象理。

刘庄孙《老子发微》

　　佚。见《清容居士集》。

　　按:袁桷《刘隐君墓志铭》:"天台刘君正仲,讳庄孙,喜著书,能以词藻达幽隐。为《论语章指》、《老子发微》、《楚辞补注音释深衣考》。"

吴澄《道德经注》四卷

　　存。四库本,道藏本,短上中。道藏辑要本,嘉庆年刊本,粤雅堂丛书本,百子本。

　　按:澄字幼清,号草庐,临川人,宋咸淳末举进士,不第,入元以荐擢翰林,应奉文字,官至翰林学士,卒谥文正。是书《四库提要》已著录。考草庐为元代钜儒,众经皆有纂撰,事迹具《元史》本传。

赡思《老庄精诣》

　　佚。见《元史》本传。

张嗣成《道德真经章句训颂》二卷

存。道藏本,谈上。道藏辑要本。

吕与之《老子讲义》

　　佚。见袁桷《清容居士集》。

李衎《老子解》二卷

　　佚。见钱大昕《补元史艺文志》。

　　按：衎字仲宾,号息斋,蓟邱人。皇庆元年为吏部尚书,拜
　　集贤殿大学士。谥文简。见《中国人名大辞典》。

王珏《道德经注》《道德经还原奥旨》

　　佚。见钱大昕《补元史艺文志》。

　　按《苏州府志人物志》："王珏字君璋,号中阳老人。尝以材
　　异辟同知辰州,不起;隐于虞山。澄心观道,善鼓琴,工画,意趣
　　幽远。"

林志坚《道德真经注》二卷

　　存。道藏本,丝上。元刊本。

　　白云霁《道藏目录详注》:《道德真经注》,二卷。玄门开真弘教大
　　真人广陵仁斋林志坚注,以本经解本经。

许剑道人《占老子》二卷

　　未见。见《四库书目存目》。

　　按：缪荃孙《艺风堂金石文字目》,有"古文道经,高翻篆书,
　　末有翻自记,亦篆书;李道谦跋,分书。至元辛卯立。在陕西盩
　　厔楼观"。则此碑尚存,当即此书所本。

陈岳《老子注》

　　佚。见钱大昕《补元史艺文志》,云:"字甫中,天台人,自称
　　委羽山人。"

高节诚《老子臆疏判言》

　　佚。

杨犟《道德经注》

　　佚。并见《江西通志》。

　　按：陈岳以下三人，不详年代。

明太祖《道德经注》二卷

　　存。道藏本，男上。作四卷。

　　《明志》：太祖《注道德经》二卷；《万卷堂书目》：《道德经注解》二卷，御制；《佳趣堂书目》：大明太祖高皇帝《御注道德经》二卷。内府旧抄，携李曹侍郎藏本。

　　白云霁《道藏目录详注》：大明太祖高皇师《御制道德真经》，卷一之四。此解以修齐治平为法。首序云："惟知斯经，乃万物之至根，王者之上师，臣民之宝极，非金丹之术也"；盖太祖乃万世圣君，亦尊崇道德如此。

　　《千顷堂书目》：帝以诸家之注，各有异见，因自为注，以发其义。洪武七年成。

朱升《老子旁注》

　　佚。见《千顷堂书目》。

河心山《老子注》

　　佚。见《道德真经集义序》。

　　按：危大有《道德真经集义序》："于是将河上公及河心山等十余家注解，取其训释详明，理长义同而不牵强者，集成一部。"

危大有《道德真经集义》十卷

　　存。道藏本。天一阁见存书目作六卷。

　　白云霁《道藏目录详注》：《道德真经集义》，卷一之十。盱江危大有集。《集义》以无为自然为体，以和冲默契为用；内而葆炼存养，外而清靖临民。

黄润玉《道德集解》二卷

　　未见。见《明史·艺文志》。

　　按：《明史》本传："黄润玉字孟清，鄞人。永乐十八年举顺天乡试，授建昌府学训导。正统初，诏推举提学官。以杨士奇荐，擢广西佥事。母忧，归；起官湖广，论罢，谪含山知县。以年老归。学者称南山先生。"

郑瓛《道德经正确》

　　　未见。见《千顷堂书目》,云:"字温卿,兰溪人。成化庚戌进士,官通判。"

无名氏《道德真经解》二卷

　　　存。道藏本。谈下。

无名氏《道德真经次解》二卷

　　　存。道藏本。冈下。

黄省曾《老子玉略》

　　　佚。见《千顷堂书目》。

万表《道德经赘言》一卷

　　　佚。见《丁顷堂书日》。

　　按:表字民望,鄞县人,正德末武进士,见《提要》。

王道《老子亿》二卷

　　　存。明刊本。

李先芳《老子本义》一卷

　　　佚。见《千顷堂书日》。

　　按:先芳字伯承,号北山,监利人。嘉靖丁未进士。见《提要》。

薛蕙《老子集解》二卷　《考异》一卷

　　　存。惜阴轩丛书本。

　　《明志》:薛蕙《老子集解》二卷;《天一阁见存书目》:《老子集解》一卷,《考异》一卷,薛蕙撰;《述古堂书目》:薛蕙《老子集解》二卷;《万卷堂书目》:《老子集解》二卷,薛蕙。

玉樵《老子解》

　　　佚。见《千顷堂书目》。

　　按:樵字明逸,号方麓,金坛人。嘉靖进士,卒谥恭简。见《明史》本传。

皇甫濂《道德经辑解》三卷

      佚。见《明史·艺文志》。

      按:《明史·文苑传》:"濂字子约。初授工部主事,母丧除起故官,典惜薪厂。"

张时彻《老子解》一卷

      佚。见《千顷堂书目》。

      按:时彻字维静,号东沙,鄞人,嘉靖进士。见《明史》张邦奇附传。

陈嘉谟《老子疏述》一卷

      佚。见《千顷堂书目》。

      按:嘉谟字世显,号蒙山,庐陵人,嘉靖进士。与王时槐阐明良知之说,有《念初堂集》。

曾如春《道德经解》一卷

      佚。见《千顷堂书目》。

      按:如春字景默,抚州人,嘉靖进士。

贺沚《道德经集注》

      佚。见《江西通志》。

      按:沚字汝定,庐州人,隆庆庚午举人,官至苏州府同知,见《提要》。

黄洪宪《老子解》

      佚。见《千顷堂书目》。

      按:洪宪字懋中,秀水人,隆庆辛未进士,官至少詹事,掌翰林院事。尝奉使朝鲜,有《朝鲜国纪》一卷,见《提要》。

郭子章《老子解》一卷

      佚。见《千顷堂书目》。

      按:子章字相奎,号青螺,又自号曰蠙衣生,泰和人。隆庆辛未进士,官至兵部尚书,见《提要》。

陆长庚《老子玄览》二卷

存。方壶外史本。

按：《丛书举要·方壶外史》下注云："明淮南参学小臣陆西星长庚谨测。隆庆年刊，昆丘外史赵采汉序。"

张位《道德经解》一卷

佚。见《千顷堂书目》。

按：《宋史》张位本传·"字明成，浙建人，隆庆进士。"

李贽《老子解》二卷

存。明刊本，李氏丛书本。

《自序》：尝读韩非《解老》，未始不为非惜也！以非之才，而卒见杀于秦，安在其为善解老也，是岂无为之谓哉？夫彼以柔弱，而此以坚强；此勇于敢，而彼勇于不敢，已方圆冰炭若矣，而谓道德申韩宗祖，可欤？苏子瞻求而不得，乃强为之说，曰："老子之学，重于无为，而轻于治天下国家，是以仁不足爱，而礼不足敬，韩非氏得其所以轻天下之术，遂至残忍刻薄而无疑"，呜呼！审若是，则不可以治天下国家者也！老子之学，果如是夫？老子者非能治之而不治，乃不治以治之者也。故善爱其身者不治身，善爱天下者不治天下，凡古圣王所谓仁义礼乐者，皆非所以治之也，而况一切刑名法术欤？故其著书专言道德，而不言仁义。以仁虽无为，而不免有为；义则为之而有以为又甚矣！是故其为道也：以虚为常，以因为纲，以善下不争为百谷之王，以好战为乐余人，以用兵为不得已，以胜为不美，以退为进，以败为功，以祸为祸，以得为失，以无知为知，以无欲为欲，以无名为名，孰谓无为不足以治天下乎？世固未知无为之有益也！然则韩氏曷为爱之？曰：顺而达者帝王之政也，逆而能忍者黄老之术也。顺而达，则以不忍之心行不忍之政，是故顺事恕施，而后四达不御，其效非可以旦夕责也；逆而能忍者，不见可欲是也。是故无政不达，而亦无心可推，无民不安，而亦无贤可尚，如是而已矣。此至易至简之道，而一切急功利者之所尚也。而一切功利者欲效之而不得，是故不忍于无欲，而忍于好杀；不以忍己，而以忍人，不忍于忍，而忍于不忍，学者不察遂其原，从而曰："道德之祸，其后为申韩也如此夫！"道德之后为申韩固矣，独不曰，仁义之后，其祸为篡弑乎？古今学术亦多矣，一再传而遂失之，其害不可胜言者岂少哉，独老子乎？由此观之：则谓申韩原道德之意，亦奚不可！予性刚使气，患在坚强而不能自克也，喜读韩非之书，又不敢再以道德之流生祸也。而非以道德故，故深有味于道德而为之解，并序其所以语道德者，以自省焉。见焦竑《老子翼》附录。

焦竑《老子翼》三卷　《考异》一卷

　　　　存。四库本，老庄翼合刻本，金陵丛书本，浙西村舍刻本，光绪三十一年。郭氏重刻本，改题《老子元翼》。万历刊本，成都铅印本，日本刊六卷本。

　　　　《四库书目提要》：《老子翼》三卷，《老子考异》一卷浙江巡抚采进本。明焦竑撰。竑有《易筌》，已著录。是编辑韩非以下解《老子》者六十四家，而附以竑之笔乘，共成六十五家。各采其精语，裒为一书。其首尾完具自成章段者，仿李鼎祚《周易集解》之例，各标举姓名，列本章之后；其音义训诂，但取一字一句者，则仿裴骃《史记集解》之例，联贯其文，缀本章末句之下。上下篇各为一卷，《附录》及《考异》共为一卷。不立《道经》、《德经》之名，亦不妄署篇名，体例特为近古。所采诸说，大抵取诸《道藏》，多非世所常行之本。竑之去取，亦特精审，大旨主于阐发元言，务明清净自然之理，如葛长庚等之参以道家炉火，禅学机锋者，虽列其名，率屏不录。于诸家注中，为博赡而有理致。盖竑于二氏之学，本深于儒学，故其说儒理者多涉悠谬，说二氏之理者，转具有别裁云。

释德清《道德经解》二卷

　　　　存。明刊本，金陵刻经处刊本，民国八年广州刻本。

　　　　《自序》：予少喜读《老》、《庄》，苦不解义，惟所领会处，想见其精神命脉，故略得离言之旨。及搜诸家注释，则多以己意为文，若与之角，则义愈晦。及熟玩庄语，则于老恍有得焉。因谓注乃人人之老庄，非老庄之老庄也。以老文简古而旨幽玄，则庄实为之注疏。苟能悬解，则思过半矣。空山禅暇，细玩沈思，言有会心，即托之笔；必得义遗言，因言以见义，或经句而得一语，或经年而得一章，始于东海，以至南粤，自壬辰以至丙午，周十五年乃能卒业。是知古人立言之不易也！以文太简，故不厌贯通，要非枝也。尝谓儒宗尧舜，以名为教，故宗丁仁义；老宗轩黄，道重无为，如云失道德而后仁义，此立言之本也。故庄之诽薄，殊非大言，以超俗之论则骇俗，故为放而不收也，当仲尼问礼，则叹为犹龙。圣不自圣，岂无谓哉？故老以无用为大用，苟以之经世，则化理治平，如指诸掌。尤以无为为宗极，性命为真修，即远世遗荣，殆非矫矫，苟得其要，则真妄之途，云泥自别。所谓真以治身，绪余以为天下国家，信非诬矣！或曰：子之禅贵忘言，乃哓哓于世谛，何所取大耶？予曰：不然！鸦鸣鹊噪，咸自天机，蚁聚蜂游，都归神理，是则何语非禅？何法非道？况释智忘怀之谈，讵非入禅初地了？且禅以我蔽，故破我以证禅，老则先登矣。若夫玩世蜉蝣，尤当以此为乐土矣。注成，始刻于岭南，重刻于五云南岳与金陵，今则再刻于吴门。以尚之者众，故施不厌普矣。

　　丁丙《善本书室藏书志》：《老子道德经解》二卷，明刊本。明建邺憨山道者释德清著。前有《老子传》及《发明宗旨》、《发明趣向》、《发明工夫》、《发明体用》、《发明归趣》五篇，以佛证道，俱得元解。末有版存玉溪菩提寺本记。

王一清《太上道德经释辞》二卷

　　存。道藏辑要本。

程以宁《太上道德宝章翼》二卷

　　存。道藏辑要本。

张正学《道德经测言》

　　　　未见。见《千顷堂书目》。

沈一贯《老子通》二卷《千顷堂书目》云，一作《道德经解》。

　　　　存。明万历刊本。

林兆恩《道德经释略》六卷

　　　　存。明刊本。

田艺衡《老子指玄》二卷

　　　　佚。见《明史·艺文志》。

马应龙《道德经注解》二卷

　　　　佚。见《千顷堂书目》，云："字伯光，安丘人，万历壬辰进士，
礼部主事。"

潘基庆《老庄解》

　　　　佚。见《千顷堂书目》。

吴伯与《老庄因然》八卷

　　　　佚。见《千顷堂书目》。

陶望龄《老子解》二卷

　　　　存。江南图书馆藏明刊本。

李登《老子约筌》二卷

　　　　佚。见《千顷堂书目》。

李登《篆文道德经》二卷

　　　　存。明刊本。见《八千卷楼书目》。

郑圭《老子》一卷

　　　　佚。见《千顷堂书目》。

徐学谟《老子解》二卷

　　　　存。明刊本。

董懋策《老子翼评点》

　　　　存。董氏丛书本

归起先《老庄略》二卷

佚。见《千顷堂书目》。

归有光、文震孟《道德经评注》二卷

存。汉魏丛书本。十子全书本。

《自序》：五味辛甘不同，期于适口；麻丝凉燠不同，期适于体；学术见闻不同，要于适治。今夫天下所以不治者，贪残奢傲，吏不能皆良，民不能皆让，以及于乱；诚使不贪矣，不残矣，慈俭而让矣，天下岂有不贪不残，慈俭而让，乃有不治者乎？今夫儒者高仁义，老氏不言仁义而未尝不用仁义；儒者蹈礼法，老氏不言礼法而未尝不用礼法，以懦弱谦下为表，以虚空不毁万物为实。见素抱朴，少私寡欲，而民自化焉。故其言曰："我有三宝：特而行之，曰慈，曰俭，曰不敢为天下先。"慈非仁乎，俭非义乎，不敢为天下先，非礼乎。故用世之学，莫深于老氏。今儒者不务自治，而虚名之幻，内贪残而外仁义，处奢傲而治礼文，此乃忠信之薄，而乱之首也，而老氏之所下也。

周如砥《道德经集义》二卷

存。明刊本。

《山东通志·艺文略》：是书《县志》作《道德经注》，《墓志》作《集义》。《采访册》云：《县志》误。《册》又载傅冠序云："孔孟善存其文，老聃善存其质，先生善转法轮。"

朱得之《老子通义》二卷

存。三子通义本。

朱孟尝《道德经说奥》二卷

未见。见《四库书目存目》。

龚锡爵《老子疏略》一卷

佚。见《明史·艺文志》。

疏光岳《老子解说》

佚。见《江西通志》。

按：光岳字山仲，号三谷，江西新城人。进士，官兵部职方

司员外郎,推升吏部,卒。光岳善草书,有《石波馆集》、《老子解
说》。

傅占衡《老子私笺》

　　　　佚。见《江西通志》。

　　　　按:占衡字平叔,临川人。明诸生。性淡泊,耻事徵逐,明
亡,奉父山中,谢绝一切。有《汉书摭言》、《编年国策》、《临川
记》、《湘帆堂集》。

印散玄《老子尺木会旨》二卷

　　　　存。京师图书馆善本书室藏钞本。

邵弁《老子汇注》

　　　　佚,见《千顷堂书目》。

吴伯敬《老子台悬》一卷

　　　　佚。

吴德明《老子真诠》一卷

　　　　佚。

诸万里《解老悟道编》二卷

　　　　佚。

吴汝纪《老子疏略》二卷

　　　　佚。

钟纪元《道德要览》

　　　　佚。并见《千顷堂书目》。

袁一轧《老庄辑注》

　　　　佚。见《苏州府志·艺文志》。

周士窦《道德经注疏》

　　　　佚。见《江西通志》。

袁崇友《老子注》

　　　　未见。见《广东通志》。

　　　　按:朱得之以下诸家,并不详年代。

王夫之《老子衍》二卷

　　存。船山遗书本。

　　《自序》：昔之注《老子》者，代有殊宗，家传异说。迄土辅嗣、何平叔合之于乾坤易简，鸠摩罗什、梁武帝滥之于事理因果，则支补牵会，其诬久矣。迄陆希声、苏子繇、董思靖，及近代焦竑、李贽之流，益引禅宗，互为缀合，取彼所谓教外别传者以相糅杂，是犹闽人见霜而疑雨，洛人闻食蟹而剥蝃蝀也。老子之言曰："载营魄抱一无离，大道汜兮，其可左右，冲气以为和"，是既老之自释矣；庄子曰："为善无近名，为恶无近刑，缘督以为经"，是又庄之为老释矣。舍其显释，而强儒以合道则诬儒，强道以合释则诬道，彼将驱世教以殉其背尘合识之旨，而为蛊来兹，岂有既与？夫之覃其诐者久之，乃废诸家，以衍其意。盖入其垒，袭其辎，暴其恃，而见其瑕矣；见其瑕而后道可使复也，夫其所谓瑕者何也？天下之言道者，激俗而故反之则不公，偶见而乐持之则不经，凿慧而数扬之不祥，三者之失，老子兼之矣。故于圣道所谓文之礼乐，以律中和之极者，未足以与其深也。虽然世移道丧，覆败接武，守文而流伪，窃味几而为祸，先治天下者生事扰民以自敝，取天下者力竭智尽而敝其民，使测老子之几，以俟其自复，则有瘳也。文景踵起，而迄升平，张子房、孙仲和，异尚而远危，殆用是物也。较之释氏之荒远苛酷，究于离披缠棘，轻物理于一掷，而仅取欢于光怪者，岂不贤乎？司马迁曰："老聃无为自化，清净自正"，近之矣！若"犹龙"之叹，云出仲尼之徒者，吾何取焉！岁在旃蒙协洽壮月己未，南岳王夫之序。

清世祖《御注道德经》二卷

　　存。四库全书本，刊本。

　　《四库书目提要》：《御注道德经》二卷，顺治十三年世祖章皇帝御撰。《老子》载《汉书·艺文志》，而不载其有注，《隋书·经籍志》以下，注其书者著录日繁。焦竑《老子翼》，作于明万历中，所采尚六十四家,竑所未见者,不知凡几;竑以后之所注,又不知凡几也。盖儒书如培荣卫之药,其性中和,可以常饵;《老子》如清解烦热之剂,其性偏胜,当其对证,亦复有功,与他子书之偏驳悠谬者异,故论述者不绝焉。然诸家旧注,多各以私见揣摩,或参以神怪之谈,或傅以虚无之理,或歧而解以丹法,或引而参诸兵谋,群言淆乱,转无所折衷;惟我世祖章皇帝此注,皆即寻常日用,亲切阐明。使读者销争竞而反淳朴,为独超于诸解之上。盖圣人之道大,兼收并蓄,凡一家之书,皆不没所长;圣人之化神,因事制宜,凡一言之善,必旁资其用,固非拘墟之士,所能仰窥涯涘矣。

张尔岐《老子说略》二卷

存。四库全书本,刊本。

《四库书目提要》:《老子说略》二卷,编修周永年家藏本。国朝张尔岐撰。尔岐有《仪礼郑注句读》,已著录。《道德经》解者甚多,往往缴绕穿凿,自生障碍。尔岐是编,独屏除一切,略为疏通大意。

汪缙《读道德经私记》二卷

未见。见《四库书目存目》。

黄元御《道德经悬解》二卷

未见,见《四库书目存目》。

唐琯《老子注》二卷

存。雍正五年刊本。见省立第二图书馆书目续编。

胡与高《道德经编注》二卷

存。乾隆戊辰云水楼刊本。

徐大椿《道德经注》二卷

存。四库全书本,乾隆廿五年刻本。

金道果《道德宝章翼》

存。江南图书馆藏钞本。

未斋《老子新解》

　　　未见。序见钱大昕《潜揅堂文集》。

牟庭绎《老子道德经释文》

　　　未刊。雪泥屋遗书本。

　　　《山东通志》府志载是书云："其书以《老子章句》文字多舛
错，据他书引用者证明之。大抵谓本书皆韵语，即其合韵者断以
为章，而博考古文音韵以为依据，虽不尽合，亦多证佐。至道可
道之可，宜读为何，却走马为粪句，宜连下读，亦有义意。"

花尚《道德经眼》二卷

　　　存。刊本

　　　见《八千卷楼书目》。按：《培林堂书目》亦收是书，惟不著
卷数。

王定柱《道德经臆注》二卷

　　　存。刊本。见《八千卷楼书目》。

黄文运《道德经订注》

　　　未见。序见王昶《湖海文传》。

吴鼐《老子解》二卷

　　　存。昭代丛书本。

严可均《老子唐本考异》一卷

　　　存。在《续语堂碑录》内。

毕沅《老子道德经考异》二卷

　　　存。经训堂丛书本。

姚鼐《老子章义》二卷

　　　存。惜抱轩全集本，吕氏刊本。

　　　吴启昌序：《老子》分章，世率依河上公注本。河上公注，实
流俗妄书，托于神仙之作，唐刘知几已辨之矣。世俗不察，狠守
其本，于章句误合误分者，皆缴绕穿凿，迁其辞以曲就之，虽高识
如苏子由、王介甫者，皆不免焉，是可怪矣。若夫老子之说，故间

与儒通,及释氏入中国,遂窃取焉。而世之异学杂家,多附之矣。要之老子之书,自有本义,彼偶同窃附者,卒不可以为老子。世不察,而专以儒释解其书,甚者附以言兵,言刑,仙解形化之术,是见其一而忘其全,睹其末流而反遗其根本也,可乎哉?吾师桐城姚姬传先生,尝读而病之,遂取旧本,断续离合,分为数十章,正河上公之失。其或本义未明,旧解舛误,则别注数言数十言于下方。盖自六朝至今,解老者甚众,自有此本,然后分章当而析义精,老子著书之意,大略可知矣。启昌曩尝假其书,钞录而伏诵之,叹其美而不敢私也,遂刊以公同好者。先生旧有《章义序》一篇,又尝杂书数条于简首;其"杂书首"一条,与序后意略相同,盖即为序而未成者耳。今并载之。至于老子本之同异,旧凡十余家,陆德家《释文》及彭耜《集注》释文,具有专书,先生为书时,未尝备载,而间列数字于下方,今亦姑仍之,不欲改其旧云,嘉庆二十三年春二二月门人吴启昌谨序。

纪大奎《老子约说》上中下续四篇

存。纪慎斋全集本。

朱敦毅《老子道德经参互》二卷

存。见浙江公立图书馆保存类续目,云:"稿本有红勘藕华庄,朱玉泉印,泉玉富贵寿康诸印。"

倪元坦《道德经参注》二卷

存。读易楼全刻本,醒吾书全本。

魏源《老子本义》二卷

存。避舍盖公堂刊本,渐西村舍丛刊本。

潘静观《道德经妙门约》

存。见马叙伦《老子核诂》引用书目。

俞樾《老子平议》一卷

存。春在堂全集本,诸子平议单行本。

高延第《老子证义》二卷

存。光绪十二年刊本,老庄正义合刻本。

陆心源《道德真经指归校补》三卷

存。潜园群书校补本。

易顺鼎《读老札记》二卷　《补遗》一卷

存。清光绪甲申宝瓠斋刊本。

王闿运《老子注》二卷

未见。序见《国朝文汇》。

陈澧《老子注》

存。闻陈援庵先生云:“同乡某氏,藏陈氏手稿本。”

易佩绅《老子解》二卷

存。光绪壬辰湖北臬署大字铅印本。

杨文会《道德经发隐》一卷

存。清光绪癸卯金陵刻经处刻本。

《自序》:憨山清禅师,解《道德经》,历十五年方成,虽与焦弱
侯同时,而弱侯未之见也。故其辑《老子翼》,阙憨山解,诚为憾
事。弱侯所采凡六十四家。后之解者,更有多种,故经中奥义,
发挥殆尽矣。予阅《道德经》,至“出生入死”一章,见各家注解,
无一合者,遂以佛教义释之,似觉出人意表。复益二章,继《阴
符》发隐梓之,或问孔子既称老子为“犹龙”,何以其书不入塾课
耶? 答曰:汉唐以来,人皆以道家目之,不知其真俗圆融,实有
裨于世道人心;若与《论语》并行,家传户诵,则士民之风,当为之
一变也。光绪癸卯,季春之月,石埭杨文会识于白下深柳堂。

严复《老子道德经评点》二卷

存。光绪三十一年日本东京朱墨印本。

刘师培《老子斠补》二卷

未刊。序见《国学丛刊》。

刘师培《老子韵表》一卷

未刊。序见《国学丛刊》。

马其昶《老子故》二卷

      存。秋浦周氏刊本。

李蘉《读老浅疏》二卷

      存。春晖丛书本。

杨树达《老子古义》二卷

      存。中华书局仿宋聚珍印本。

罗振玉《老子考异》二卷

      存。永丰乡人杂著本。

罗运贤《老子集解》

      未刊。序见《华国月刊》。

顾实《道德经解诂》

      未刊。见《国学丛刊》。

马夷初《老子核诂》四卷

      存。天马山房丛著本。

马夷初《老子失文》一卷

      存。附见《老子核诂》。

·孟子旁通·

出版说明

　　《孟子》是儒家的经典名著,也是研究孟子的生平事迹及其学说的最重要的资料。许多激励人心、流传千古的至理名言源出于它。本书是著名学者南怀瑾先生关于《孟子》的讲记。作者采用"经史合参"的方法,以《孟子》的原文为"经",春秋战国的社会背景、人物活动为"史",并配合其他种种历史故事和社会现象,对孟子立身处世的人格及其思想影响,作了透彻的讲述。它使读者能在谈笑风生的气氛中,轻松而又深刻地领受中国传统文化的熏习,增长文史知识,获取人生智慧。书末还附有历代《孟子》研究书目。本书原由台湾老古文化事业公司出版。自1980年问世以来,作者又根据自己的体认做了多次修订,现经作者和原出版单位授权,将老古1994年第6版校订出版,以供研究。

复旦大学出版社

1996 年 4 月 1 日

前　　言

　　生为二十世纪的中国人，正当东西方文化潮流交互撞击的时代，从个人到家庭，自各阶层的社会到国家，甚至全世界，都在内外不安、身心交瘁的状态中，度过漫长的岁月。因此在进退失据的现实环境中，由触觉而发生感想，由烦恼而退居反省，再自周遍寻思，周遍观察，然后可知在时空对待中所产生的变异，只是现象的不同，而天地还是照旧的天地，人物还是照旧的人物，生存的原则并没有变；所变的，只是生活的方式。比如在行路中而迷途，因为人为的方向而似有迷惑，其实，真际无方，本自不迷。如果逐物迷方，必然会千回百迭，永远在纷纭混乱中忙得团团而转，失落本位而不知其所适从。

　　我是中国人，当然随着这一时代东方的中国文化命运一样，似乎是真的迷失了方向，也曾一度跟着人们向西方文化去摸索，几乎忘了我是立足在本地方分上的一个生命，而自迷方向。《周易·序卦》说："穷大者必失其居，故受之以旅。旅而无所容，故受之以巽。巽者，入也。入而后说之，故受之以兑。兑者，说也。"我们自己的文化，因几千年来的穷大而一时失去了本分的立足点，因此而需要乞求外来的文明以自济困溺，所谓"他山之石，可以攻错"，这是势所难免的事实。然而一旦自知久旅他方而无以自容于天地之间，那便须知机知时而反求诸己，唤醒国魂，洗心革面以求自立自强之道。正因为如此的心情，有些西方的朋友和学生们，都认为我是顽固的推崇东方文化的偏强分子，虽有许多欧美的友人们，屡加邀请旅外讲学而始终懒得离开国门一步。其实，我自认为并无偏见，只是情有所钟，安土重迁而已。同时，我也正在忠告西方的朋友们，应该各自反求诸己，重振西方哲学、宗教的固有精神文化，以济助物质文明的不足，才是正理。

至于我个人的一生，早已算过八字命运——"生于忧患，死于忧患。"每常自已譬解，犹如古老中国文化中的一个白头宫女，闲话古今，徒添许多啰唆而已。有两首古人的诗，恰好用作自我的写照。第一首唐人张方平的宫词："竟日残莺伴妾啼，衬常只见草萋萋。庭前时有东风入，杨柳千条尽向西。"诗中所写是一只飘残零落的小黄莺，一天到晚陪伴着一个孤单的白头宫女，凄凄凉凉地自在悲啼，毫无目的地怆然独立，恰如我自况的情景。偶尔开帘外望，眼前尽是葇迷苦草，一片茫然，有时忽然吹过一阵东风，却见那些随风飘荡的千条杨柳，也都是任运流转，向西飘去。第二首是唐末洞山良价禅师的诗偈："净洗浓妆为阿谁？子规声里劝人归。百花落尽啼无尽，更向乱峰深处啼。"这首诗也正好犹如我的现状，长年累月抱残守缺，滥竽充数，侈谈中国文化，其实，学无所成，语无伦次，只是心怀故国，俨如泣血的杜鹃一样，"百花落尽啼无尽，更向乱峰深处啼。"如此而已。

每念及此,总是沓然自失,洒然自笑不已。

但是人生的旅程,往往有不期然而然的际遇,孟子曾经说过人有"不虞之誉,求全之毁"。一个人的一生,如果在你多方接触社会各层面的经验中,就会容易体会到孟老夫子的话,并非向壁虚构,确是历练过来的至理名言。当在一九七五年,我因应邀讲完一部《论语》之后(事见《论语别裁》前言),由蔡策先生悉心记录,复受社会各阶层的偏爱,怂恿排版出书。但我自知所讲的内容,既非正统的汉、唐、宋儒的学术思想,又非现代新儒家的理路,到底只是因应时代潮流的乱谈,属于旁门左道,不堪入流,因此便定名叫它《论语别裁》,以免混淆视听,惑乱后学。谁知出书以后,却受到广大读者的爱好,接连出了十二版,实在弥增惶恐,生怕误人。因为徒手杀人,罪不过抵死而已,如果以学问误人,便是戕人慧命,万死不足以辞其咎。此所以在我们固有文化的传统中,学者有毕生不愿著书,或者穷一生学力,只肯极其谨严地写几篇足以传世的文章而已。这就是以往中国文化人的精诚,当然不如我们现代一样,著作等身,妄自称尊的作风。

但继此以后,友人唐树祥先生,在他担任《青年战士报》社长的时期,极力邀请在其报社继续再讲《孟子》、《大学》、《中庸》等所谓"四书"之学。唐社长平时说话极为风趣,尤其对我更是畅所欲言,不拘形迹。当他担任中正理工学院政战部主任的时期,常来拉我去讲课,而且劝说:在这个时期,大学都忙得没有时间读书,你写书写文章有什么用？多来讲课,教授青年学子,还比较有意义。总之,我在他的盛情不可却的压迫下,只好被他拖上讲台。但当他调任报社社长的时期,他便说:多讲还不如多写的好。希望我多写点东西,好交他在报上披露。他的能言善道,我对他真是莫可奈何。其实,我对讲学则言不异众,写作则语不惊人,可以说一窍不通,毫无长处。但毕竟挡不住他的热情,终于在一九七六年的秋天,开始在《青年战士报》的楼上开讲《孟子》。那个时候,也正是我思念在苦难中的父母,心情最难排遣的时期。讲到孟子,就自然而然地联想到千秋母教仪范的孟母,因此开宗明义,便引用了黄仲则的诗:"搴帷拜母河梁去,白发愁看泪眼枯。惨惨柴门风雪夜,此时有子不如无。"当然,这种情怀,不只我一人是如此,在当时现场的听众们,大多数也有同感。同时,蔡策也对讲四书的记录工作,极有兴趣和决心,他一再强调,这是他一生中最有意义的一件事。《孟子》讲稿的因缘,就在唐、蔡两位的鼓励下完成。

后来因为俗务累积太多,自己没有真正安静的时间看记录稿,因此,积压多年无法完帙。目前,老古文化图书公司的出书业务,正由陈世志同学来担任。他站在现代青年的立场,又一再催迫出书,我常笑他犹如宗泽的三呼渡河,左季高的大喊儿郎们出击一样,壮气如山,无奈太过冒昧! 然而他毕竟强人所难的做了,还要催我写序。事实上,《孟子》的序言,实在不好写,因此只是先行略抒本书问世的始末因由,暂且交卷。书名"旁通",

却又暗合宋代的桂瑛及元代的杜瑛两位先生的所撰的佚书命题。但我所以定名"旁通"的本意,仍如《论语别裁》一样,只是自认为旁门左道之说,大有别于正统儒家或儒家道学们的严谨学术著作而已,并非旁通各家学说的涵义。

一九八四年六月四日端阳节

南怀瑾

讲在前面

在讲过《论语》以后，又引起大家研究《孟子》的兴趣，希望再讲《孟子》。其实，讲到中国传统文化的经学，我是很肤浅的，过去所讲的《论语》，也只是为了时代的需要，东拉西扯地讲了一大堆废话，想不到大家还很爱好，这真是出乎意料之外。新旧文化交流互变的冲击时代，只好采取配合时代趋势的方法来研究。我也只是提出个人的看法，贡献大家作参考。至于怎样去深入，自古以来，关于《孟子》的著述非常多，还是需要大家自己努力去探讨、去寻求。

提到《孟子》这部书，也是非常有趣的。当我还在童蒙的时代，等于现在小学三四年级的时期，就开始接受家庭和老师的督促，要读《孟子》了。那时候读书，还要背诵得来，老师每天教一节，明天就要站在老师的前面一字一句地朗朗背诵上口，要背得很清楚很熟悉，不能有错，错了要受罚，甚至用戒方打手心。当时并不注意内容的讲解，只要认得字，读得来，背得清楚。这一节背好了，老师再教第二节。

这里有一点要顺便说明的，这也是历史时代转化演变的资料，就中国文化史的演变来看，虽说是小事情，却有关大题目。我们那个时代，还承受清朝末年的遗风，社会是旧式的社会，是典型的古老农村社会。印刷还不发达。《孟子》啊,《论语》啊,也有一章一章分开来卖,并不一定要买全部的书。记得我在开始读《孟子》的时候,是先读《离娄》这一篇的。

我们那时代称呼老师叫"先生",并不叫老师。学工学商的老师叫师父,也不叫老师。戒方就是上古时代所谓的"夏楚",是老师们处罚学生的鞭笞。这种处罚很有用处,说句良心话,现在想起来,还蛮可爱的,并不像现代人所说的那样可怕,更不会有什么妨害自尊心等等麻烦的副作用。当然,这些道理很难讲,只能说古今时代不同,思想、教育、观念等都不同,不能一概而论。不过,过去历史上无论是哪方面的成功人物,差不多都经历过戒方式的严格教育,可是并没有妨碍他们的伟大成就和伟大人格。对吗? 当然,过分的体罚我也是不赞成的。

我们在童年时代,开始读《孟子》的时候,所有的内容,讲解的要点,究竟是说些什么? 老实说,都是似懂非懂,似是而非的。教我的老师,也是当时的名儒,在前清有功名,后来还受清廷的保送,出过洋,到过日本留学。我们是请他到家里教书,管吃管住,对他恭恭敬敬。那种家庭教师,在清代,就叫做"西席先生"。大体说来,实在还不错。至少,在受到尊敬方面,比现在好得太多了。可是他教我们读《孟子》时,也是不大详细讲解。我呢? 当小孩的时候,读书也不太用心,正好引用陶渊明先生的话来遮羞,所谓"好读书,不求甚解"。

当时的老师、宿儒和大人们都说,在前清要考功名,非熟读此书——《孟子》不可。当然四书都要读熟,不过,无论考不考功名,文章要作得好,便要熟读《孟子》。什么"唐宋八大家"的文章,韩愈啊!柳宗元啊!苏东坡啊!他们都是从《孟子》的文章里钻出来,才有那样伟大的成就。当然喔!什么莎士比亚啊!培根啊!叔本华啊!与孟子并不相干。因为那个时候的大人先生们,嘴里或笔下引用的名言,大多是这些传统文化中大儒名人的话。若是现在如此引用,便成落伍。只有引用莎士比亚他们,才算时髦。我认为,这种现象不是代沟的关系,只能说是古今中外、新旧文化沟通时期的衔接现象而已。

后来我们进了洋学堂——就是现代化的学校,正碰上"五四"运动,打倒孔家店,推翻旧文化,几乎是举国若狂,大家跟着闹了一段短时期,对于传统文化的旧文学,一再吵着要废除。慢慢地,我们这些基本上从旧式教育出身的,对这些书本,也渐渐地淡漠起来。

不过,凡事若是从童子功开始学的,始终很难忘情的,尽管时代不同,在思想观念的领域里,它的确占了很牢固、很重要的席位。可是后来的新教育、新课本,由初中、高中到大学,一直到现在,我发现仍然没有完全离开过旧文化。尤其是《孟子》,几乎每一级学校里的国文课本,都要选上几段重要的文章。青年人尽管不重视,但对孟子的文章还是读过,反感归反感,读还是要读。也正因为如此,才能保持历史文化于不堕。现在面对这么多的先生们,由我来讲《孟子》,实在有点战战兢兢,不大好意思,这真叫作"班门弄斧",当着内行耍外行,自耍活宝。

春秋无义战

现在我们为了要研究《孟子》这本书，我觉得应该先了解一下孟子当时所处的时代，和当时现实社会的环境，就会觉得并不枯燥。而且对孟子的人品和风格，也更有一层深刻的认识。那么才会知道后世的人，为什么把孟子承继在孔子之后，称他作"亚圣"，不是没有道理的。

我们都知道，远距我们现在大约二千五百年前，我们的历史上，出现一个非常紊乱的时代，也可以说是我们历史文化转变的伟大时代。当然，这只是站在我们现在的立场，事不干己，无切肤之痛地加个评论而已。如果我们也生长在那个时代，在那种痛苦悲愤的现实环境里，大概就不会说这是个伟大的时代了。这个时代，也就是有名的春秋战国时期。春秋、战国，这两个名词所包涵的时代，都有几百年之久，如果我们用人物作中心代表来讲，孔了是春秋时期，孟子却是到了战国时期了。春秋时期也罢，战国时期也罢，这两个衔接起来有五百多年的时代，却是我们民族最痛苦的阶段，打打杀杀，乱作一团。

可是在后世看来，这个时期，则是百家争鸣，诸子挺秀的时代，也为我们后世子孙奠定了博大精深的文化基础。这深厚的义化，一直流传到现在，也会一直延续到未来。

我们知道，孔子当时亲身经历了痛苦时代的忧患。他在晚年，有系统地整理了中国文化的宝典，删诗书、订礼乐之外，他又集中精力，根据他本国鲁国的历史资料，开始著作了一部最有名的历史和历史哲学的书——《春秋》。

在这部书里，记述了东周以来两百多年的政治、社会、军事、经济、教育等等变乱的前因后果，同时也包涵了对于历史人文、文化哲学的指示——如何是应该？如何是不应该？怎样才是正确的善恶？怎样才是正确的是非？

我们先要大概了解一下春秋时代的大题目。那个时代侵略吞并的战争，绵延继续了两百多年，由西周初期所建立的"封建"的文化基础，开始逐渐地被破坏，社会的紊乱、经济的凋蔽，所给予人们的痛苦，实在太多。现在我们简单引用董仲舒的话，便可知道那个时代乱源的要点：

> 夫德不足以亲近，而文不足以来远，而断之以战伐为之者，此固春秋之所甚疾已，皆非义也。

董仲舒认为，在那个时代，各国诸侯之间的霸业，都不培养道德的政治基础，因此政治道德衰落，国与国之间，人与人之间，谁也不相信谁，彼此不敢轻易亲近，所谓"德不足以亲近"。对于文化的建立，更是漠不关心，只顾现实，而无高远的见地。国与国之间，没有像周朝初期那样远道来归的国际道德关系，所以说："文不足以来远"。因此只有用战争来侵略别人。但是他们每次在侵略的战争上，却加上冠冕堂皇的理由，不说自己要侵略别人，而是找些借口来发动战争，这就是"断之以战伐为之者"。这便是孔子著《春秋》的动机和目的，也是孔子著《春秋》最痛心疾首的中心重点。"此固春秋之所甚疾已，皆非义也。"他说，春秋时代几百年的战争，都是没有道理的。所以也有人说，春秋无义战。

但《春秋》这部书并不是非战论，它特别强调中国文化的战争哲学是为正义而战，所谓"恶诈击而善偏战，耻伐丧而荣复仇"。例如在春秋二百多年之间，大小战争不计其数，只有两次是为复国复仇的战争，那是无可厚非，不能说是不对的。所以他说：

> 今(指春秋时代)天下之大，三百年之久，战伐侵攻不可胜数，而复仇者有二焉。

关于历史文化的破坏，政治道德的没落，则更严重。在春秋二百四十二年间，"弑君三十六，亡国五十二。"人伦文化的道德基础，几乎都被那些有霸权的上层领导分子破坏完了。为什么那个时代会造成这样的紊乱？

以孔子的论断，都是根源于文化思想的衰落，人们眼光的短视，重视现实而忽略了文化发展中的因果。所以孔子在《易经·坤卦》的文言中便说："臣弑其君，子弑其父，非一朝一夕之故，其所由来者渐矣。"后来的董仲舒，发挥了孔子的思想，便说："细恶不绝之所致也。"所谓细恶，便是指社会人士缺乏远大的眼光，对于平常的小小坏事，马虎一点由他去，久而久之，便造成一个时代的大紊乱了。

我们现在不是讲《春秋》，而是介绍孟子所处的时代背景，追溯它的远因，顺便提到《春秋》。继春秋时代吞并侵略的紊乱变局，又延续了两三百年，便是我们历史上所谓的战国时期。紊乱的情形，比春秋时代有过之而无不及。各个强国的诸侯重现实，社会的风气更重现实，苦只苦了一般的老百姓。

在那样现实的时代环境中，孟子始终为人伦正义，为传统文化的道德政治，奔走呼号，绝对不受时代环境的影响，而有丝毫转变。所以，他所继承孔子的传统精神，以及中国文化道德政治的哲学观念，和孔子的文化思想一样，也成为由古到今，甚至将来的颠扑不破的真理。为什么他会有这样远大的影响？这正是我们研究探讨的主题之一。

司马迁编撰手法中的孟子

在前面，非常简单地提到战国时期的时代环境。现在我们先来看一下司马迁写《史记》的编导手法，在他的笔下如何描写孟老夫子，这是非常有趣的事。

本来写传记，一个人有一个人的生平事迹，应该分开来，单独地写。但是司马迁往往会把一两个人的列传合起来写，或者连带几个人写成一堆。难道他是为了节省稿纸,节省笔墨吗？不是的,他是把历史上同一类型的人和事,或者类同之中又完全相反的人和事,配合起来写成一篇。我们读了,可以作一强烈的对比,在互相矛盾、相反相成中找出道理,可以自求启发,从历史经验的镜子中,反映出立身处世的准则。

因此,司马迁写孟子,是拿和孟子有相同类型的荀子写作一篇,叫做《孟子荀卿列传》。在这一篇里,他又举了很多与孟子、荀卿类型相反的人物,相互辉映。

看来他好像偷懒省事,或者是认为那些人不足以另作一篇传记似的。其实不然,一个文人笔下的传记文章,如果有意乱扯,加上文字渲染的话,小题大作,大可洋洋洒洒,各自构成专篇。可是司马迁的风格,是有他的哲学的、学术的中心思想,他绝不愿意乱来。

所以,他在这篇文章中带出了战国当时一大堆的有名诸子,并非是漫不经心地随意而为,实在是有他聪明绝顶、度金针而不落言诠的妙用。我们读《史记》,几乎和《春秋》三传一样,任何一字一句,绝不可以轻易放过。甚至《史记》中任何一个表,都不是随便绘制的。

他写孟子、荀子,同时又连带写出与孟子相同时代中的风云人物,如商君(鞅)、吴起、孙子、田忌。又说"齐有三驺子",当然极力描写三驺子中的另一位谈天文、说地理、讲五行之学,大受当时人们所重视、尊敬,不像对孟子那样的冷落、凄凉的——驺衍。

从驺衍以次,又说:"齐之稷下先生,如淳于髡、慎到、环渊、接予、田骈、驺奭之徒。"到此先告一段落。当然,也包含了同一时代性的人物关系。

再以后便写荀子(卿),由荀卿而连带说到庄子、墨子、公孙龙、剧子、李悝、尸子、长庐、吁子等等。不过加上一句"自如孟子至于吁子,世多有其书,故不论其传云"。我们要注意他这句"不论其传"一词的涵义,很有深度,也颇有味道。

最后,又孤零零地吊上一小节关于墨子的事,这是对墨子时代还待考证的附带说明。如说:"盖墨子,宋之大夫。善守御。为节用。或曰并孔子时,或曰在其后。"

我们读《史记》,随处可以看到司马先生这些巧妙、幽默,有高度启发性,与睿智存疑等等的编导手法。所以说好好地仔细读它,可以启发慧思。

我们读《孟子》一书,开宗明义的第一章《梁惠王》——孟子见梁惠王,一开始,便可以看到孟子当时一种受尽冷漠歧视的味道。同样地,司马迁写孟子,首先也引用了这一段,然后才说到孟子的籍贯、出身、学历,说明孟子是孔子的孙子子思的门人(至于说孟子并非子思的学生,则是另一考据的问题。司马迁很可能弄错了)。《史记》上的这篇也和《伯夷列传》差不多,没有太多的叙述就完了。只说孟子阐述孔子的学说思想,作了七篇书,就是我们手里拿到的这本《孟子》。

古今中外,许多被后世认为是多么伟大,能影响千秋万世的人物,在当时,大多数都是那么凄凉寂寞的。就因为他在生前不重视短见的唯利是图,对自己个人,对国家天下事,都是以如此的人品风格来为人处世的。像孟老夫子那样的人,如果当时稍微将就一点,自己降格以求,迁就一点现实,那便不同了。

更妙的是,司马先生举出驺衍来,与孟子当时的处境作一强烈的对比。

驺衍和孟子的强烈对比

在孟子见齐宣王、梁惠王,陈述那些理论思想的时候,是如何地受到冷落,我们慢慢且看《孟子》的本文,便可知道。可是与孟老夫子同时代的驺衍他们,比起孟子所受的待遇,便大大不同了。

骄衍睹有国者益淫侈，不能尚德，……。乃深观阴阳消息而作怪迂之变，……。其说闳大不经，必先验小物，推而大之，至于无垠。……

是以骄衍重于齐。适梁，惠王郊迎，执宾主之礼。适赵，平原君侧行撇席。如燕，昭王拥彗先驱，请列弟子之座而受业，筑碣石宫，身亲往师之。

我们读了这段历史资料，便可以看到与孟子同一时代的骄衍，也同孟子一样去见过齐宣王、梁惠王。甚至还到过燕赵两国，受到燕昭王无比的崇敬。他当时的声望之高，所受各国诸侯们的欢迎款待，那种威风，那种排场，假如从重视现实虚荣的社会眼光来看，骄衍当时的威风架子实在摆足了。哪里像梁惠王对待孟子那样，毫不客气地称呼一声"叟！不远千里而来。"满不在乎的味道。至于齐宣王，对孟子也并不表示太大的欢迎。

可是骄衍呢？"重于齐"，他在齐国极受尊重，连一般的知识分子稷下先生们，也连带地受他影响，都受到齐王的敬重、优待。

骄衍到了魏国（梁），梁惠王亲自到郊外去迎接他，等于现代，一个国家的领袖，亲自到飞机场去迎接他一样隆重。而且梁惠王以国宾的大礼接待骄衍，所谓"惠王郊迎，执宾主之礼"，就是当时现场实况的纪录。

骄衍到了赵国，"平原君侧行撇席"，赵国有名的权贵豪门平原君，不敢和骄先生并排走路，只小心翼翼地侧着半个身子在后侍从，比礼宾司的大礼官还要恭顺。到了行馆以后，请骄先生坐下，平原君亲自用自己的衣裳把那个座位打扫清洁一下，表示恭敬。

可是这种情形，在古代文字的艺术上，司马迁只用了四个字，便描述得淋漓尽致，他只用"侧行撇席"就够了。由此看来，今古文学写作的技巧艺术有如此的差别，所以现在从白话新教育入手的青年同学们，便要特别细心地去读，去研究，不可以马马虎虎。

骄衍到了燕国，那更神气了。当时鼎鼎有名的燕昭王，"拥彗先驱"，亲自到国境边界去接他，而且手里还拿着清道用的扫把，表示作他学生一样的为他开道。接到了王宫以后，"请列弟子之座而受业"，请求作他的学生，愿意和驺先生门下那些弟子同样的受业。因此特别为了驺衍新建一座碣石宫来供养他，常常亲自到驺先生所住的地方来听课，和一般学生对待驺老师同样的恭敬。

我们读了司马迁这几句话，可以看到他用简短的文字，就把战国时期享有盛名的学者之光荣事迹，扎扎实实地记述下来，而且特别只附带写在孟子和荀子的传记里，这岂不是一种极高明的编导手法？拿当时极受尊敬的驺衍，和备受冷落的孟子作强烈的对比，给大家看。这是历史时代的悲剧？还是人生的悲剧？抑或闹剧？或者是现实荣华和千古盛名的对照呢？这就要大家自己去深思，去自我启发了。

我们在座的，以及社会上各方面，许多人都在感叹这个社会、这个时代，太重现实。其实，在任何时代，任何地区，人活在世间，就要生存，渐渐地，慢慢地，不知不觉就会重视现实。感叹别人重视现实的我们，在基本的生活和生存条件上，老实说，有时又何尝超越现实？何尝不重视现实呢？只是角度不同，观点不同，程度不同而已。

可是却有极少数的人，他始终漠视现实，为崇高的理想而努力，放弃自我而为天下人着想，不顾自己短暂一生的生活现实，而为千秋万代着眼。因此，也就受到人们一种超越的崇敬，称他为"圣人"了。

这个道理，其实不用我们来说，司马迁在《孟子》这篇传记里，已经很巧妙地透了消息。他在本篇里评述驺衍说：

其术皆此类也。然要其归，必止乎仁义节俭，君臣上下六亲之施，始也滥耳。王公大人初见其术，惧然顾化，其后不能行之。

在全文里，他说驺衍先用阴阳玄妙的学术谈天说地，讲宇宙人生与物理世界因果交错的事,玄之又玄,妙之又妙,听的人各个为他倾倒。其实驺衍这套学术,就是中国上古理论物理科学的内涵,也是上古科学的哲学内涵,如未深入研究,也不要随便轻视。

不过,以司马先生的观点看来,驺衍他的本意,也和孟子一样,深深感慨人类文化的危机,尤其当时国际间政治道德的衰落,社会风气的奢侈糜烂,他为了要有所贡献,希望改变时代,只好先推一套容易受人欢迎、接受的学术出来,玩弄一下。其实,他的本意,还是归乎人伦道义,所谓"仁义节俭,君臣上下六亲之施"。他那些谈阴阳、说玄妙的学术,只是建立声望的方法而已,所谓"始其滥耳"。

当时那些王公大人们,一开始接触到驺先生的学术思想,惊奇得不得了,都愿意来接受他的教化。等到驺衍真正要他们以人伦道德来作基础的时候,他们便又做不到了。

这种现象,你只要看看秦始皇、汉武帝他们的求仙求道、求长生不老的历史故事,以及当代一般学各种宗教神秘学人们的作为,便可了解"千古皆然,于今尤烈"。

再从轻松一点的角度来讲,也正如清人赵翼的感慨,一个人若是要求文学艺术的成就,往往和现实生活发生冲突,产生矛盾不安的心理。因此,他的《论诗》中说:"诗解穷人我未空,想因诗尚不曾工。熊鱼自笑贪心甚,既要工诗又怕穷。"

处世的哲学问题

司马迁的论述观点还没有完,他又说:

其游说诸侯,见尊礼如此,岂与仲尼菜色陈蔡,孟轲困于齐梁同乎哉!故武王以仁义伐纣而王,伯夷饿不食周粟;卫灵公问陈,而孔子不答;梁惠王谋欲攻赵,孟轲称大王去邠。此岂有意阿世俗苟合而已哉!持方枘欲内圆凿,其能入乎?或曰:伊尹负鼎而勉汤以王,百里奚饭牛车下而穆公用霸。作先合,然后引之大道。驺衍其言虽不轨,傥亦有牛鼎之意乎?

这里劈头第一句话,就说驺衍在那个时代,"其游说诸侯见尊礼如此",受到国际间尊重的情形,有上面所说的种种荣宠。跟着便说驺衍当时的情形,哪里像孔子周游列国时,还在陈蔡之间,受到饿肚子的遭遇;又哪里像当时的孟子,始终在齐梁之间受到穷困的苦恼。

但是,话又说回来,世界上的人和事都很难说,有的人一味重视现实,有的人却轻视现实。例如周武王以仁义作号召,结果讨伐纣王以后,自己做起皇帝来了。所以像伯夷、叔齐他们,觉得这种假仁假义是很可耻的事,宁可饿死在首阳山,也不下山来吃他周朝的饭。

接着,司马迁又以孔子为例:卫灵公有一次问他军事方面的事情,孔子闭口不答。孔子并不是不懂军事,只是不愿意再加重他们军国思想的野心而已。

同样地,梁惠王在出兵侵略赵国之前,也向孟子请教过,结果,孟子避开正面的问题,只告诉他周代的先祖——太王(古公亶父)的一段故事。古公亶父原本定居在豳(又作邠),由于政治清明,人民生活非常安乐。后来受到戎狄的侵犯,国人愤慨,要起而对抗。但是古公亶父却不忍心战场上的杀戮,于是忍痛离开自己的乡土、国业,改迁到岐山山下。大多数的豳人,由于爱戴他的德政,也都随他迁居。而后经由季历、文王的发扬光大,各地人民自动前来归附,竟拥有了三分之二的天下。到武王时,很轻易就取代了残暴的纣王,而改国号为周。

司马迁接着说,孔子、孟子他们,并不是不懂得怎样去"阿世苟合",向时代风气妥协,为了自己本身的现实利益,随便去迎合别人的意见。实在是非不能也,是不肯为也。所以宁可为真理正义穷困受苦,也不愿苟且现实,追求那些功名富贵。因此,他们所讲的那些天理人伦、政治道德的理想,对于现实社会,就好比拿一个方形的塞子,要把它放进一个圆形的孔中一样,彼此都是格格不入的,哪里能够达到救世济人的目的呢?"持方枘而内圆凿,其能入乎?"

随后司马先生又举例:商汤时代,伊尹不得志的时候,为了实现他的理想,想尽办法,去作商汤的厨师。因此受到商汤的赏识,请他当辅相,发展了他的抱负,使商汤成为历史上的名王,他自己也达到实现理想的目的,而名留千古。

又像春秋末期的百里奚一样,在他穷困的时候,只帮着那些赶牛车的人喂牛,混口饭吃。但结果他利用了喂牛的机会,而受到秦缪公的重视,请他当辅相,因此使秦始皇的上代富强起来。

这些过去历史上的人物,也不错啊!为什么呢?有理想,有抱负,尚未得志时,不妨将就别人一点,先取得别人的信任,肯与你合作以后,才慢慢地引导他们走上大道。"作先合,然后引之大道。"那也是一种处世的办法啊!

比如像驺衍,他当时的学术、言论、思想,虽然看起来很怪,不合于学问的大道,好像是"语不惊人死不休",但是他因此受到国际间的重视。所以,这也许是他一种入世处世的方法。他最终的目的,是要引导当时那些执政者,慢慢地走上仁义道德的政治路线。那么,他的用心,也便同伊尹的拿菜铲和百里奚的喂牛一样,都是别有苦心的了!

至于说,究竟是孔子、孟子那种严正的作人处世的态度对呢?还是驺衍他们那种立身处世的方式对呢?碰到这种问题,司马迁往往不下一个肯定的结论,这是很有趣味、也很高深的人生哲学的问题。有矛盾,也有相辅相成的作用。是与非,由读者自己去作答案。司马先生的手法,往往就是如此的高明。把一切正反两面的资料,都放进孟子的传记里,陈列摆设在你的眼前,而且也加上说明。你买了票,参观了这些资料以后,你要的是哪一样,但各取所需,各凭所好了。不过,此中含有真意,不可随便,不可马虎。

附带地再说明一下,他在这篇《孟子荀卿列传》里,最后说到荀子,他有同孟子一样的理想,但是作人处世的方向又同中有异。荀子的晚年,就到了南方的楚国,当了楚国的属地兰陵(山东)地方的首长——兰陵令。后世发展成为世家大族。

人生遭遇,有幸与不幸,虽曰人事,岂非天命哉?虽曰天命,岂非人事哉?司马迁又不作肯定的评语,这等于你坐上公共汽车,或在公共场所,往往看到"银钱行李,各自小心"的警语一样有味道。对吗?

苏秦与孟子的时代

为了研究《孟子》这本书,我们在前面先简单扼要地提出了战国时期,和孟子同时的学术思想界的一般人物,作为比较,作为陪衬,使我们在研究孔孟学术思想时,藉以启发自己的慧思,同时也可以由此认识孟子之所以被尊为亚圣的道理。

但是,只从当时的那些知识分子去了解孟子还不够。我们现在再来看看与孟子同一时代中,国际政治上的风云人物,也是我们历史上著名的风云人物——苏秦。他真是摆足了历史上的威风,但他也在年轻时期,受尽折磨,足资青年效法、惕厉。

在中国的历史上,后世一般研究史学的儒生们,尽管不重视苏秦,看不起苏秦,但是,在中国两千多年的政治史上,这些大人先生们,暗地里都还是摹拟苏秦的那一套。甚至还深深地重用他的名言。尤其是当时代在变乱之中,要想拨乱反正,苏秦的那一套,是不容忽视的,并不简单。

时下有些国人,往往很幽默地把现在美国的基辛格,比作苏秦。讲实在的,基辛格还不够资格与苏秦相提并论,比之苏秦那两个小兄弟苏代、苏厉,还差得多。

苏秦生在孟子同一时代的东周，是洛阳人。东周的洛阳，是当时中央周天子的另一首都所在地，尽管那个时代天下诸侯互争雄长，争取霸业，眼里已经没有中央的周室，所谓"天下已不宗周者久矣"。但是东西两周的首都所在，到底还是有它悠久的历史文化。苏秦便出生在那个古老文化所在地的名都。研究一个人的生平，这点也是很值得注意的。

他在少年的时候，和张仪、孙膑、庞涓几个人，都是从鬼谷子求学。鬼谷子的确是当时以及后世的一个神秘人物，也是属于道家之流的隐士，我们暂时不去讲他。苏秦离开了鬼谷子以后，便想有所作为。他研究一下当代的局势，只有秦国足以举足轻重，能够影响当时的整个天下。所以他的目标，就指向了高据西陲的秦国。那个时候的秦国，是秦惠王的时代，也正是由商鞅变法以后，讲究法治、讲究富国强兵的一个时期。而后，再经武王、昭王、孝文王、庄襄王的励精图治，才奠定了始皇一统天下的基业。

苏秦抱着满怀希望到秦国去，大概先变卖产业，又借了些债，置办得很豪华，带了很讲究的行装到秦国。见到秦惠王，提出了他对天下事的整套构想和计划。

在当时的观念里，这种情形就叫做"游说"。那个时候还没有什么考试取士的用人办法，一般学者知识分子，都靠游说诸侯权贵而取得功名富贵和权力。即如孟子见梁惠王、齐宣王等提供王道德政的意见，在那个时代的风气，也都属于游说的做法。不过，后世有些人把游说这个观念，打入了纵横之学、策士之流的范围，很看不起，所以就特别把亚圣孟子的事迹，列于游说之外了。

秦皇霸业的蓝图

我们如果仔细研究，好好读一下《战国策》和《史记》，其中有关苏秦当时游说的言论和思想，实在不能轻视，也不可忽视。他第一次见到秦惠王所提出的说辞，也是标榜王道的做法。不过，他是针对当时的现状，特别强调他自己的军国思想与战争理论。他说：

> 大王之国，西有巴蜀、汉中之利，北有胡貉代马之用，南有巫山黔中之限，东有肴函之固。田肥美，民殷富，战车万乘，奋击百万，沃野千里，蓄积饶多，地势形便，此所谓天府，天下之雄国也。以大王之贤，士民之众，车骑之用，兵法之教，可以并诸侯，吞天下，称帝而治。愿大王少留意，臣请奏其效！

苏秦初见秦惠王所提出吞并诸侯，"称帝而治"的蓝图，也便是后世秦始皇所走的路线。结果，非常有趣，他的计划根本就被秦惠王所否决了。难道说，当时秦惠王的野心，还不及他的裔孙秦始皇吗？这也是我们现在研究孟子同样存在的问题。所以我们先来看看秦惠王当时对苏秦的否决辞是怎么说的。

秦惠王说："据我所知，一个羽毛还没有长丰满的鸟儿，是不可能高飞的。一个人文教化还没有培养成功的国家，是不可以随便征伐别人的。同样的道理，德政方面，还没有扎下深厚的根基，是不可以随便动员国民的。领导人的政治教化与感召力量，还不足以使全民由衷地顺服，是不可以再三加重责任，劳烦自己的高级干部去担负更艰巨的任务的。你苏先生今天很有心地不远千里而来到我的国家，肯这样当面教导我，非常感谢。不过，希望等到将来会有那么一天，再向你专诚请教。"完了，下一句，在前清来讲，就是端茶送客了。在现代，就是秦惠王举起手来看一下手表，再伸出右手来准备握手送客了。

这一段在古文怎么记载呢？文字写得美极了，可是现代人读起来，不大容易了解当时的现场实况。所以大家便马马虎虎地看过去，认为这些老古董没啥意思。《战国策》上的原文是这样写的：

> 秦王曰：寡人闻之，毛羽不丰满者，不可以高飞。文章不成者，不可以诛罚。道德不厚者，不可以使民。政教不顺者，不可以

烦大臣。今先生俨然不远千里而庭教之,愿以异日。

可是在当时,年轻的苏秦还要装呆,不肯马上告退,仍然继续讲下去。想把他的学问知识连肚肠脑髓都翻出来似的。你看,这多么不懂事,不识时务!他在这个时候,把中国上古以来的历史哲学、战争论、战略思想,一古脑儿都搬出来支持他当时所构想的统一天下的计划蓝图。其中,他说道:

> 是故兵胜于外,义强于内,威立于上,民服于下。今欲并天下,凌万乘,屈敌国,制海内,子元元,臣诸侯,非兵不可。

他的意思是说,现在的世界,必须国富兵强,具有战略上的必胜能力,然后才有道义可讲。在国际外交上,你的兵力强盛,那么你内在的道义观点,才能发挥作用。他的这一段话,甚至于整篇的建议书,都是很有道理的。

我认为,凡是现代的国民,应该把《战国策》等书好好研究,拿它和孔孟之学互相研究。以孔孟之学的王道德政作为治事与立身、立国的中心,以《战国策》、《孙子兵法》等为权变、应变、适变、拨乱反正的运用之学,实在很有必要。千万不要认为这些书是老古董,根本不去摸它。要知道,你根本还没有好好地深入去摸它,哪里知道这些古董之为古?它又是如何的古法呢?人云亦云,胡乱抛弃固有文化中这些宝藏,实在是很盲目,而且非常可惜。

关于《战国策》和《孙子兵法》的综合研究,我已经在"历史的经验"的讲课上,介绍过一部分,所以现在在这里只好从略,简单地提些要点而已。

苏秦说的哪怕再有理,无奈却不合时宜,所谓"话不投机半句多",秦惠王当时面对这样一个外国来的年轻人,该有多讨厌!

这还没有完,这一回对秦惠王的当面说不成功,他还住在秦国的旅馆里,一次又一次地写计划,写报告,送给秦惠王,希望他采纳。结果,上了十次的计划报告,秦惠王没有半点下文答复他。换句话说，秦惠王根本没有理他。不过，还算好，并没有认为他是国际政治上的疯子，没有把他驱逐出境。可是，也没有给他一个小职务干干，或者送他一些走路钱。

这一下，苏秦真完了，"一钱逼死英雄汉"，所谓"美人卖笑千金易，壮士穷途一饭难"。带出来的黄金快用完了，身上穿的那件充阔佬用的皮袍大衣也破了，大概多少还有一点点零钱，可是绝对没有交际费用，再也没有长期住下去的能力了，因此只好乖乖地收拾行李回家。

苏秦的还乡

原文对苏秦回家的一段情景，虽然只用了简单扼要的三十六个字，却描写得活龙活现，痛苦不堪。我在这里特别提出这一段来讲，就是希望我们这一代青年，多注意一个人的奋斗成功与失败经验的教训。不灰心、不气馁、不怨天、不尤人，立志奋发图强，才是顶天立地的大丈夫。像苏秦当时那种遭遇，据我所知，我们在国外求学读书，或者从事其他方面的青年，有些也同样有这种痛苦的遭遇。结果，缺乏苏秦那样的勇气，被现实打击下去，大有可为的前途就白白牺牲了，真划不来。我们且看苏秦这一段历史经验故事：

嬴縢履蹻，负书担橐，形容枯槁，面目黧黑，状有愧色。归至家，妻不下纴，嫂不为炊，父母不与言。

我们读中国古文这三十六个字，当然先要认得字，知道了每个字的字义——说文、训诂，再来会意，便可知道作者当时描写得刻画入微。看故事是有趣得很，但读了以后，也为苏秦的遭遇觉得很惋惜。

他在秦国没有办法了，只好打回家的主意，人既失意，钱又花光了，怎么办？他不负气自杀，只能忍辱，用千万个忍字，来坚强起自己。于是他只有"赢縢履蹻"了。什么是"赢縢"呢?"赢縢"也就是"行縢"的意思。赢是满。縢是那个时候准备走远路的裹脚,等于后世的绑腿。蹻是草鞋。他开始收拾行李,准备打道回家,只好用裹腿布把自己两只小腿满满地裹起来,以免长途走路,小腿的血管充血而受伤,然后又说他的鞋子也破了,新的买不起,只好穿上一双草鞋。短短四个字,便轻轻易易地形容了他当时的倒霉落魄相。

没有钱了,没有办法像开始到秦国来时有黄金百斤,雇人搬行李,那种神气的样子了。只有随随便便把破衣服、破行李捆成一堆,随身携带着好走路。好了,他这样狼狈地收拾起行李。"负书担橐",又把那些带去的书都背在背上,书当然丢不得的,那个时候买书不像现在这么方便,印刷术也还没有发明,书是用一片一片竹简刻上去的,那是知识分子的资本,所以绝不能丢,只好背在背上。我的天哪!你看那些破书,不知道有多重啊!背了书还没完,又要把收拾好的行李,归成一堆,做成担子来挑,就像从前种田的朋友挑大粪那样辛苦。他就这样一副寒酸相,从秦国首都——陕西的咸阳,回到他的故乡——河南的洛阳来了。

这一路回来,真够辛苦,你要知道,他当年还在青年阶段,因为失意、穷困,已经弄得没有一点英俊的样子了。"面目黧黑",看起来又黑又瘦,干瘪的穷酸相。但是这还是他的外形。最难堪的,还是他当时内心的痛苦,那实在是无脸见江东父老。可是这个时候,天涯茫茫,又到哪里去呢?叶落归根,不管好不好,有个家,有个窝,总是好的。因此只好硬着头皮回家。当然,进了自己的家,一定很难过,惭愧得不得了。不要说是苏秦,大家把自己换作他的处境,就可想而知那种"状有愧色"四个字的千万痛苦了。

千占人情的嘴脸

这样还不算什么，等他到了家以后，更难堪的是他人人正在织布，看到他回来的那副落魄相，当着家人的面，也没有勇气来迎接他，再谈不到慰问了，只是仍然不停地做她于里的工作，摆出一副冷漠的态度。他的嫂嫂们，当然不会问他吃过饭没有，根本是见如不见，相应不理的样子，哪里还肯为他到厨房去做饭呢？那个时候，是宗法社会的大家庭制，他的老婆要看嫂嫂们的风向，嫂嫂们又要看着一家之主的公公和婆婆怎么办。结果呢？他的父母看了他那副样子，一句话也不和他讲。你想，他在这种情形之卜，这个面子怎么办呢？

苏秦到底是了不起的青年。年轻的同学们特别要注意，在原文上是怎样记载呢？他遭遇到这种情形，既不怨天，也不尤人，只是自己重重地叹一口气说："妻不以我为夫，嫂不以我为叔，父母不以我为子，是皆秦之罪也。"你看，这是一种什么胸襟！什么器度！他对于目前周围的情形，一点都不迁怒怨恨到别人身上去，只是深自反省自责，认为他的太太、嫂嫂、父母等人对待他这种情形，都是他自己的不是、无能，并没有埋怨他们的冷淡，更个会借酒浇愁，要打人、要揍人！

还有一点要注意，苏秦的老婆，尽管当时对他的态度上很冷淡，可是并没有像周代的姜太公、汉代的朱买臣两个人的太太那样，因为嫌他穷，嫌他没有出息，就要求离婚而去了。姜太公、朱买臣后来得志了，同样情形，他两个人的太太都要求回来，结果都遭拒绝。所谓"覆水难收"，就是在朱买臣这节故事里引用的话。至于苏秦的太太，有没有在背地里鼓励他，帮助他，像历史上许多贤妻良母那样作法，因为无明文记载，就无法查证了。这是顺便对年轻女同学们提出注意的事，请勿见怪。

其实,苏秦的这种遭遇,并不特别,古今中外的人情,大体上都同一例。我所谓大体,当然不是说社会上所有的人,所有的家庭都是如此的。假如我们把历史上许多成功成名人物,在他艰难曲折的阶段,都搜罗来做一番研究,你便可以看出社会的人际状况,大概都是如此,反而觉得见怪不怪了。如果自己认识不够,非常介意这种反面的情况,便会产生愤世嫉俗等等变态心理。甚至无论你日后有成就没有成就,对人对社会,很可能形成一种仇恨的偏差心理。

我们随便提一点大家所熟知的历史经验,在所谓读书人的文化界中,让我们看看唐代元稹的三首悼亡诗,充分透露出少年落魄时代的痛苦。“诚知此恨人人有,贫贱夫妻百事哀。”就是元稹的名句,也是古今中外多少人共有的哀鸣。

此外,如韩信没有得志以前,不但要受市井无赖的胯下之辱,而且饥饿时,想吃一口饭都不容易,没有人理他,结果只有一个不知姓名的洗衣服老太太,可怜他的遭遇,把自己带出来的饭包施舍给他,让他吃了一餐饱饭。

后来,韩信功成名遂,当了三齐王回到故乡时,不但没有报复那个叫他爬在裤裆下的无赖少年,反而鼓励他、感谢他。同时,他又寻访那个施舍一个饭包的洗衣妇人,但始终没有找到。于是他只好把千两黄金,投在当年洗衣妇在那个河边洗衣服的河里去,表达他无限的谢意。这是历史上有名的韩信以千金投河,感谢漂母一饭之恩的故事。

因为韩信具有含垢忍辱,受恩必报,受辱不怨的这种器度,也就是他一生事业成功的主要条件。尽管后来他也被刘邦夫妇所谋杀了,但撇开权势功业不谈,如果专讲做人的器度,做人的味道,韩信比汉高祖刘邦可爱得多了。即使如项羽,在做人方面,有时候也比刘邦可爱。当然,这只是讲做人,不谈处事,要讲处事,那又须另当别论了。

讲到韩信的故事，相反地，正好拿汉高祖刘邦的遭遇作一对比。当刘邦在青年的时代，一天到晚到处游荡、闹事，不务正业，一事无成的时候，他的父亲也实在看不下去了，有一次责备他几句，说他这样没有出息，实在比他二哥刘喜差多了。老二规规矩矩为家里添置了产业，所以家里人都很喜欢他二哥。至于他大哥，很早就死了。有一次，刘邦带了几个平日和他一起混混的朋友，回家吃饭。他的大嫂骗他说没有饭菜了，朋友只好离去。刘邦自己到厨房一看，原来饭菜还有的是，于是怀恨在心。

后来他当了汉高皇帝，封他二哥为代王，封他弟弟为齐王，就一直没有封他大哥一家人任何职位。他父亲向他讲了，于是便封了一个"羹颉侯"给大哥的儿子，这是对他大嫂当年不请他朋友吃饭的回报。当未央宫落成时，他大宴诸侯群臣，席中向他父亲敬酒时说："始大人常以臣无赖，不能治产业，不如仲力。今某之业所就孰与仲多？"刘仲就是刘邦的哥哥。刘邦问父亲：你现在看我比起二哥来，哪个有出息？哪个弄的产业多呢？搞得他父亲啼笑皆非，无法答话。你看他多小气！哪里真够"豁达大度"四个字的份量呢？

不过，话说回来，刘邦比起历史上其他许多的帝王，他又的确好得多，有些地方还不太失"豁达大度"的作风，所以历史上对于汉高祖这四个字的评语，也可说是由于比较性格而来的评论而已。

我们讲苏秦失败的情形，又顺便扯出了这些故事，都是为了说明古今中外的人情常态。我们现在讨论孟子，顺便联想到孟子的母亲对于孟子教育上的伟大之处，孟子所以表现出和苏秦迥然不同的圣贤人格，和这位孟太夫人的教诲，有着密切的关系。

苏秦成功的秘诀

好了，现在我们来看看苏秦当时发愤图强的另一页。他回到家里以后，在那种重重打击的情形之下，不怨天，不尤人，已经太难得。同时他又踏实地作一番自我检讨，因此，他在含垢忍辱之下，连夜检阅自己的藏书，在几十种古书里，他特别找出了姜太公所著、与《阴符经》有关的谋略之学。他重新开始研究阴符谋略，仔细去抉择它的精要。读到夜里想睡觉时，他便拿起锥子来刺自己的大腿，以警觉自己。因此我们古人有勉励青年人求学的名言，所谓"头悬梁，锥刺股"。其中锥刺股的典故，便出自苏秦这件事的。好在他有强健的身体，能够熬得过这种自虐式的刻苦奋斗，所以大腿常常被刺得血流到脚上，他都能忍受得了，如果没有充沛健康的体能，那就早已完了。他这样的用功，经过了一年，便很自信地能说动当时各国的政治领袖，所谓"当世之君"的人主们了。他的原文是从前面提过的"皆秦之罪也"之后，接着还有这样的记载：

　　乃夜发书，陈箧数十，得太公阴符之谋，伏而诵之，简练以为揣摩。读书欲睡，引锥自刺其股，血流至足。曰：安有说人主，不能出其金玉锦绣，取卿相之尊者乎？朞年揣摩成，曰：此真可以说当世之君矣！

王霸互用的失败

　　我们讲到这里，暂且告一段落，先回转来看有关苏秦成功与失败的几个重要问题：

　　第一，关于苏秦的学术思想问题。

　　大家都知道，他在少年时代，和张仪、庞涓、孙膑他们，都是鬼谷子的学生。孙膑和庞涓出山以后，正值当时国际间的风云排荡之秋，在军事的战争上都有所成名，这不在本题范围，不去讲他。苏秦与张仪和他们不同，走的是政治路线。

　　搞政治，当然要牵扯到学说思想问题。我们看过苏秦初见秦惠王的游说资料，很明显地看得出来，他在出道之初，讲的也同当时一般学者一样，大体都是从传统文化的王霸之道的学说思想范围，来分析当时的现势，贡献自己的主张和计划。并没有什么特别之处，更没有如后世小说家所想象的，鬼谷子传了他一套"呼风唤雨，撒豆成兵"的特别本事。

为什么苏秦当时所讲比较正规的学术思想，却不能被当时的老板们——所谓"人君"的人主们所接受呢？这是为了什么？如果只拿文化衰落、政治道德败坏等老套观念来看，当然也是理由，实际并不透彻。究竟是什么原因？大家不妨多去读读书，多用思考去研究研究看。不过，由此显而易见的是苏秦那种初期正反互相参合的学说，已经无法扣动当时的人主们之心弦，何况我们的孟夫子，动辄就搬出王道的大道理呢！那当然是牛头不对马嘴，到处吃不开了。

很可惜的是，苏秦后来还有十次对秦惠王的建议论文，都没有留下完整的资料。否则，在战国时代诸子百家的文化遗产中，也必可以成为一家之言，一定也占有相当的价值。不过，话说回来，苏秦本人的思想，只讲现实，并不注意学说思想的真正精神。也许，他认为那些建议意见，是失败的，所以便没有让它流传了。

《阴符经》的启示

第二，《阴符经》与苏秦后来成功的问题。

我们看了以上的资料，都知道苏秦从秦国失败回家以后，关起门来，苦苦地再来用功读书。据说，读的是周朝初期极富传奇性的人物——姜太公（吕尚）所传的那本《阴符经》。因此，自秦汉以后，很多人都在找这本出过历史性的大风头、有旋乾转坤之能的神秘奇书。学政治的，学军事的，甚至学神仙道术的，统统都在找它。另外有个类似的传说，圯上老人——黄石公，给了张良一本书，张良读了以后才能再度出山，成为帝王师的风云人物。有人说，圯上老人给张良的，便是《素书》，因此许多人也拼命去读《素书》，想在其中找出求得功名富贵的捷径。

事实上，我们都知道，从古代流传下来的《阴符经》和《素书》，据学者们的考证，都是伪书，是后人所假造的。那两本真书，早已收归天上，不落人间了。而且我们现有的《阴符经》有两种：一种是所谓黄帝时代所著的《阴符经》，是道书，当然也可以在其中牵强附会，套上政治学、军事学、谋略学等许多大原理原则。还有另一种《阴符经》便是所谓《太公兵法》，实际上都是伪书。书本虽然出于后世才人的伪造，但它的内容、价值，却不可以因为是伪书便一笔抹煞。这等于国际市场上某些精良的赝品，不但可以乱真，甚而有时简直可以同真了。

现在我们再来讲苏秦。他在家里，又下了一年昼夜关门苦读的工夫，便很自信能说动当时的人君们。难道说《阴符经》真有这样神妙吗？你若把流传下来固有的《阴符经》，或《太公兵法》，或者《鬼谷子》那些书都拿来研究一下，如果自己没有高度的智慧，足资自我启发的话，那你很可能要被那些书本所困扰，变成一个食古不化，迂腐而迷好神奇，愈来愈不切实际的老冬烘了。

但是，根据史料的记载，苏秦再度出来的成功，的确是由研读《阴符经》所致。这又是什么原因呢？因为在我们的古书里，所谓阴符也好，六韬三略也好，这些书本统统属于谋略学的范围。大体上，所有论说的内容，都是用古代简练的文字，根据天道、物理等奇正反复、阴阳互变、动静互用的原则，来说明应用在人事上的原理。这所谓人事，包括了政治、军事、经济、外交、社会等等人际关系的事务。苏秦再读《阴符经》以后，启发了他的思想，重新仔细研究当时的天下大势，使他有了新的启示，形成一套适合于当时国际现势的新的谋略构想，因此便建立信心，自认为再度出山，必然可以切合当时人主们现实的需要，必定会采纳他的意见而使自己达成愿望。

　　由这里，我们可以了解，世界上不管哪一门学问，必须要从读书求知识，受教育而建立基础。但是书本上的知识，都是出于前人的经验累积所集成的产品。当你吸收了这些知识经验以后，必须还要自己能够消化，能够加以发挥，产生出你自己新的见解，才是构成学问的最主要因素。如果呆呆板板地被它所范围，那就变成了所谓的"书呆了"了。其实，书呆子的确也是人类文化的艺术产品，有他非常可爱的一面。但是，往往运用到现实的事务上，便又很可能流露出非常可厌的一面，成为"百无一用是书生"古人名言的反映了。苏秦他再度的出山，便是由书呆子的蜕化而成功的。

图取个人权利

　　第三，我们要注意苏秦在历史文化上的价值问题。

　　我们历史文化的根本基础上，几千年来一仍不变的重心所在，就是传统文化中王道的精神，也便是孔孟一系儒家学术思想的道统。严格说来，这种文化维系续绝的道统所在，倒并非因为汉武帝"罢黜百家，独尊儒术"的缘故。实际上，是因为我们这个民族先天性地爱好人道和平，重视接近天则的王道教化，而薄视巧取豪夺的权谋所致。

　　因此，在我们的文化史上，尽管有非常可爱、非常重要的诸子学说思想，但也只能把它用来作为文化学术的旁通陪衬，而不能认为是正规的文化中心思想。更何况如苏秦、张仪之流的纵横谋略之学，只是从个人的权利思想出发，图得个人平生的快意，他的用心动机，并没有为国家天下长治久安作打算。因此，虽然在当时的现实政治上煊赫一时，风云了二三十年，但毕竟要被历史的天秤称量下去，并不予以重视。

　　再说，我们虽然只是简略地读了前面引述苏秦出处的那些资料,但在大体上,已可了解他是深受当时的时代环境、社会风气和家庭背景所影响。他并不能像孔子、孟子那样具有"确然而不可拔"的特立独行的精神修养。所以他始终只能成为一个大谋略家,一个聪慧的凡夫,绝对无法成为一个超凡的圣人。那么,在这里我们对于凡夫与圣人的分野,又如何来下一个定义呢? 很简单:

在现实的人生中,只为自己一身的动机而图取功名富贵的谋身者,便是凡夫。

在现实的人生中,如不为自己一身而谋,舍生取义,只为忧世忧人而谋国、谋天下者,便是圣人。

所以我们只要看苏秦的传记上,当他学成再要出门时的豪语:"安有说人主,不能出其金玉锦绣,取卿相之尊者乎"的几句话,就可以看出他的器识志量只在财势而已。

在这里,使我想起当年在四川时,听一位西蜀的前辈朋友,告诉我们戏中几句幽默的戏文。其实,我觉得不单是平常的幽默,简直是对英雄主义的讽刺,也是人生哲学的透视。现在可以用来对苏秦的这个历史故事作类比。

川戏、汉戏,差不多都是同一系统的地方性艺术。也和京戏一样,在作戏的时候,要配上那些吵死人的大锣大鼓。当然,京戏原来就由安徽湖北戏变来的,大锣大鼓也有极大的学问,年轻同学们对这一部分国粹不可以太轻视。

现在我要讲的,当川戏中唱某一出大戏时,先在震天价响的大锣大鼓开场下,出来了两位披大氅,武生打扮的绿林英豪。他们用大氅遮住面目,在戏台上先用英雄式的快步转上一圈,然后在戏台的中央当众一站,虎虎有生气地撩下了遮面的半边大氅,就开始唱起他们自报名来的道白了。一个英雄唱的是:

"独坐深山闷幽幽,两眼瞪着猫儿头。(当年四川路摊上卖给劳力人们吃的白饭,添在碗中高高超出鼻尖的那种便饭,就叫做猫儿头。)如要孤家愁眉展,除非豆花(儿)拌酱油。"

你看，所谓占山立寨的英雄豪杰们，他最基本的要求，和最终的目的，还不都是为了吃饭吗？只是被他这种装扮，配上幽默的对白和做作，一说穿，人生本来如此，于是就逗得人哈哈大笑了！

另一个跟着唱白的是：

"小了力量人如天，纸糊（的）灯笼打得穿。开箱豆腐打得烂，打不烂除非（是）豆腐干。"

这可真够幽默了，这四句话说穿了人毕竟都是人，就是这样的平凡，拆卸了英雄心理上的伪装，谁人又有多大的了不起呢？

好了，笑话也说过了，由这个笑话的题材，我们再回转来看苏秦的动机，所谓"出其金玉锦绣，取卿相之尊"的语句文辞，和所引用川戏中的两首白话诗来对看，就不用我再来下结论了。

佩六国相印的显赫时期

在战国的后期，国际上所有盛极而衰的强国，尽是一片纷纷扰扰的局面，都畏惧崛起西边的强秦，没有哪一国真敢和秦国抗手争衡的。即如孟子所见最大的、最古老的齐国之君齐宣王，也不例外。那么，苏秦这次的再次出门游说，要想实施他合纵抗秦的联合国计划，实在也真不容易。不要说在当时的时代背景有如此之难，即如后世的历史上，以一介平民的书生，毫无背景，毫无凭借，要想掌握整个天下于股掌之间，成立一个空头联合战线的王国，除了苏秦以外，实在再也找不出第二个了。

我们读历史，不管从哪种角度来衡量，随便怎么看不起苏秦的作为，但他毕竟还是有他对当时时代贡献的功绩存在。他后来能够南北奔走，把国际间联合战线组织成功，身佩六国相印。在私的方面，果然耀武扬威地让他家人和嫂子们羡慕不已。在公的方面，他也着实做到了吓阻强秦而不敢轻易发动侵略的战争。因此而使当时战事连绵的天下时局，能够由他手里一直安定和平地过了二十多年。不但当时的六国诸侯深受其利,间接地使当时天下各国的人民,能够喘息安居,半生免于战争戎马的祸患,实在也是很大的功德。虽然他只为现实利益,以个人主义为出发点,但是他所造成事功的伟业,岂可轻易地抹煞。事实上,孟子在当时,也有所未能。

如照孔子评论管仲等人物的语调,假如孔子迟生在苏秦之后,也许会给他一句"可谓能矣"的评语呢!

历史的是非,到底也有公论,我们只要看一看刘向著《战国策》的序言,便可知苏秦的确也有可贵可爱的一面。如刘向所说:

夫篡盗之人,列为侯王,诈谲之国,兴立为强,是以转相放效。后王师之,遂相吞灭,并大兼小。暴师经岁,流血满野,父子不相亲,兄弟不相安,夫妇离散,莫保其命,泯然道德绝矣。……

故孟子、孙卿(荀卿)儒术之士,弃捐于世。而游说权谋之徒,见贵于俗。是以苏秦、张仪、公孙衍、陈轸、代、厉(苏秦的小弟)之属,生纵横短长之说,左右倾侧。……

然当此之时,秦国最雄,诸侯方弱。苏秦结之,时六国为一,以傧背秦。秦人恐惧,不敢窥兵于关中,天下不交兵者二十有九年。……

战国之时,君德浅薄,为之谋策者,不得不因势而为资,据时而为画。故其谋扶急持倾,为一切之权,虽不可以临国教化,兵革救急之势也。皆高才秀士,度时君之所能行,出奇策异智,转危为安,运亡为存。亦可喜,皆可观。

我们要注意,苏秦第一次游说的失败,是先走强国的路线。这一次他再度出门游说,经由赵国,先到北方的燕国。燕文侯被打动了心,最后对苏秦说,愿意把全国的力量托付他,以便从事南北联合阵线的合纵工作。并且给他足够的活动资金,又为他装备豪华的外交马车。如《战国策》所记:

燕王曰：寡人国小，西迫强秦，南近齐赵。齐赵强国也。今主君幸教，诏之合纵以安燕，敬以国从。于是赏苏秦车马金帛以至赵。

从此苏秦便一路顺利地到了赵国来游说赵肃侯。结果赵王也和燕文侯一样，愿意把国事全部付托给他，而且比燕王更加倍地供给苏秦活动资金和外交排场。

如所记：

赵王曰：寡人年少，莅国之日浅，未尝得闻社稷之长计。今上客有意存天下，安诸侯，寡人敬以国从。乃封苏秦为武安君，饰车百乘，黄金千镒，白璧百双，锦绣千纯，以约诸侯。

你看！这一下苏秦的神气更大了。他到了韩国，结果韩宣王又是说："敬奉社稷以从。"

接着，他到魏国来说动了魏襄王，也就是孟子批评他"望之不似人君"，看不起他，施施然而去之的魏襄王。结果他也同燕赵韩一样，完全听命于苏秦。

等到苏秦再到齐国来见那一位向孟子请教过，结果是话不投机的齐宣王，也是"敬奉社稷以从"，向他拱手拜托了。

最后，他到南方说动了楚国的威王，楚王当然也是以"谨奉社稷以从"作结论。到此，司马迁写《苏秦列传》便说："于是六国纵合而并力焉，苏秦为纵约长。""纵约长"，相当于现在所谓联合国的秘书长。"并相六国"，同时兼任当时国际上六个国家——燕、韩、赵、魏、齐、楚的辅相职务。

这个时候的苏秦，神气可大了。现在美国出了一个小小的基辛格，哪里能够与苏秦相提并论。

不过，最有趣的是，《战国策》中首先在《秦策》里所记述苏秦那篇的结尾一段，他写实的描写，也和司马迁在《史记》里所写的一样有趣。虽然我认为《战国策》里对苏秦的一段结语，正好为他作盖棺论定的画龙点睛。不过,为了文章安排的次序顺畅,我们还是采用了《史记》的一段,更为条贯。

苏秦组织联合战线的合纵计划,由北到南;一路外交活动的成功之后,他必须回转北方,向开始发起的燕赵报告。在北上的途中,必须经过他的故乡洛阳。这一路行来,后面侍从的车驾阵势,非常浩大。随行的行李和卫队,当然也可想而知,真是威风十足。更何况各国的诸侯都派遣了特别使节来欢送他。那种神气,简直就相当于当时执掌政权的诸侯王者一样。

因此,搞得当时在洛阳的中央天子周显王,听了这种情况,心中也有点惴惴不安了。因为苏秦本来是他中央直辖治下的平民,并且在他第一次出来游说时,也曾先向东周提出过意见,结果被打了回票。所以这次周显王更显得有些难堪了。因此,只好派了专人为他清理还乡的道路,又加派了一位代表远到郊外去欢迎他。如说:

北报赵王,乃行过洛阳。车骑辎重,诸侯各发使送之甚众,疑于王者。周显王闻之恐惧,除道,使人郊劳。

苏秦的书生本色

现在我们继续看苏秦回到故乡后的记述,不但是很有趣味的历史故事,同时也可以启发我们对人生观的哲学思想,以及做人处世,在义、利之间的取舍,非常值得注意。先看这一段绝妙的原文:

苏秦之昆弟妻嫂侧目不敢仰视,俯伏侍取食。苏秦笑谓其嫂曰:何前倨而后恭也?嫂委蛇蒲服,以面掩地而谢曰:见季子位高金多也。苏秦喟然叹曰:此一人之身,富贵则亲戚畏惧之,贫贱则轻易之,况众人乎!且使我有洛阳负郭田二顷,吾岂能佩六国相印乎!于是散千金以赐宗族朋友。初,苏秦之燕,贷人百钱为资,及得富贵，以百金偿之。偏报诸所尝见德者。其从者有一人独未得报，乃前自言。苏秦曰：我非忘子，子之与我至燕，再三欲去我易水之上，方是时，我困，故望子深。是以后子。子今亦得矣。

这段原文接在当时中央政府的天子周显王也派特使出来欢迎之后。

苏秦当时那种威风荣耀，比起唐朝的士子们，考取了进士便自比做登仙而升天的情景，远有过之而无不及。这个时候，他的父母兄弟妻嫂，全家人都出动到郊外去欢迎他。等到苏秦的全副仪仗到家以后，他的兄弟、太太、嫂子们，都不敢拿正眼来面对着他，只敢低着头，偷偷地拿眼角瞄视他，而且都弯着身子，用半跪式的姿态侍候他，等着他来吃饭。

苏秦看了这种情景，就笑着对他的大嫂说，你在我当年失意回家时，不肯为我做饭，现在为什么又这样地多礼呢？我们读了苏秦这句"何前倨而后恭也"的问话，果然觉得他也未免有点小气。但要知道，这是人之常情，除非真正的圣哲，可以淡忘过去的嫌隙。不然，任何一个平常人，都会有这种介意的心理存在。只是耿耿心的介意，没有采取难堪的报复做法，已经算是第一流的豪杰之士，何况苏秦还坦坦白白地用笑脸说出他的幽默话呢！好了，理论少讲，我们快看这一幕家庭闹剧是怎样地演出。

他的嫂子听了苏秦类似讥讽的幽默以后，挂不住了，生怕苏秦会拿权势来报复她，干脆便一跪到地，扑下了身子，正如后世所谓的"五体投地"的拜倒在地，一面向他道歉，一面说了一句非常坦白的良心话：因为我现在看到你官位又高，钱又多，所以我要对你好好地巴结了！这句"见季子位高金多也"真让人拍案叫绝，如果也用金圣叹批小说的手法来讲，可批："好个苏大嫂！可以浮一大白。"

苏秦问得讥讽、幽默。苏大嫂答得也真够坦率，真够心直口快，说出了千古人情的真话。

人与人之间的真诚礼敬，是要极高度的学问修养才能做到。否则，绝对纯朴，没有学识的人也能做到。除此之外，人与人相处的礼敬态色，不是为了权势的高位，就是为了你有多金值得重视。如果既有高位，又有多金如苏家的老三，当然会有人向他拍马屁了。

季子，是苏大嫂在家里叫苏秦老三或三叔的口头语，并不一定是苏秦的名字。不过，古人的口语，记之于文字，后来往往便把它当作了文词。

我想这种人生滋味的经验，在每个人的心史上，或多或少都有过记录的。只是在苏秦这里，叔嫂两人的对话中，坦白地说出了人情世态的真相，便觉得够刺激！够痛快！

也由于苏大嫂的坦率，便接着引出苏秦对人生观的哲学言论。当然，那个时候还没有新闻记者来访问他，所以不是要记者发表的私人意见，更不是他代表合纵政策的联合公告。（一笑。）当他听了他大嫂的话，便很感慨地说：唉！当年落魄回家的苏秦，也就是现在的我，同样的一个人，当你富贵的时候，亲戚朋友都畏惧你，敬重你。当你贫贱的时候，人们就轻视你，把你看成不值一顾的人。像我苏秦这样的人，对于人生的遭遇，也深刻地体验到"人情冷暖，世态炎凉"的味道，何况平常的一般人呢？注意！我们要特别注意原文中"况众人乎"这句话的语意。为什么呢？苏秦的语意是很坦白地说，像我苏秦这样有出息的人，虽然有一半是运气，但是也算难得了。至于一般平常的普通人，根本就不可能有这种努力的成果，有这种好运的机会。因此，世界上那些注定要受委屈的人们，还不知有多少哩！这便是苏秦的哲学观点，苏秦的书生本色，的确明通世故，通达人情到了极点，所以他的成就，也并非偶然侥幸得来的。

但是，这一段文章里的"况众人乎！"也可以照一般的解释，是说像我的家人亲属们，在我失意的时候，也是那样地鄙视我。现在在我得意的时候，又这样地巴结我。至亲骨肉尚且如此，何况一般毫无关系的外人呢！

这还不算，最可爱的是苏秦接着说出他的坦率话。他说：假如我当年自己手里有靠洛阳城郊的好水田二百亩，那我宁可在家里享受田园之乐，在农村社会作一个小小的富家翁，享享福，谁又愿意出去奔走四方呢！不过，我苏秦真要有那种好的家庭环境，那么，我今天哪里可能一身掌有六个国家的辅相大印？

所以人生的福祸都很难说，我们如果从道德果报的观点来看，便有后世宗教家们所说的："祸福无门，唯人自召。"如果只从哲学的观点来看，便符合"塞翁失马，焉知非福；塞翁得马，焉知非祸"的至理名言。

讲到苏秦所说人生哲学的道理，使我联想起现代史上一位名公巨卿的故事。当他少年时，开始出来学军事，当小排长的时候，他的同袍看到他日记里写着，如果他有五百块大洋，可以回家买几亩地来种田的话，实在不想这样辛苦。他哪里想到后来居然成为国家重臣，在历史上留名呢？同样情形，在唐末的乱世中，吴越王钱镠，原先也只想在贩盐的行业里，多纠集些人手来保护自己，他哪里又预料到后来能屏障东南，做到了"满堂花醉三千客，一剑光寒十四州"的封王局面呢？再说，朱元璋要不是因为当小和尚碰到荒年，出去化缘也难得温饱的话，他也不会去投军。当时他更是做梦也想不到自己后来竟然当上皇帝。当汉光武刘秀还没落在民间的时候，他的最大希望，只想做到帝都卫戍司令的职位，然后讨到阴丽华来做老婆，"仕宦当作执金吾，娶妻当得阴丽华"就志得意满。哪里又想到竟然作了汉代中兴的令主呢？诸如此类历史人物的类同故事很多，不再多讲了。

不过我们要知道，像苏秦那样的人物，在踌躇满志的时候，仍然能不失书生本色。幡然憬悟到人生哲学的道理，总算不太容易。但是，苏秦是属于豪杰之士的人物，豪杰也是凡人，不能以他的一个人生，来偏盖一切的人生观念。另外如孔孟一系的儒家圣哲们，他们的人生哲学,一开始发心立志,便要"为天地立心,为生民立命,为往圣继绝学,为万世开太平。"就如各个大宗教教主们的救世淑世主义者,当然又比苏秦的人生境界,超越了许多。其他如道家的隐士们,那种遗世独立的情操,又是另一种人生类型的风格。

因此,我们在现实的人生社会里,必须有独立不倚的澡雪精神,才能挺拔在"位高金多"的俗世之中。例如宋人陆仲微有一段对人生观的名言,实在可作为热衷于富贵中的清凉剂。他说:"禄饵可以钓天下之内才,而不能唉尝天下之豪杰;名航可以载天下之猥士,而不能陆沉天下之英豪。"

苏秦的义利之辨

在艰苦中成长成功之人,往往由于心理的阴影,会导致变态的偏差,这种偏差,便是对社会、对人们始终有一种仇视的敌意,不相信任何一个人,更不同情任何一个人。爱钱如命的悭吝,还是心理变态上的次要现象。相反地,有器度,有见识的人,他虽然从艰苦困难中成长,反而更具有同情心和慷慨好义的胸襟怀抱。因为他懂得人生,知道世情的甘苦。

苏秦是豪杰之士,所以他在憬悟到人生的正面和反面,人性的美好和众生相的丑陋以后,便慨然拿出千金,普遍散赐给宗族和朋友们。同时还报过去穷困时对他有恩惠的人。当他第二次出门到北方去的时候,有一位乡邻,借给他一百钱做路费,他便加十倍的回报,还了他百两黄金。这种举动,看起来、说起来很容易,事实上,到了自己头上,要痛痛快快、慷慷慨慨地做起来,就真不容易。还有太多的事例,在此不多作讨论。

原文中接下去,另一小节的记载,很好笑。当苏秦在家乡正做这样豪举的时候,有一个乡亲是当年跟他到北方燕国去的,可是苏秦这次却对他没有什么表示。这个人干干脆脆,自己直接向苏秦说,我跟你没有功劳,也总有些苦劳,为什么你不给我一点好处呢?苏秦说,对不起,其实我没有忘了你,只是你太过分了,当我在艰苦的时候,很需要你跟着我,帮忙我到燕国去,可是你看我当时在赵国没有什么成就,所以在我渡过易水要到燕国去的最困难关键上,你再三想离开我,不肯再帮我了。你要知道,在那个时候,正是我困难得要命的时候,多么希望得到你的帮助和鼓励。可是你却很势利,真让我痛心极了。所以现在我故意把要给你的一份摆在最后,也是给你一点教训的意思。好了,你现在又当面来要求,当然有,这一份便是我为你准备的,现在你拿去吧!

在《史记》里,司马迁写《苏秦列传》,把这样一件小事也记载上去,这正如现代的我们写白话传记一样,在一件小事上,一个小动作上,特别加以叙述,此中往往衬托出很重要的观念,要读者好好去思辨,好好去体会。

最后,司马迁写着:"苏秦既约六国从亲,归赵,赵肃侯封为武安君,乃投从约书于秦,秦兵不敢窥函谷关十五年。"

但后来刘向在《战国策》的序言上,却说:"秦人恐惧,不敢窥兵于关中,天下不交兵者二十有九年。"

这里与《史记·苏秦列传》所载相差十四年的问题在哪里呢?司马迁说的十五年,是苏秦手里的事。刘向说的二十九年,包括了苏秦、张仪、苏代等当政的年限。张仪是他同学苏秦一手计划培养的,故意造成反对派势力,帮助秦国破坏了苏秦合纵以后的计划,另创一个连横的联合战线,与苏秦的原计划相抗衡。其实,都是他们两个同学的袖里乾坤,故意一正一反来玩弄诸侯,摆布天下。同时因苏秦的影响和培养,跟着又有他的弟弟苏代、苏厉等,也是走他的老路,纵横捭阖于当时的国际局势之间。

反正总结起来,都由于苏秦一手的创作,而减弱了当时国际间的连绵战争,维持了二三十年大体上还算和平安定的局面,虽然最后苏秦还是在齐国被人行刺而死,但是这个历史上的功绩,却不能不归之于苏秦的谋略。

生 死 之 谜

可是,最近我听人说,又有新的出土资料,足以证明苏秦当时在齐国并没有被刺死,可能只是受伤或是伪装受伤,他是道道地地的功成身退,归隐去了。后来还活到相当长的岁数。

我是没有亲眼看到这些资料,到现在还只是道听途说而已,假如是真有其事,那么我们对于苏秦的评价,还要高得多了。这样一来,范蠡的逃名归隐,虽然独步于先,后来的这个苏秦也很高明,他使写历史的人,更弄不清他的下落,岂不是比范蠡逃名得更有趣,真不愧是鬼谷子的弟子了。后世道家的神话传说,当苏秦功成名遂之后,便回去找他的老师鬼谷子,学道修仙去了。

不管如何,苏秦一生的作为,在历史文化上,很明显地可以看到,他是位非常高明的豪杰之士,他既不想做英雄,当然也谈不到圣贤的作为。但也不能像过去学者们的成见一样,只把他打入谋略家,好像他只懂得纵横捭阖的阴谋策略,完全忽略了他对当时历史时代上,的确已经做到了挽救战乱危机而措置于和平达二十多年的贡献。有多少人的生命财产,都在他的一念卵翼之下而安享了天年。只要我们仔细研究一下战国末期的战史,包括国际性、地方性的大小战争来看,便可知道过于轻视苏秦的功劳,那也是很不公平的。

那么,为什么又说他不想作英雄呢?这很简单,在他后来左右逢源、摆布整个国际天下在他指顾之间的时代,他没有一点野心,想走那三家分晋,或者田氏篡齐的作为。就如他在燕国,以及他在赵国,受封为武安君那段时期,也没有过分地干扰弱国之燕、赵的实际内政。再拿他得志回家,分财施人的作风,来对比研究,便可想见苏秦书生本色的个性,的确有过人之处。

如果新近的传说属实，真有新出土的资料，证明苏秦后来是逃名隐遁了，又安享余年，还活得不算太短的长寿。那么，就要对他高明的人生哲学观点另加评价了。或者，在他经历上，对于人世间的历史哲学观点，确如范蠡他们一样，另有独到之处。在这里，使我想起了明代苍雪大师　首题画诗的哲学意境："松卜无人一局残，深山松子落棋盘。神仙更有神仙者，毕竟输赢下不完。"倘作如是观，那他岂不是更神奇了吗？

再说，司马迁特别为苏秦写了一长篇的列传，不厌其详地为他记述合纵的情形，也实在有他的深意存在。关于苏秦死后的传说，究竟如何？他也有点怀疑，只是资料不足，不敢写得太过分。但是他对后世一般人对苏秦的看法，也不太同意。不过，不能说得太明显，恐怕后来的人，不讲道义，只想学谋略，画虎不成反类犬，那就不好。我们只要读一下他在《苏秦列传》最后的评语，便可知道了：

太史公曰：苏秦兄弟三人，皆游说诸侯以显名，其术长于权变。而苏秦被反间以死，天下共笑之，讳学其术。然世言苏秦多异，异时事有类之者皆附之苏秦。夫苏秦起闾阎，连六国从亲，此其智有过人者。吾故列其行事，次其时序，毋令独蒙恶声焉。

我们在讲述《孟子》之前，花了不少时间来讨论孟子时代战国末期的情势，又附带地多讲一段苏秦故事，用来衬托出孟子特立独行的立身处世的圣贤之道，究竟是为了什么呢？

因为我们生当此时此地，现实世界的局势，就如春秋，就如战国，尽管时代有不同，社会结构与政治制度、形势都有不同，但在大经大法、大原则、大原理的变化之际，国与国间，人与人间，古今中外，并无例外。所以特别提醒注意，希望年轻的同学们，为国家的将来，为自己，都能花些精神，多去读《春秋》、《战国策》这些书，只要能够善于读它，必定会有用的。的确是"其智有过人者"，例如苏秦、张仪两位同学，故意制造了正反相妨，而又相辅相助的反复阴谋,便使整个天下,在他们手里玩弄,使天下在他们手里安定。由此而知,今天世界上的故唱和平,实为倡乱的反复阴谋等等,只要你真正懂得《战国策》的策眼,便可一觑看穿,不会上当的。

同时,我们这次讲《孟子》,正好看看孟子与苏秦等人先后都见到的齐宣王、魏襄王他们,当时的国势和他们的内政国情是怎样的。为什么孟子要这样说,苏秦和齐魏两国的王者,又要那样做,这是什么道理?在《孟子》本书上找不出相反的资料,而在《史记》、《战国策》上,却可以找出一些道理来。所以我采用了这个研究方法,不但不会使苏秦“独蒙恶声”,也可将《孟子》读得活活泼泼的,富有生气,因而更能领略得亚圣之所以为亚圣也。

戊子三十六年,燕、赵、韩、魏、齐、楚,合纵以摈秦,以苏秦为纵约长,并相六国。

己丑三十七年,秦以齐魏之师伐赵,苏秦去赵,适燕纵约解。

壬辰四十年,宋公偃逐其君剔成而自立。

癸巳四十一年,秦张仪伐魏,取蒲阳,既而归之,魏尽入上郡,以谢秦,以仪为相。

丙申四十四年,赵武灵王雍元年,是岁秦称王。

丁酉四十五年,苏秦自燕奔齐。

戊戌四十六年,秦相张仪免,出相魏。

庚子四十八年,王崩子定立。

辛丑元年,卫更贬号曰君。

壬寅二年,孟轲适齐。

癸卯三年,楚赵魏韩燕伐秦,攻函谷。

甲辰四年,苏秦已死,魏请成于秦,张仪归,后相秦。

乙巳五年,秦伐蜀,取之。

丙午六年,王崩,子延立是为赧王。

丁未元年,齐伐燕取之,醢子之,杀故燕君哙。

戊申二年,楚屈匄伐秦。

己酉三年，燕人立太子平为君。

庚戌四年，秦使张仪说楚、韩、齐、赵、燕、魏连横以事秦，秦君卒，诸侯复合纵。

辛亥五年，秦张仪复出相魏。

壬子六年，张仪死，秦初置丞相，以樗里疾、甘茂为左右丞相。

癸丑七年，秦甘茂伐韩宜阳。

经 史 合 参

我们这次研究《孟子》，是采用"经史合参"的方法。所谓"经"，就是《孟子》七篇的本经。所谓"史"，就是指孟子所处的时代——如齐梁等国当时约略可知的史料。除了《孟子》本经之外，同时配合战国当时相关的历史资料，来说明孟子存心济世的精神所在。

过去我们在年轻的时候读《孟子》，往往觉得很枯燥乏味，只是为了传统的要求，作教条式的信仰，填鸭式的记诵，或多或少，总存着不是绝对信服的心理。如果把学力加上年龄，再加上对世事的经历和观察，慢慢到了平事老大，才会觉得孔孟之学在人道的立场上，的确是有它圣之为圣的道理。但学力加年龄加阅历，说来只是一句话，实际上却是一段漫长的路程，同时夹杂着许许多多的甘苦。所以我认为针对现代情况的需要，用经史合参的方法来认识孟了，也许有很多方便。

讲到这里，顺便想起一个历史上有关孟子的故事，那就是明太祖朱元璋的趣事。朱元璋当了皇帝以后，大概也和我们年轻时的心情思想一样，非常讨厌孟子，他认为称孟子为"亚圣"，把他的牌位供在圣庙里，实在不配，因此取消孟子配享圣庙之位。晚年他的年事阅历多了，读到《孟子》的"天将降大任于斯人也，必先苦其心志，劳其筋骨，饿其体肤，空乏其身，行拂乱其所为，所以动心忍性，曾益其所不能。人恒过，然后能改；困于心，衡于虑而后作；征于色,发于声而后喻。入则无法家拂士,出则无敌国外患者,国恒亡。然后知生于忧患,而死于安乐也"一节,情不自禁地拍案叫好,认为孟子果然不失为圣人,是亚圣,于是又恢复了孟子配享圣庙之位。

这个故事表面看起来很可笑,蛮好玩,实际上也正好说明了我们研究孟子的中心关键。同时也是英雄与圣人、王道与霸术分野的道理。

梁惠王的先世

现在我们手里拿的这本《孟子》,第一篇是《梁惠王》即孟子见梁惠王。关于他们的对话,原文俱在,暂时搁在一边;我们现在先要把梁惠王当时的魏国情势,作个简单的了解。

梁惠王便是魏惠王,因为他当时迁都到大梁(河南开封),所以一般习惯,又称他为梁惠王。

战国时期的魏国,是和韩、赵两国一样,他们的祖先原来都是晋国的重臣。到了春秋末期,在晋昭公之后,便衰弱到"六卿强,公室卑"的情势。魏国的祖先,也是晋国后期的重臣——六卿之一的魏桓子,他和另外两家晋国的重臣韩康子、赵襄子,共同阴谋灭了荀家的智伯以后,便三分其地而据以称强了。这个阶段,也正是孔子的晚年时期。

跟着,也就是历史上所称的战国时期开始。魏国出了一位名王魏文侯,他是孔子的名弟子七十二贤人之一、子夏的学生,接受孔子经学的薰陶。孔子过后,子夏讲学河西,便是这个时期的事。魏文侯另外还有一位高明的老师田子方。又向当时有名的高士段干木谦虚请教,他和段干木是师友之间的交谊,有很好的感情。因此他把魏国打好基础,变成战国初期的一个文化强国。在政治方面,他起用了历史上有名的名臣西门豹,主管河内(今河北及陕西、山西部分地区),成为中国政治史上内政修明的典范之治。

　　魏文侯死后，他的儿子魏武侯继起，在文化的成就上，当然比不上他的父亲，但在武功上，则更强大。他用了历史上名将吴起，同时与韩、赵灭掉宗主国的晋国，而三分其地。

　　魏武侯死后，他的儿子继位，干脆直接称王，叫魏惠王，也就是孟子所见的梁惠王。

　　梁惠王当然比不上他的祖父魏文侯，而且也比不上他的父亲魏武侯。同时，他所处的时代环境，比起他父亲、祖父的时代，又更复杂困难了，这也是事实。不过历史上的名将孙武子的孙子——孙膑，打垮他同学庞涓的一场著名战争，那个庞涓，便是魏惠王亲信的大将。在这以前，魏惠王也曾有过赫赫的战功，打败过韩国、赵国、宋国。而且还能威胁到鲁、卫、宋、郑等国来朝，和他建交。同时也一度和秦孝公在外交上建立短暂的和平。

商鞅和梁惠王

　　可是魏惠王在历史上，却有一件很滑稽的遗憾，也可以说是很滑稽的损失，那便是把一个在他手里的人才，轻轻地漏过溜掉，使他后来在霸业的企图上吃了很大的亏。这个人便是使秦国变法图强的商鞅。

　　商鞅，卫国人，所以也叫卫鞅，又叫公孙鞅，因为他的本族姓公孙。在当时宗法封建的社会里，他是不受人尊敬重视的一个青年，因为他的生母不是元配，在宗法社会里没有家族地位之故。

　　商鞅从小就爱好法家刑名之学。因为在他本国不得志，战国当时的国际之间，又正是人才交互外流的时代，他便到魏国，做了魏国的辅相公叔痤的门下士。公叔痤知道他有才具，还来不及向魏王推荐，他自己便生病快要死了。梁惠王去看公叔痤的病，问他说："假如你的病好不了，对我们的国家前途，有些什么话要吩咐？"公叔痤说："我的门客，有一个卫国的流亡青年公孙鞅，虽然年纪还轻,却是一个奇才,希望你重用他,绝对信任他,接受他的意见。"梁惠王听了,闷声不响,也不表示意见。到临走的时候,公叔痤便叫所有的人退出去,又单独和梁惠王说:"如果你不肯用公孙鞅,便解决了他,不要叫他出境。"梁惠王听了只好点点头,表示知道了。

梁惠王走了以后,公叔痤马上叫商鞅进来,对他说:"刚才惠王要我推荐我死后的辅国人才,我推荐了你,他的意思不肯接受。我的立场,先有公,再有私。先对国家贡献是事君之道,再来对你讲私话,是尽到我人臣之道以后,才来讲你我之间的友道。"

这点要特别注意,在我们上古的历史文化里,尤其在春秋、战国之间,常有这一类历史故事的例子,充分表示一个人的人格作风,对公对私的道义界别。表面看起来好像很阴险,在说两面话。事实上他是光明磊落地说明对君道、臣道、友道之间的各别立场,都须要有所交待,才是不负此心、不愧此心。如果说他是阴险,也有阴险的道德,等于后世写的武打小说,明明要用暗器伤人,但在发出暗器的刹那,还要公开叫一声"看打!"通知了以后,你能不能逃得过,就要看你自己的智慧和本事了。

因此公叔痤便接着告诉了商鞅:"我的心,对公对私都要尽到最大的力。所以我后来对惠王说,如果不用你,便杀掉你。他似乎同意了我的意见。你赶快想办法走吧!迟了,就要完蛋。"商鞅听了,对公叔痤说:"你放心吧!他既然不肯听你的话用我,哪里又肯听你的话杀我呢?"换句话说,商鞅了解梁惠王的心理,根本没有把他商鞅这个人当一回事。所以他还是暂时留在魏国不走。

梁惠王从公叔痤的家里出来以后,便对左右亲近的人说:"公叔痤真是病得昏了头,他叫我把国家大事交付给那个卫国来的流亡小子公孙鞅,那是多么荒谬的想法!真是可悲之至!"

后来商鞅投奔到秦国,三次游说秦孝公,秦孝公接受了他的计划,变法图强,富国强兵,奠下了后来秦始皇统一天下的基础。过了两三年以后,商鞅又说动了秦孝公,出兵打魏国,用诈术欺骗了魏国的前线指挥官魏公子卬,打了胜仗,使魏国割让了河西之地求和,才逼得魏惠王迁都大梁。这时候,梁惠王才深深悔恨自己当时没有听信公叔痤的话。公孙鞅也因此而受秦国尊封为商君。所以后来通称他为商鞅,便是由这个历史故事来的。

再过十年以后,秦孝公死了,他的儿子继位,也称惠王,这便是苏秦见过的秦惠王。商鞅失了依靠,在秦国的政坛上失败得很惨,有造反叛变的嫌疑,因此又逃亡到魏国,但被魏国拒绝了,最后走投无路,被秦国追捕回去,受车裂之刑而死。

虽然说历史上的因果报应,毫厘不爽,但魏国割地迁都这一幕,到底都是导自梁惠王的失策,没有君子之度的领导长才,糊里糊涂地写下了历史上这一出滑稽剧本,徒留后人扼腕长叹。

孟子见梁惠王,也便是梁惠王最悲愤难受的阶段。他与齐国一战,损失了大将庞涓,同时太子申被掳。又与秦国一战,损失了公子卬,割让了河西之地,迁都大梁。实在是他心里最难过的时候,所以他想网罗礼聘外国的人才,例如在齐国闻名的客卿驺衍、淳于髡等人,也都受过他的邀请。尤其他对驺衍的莅临,曾经亲自到郊外去欢迎他,很隆重地待以上宾之礼。他是受到商鞅这一件事的刺激,很想找到一个振作图强的能臣,来恢复他父祖的光荣局面,甚至能进而窥图霸业。

不管他是什么心理,也不管他是哪一类的领导人物,至少他当时的做法,的确是有迫不及待的求才若渴的意图。

我们先了解了这些简略的历史资料,再来研究孟子见梁惠王的一段,才能找出孟子学说思想的精彩所在,而不觉枯燥乏味。

梁惠王章句上

　　孟子见梁惠王。王曰："叟，不远千里而来，亦将有以利吾国乎？"

　　孟子对曰："王何必曰利？亦有仁义而已矣。王曰何以利吾国，大夫曰何以利吾家，士庶人曰何以利吾身。上下交征利，而国危矣。"

　　"万乘之国，弑其君者，必千乘之家；千乘之国，弑其君者，必百乘之家。万取千焉，千取百焉，不为不多矣。苟为后义而先利，不夺不厌。未有仁而遗其亲者也；未有义而后其君者也。王亦曰仁义而已矣，何必曰利。"

梁惠王与孟叟

　　这一段的文字记载，无论是孟子本人或是门人们的记述，措辞用意都很妙，而且也很坦率，不加故意的掩饰，直截了当描述当时孟子见梁惠王一段不太愉快的谈话。尤其我们了解了梁惠王后来对驺衍的接待，再来看一看他对孟子满不在乎的样子，很显然的，大有厚薄轻重之分了。

　　而且最不可耐的，便是梁惠王对孟子的称呼，既没有像春秋时代诸侯对孔子的敬重，尊称一声夫子；也没有像战国当时诸侯们礼贤下士的作风，尊称一声先生。他却干干脆脆地称呼一声"叟"。这个"叟"字，好听一点来讲，便是老先生的意思。不礼貌一点，便是老头儿的意思。当然，梁惠王当时的一声"叟"，究竟是代表老先生呢？或是老头儿呢？无法考查。这要看他当场的礼貌态度，和称呼的声调来决定它的涵义了。可惜当时没有电视录影。（一笑。）但无论如何，这一声"叟"，并不表示尊重，大概是没有疑问的。

而且本章的记述，描写这一段不太愉快的谈话，在文字的气势上，表达得很明白。如此直接记载这一个"叟"字的称呼，对孟子的伟大倒没有什么损失，反而衬托出梁惠王始终不成器的风格，一副吊儿郎当、不庄重的浮躁相。

孟子在听了梁惠王"何以利吾国"的问题以后，就很庄重地对梁惠王说："您何必只图目前的利益？其实只有仁义才是永恒的大利。"

"如果都像你惠王一样，谋国的居心，只图以急功近利为目的。那么，等而下之，那些高位的大臣、卿大夫们，也只求顾全自己的家族利益。这样影响所及，一般的国民，也就只为自己身家的利益打算。这种观念发展下去，一定会使全国上下各阶层，都变成以利害为生活的重心，造成'当利不让'的风气。这样的话，国家就太危险了。"

"因为唯利是图，'当利不让'的结果，自私自利的观念会越来越严重。在历史上，有许多的事实可以证明，互相争权夺利的结果，便形成臣下反上的叛乱逆行。那些本来具有万乘之尊的大国，发生弑君叛变而自据称王的，都是当时那些高位重臣，所谓千乘之家做出来的绝事。同样地，那些千乘之家，被臣下叛变所谋害的，也都是那些百乘之家的重臣所干的事。"

"至于侵略吞并的思想，更是由于'权利欲'的驱使，所以目前万乘之尊的大国，便想吞并千乘之邦。那些千乘之国，便想吞并百乘之众的小国，这些古今的事例，不能说不够多的。原因在哪里呢？都是为了急功图利、争夺权利的结果。如果不了解先行仁义，而只求近利为前提，自然而然要变成非侵略他人、夺取别人的所有，就不能满足自己的利益。"

"其实,真能实行仁义之道,大利自然就在其中。真有仁心的人,绝对不会有遗弃其近亲的可能。真有义气的人,绝不会有背叛君上的可能。所以我认为您——惠王只有推行仁义之道,才是最高明的政略和政策,又何必舍大取小而只顾目前的急功近利呢?"

我们根据《孟子》的原文,概略演绎它文字的内涵,略略加以说明,大致就是这样的对答。当然,如果说是译文,那便大有问题。因为这样的说法,与古文原文的简练原意,也许略有出入,或大有出入。不过,大意是不会太过差错到哪里去的。而且这样一来,把孟子对梁惠王的答话,看得很明白。孟子并没有太过迂腐古板,只一味地叫他行仁义,而不管梁惠王当时所处的情势,以及急功好利的迫切需要。这样孟子才不失为一个识时务的圣哲。只是在政略上有思想、有远见、有抱负,与梁惠王急功近利的政见不能相合而已。

我们先要解决了这个问题,再来从两方面看这一段对话,讨论他的内涵。第一,是司马迁的记载。第二,是历史的证验。

司马迁对梁惠王和孟子的观点

司马迁写《孟子列传》,是把孟子与荀卿的列传合写成篇的。关于孟子传记部分,他也是以孟子见梁惠王这一段思想作重心来述说的。如说:

孟轲,驺(邹)人也。受业子思之门人。道既通,游事齐宣王,宣王不能用。适梁,梁惠王不果所言,则见以为迂远而阔于事情。当是之时,秦用商君,富国强兵。楚、魏用吴起,战胜弱敌。齐威王、宣王用孙子(膑)、田忌之徒,而诸侯东面朝齐。天下方务于合纵连横,以攻伐为贤,而孟轲乃述唐、虞、三代之德,是以所如者不合。退而与万章之徒序诗书,述仲尼之意,作《孟子》七篇。

　　根据《史记》列传的记载,关于孟子的生平,只有短短一百三十七字。有关孟子千秋事业的思想方面,已有他自己七篇的本书,用不着司马迁再来述说。他在本传里,只提出他政治思想的要点,是主张传统文化的王道精神,既不愿讲当时侵略吞并的不义之战,也不愿只讲霸术。所以和梁惠王当然也谈不拢,这是王道与霸业、圣贤与英雄分野的必然结果。

　　但是他又把孟子与梁惠王这一段主要的对话,比较详细地埋伏在魏世家中有关梁惠王的一段记述里,他说:

　　惠王数被于军旅,卑礼厚币以招贤者。骄衍、淳于髡、孟轲皆至梁。

　　梁惠王曰:寡人不佞,兵三折于外,太子虏,上将死,国以空虚,以羞先君宗庙社稷,寡人甚丑之。

　　叟,不远千里,辱幸至弊邑之廷,将何以利吾国?

　　孟轲曰:君不可以言利若是。夫君欲利则大夫欲利,大夫欲利则庶人欲利。上下争利,国则危矣。为人君,仁义而已矣,何以利为!

　　由于司马迁写《史记》,处理资料的手法太高明了,如果不再三仔细地读完全部《史记》,细心留意揣摩,往往把许多历史哲学的重点被他的手法瞒过,也被自己粗心大意读书所误,而不知道司马迁的微言重点所在了。

　　他写孟子传记,只是述说孟子之所谓孟子的正面,等于照相的正面全身大照。但是对孟子的侧影或背后的记录,司马迁也不免有些惋惜之意的微辞。可是他把它插进魏世家当中去隐藏起来,要读者自己慢慢去寻找、去体会。

　　他说梁惠王自从兵败国破,迁都到大梁以后,心情也真够恶劣万分。但是他还想力图振兴,还肯“卑礼”——很有礼貌地,“厚币”——用很高的费用,邀请招待各国的名贤当顾问。例如骄衍、

淳于髡、孟子都因此而被邀请到大梁来了。梁惠王也很坦率地告诉他们自己的心境非常恶劣,处境也很尴尬,如记载所说:

"我(寡人)真不行! 这多年来打了三次败仗,我的儿子(太子申)被齐国俘虏了,我的得力上将也战死了。弄得国家非常空虚,实在羞对祖宗和国人,我对目前的局势觉得太惭愧了。"

他又对孟子说:"老先生,你不辞千里的辛劳来到敝国,实在是我们的荣幸。不知你将如何为我国谋利?"

孟子说:"惠王,你不可以这样过于注重利益。你做领导人的这么重视利益,那些高级臣僚的卿大夫们,也就只顾自己的利益。等而下之,所有国民,就都争取自己的利益。这样子上下争利,你的国家就太危险了。做一个领导人,只要提倡仁义的基本精神就好,何必讲究什么利呢?"

如果依照司马迁这一段的记载,我们读了以后,不免拍案叫好,好极了! 可爱可敬的孟夫子,讲的道理是真对。但是梁惠王这个时候,好像是百病丛生,垂死挣扎的危急。你这包颠扑不破、千古真理的仁义药剂,他实在无法吃下去,而且也缓不救急,你叫梁惠王怎么能听得进去,接受得下呢?

可是司马迁写到这里,谁是谁非,他却不下定论——实在也很难下定论。因为千古的是非,本来就不容易有真正的结论。所以他不写了,但是,他在《孟子列传》里,却写了一句"梁惠王不果所言,则见以为迂远而阔于事情。"就这样的轻轻带过去了。这是多么有趣、多么耐人寻味的手法!

义 利 之 辨

把上面一些正反的史料讲过了,现在我们再来研讨《孟子》本节的重点。首先要了解,孟夫子生当战国时期,而且也远游过各国,难道他真的是那么迂阔不懂现势吗? 难道他对驺衍,甚至如当时风尚游说之士们纵横捭阖的作风,一点都不会吗?

我们的答案可以肯定地说:不是的。他对那些只图个人进身之阶的做法,和博取本身功名富贵的办法,完全懂得。他之所以不肯那样做,实在是"非不能也,是不为也"。而且可以加重语气地说:是不屑于那样做。为什么呢? 因为他是抱着古圣先贤的淑世之道,尤其拳拳服膺孔子的仁道主义,完全从济世救人的宗旨出发。他希望在那个只讲霸术、争权夺利的时代中,找出一个真肯实行王道仁政,以济世为目的的领导人物,促使他齐家、治国而平天下。

所以他针对梁惠王的问题,当头一棒,便先提出政治哲学上义利之辨的中心思想。他也明知道梁惠王不一定能接受,但是他还是存着梁惠王也许能接受的希望。此所谓"明知其不可为而为之",是乃圣人之用心也。再说,无论是谋国谋身,"仁义之道"的确是真正大利。只是人们都只贪图眼前的急功近利,而不顾及长远的巨利。所以都变成心知其为然,而行有所不能也,如此而已。

其次要研究的是,根据司马迁的《史记》等史料的记载,当时孟子是先到齐国而后才到魏(梁)国的。《孟子》这部书,不问它是孟子自己写的,还是他门下弟子们记录了他的话而编成的,为什么发生在后的事情,却偏放在最前面呢? 因为孟子的思想学说中,义利之辨是最重要的要点之一。

孟子与梁惠王各言其利,在梁惠王的一面来说,根据前面所说的魏国的历史背景,所处的地理形势,西有强秦,东有刚打败了他的齐国,南有强大的楚国,北接的韩、赵,虽然同是自晋分出,独立的同源邦国,但亦各有怀抱。在客观形势中,又恰逢弱肉强食的时代,他自然希望自己的邦国强大起来,甚至于最好成就霸业。假使你我是当时的梁惠王,大概也同样会有这种想法。所以他一见到孟子时,不谈仁义,开口就问:"亦将有以利吾国乎?"这句话,又怎能指责他是错的? 这实在是人情之常。

这也是我们读书要注意的地方。读任何书,先要绝对的客观,然后再设身处地地作主观的研究分析。譬如对于梁惠王一见到孟子,就问孟子对于魏国有什么有利的贡献,经过前面一番较为客观的分析,就不会主观地认为他完全不对了。可惜以前大多数的读书人,多半不作这样绝对客观的分析,乃至于把自己一生都在误解仁义中埋没了。

孟子答复梁惠王说,你梁惠王何必谈利呢? 你只要行仁义就好了。这是中国文化千古以来,尤其是儒家思想中,义利之辨的最大关键。而在后世的读书人,大多看到利字,就望望然联想到"对我生财"的钱财之利这一方面去了;站在国家的立场来说,也很可能误认为只是经济财政之利。至于义,则多半认为和现实相对的教条。因此便把仁义之"利"错解了,而且把仁义的道理,也变成狭义的仁义观念了。如此一来,立身处世之间,要如何去利就义,就实在很难办了。

举一个实例来说,我们假使在路上看到一些钱,这是利,我要不要把这些钱拾起来呢? 这就发生了义利之辨的问题了。以我们传统文化来说,这些钱原非我之所有,如果拾起来据为己有,就是不义之财,是违背了义的道德,是不应该的。在利的一方面看,自己的私心里认为,路上的这些钱,乃是无主之财,我不拾起来,他人也会拾去,据为己有,也没有多大关系。但是到底该不该拾为己有? 儒家对这种问题,在个人人格的养成上就非常重视了,由此便形成了中国特有的、非常严谨的个人的道德观念。

但是,由于这种义利之辨的观念根深蒂固,后世读《孟子》的人,大致统统用这个观念来读《孟子》,解释《孟子》,于是就发生了两种错误。第一是误解了梁惠王问话中的利,只是狭义的利益。第二是只从古代精简的文字上解释,而误解了孟子的答话,以为他只讲仁义而不讲利益,把"利"与"义"绝对地对立起来了。其实并不如此,依照原文用现代江浙一带的方言来读,就可从语气中了解到他的涵义,知道孟子并不是不讲利,而是告诉梁惠王,纵使富国强兵,还都是小利而已;如从仁义着手去做,才是根本上的大吉大利。

何能不讲利

了解了孟子这句话的真正涵义所在,于是我们就可认识孟子,并不是那么迂腐的了。他并没有否定利的价值。他只是扩大了利的内涵,扩大了利的效用。如果孟子完全否定利的观念的存在,那么问题就非常严重了。

试看几千年来中国文化的整个体系,甚至古今中外的整个文化体系,没有不讲利的。人类文化思想包涵了政治、经济、军事、教育,乃至于人生的艺术、生活……等等,没有一样不求有利的。如不求有利,又何必去学? 做学问也是为了求利,读书认字,不外是为了获得生活上的方便或是自求适意。即使出家学道,为了成仙成佛,也还是在求利。小孩学讲话,以方便表达自己的意见,当然也是一种求利。仁义也是利,道德也是利,这些是广义的,长远的利,是大利。不是狭义的金钱财富的利,也不只是权利的利。

再从我们中国文化中,大家公推为五经之首的《易经》中去看。《易经》八八六十四卦中的卦爻词,以及上下系传等,谈“利”的地方有一百八十四处;而说“不利”的,则有二十八处。但不管利与不利,都不外以“利”为中心在讨论。《易经》思想最主要的中心作用,便是“利用安身”四个字。所以《易经》也是讲利,而且告诉我们趋吉避凶,也就是如何求得有利于我。“积善之家,必有余庆;积不善之家,必有余殃”的道德因果律,也是告诉人们以积善的因,可以得到余庆的果。相反地,积不善因,便得余殃之果。所以,积善是“利用安身”最有利的行为。

如果探讨孔孟思想的文化源头,绝对离不开《易经》。所以说假如孟子完全否定了“利”的价值,那么《易经》等等我国的所有传统文化,也被孟子否定了。但事实上并非如此。由此,我们研究孟子,首先就要对义利之辨的"利"字,具有正确的认识。

同时,我们还可以提出两点来作反证:

第一,韩非子说:"舆人欲人富贵,棺人欲人死丧。人不贵则舆不用,人不死则棺不买。非有仁贼,利在其中。"他说,棺材店老板希望别人死,并不是心坏,并不是不义;汽车厂老板希望大家发财,也并不是心好,并不是好义。两种不同的心理,都是为了自己的生意好,多赚些钱,都是生意人本分的想法。

韩非子的这段话,等于为"利"字下了一个这样的定义:或者是人,或者是物,或者是事,当某一时间、某一空间中,能够产生"利用安身"的功能效果,那么它就具有"利用安身"的价值;也就是在当用、该用、要用、可用、适用、值得用的条件下,那么对这人、或事、或物来说,就构成了价值;也就是对这人、或事、或物的利。

第二,《易经》中卜筮方面所显示的,可归纳为"吉、凶、悔、吝"四种现象。实际上就只有吉凶两端。吉是好的;凶是很坏;而悔为烦恼;吝是困难。简单说,悔、吝也就是小凶。天下人、事、物,都不外吉与凶两端。吉、凶怎么来的?《易经·系传》上说:"吉凶悔吝,生乎动者也。"凡是一动,就会发生或吉、或凶、或悔、或吝的结果;不是吉就是凶,不是凶就是吉。有了这项理解,就知道利与不利之间的辨别,须要从动用之间而分。

由这里引申出来,可知孟子对梁惠王说的仁义,就是大利。因为在战国时代,国与国之间,都在互相征伐的动乱之中。如果有一个国家,真的以仁义作为治国的最高原则,运用在内政外交上,那么最后的胜利,就必定是属于这个行仁由义的国家。

玩弄仁义的权智

汉代桓谭《新论》说:"三皇以道治,五帝以德化,三王由仁义,五霸用权智。"指出上古时代的三皇,是以道治天下,这是最高的无为而为的境界。到了后来五帝的时代,以德来治天下,这已经差了一层——有为而为了,但是仍然是非常高超的政治。等而下之三王用仁义,五霸用权智,可以说是每况愈下。

又《长短经》的《反经》第十三说:

三代之亡,非法亡也,御法者非其人矣。故知法也者,先王之陈迹,苟非其人,道不虚行。故严文子曰:仁、义、礼、乐、名、法、刑、赏,此八者,五帝三王治世之术。故仁者,所以博施于物,亦所以生偏失。义者,所以立节行,亦所以成华伪。

这是道家思想的论点。这里指出,仁义的确是一种好德行;但是这德行用久了,便走了样,变成人们用来争权利的一种工具。由此就可以了解道家的代表人物——老子和庄子说的那些话。

老子曾说,道德颓落,才有礼义之说。庄子也经常说:"圣人不死,大盗不止。"当时老子对于仁义礼乐的道德观念批评得很厉害。庄子也曾说:"仁义者,先王之蘧庐,可以一宿,不可以久处。"因为在春秋战国时代,各国诸侯的征伐口号,大体上也都是标榜仁义,而实际上并不是真行仁义,只是利用仁义的美名,以达到争权夺利之目的。所以庄子说仁义只是先王所留下的一幢临时寓所,一幢别墅,并不是自己久远安身的家,只可以偶尔住一住,不可以长久住下去。意思就是说,仁义这种道德观念,只可以在道德极其衰微的时候,偶然用一下,不可以长久地死用。如果长久用下去,就会被坏人利用仁义之名,作为政治上争权夺利之实了。

孟子思想被夹缠不清

综合上面这些分析,来看孟子对梁惠王所说的关于义利之辨的话,试作一个结论。

　　第一,孟子一开始就对梁惠王说,你何必去贪求这种眼前短暂的近利、小利呢? 你应该提倡仁义的道德观念,推行仁义的道德政治,才是你长远的大利。因为孟子的中心思想,是想实行中国传统文化的仁义道德之治,所以他对梁惠王就这样直接地提出来,不保留,不婉曲,不虚饰,这态度本身就是一种不问利害的道德行为。

　　同样是孟子的这个意思——劝梁惠王行仁义政治的意思,假如换了当时另外一些游说之士,例如苏秦、张仪这一班所谓纵横家的谋略之士来说,那么他们就绝对不会像孟子那样直截了当地说出来,去拂逆梁惠王的意思。这一班人,一定会拐另一个弯,婉转地对梁惠王说:"我有一个使你得到最大利益的长远之计,你梁惠王想不想听?"这样先卖一个关子,吊梁惠王的胃口。等梁惠王很想知道究竟怎么回事的时候,他才慢条斯理地说,现在天下是如何混乱,道德沦丧,人人都在渴望仁义。你不妨如何利用仁义,如何以仁义为口实,颁布一些政令,那么天下的人民都到你魏国来了。你有这许多人民,领土也会增加,国家富强,自然就完成你的霸业了……等等,迎合梁惠王的心理,诱导他听从他们的说辞,慢慢实行仁义的政治。当然,还有一个主要原因,是为了自己有进身之阶。

　　第二,无论东方或西方,任何一种文化、一种学术思想,都是以求利为原则。如果不是为了求利,不能获利的,这种文化、这种思想,就不会有价值。

　　从哲学的观点看,一切生物,都有一个共同的目标,就是"离苦得乐"。饥饿是苦,吃饱了则得乐。疾病是苦,医好了则乐。天气太热则苦,到树荫下乘凉,或到有冷气的房子里,全身清凉则乐。一切生物的一切行为动态,目的都在"离苦得乐",也就是我们中国文化《易经》上的"利用安身",也就是现代观念想办法在我们活着时,活得更好。像设法利用太阳能,净化空气,防止水源的污染,目的都是使我们好好地活着,这些都是《易经》中所说的"利用安身"。

所以任何文化，任何学说思想，如不能求利，没有利用价值，则终必被淘汰。

即如宗教家们的修道，也是为利。修道的人，看起来似乎与人无争。实际上出世修道的宗教家，是世界上最讲究先求自利的人，他抛弃世间一切去修道，修道为了使自己升天或成佛，这也是为了自己。虽然说自利而后利他，那也只是扩充层次上的差别，其唯利而图是一样的。为了升天成仙之利而修道，这也是为了利。

自从孟子讲仁义，强调了义利之辨以后，影响到后世的重视义利之辨，而渐渐地，后世的义利之辨，又与自私无私之别，混为一谈，以为"义"与"无私"同义，"利"与"自私"不殊。因此汉唐以来，儒家的义利之辨，大多混淆了私与无私之别，两者分不开来。所以谈义利之辨时，往往在逻辑上就会夹缠不清，而使我们现在的一些人仍然弄不清楚，乃至于产生"儒家思想没有什么了不起"的错觉。

因为后世受此影响，每谈义利之辨，就成了谈有私与无私之辨。遂进一步牵涉到中国文化思想的中心，乃至牵涉到人类文化的中心，尤其是政治行为的中心——公与私之辨的问题。

以我们春秋战国的历史文化来说，关于公与私之辨，有两派极端相反的思想。一为墨子，一为杨子。其实他们都由道家的思想脱胎演变而来。

墨子讲"义"，但是墨子讲的，和孟子讲的，虽然同为一个"义"，却有不同的观念，含义上是有所差异的。墨子讲的义，是主张摩顶放踵以利天下，从头顶到脚底，都可以放弃自己而去为别人谋利，是彻头彻尾的牺牲自我，以利别人。

而杨子——杨朱的思想，则与墨子绝对相反，他主张"拔一毛而利天下，不为也。"但并不是我一毛不拔，而你却该全部给我。他是主张天下每一个人都是这样一毛不拔，都能不妨害他人的利益，才为自己的利益着想，假如能做到这样，又是另外一种社会形态了。

　　如果把墨子和杨子两人的思想,作一番仔细的研究,那会怎样呢?依墨子的思想,要想天下人,人人都自我牺牲,只图利他人,这是做不到的。那么依杨子的思想,普天之下,每一个人都只为自己利益着想,绝对不为别人的利益牺牲一根毫毛,那是否做得到呢?答案很明显,那当然是不行。人类可真是奇妙的动物,固然自私的心理人人免不了,但若要自私到这个程度,却也没有人做得到,更不可能全人类都这样做。反之,要人人都大公无私,也难做到。如果依墨子的思想去做,人人都能大公无私,则天下共利,结果自然很好。或者依杨朱的思想去做,人人都只为自己,绝对不妨害别人,各守本位,不犯他人,也就是现代所说的,争取自己个人的自由,也尊重他人的自由。倘使做到,那么也可天下太平。但这两派的主张,事实上都做不到。

　　既然墨子和杨子两种极端相反的主张都做不到,只有再看看儒家思想,这是中庸的。中庸不是调和论,是兼容并蓄而仲裁为适可而止的中道。孟子秉承了孔子的儒家思想(但不是秦汉以后变了样的儒家思想),当然是崇奉了仁义之义,向梁惠王提出建议。同时,在提出建议时,也不采用当时纵横家们为博取富贵权势所惯用的游说态度。孟子虽懂得游说的辞令技巧,但却不用,还是很严正地主张行仁由义,极力宣扬仁义的美德,向梁惠王直说只有仁义最好。

　　我们不妨引用清人的两句诗:"莫言利涉因风便,始信中流立足难。"正好作为孟子对梁惠王直言忠告的风格,其难能可贵的定评。

　　或者说,所谓义利之辨的道理,就是孔子所谓"君子喻于义,小人喻于利"的大义之义。义理之义,义者,宜也之义,并非狭义广义等的义利之义。其实,都是一样,不管是什么伟大的义理,都是力行于义,才能有利于成其为君子,所以这也是利便是义,义便是利的真实道理。

由于义利之辨的文化思想发展下来,到了宋明以后,构成中国文化的商业道德,便有"贸易不欺三尺了,公平义取四方财"的说法。即使专事求利求财的商业行为,也要心存"不欺"和"公平"的义利之辨。可以说这是孔孟文化思想在商业道德上的教育成果。

玩 物 丧 志

孟子见梁惠王。王立于沼上,顾鸿雁麋鹿曰:"贤者亦乐此乎?"孟子对曰:"贤者而后乐此,不贤者虽有此不乐也。诗云:'经始灵台,经之营之。庶民攻之,不日成之。经始勿亟,庶民子来。王在灵囿,麀鹿攸伏。麀鹿濯濯,白鸟鹤鹤。王在灵沼,于牣鱼跃。'文王以民力为台为沼,而民欢乐之。谓其台曰灵台,谓其沼曰灵沼,乐其有麋鹿鱼鳖。古之人与民偕乐,故能乐也。汤誓曰:'时日害丧,予及女偕亡。'民欲与之偕亡,虽有台池鸟兽,岂能独乐哉?!"

这段话,当然不是在同一天里,紧接着前面的一段话说下来的,应该是另一次见面时的谈话。因为这一段谈话,在梁惠王说话的语气上,不像前一段那样生硬疏远,比较上情绪稍见好转。根据司马迁所写的《孟子列传》以及有关梁惠王的历史资料看,梁惠王在初次接见孟子的时候,不可能有书中所记载的那么热忱。史料上对孔孟的记载,孔子最失意倒霉的时候,是在陈绝粮那个阶段。而孟子受困于齐梁之间,也正是他一生中,最不得意的时候。梁惠王如果一死,他只有收拾行李回家的份了。

这段文章,如果以现代的眼光,从字面上去读,似乎并没有什么重大的意义。上面记载说:这次孟子和梁惠王见面的时候,梁惠王正在王室的大园林中散心游览(用现代的语言或观念来说,东方说是御花园,西方称作皇家花园,或皇家私人的什么堡之类,是王室独据以赏心悦目的地方,门禁森严,老百姓只能站得远远的,看到矗立的围墙,进前不得,就是臣僚百官,也未必能随便进去的)。

梁惠王站在一个大池沼上,抬头看看在树梢上栖息飞翔的鸿鸟、野雁,低头看看园中安详吃草的小鹿。从宫里出来,接触到大自然的景象,心里觉得舒畅而快乐。于是再看看孟子,然后对孟子说:"喂!你们这些讲究仁义道德的贤人先生们,是不是也喜欢这种园林风光?是不是也喜欢这些珍奇的飞禽走兽?"

这种语气,这种问话,当然是话里有话,包含了许多近于令人难堪的意思。假如是现代你我遇到这种场面,可能掉头就走。可是在当时的政治制度、社会制度上,不能如此。更何况孟子,自有他的抱负和立场,不能像我们今日这样做。所以他还是答复了梁惠王。但从孟子的答话中,可以看出孟子的修养。

尽管梁惠王的问话中,包含了轻视的味道,而孟子的对答,还是持着郑重的态度,还是很严肃的,他用单刀直入,似教训非教训的口吻告诉梁惠王说:

"一个贤者,是要等到天下太平,大家都享受到安乐的生活之后,才会去享受这种园林的乐趣。可是一个不贤的人,即使有了这样的园林,也不会有真正的快乐,而且更不能永远享受。

像《诗经》大雅篇灵台章说的:'当文王开始准备建筑灵台,仅仅开始计划,如何设计,如何部署的时候,老百姓知道了这件事,大家都不约而同地前往,群策群力,共同来从事这项工程,于是在很短的时间内,就提前完工。本来在最初的时候,文王还不打算急着完成这件事,可是,由于百姓们自动自发地来帮忙,所以很快地办好了。'

灵台提前完工以后,在灵园里面游览,看到那些安静悠游的母鹿,身子胖胖的,毛色光亮夺目,在林梢飞翔的白鸟,丰润皎洁、自由回旋。文王站在林沼的岸边玩赏时,又看到了满池的鱼儿,自由自在地游来游去，活活泼泼地在水中跳上跳下。"

孟子继续说："这诗篇的记载，就说明了文王劳动老百姓来建筑这囿园，而老百姓却喜欢他那么做，把他的台叫做'灵台'，把他的池叫做'灵沼'，并且很高兴他有麋鹿鱼鳖可以玩赏。古时候的贤君，就因为能和老百姓同乐，所以自己才觉得快乐。"

孟子借这则文王建灵台的历史故事，向梁惠王提出了一个为君的重点——应该与民同乐。

接着，他又引用《书经》的记载，讲述了一则完全与文王建灵台情形相反的故事。

"当夏朝的暴君夏桀在位的时候，曾大言不惭地说：'我之于天下，就好比太阳一样，除非太阳灭亡，我才会灭亡。'自夸他的政权和太阳一样是永恒的。可是他施行的暴政，弄得民不聊生，老百姓们恨透了他。所以《书经·商书·汤誓》篇记载：一般的百姓们，因为深深怨恨夏桀而说道：'你这位如同烈日似的暴君啊！你什么时候才会没落呢？你赶快没落吧！我宁愿和你这暴君一同灭亡，也不愿再忍受你暴政的残害了。'一个作君王的，使人民怨恨到宁愿和他同归于尽的地步，即使拥有美好的台池、鸟兽，又怎么可能安享下去呢？"

孟子这样把握住机会，列举两个历史上的经验。述说周文王是如何深得民心，所以建立了延续七百多年的悠久政权。又相反地指出三代时期的夏桀，遭遇老百姓的怨恨，以致迅速败亡。

在我们现代读到这段书时，或者会感觉到，孟子所列举的这两个史实，其所阐明的为政原则，可以说是大家都明白的普通常识，并没有什么高深的道理。这就是我们读古书应该注意的地方了。

我们要知道，在孟子的那个时代，没有什么社会福利制度，统治者不会去建筑一个公园，和老百姓共有、共享、一起游乐。只有帝王的宫室，才会有如此伟大的建筑，老百姓根本不准去游玩的。所以孟子当时提出这两个史实来，就等于建议梁惠王实施我们现代的共有、共享的政治思想。在时代背景上而言,孟子在那个时代能提出这种政治思想,实在是了不起的。此其一。

同时,我们透过这一段记载,可以了解我们固有的中华民族文化,在上古时候,就早已经有了这种共有、共治、共享的公天下政治思想。自从夏朝开始,演变成家天下的政治制度,所谓帝王世袭的政治制度开始以后,帝王们的享受,才和老百姓有了分别。而孟子在他的那个时代,能劝导一个有野心要据地称雄的人主,恢复共有共享的公天下政治制度,他的主张和这种精神,还是相当可贵的。此其二。

再从后世的历史看,自秦汉以下,曾经有四个时代的类似事件,都与孟子这一节的政治思想有关。第一是秦始皇建筑阿房宫;第二是隋炀帝造迷楼;第三是宋徽宗造艮岳;第四是清慈禧太后造颐和园。这四次著名的伟大宫廷建筑的结果,都印证了孟子在这段书里所说:"民欲与之偕亡,虽有台池鸟兽,岂能独乐哉?!"理论的正确性。此其三。

阿房宫与秦始皇

对于秦始皇的阿房宫,唐代的大诗人——和杜甫并称为二杜的小杜——杜牧,曾经构写了一篇《阿房宫赋》,作了很生动的介绍。他一开头就说,秦始皇并吞了六国,统一天下之后,便把四川的山头,砍伐得像秃子的脑袋一样,而把这些砍下来不可胜数的木材,运到咸阳去建筑阿房宫了。试想看看,台湾也是盛产木材的地方,经过日本人五十年的砍伐,也没有被砍得山头光秃秃。而四川的面积,比台湾大上若干倍,他为了建筑自娱的阿房宫,一下子把那里的树木砍光,该有多少木材? 同时这些木材的砍伐、运输、制成梁柱门窗等等,又需要多少人力呢?

何况这仅仅是建筑材料的一部分而已,还有石头等等其他方面的建材,以及施工建筑的人力物力,更是难以统计了。花费这数以万计的人力和物力,建起来的阿房宫,又是个什么样子呢?

占地是方圆三百多里,高到看起来快接近天日了。从北面的骊山一直南下,转向西边和咸阳连接起来了。把渭川和樊川两条河川的水,也引导流进了阿房宫,造成了宫里的人工河流湖沼。五步一楼,十步一阁的,华丽精巧,各种不同型式的宫室,像蜂室那样多,临水卜架的长桥像卧龙一样。凌空搭的复道,从宫殿下面通到南面的山脚卜,五色缤纷,有如挂在天上的彩虹。在这许多宫室中,每一间房子,一天之中,都可以变换成四季的不同气温。

秦始皇又把没收来的六国的财宝、美女,全都集中到这阿房宫来,把人家的鼎当作煮菜饭的锅子用,把玉当作石头用。妃子上万,早晨这些宫女打开镜子梳妆,那些镜子有如夜空中的繁星那么多。飘拂在窗前的长发,有如乌黑的浮云。渭河的水每天早晨上涨,浮现了一层滑腻粉红的颜色,原来就是阿房宫里所流出来的宫女们洗除脸上隔日胭脂的水。半山腰袅袅卜升的云雾,却正是阿房宫焚烧椒兰等等贵重香料的烟雾。秦始皇这位暴君,就在这个走进去难分东西南北的阿房里朝歌夜宴地享乐。

这样秦始皇就快乐了吗?大不然。司马迁在《史记》里写道:秦始皇因为想求得长生不老的药,听信了一个方士卢生的话,必须隐秘起来,才可以求到不死的药。他就住进那隐秘的复道里,往来于二百七十间密室里作乐。除了他要杀人时,狱吏见得到他以外,丞相大臣,和七十名博学之士,都只有照他传来的命令办事,根本见不到他,更谈不上提什么意见了。后来这位卢生和一位自韩国来的侯生商量,认为秦始皇如此专断横暴,嗜杀而好贪权势,不可以替他求仙找不死药,于是双双逃走了。秦始皇知道这个消息,大发脾气,活埋了四百多人泄愤。

像这样躲在复道里一天到晚发怒杀人,又有什么真正快乐可言呢?正如孟子说:"虽有台池鸟兽,岂能独乐哉?!"

《三辅黄图》

　　或者说小杜生于唐代,比秦始皇晚生了七八百年,况且阿房宫被项羽进咸阳时,放一把火烧掉了,他在赋中的描写不一定实在。小杜的《阿房宫赋》,是否有史料为依据? 或是仅凭他的才华和想象写成的? 无法考据。但是紧接着秦代之后的汉人记录,应当不会太离谱了。

　　《三辅黄图》这本汉代的著作里,记载着说:阿房宫又叫做阿城。原来是秦惠王在这里建造宫室,还没有完工就死了。始皇统一天下以后,就选择了这个地方,扩大范围,建筑阿房宫,占地方圆达三百多里,造了许多离宫别馆,跨过了山谷,把一望无际的高山大岭都遮盖起来了,专门供秦始皇车辆通行的道路,从宫室到骊山,就有八十多里长;并且在南山的顶上,建筑了一道巍峨雄伟的阙门,高高矗立在上,似乎和天上飘过的云彩相接;还开了河道,远远地把樊川里的水,接引到阿房宫里来,灌进壮阔的池沼中去。仅仅是阿房宫的一处前殿,从东到西有五十步宽,约三十丈(汉朝度量衡制度,很难考实),南北之间则有五十丈深。上面可以坐上万的人,下面建有五丈旗,用最贵重的建材兴建,横梁是用木兰架设,门则用磁石砌成。仅仅一处前殿,就这么瑰丽,正殿和其他宫室的情形,就可想而知。另外还有四通八达的双层高架复道,和那些楼阁连接起来,而且通往咸阳。

　　证之这一段汉人的记载,和小杜的描写相比,除了杜赋的文体更美,易于使人记忆外,同阿房宫实际状况是极相近的。

　　还有更可靠的史料,那是在《史记》中,司马迁叙述了鸿门宴上项庄舞剑志在沛公的一段故事后,立即就说:项羽知道汉高祖自鸿门逃回坝上,引兵他去,便"引兵西屠咸阳,杀秦降王子婴,烧秦宫室,火三月不灭。"这寥寥的"火三月不灭"五个字,可以说完全证实了那些笔记、诗赋的可靠性。在今年(一九七七年)不久前，美国加州的一场森林大火，毁了那么广阔的山林。当然，林木蔓延起来比较快，但也只延烧了个把月。而阿房宫的大火，却烧了三个月之久。这一比较，就可见阿房宫规模的恢宏了。

然而秦始皇又享受了多久呢？可以说，阿房宫动工之日，正是秦朝政权开始崩溃的时候。杜牧在他的《阿房宫赋》结论说：

使天下之人，不敢言而敢怒，独夫之心益骄固。戍卒叫(陈涉一呼揭竿而起)，函谷举(汉高祖进兵)，楚人(项羽)一炬，可怜焦土。

呜呼！灭六国者，六国也，非秦也。族秦者，秦也，非天下也。嗟夫！使六国爱其人，则足以拒秦。秦复爱六国之人，则递三世可至万世而为君，谁得而族灭也。

秦人不暇自哀，而后人哀之；后人哀之而不鉴之，亦使后人而复哀后人也。

他的这一结论，正是孟子对梁惠王所说"虽有台池鸟兽，岂能独乐哉"这句话的发挥。尤其是"后人哀之而不鉴之，亦使后人而复哀后人。"两句话等于指责了隋炀帝的错误，也为后来的宋徽宗、慈禧太后这些人作了预言。

迷楼与隋炀帝

可不是吗？且看隋炀帝这位著名的荒淫皇帝的行径，他早上调戏后母被发觉，恐怕他老子杀他，派人秘密杀了做皇帝的父亲。当天晚上对后母逞了兽欲，第二天就发丧即皇帝位，又把他的哥哥杀死。

第二年的季春三月，就驱迫二百万名壮丁，在洛阳建筑宫室。远从长江一带和广东等地，收集奇材异石。又向全国各地搜罗珍奇高贵的花草树木、飞禽走兽,运到洛阳,布置在宫廷的园林中,供他赏玩。同时特别开一条水路,把汴河的水引到离宫中,并造龙舟,供他在水上游乐。他所建的宫廷园林,占了方圆二百里的广阔土地。在园林中又造了一处人工海,周围有十几里路。海上又想象方丈、蓬莱、瀛海等三处仙岛,建起人工岛来,高出水面一百多尺。台、观、楼、阁、宫殿等等,连绵地分布在山上。海的四周又建筑了十六处庭院,每院都住有许多美女,每院的主持人,都给予四品夫人的高贵头衔。海里的荷花、宫殿前的花木,如果到秋冬季节自然凋谢了,就命人用纸或绢缎,制造假花,安放在树枝上和水中,只要褪了颜色,就随时换新的。十六院的食物,更是互相争求精美,来讨好他的胃口。至于他驱使八万人拉着他的龙舟,经运河到扬州游玩,船只相接二百多里的奢侈行为,是人人都知道的。

他又曾驱使一百多万壮丁,作历史上的第六度修筑长城。历史上记载,他搞这些用来自娱的工程,所驱迫的四百万人力,其中一半以上累死在工地。

不但是人民受到迫害,就是连鸟兽,也不得安身。他为了要做一件新的大氅,在即位后的第三年,通令天下各州各县,进贡白鹤的羽毛。于是全国上下,都纷纷捕白鹤取羽毛。当时在四川的乌程县里,有一棵十丈多高的大树,上面有一个很大的鹤巢。可是树太高了,没有办法上去捕鹤,也无法张那么高大的网罗。但是,如果不将这鹤的羽毛取来进贡,就犯了欺君之罪,是要杀头的,弄得不好,甚至会诛九族的,于是老百姓只好砍伐树根,准备把树弄倒了,以便捕鹤。大概是树上的大鹤,恐怕这样会伤害到小鹤的生命,所以在树上拔下自己身上可以制大氅的羽毛,投到地上来。而谄媚的地方官,不念鹤自己拔毛的痛苦,反而说是一种祥瑞的征兆。报告到宫里,讨隋炀帝的欢心,以期博得一个加官进禄。

他建筑了这些地方,经常在有月光的夜晚,带上几千名美貌的嫔妃宫女,都骑了马,在大园林中夜游,而且还特别作了歌曲,在马上演奏歌唱。可是，这样还不满足，他后来又认为宫殿虽然壮丽宽敞，可惜没有曲房小苑，幽轩宫室。如果再有这一类型的布置，就更快乐了。于是他身边的侍臣高昌，介绍了一位高明的建筑设计师项升。依照他的愿望，设计了一张蓝图，呈献到宫里。隋炀帝看了以后，非常满意，立即下令向天下搜索材料，又征调了几万名壮年男子，建造了一年多才完工。所花费的钱财之多，难以统计，连国库也因此空虚了。这座新的建筑，除了华丽以外，更十分精巧别致，是自古以来所未有的。人们走进去了，往往会整天都找不到路。隋炀帝重重地赏了项升为五品官及千匹库帛外，更得意扬扬地对近臣说："即使是真的神仙到了这里，也一定会迷了路的，这真好比一座迷楼。"于是后世的人也都管它叫迷楼了。

迷楼建好以后，隋炀帝在里面的荒淫生活，更是不忍卒睹，不忍卒闻，也不忍去说了。到后来健康大损，虚弱得终日昏睡，无法清醒。到了夏季，一天要喝几百杯水，面前放一大块冰，还是口渴得烦躁不安。最后，隋炀帝再度南游到扬州，被起义革命的百姓抓住，他想饮毒酒自杀被拒绝，最后被宇文化及叫人用绳子把他勒死了。

而他在洛阳的迷楼呢？当唐太宗起义，提兵打到京城，看到这座迷楼，便说："这是用千万老百姓的血汗脂膏建筑起来的哪！"于是就下命令把迷楼烧了，也是烧了好几个月才烧光。这又是孟子所说"虽有台池鸟兽，岂能独乐哉"的另一形态的印证与发挥吧！只可惜那时候的人，没有充分发挥与民同乐的思想，致使素称英明的唐太宗，也和项羽及清末的八国联军一样，都做了"焚琴煮鹤"、大煞风景的事。

这位荒淫到极点的君主，穷奢极侈，看来是享尽了那种皇家宫室的园林之乐。事实上，不但当时是喝凉水，对冰盆，甚至还落得一个被勒死的结果。所以后代诗人李商隐的隋宫诗便有："乘兴南游不戒严，九重谁省谏书函。春风举国裁宫锦，半作障泥半作帆"

的感叹。春秋时代的齐景公,也建筑供给自己玩乐的一个台,并且还想造一座大钟,当时的贤相晏子便反对而劝谏说:"敛民作钟民必哀,敛哀以谋乐不祥。"

艮岳与宋徽宗

至于宋代那位被金人俘虏了十几年,终于死在异邦五国城——塞北漠地的徽宗皇帝。如果我们说北宋的败亡,就是败亡在他"独享宫室园林之乐"的生活上,并不为过。虽然当时是由一些宦官、奸佞,如童贯、蔡京之流乃至于装妖弄鬼的道士,专政弄权。但这些人之所以能够得他的宠信,掌握到政权,细按史实,都和他的独夫之乐有密切关系,这又是较之秦始皇、隋炀帝,更进一步危害到政治。

擅长揣摩他人心理和巧言令色等谄媚功夫的宦官童贯,一得到徽宗欢心后,第一件事就是跑到江苏、杭州一带,去搜索江南的书画古董,以及各种奇奇怪怪的奇珍异物。在杭州一住,往往就是几个月,一天到晚和蔡京在一起鬼混,因此每得到一件奇珍古玩,派人送到京里时,在信上总是为蔡京说上些好话,再加上一个常到皇后那里画符念咒的道士徐知常,透过大学博士范致虚在京里为奥援,于是徽宗的心里对蔡京留下了好印象,也就从此播下了北宋败亡的种子。

后来童贯在江南搜索珍玩的事,愈来愈大,竟然设立了一个专门机构——"应奉局",扩大搜括,凡是牙角犀玉、金银、竹藤、装画、糊抹、雕刻、织绣等手工艺品,无一不包,样样都要。每天都有几千人,在那里为皇帝尽义务作苦工,而所用的这些价值昂贵的材料,也是由老百姓负担,皇家是不给钱的,真是使老百姓喘不过气来。

当时苏州有朱冲、朱勔父子,本来是犯法受过刑的人,在蔡京的下面做事,很得欢心。于是蔡京就推荐到童贯的下面听差,而做起官来了。一次徽宗看到童贯送到京里的花石，非常高兴。蔡京从宫廷的内线中，知道了这个消息，就嘱咐朱冲，秘密地搜集浙江的珍异送到京里。最初送去的三株黄杨，徽宗颇为欣赏，嘉勉了一番。这条路子一打开，以后送到京里的花石和珍玩，就越来越多，年年增加，运输的船只，在汴京与淮河之间往来不绝，而被人号称为"花石纲"。因此更得到徽宗的喜爱，而命令朱冲的儿子朱勔，在童贯下面，主持应奉局和花石纲。

朱勔这小人得势之后，横行霸道，真是不可一世，一方面向内府需索，一伸手就是上百万，少也几十万，他说是为了替皇帝办事要用的。皇家管钱的人，谁也不敢说个不字，谁也不敢得罪他，内府的钱就好像是他口袋中的钱了。在民间他更是严搜刻括，巨细无遗，就是穷乡僻壤，深山大壑中隐藏的东西，也逃不过他的搜括，老百姓家里的一石一木，只要稍微有一点赏玩的价值，就派兵卒闯进去，贴上皇家的黄色封条，责令原物主负责保管，如果有所损失，就是对皇帝不敬，一定杀头。如果是较大的东西，搬运不便，就连物主的房屋也给拆掉。假如有人家有一件东西稍微畸形一点，又被指为不祥而获罪。在室外效野的东西，不论是山巅谷底、深渊巨壑，都千方百计，不惜人命找来。运输这些东西的船员们，也是狐假虎威仗势欺人，有时甚至凌辱到州官县官的头上。

这种情形之下，老百姓卖儿鬻女、家破人亡的大有人在，道路为之侧目，而已经种下了后来方腊的一场大乱，严重地动摇了国本。

最严重的是"艮岳"的建筑，徽宗因为没有儿子，心里总是不惬意。有一个也是以画符念咒常常出入禁宫的道士刘混康，对徽宗大谈其风水之道。说什么京城的西北方，具备了调和天地、顺应阴阳的地理。如果在那里堆起一座山来，将地势加高，一定会多子多孙的。徽宗听信他的话，动员老百姓，把那里的地势加高了几丈。后宫恰巧有几个嫔妃生了儿子，于是徽宗更加相信。到政和七年，便命兵部侍郎孟揆，在京城上清宫的东边，依照余杭凤凰山的形势，筹筑一座万岁山。直到宣和四年，一共花了六年的时间，才把这座山筑成，命名为"艮岳"。

艮岳的规模，在徽宗自己作的《艮岳记》里，有大致的记载。尽管只是梗概，我们读了以后，也要惊奇得张口结舌。现代一些国际驰名的什么公园、什么乐园的，比较起艮岳来，也逊色得多。如果阿房宫、迷楼、艮岳这些历代的宫室园林，今天还在的话，中国的观光胜景，恐怕是世界首屈一指。

徽宗自己描写他的得意杰作有一节说："……按图度地，厖徒潺潺，累土积石，设洞庭、湖口、丝溪、仇池之深渊，与四滨、林虑、灵璧、芙蓉之诸山，最瑰奇特异瑶琨之石。即姑苏、武林、明月之壤，荆楚江湘、南粤之野。移枇杷、橙柚、椰栝、荔枝之木，金峨、玉羞、虎耳、凤尾、素馨、渠那、茉莉、含笑之草。不以土地之殊，风气之异，悉生成长养于雕栏曲槛，而穿石出罅，冈连阜属。东西相望，前后相续，左山而右水，沿溪而傍陇；连绵而弥满，香山怀谷。"从开头这一小段文字，就可见这座山的恢宏气魄，把全国的名胜古迹，奇石异木，都集中到这里来了。

宋人张昊的笔记里，还指出了这些东西从各地搬来的运输情形，都是越江渡海，甚至把城廓都凿开来，以便这些巨大的木石，不受损伤地得以通过。

在南宋时候，四川一位僧人祖秀，写了一篇《华阳宫记》，所写的"艮岳"景物，许多是在徽宗自己的记中未曾说到的，可能是艮岳筑成以后，还在陆续增加修建。祖秀和尚的那篇记中最后的描写"括天下之美，藏古今之胜，于斯尽矣！"可谓道尽了一切。

而徽宗自己作的记中，结语说："四面周匝，徘徊而仰顾，若在重山大壑，深谷幽岩之底，不知京邑空旷，坦荡而平夷也。又不知郛郭寰会，纷萃而填委也。真天造地设，神谋化力，非人所能为者，此举其梗概焉。"一副志得意满的样子，比起梁惠王那一句"贤者亦乐此乎"来,更神气得多了。

可是我们再把他被掳以后,押解到女真去的时候,在中途驿馆题的一首诗:"彻夜西风撼破扉,萧条孤馆一灯微。家山回首三千里,目断天南无雁飞。"和他的《艮岳记》放在一起,对照咀嚼一下,真要感慨万千了。这又是孟子所说"不贤者,虽有此不乐也"的照会。

所以清人吴楚材对他有两段极严厉但也极适切的批评。一则说:"徽宗任市井乞儿,为此纵欲逆天之事,其与隋炀帝、陈后主一律也。然炀帝之颈,斫于宇文化及之手;陈后主之身,陨于台城辱井之中;徽宗之命,殁于金虏沙漠之地。天岂有意肆毒于三君哉!无乃自取之也。书曰:'内作色荒,外作禽荒,甘酒嗜音,峻宇雕墙。'有一于此,未或不亡。况三君兼有者乎?"

另一段说他筑艮岳是"极土木之盛,殚亿万之财,大怒于上而不悟,民怨于下而不知,是时强狄在外,渐为国患,宋之君臣,曾未见其思犯预防之心,而徒今日敛民赀,明日劳民力,自古荒淫之君,愚之甚者,未有如徽宗之甚者也。噫!民心既离,天命亦叛,虽有台池鸟兽,岂能独乐哉!"他用孟子的话作了结论,也等于演绎了孟子这两句话。

颐和园与清末

但是,正如杜牧说的"后人哀之而不能鉴之,亦使后人而复哀后人"。清人对宋代徽宗皇帝作了如此严刻的批评,可是清朝的末代,并没有把它当作一面镜子,放在当前,经常对照对照,看看自己可曾变成那副模样? 所以后来有了慈禧太后的兴建颐和园,大动土木,搜括天下,弄到民不聊生。当时列强环伺,乘隙而入,强行索取,纷纷要求割地、赔款。后来八国联军一役,西人的坚甲利兵,进逼北京,清廷毫无阻挡能力,结果慈禧这位老太婆只好带着小皇帝,狼狈而逃。

最后终于把清朝祖宗打下来二百多年的江山断送了。幸亏国民革命乃属义师,鼎革之时,还优待了清朝末代皇帝的家室,并且保留了那座用老百姓血汗建成的颐和园,应该为后世万代很好的殷鉴吧!

凤阁龙楼与李后主

检讨了这几个"内作色荒,外作禽荒,甘酒嗜音,峻宇雕墙"的皇帝,贪享园林之乐的结果。我们更想到一位极有诗才的末代皇帝——李后主被俘后的诗:

江南江北旧家乡,四十年来梦一场;吴苑宫闱今冷落,广陵台殿已荒凉。云笼远岫愁千片,雨打孤舟泪万行;兄弟四人三百口,不堪闲坐细思量。

又另一阕词:

四十年来家国,三千里地山河,凤阁龙楼连霄汉,玉树琼枝作烟萝,几曾识干戈? 一旦归为臣虏,沈腰潘鬓销磨。最是仓皇辞庙日,教坊犹奏别离歌,挥泪对宫娥。

写来字字是泪,句句是血。而当时那些吴苑宫闱广陵台殿,以及凤阁龙楼等等的昔日繁华,却不能与民同乐,可见没有"共有、共享"的社会福利,是不会长久的,独乐是不可能的。

在西方国家,当时统治阶层的奢靡状况,也是如此,甚至还要更厉害。西方国家共有共享的社会福利制度、民主自由的思想,那还是十四世纪文艺复兴运动以后的事,距今不过几百年而已。

从这些历史事实,以及李后主的诗词中,我们可以知道,孟子所说的"贤者而后乐此,不贤者虽有此不乐"的两句话,不但是一个国家的政权如此,即使一个家庭的兴衰,每一个人的成败,也都是如此。尽管是做了庞大的事业，拥有千万美金，如果没有中心思想，没有建立起一个道德标准，作为自己立身处世的基础，也是没有用的。因为这些有形的财富，只是暂时属于你的，而不是真正为你所有的。当你到了眼睛一闭，两腿一伸的时候，一块钱也不是你的了，这也就是孟子说的"贤者而后乐此，不贤者虽有此不乐。"

再说，物质环境好，是不是就一定能够快乐？这是一个观念问题，并不是绝对的。固然，物质环境的好坏，可以影响到人的心情与思想。但有高度精神修养的人，同样地能够以自己的心，去转变环境的。如孔子说颜回："贤哉！回也。一箪食，一瓢饮，在陋巷，人不堪其忧，回也不改其乐，贤哉回也！"他自己有自己的天地，并不因为物质环境的影响而有所改变。如果没有中心思想，没有立身处世的道德标准和这一些精神的修养，纵然有再多的财富，再好的物质环境，而他的心理上，并不会快乐的。前面我们所举历史上那几个君主的史实，固然是很好的例证，我们如果再从现代西方国家的精神病学家或心理病学家手上的病例去研究，也可以获得证实——"虽有台池鸟兽，岂能独乐哉。"

梁惠王曰："寡人之于国也，尽心焉耳矣。河内凶，则移其民于河东，移其粟于河内。河东凶亦然。察邻国之政，无如寡人之用心者。邻国之民不加少，寡人之民不加多，何也？"

孟子对曰："王好战，请以战喻。填然鼓之，兵刃既接，弃甲曳兵而走，或百步而后止，或五十步而后止，以五十步笑百步，则何如？"曰："不可！直不百步耳，是亦走也。"

曰："王如知此，则无望民之多于邻国也。"

"不违农时，谷不可胜食也。数罟不入洿池，鱼鳖不可胜食也。斧斤以时入山林，材木不可胜用也。谷与鱼鳖不可胜食，材木不可胜用，是使民养生丧死无憾也。养生丧死无憾，王道之始也。

"五亩之宅，树之以桑，五十者可以衣帛矣。鸡豚狗彘之畜，无失其时，七十者可以食肉矣。百亩之田，勿夺其时，数口之家，可以无饥矣。谨庠序之教,申之以孝悌之义,颁白者不负戴于道路矣。
七十者衣帛食肉,黎民不饥不寒,然而不王者,未之有也。"

"狗彘食人食,而不知检。涂有饿莩而不知发。人死,则曰非
我也,岁也。是何异于刺人而杀之,曰:'非我也,兵也。'王无罪岁,
斯天下之民至焉。"

《清明上河图》的背面

当然,由于孟子的伟大人格和高尚的道德修养,一直讲王道政
治的精神,也感动了梁惠王,已经渐渐听得进孟子的话了。所以两
人在这一段谈话语气中,已经表现出来,不像前两次,一边说:"老
头子,你从那么远跑到我大梁来有什么对我的国家有利的办法?"
一边却答:"何必一开口就谈利,谈谈仁义吧!"那么格格不入了。
这次的谈话情形,就比以前融洽一些,好像比较更谈得来了。

所以梁惠王说:"平心而论,我对我的国家已经尽心尽力地去
做了。譬如说,在我的国境以内,黄河内套,如果遭遇了水旱天灾、
粮食歉收的凶年,我就把河内的人民,迁移到河东来;同时在河东
征收了粮食,送到河内去,使河内的人,不至于受到饥饿的痛苦。
假如是河东遭遇到什么灾害的时候,我也是以同样的方法,去照顾
帮助河东的人民,这都是我尽心仁爱人民的事实。你是讲仁义的,
要我施仁政的,我这样不是正符合了你的主张吗?现在看看我的
邻邦,他们没有这样做,可是他们的人民并没有减少,我曾经照你
的理论那样做了,我的人民也没有增加起来。这是什么道理呢?"

梁惠王为什么会提出这些问题来?假如以现代的人口观念来
看,世界人口爆满,各国粮食都发生问题,普遍在推行家庭计划,哪
里怕人家的人口不少,而自己的人口不多呢?固然他那样应付凶
年歉收的态度,也是理所当然,政府应有的责任。但在方法技术上
来说,弄得老百姓搬来迁去,那么辛苦,也未必是最好的措施呢!

可是我们必须先了解战国的时代文化背景。战国的诸侯各国,虽然不同于西方的封建制度,但人民、领土、政权,都是诸侯们的私有财产,自然领土越广,人民越多,实力、权势越大,在国际间的地位就愈高,就能称雄称霸。由于那时还没有国籍制度,也没有移民限制,更没有护照的办法,老百姓可以比较自由迁徙,哪一个国家富强,可以过更好的生活,就可以搬到哪一个国家,作他的国民。而在战国当时,天下——全中国的人民,只不过几千万人而已,真正是地广人稀,和近代的情形大不相同。这一分析之下,就知道当时梁惠王对孟子提出这个问题来,是有他的道理的。

那么孟子怎样答复呢? 他说:"你梁惠王喜欢打仗,我就以战争来譬喻给你听。在作战的时候,战鼓一响起来,部队向前冲锋,双方接近战斗以后,一些怕死的兵将脱了战袍,丢了兵器往后逃走,有的逃了一百步才停下来,有的跑了五十步就停下来,而跑了五十步的人,却讥笑跑了一百步的人胆小。你梁惠王觉得讥笑得对吗?"孟子这样反问,等于设了一个圈套,先把梁惠王套住,这是他谈话技巧的高明,如果写文章,则是一种有层次,设伏笔的写法。由此足见孟子这个人不是后世一些腐儒所说的那么迂阔。

果然,梁惠王说:"当然不可以讥笑别人,他们不过没有逃一百步,但同样的是逃亡退却啊! "

于是孟子说:"你既然知道这个道理,那也就不必希望你的老百姓会比邻近国家的更多了。"

孟子说梁惠王好战,老实说在那个时代,谁不好战? 如不打仗,就难以生存,就不叫做战国时代了。梁惠王为了恢复他父亲魏武侯、祖父魏文侯时代的那种辉煌的局面,只好求之战争。但也确有好战之过,像他派庞涓去打齐国的那一仗,是大可以不打的,结果庞涓战死,吃了一个大败仗,实在是人谋不臧、自食恶果之报。

不过孟子的话,还是说得相当委婉的。他这个比喻的意思是说,你梁惠王遇到凶荒的年岁,移民、输粮,固然是好事,但也只是头痛医头、脚痛医脚的办法而已。你的邻国是坏,但是你实行这种头痛医头的办法,也只是比邻国好了一点。你不从根本上去着手,除去病源,为国家千秋万世着想,作百年大计,长久之图,怎么可能比邻国的人民多起来呢?

从我们的历史上看,孟子这个话,的确有他的道理。自从战国以后,自秦以下,汉、唐、宋、元、明、清历代除了少数的开国皇帝,或中兴之主,有值得标榜的建树外,大多数的人主,都犯了这种头痛医头、脚痛医脚的毛病,很少有为国家百年大计作打算的。

孟子在消极地指出了梁惠王的错误观念后,又继续作积极性的建议,告诉梁惠王实行王道政治,开始时应该注意的基本政策,所谓"不违农时"等等。这一段可以朗朗上口,诵读起来音节铿锵的美好文章,他的内容则是以当时的农业社会经济为基础的政治,从农业的发展,达到农村经济的繁荣,形成国家的富有;由国家的臻于富庶,进一步达到社会的安定,然后在安定中,实现中国文化所标榜的政治精神——养生、丧死。

"养生"包括了人口的增加,生活的不断改善,以及生存的保障,生命的延续。现代西方国家,重视儿童福利,以及老人福利的精神,就是孟子"养生"、"丧死"的理想范围。也就是我们今日标榜的《礼运》的大同世界理想。所谓"使老有所终,壮有所用,幼有所长,鳏寡孤独废疾者皆有所养"的境界,也是王道政治的基本精神。

但从孟子这一个具体的建议里,我们可以知道他当时也是所见有限。因为他的出游各国,也只到过中原农业地区,走的地方并不多,比如他所谈的只是农业、渔业、林业三方面的建设,如果他到过新疆、蒙古或者中国西南部分的山区省分,那么"数罟不入洿池,鱼鳖不可胜食也"就要成问题了。这些地区哪来的洿池,又从何处去捕鱼呢? 又像广西边境和贵州有些地方,所谓"天无三日晴,地无三尺平,人无三两银"。又如何去发展平原农业经济?

不过那个时代,还是大禹治水以后,形成以农立国的中原,连发展盐铁之利的埋论都还没有确立,在战国时代还没有大行。所以孟子这个具体意见,是将就当时实际的情况,针对当时的经济结构而建议,是有其时间性和空间性的。奈何后世直到清末以前的读书为政的知识分子,死死抓住孟子的这些观念,形成了重视农业而轻视工商业的偏激错误观念,导致产业落后,经济衰退的恶果。

不违农时

但是,在这里要特别注意到"不违农时"的这个"时"字所涵盖的意义,不要光从字面上看。只是依文解义,就无法了解真正的道理。梁惠王身为一国君主,而且也不是过于昏庸的统治者,难道会不懂得农时?谁也不会在寒冬大雪的时候去播种布谷,在六七月的炎炎夏日方才去种西瓜,或者在不宜于种蔬菜的时候去下菜种。而孟子却在向梁惠王建议三点农事上的注意事项时,第一点就讲到"不违农时",岂不是没有意义的事吗?假如我们注意到历史和地理问题,对于时间——时代背景,空间——地理环境两种因素,共同去体会这句话,就可以看到它的真面目了。

我们知道,在春秋战国时代,各国诸侯,为了达到他们不断互相征伐、争雄称霸的目的,都实施富国强兵的近利政策,便滥用民力,不管老百姓们是不是正在插秧的清明、谷雨期间,或者是立秋、处暑的收割季节,都在那里动用民力,乱搞一阵。同时渔猎也不选地方,不择时候。本来在禽兽产卵生子的时候,是不打猎的,捕到小鱼是该放回水里的。所以渔猎也一样要在适当的时候,不可以任性地乱捕乱猎。在现代也是如此,像用电捕鱼,或用毒药投到水里"闹鱼",都由法令明文禁止。现在的术语叫做"保护天然资源"。林业也是如此,不可随便砍伐,否则的话,直接的影响,是土地流失,河床淤塞,失去森林的水土保持功能,导致洪水泛滥的灾害。间接方面,甚至影响到雨量减少等气象方面的异常。过去曾经看到许多地方有所谓"童山濯濯"的土山,一个个山头,像婴儿尚未长发的头一样,光秃秃的。因为过去没有什么林务局去管理或经营林业,都是任由老百姓自由砍伐,不知道保养森林。

孟子是邹人,邹在鲁国,即现在的山东。而他所游历的地方——齐、魏等国,即现在的河南、山西一带平原地区,都是农林业和小型渔猎的社会。他又看到当时天下的各国诸侯,包括魏国的梁惠王在内,都在为了扩充自己的权力、土地,设法富国强兵,大量剥夺了老百姓的生产时间和劳力。所以他提出这三件事,对当时的战国,是非常重要,深具价值的。我们非但不可依文解义来读这句话,并且不可轻易放过。所以他提出这些事是实施王道的开始,一点也不错。我们了解了这一层道理,就可知以后孟子一而再地说到"无失其时"、"勿夺其时",对这"时"字特别重视和强调的道理所在了。

孟子建议梁惠王在国内实施王道政治,社会安定以后,还要提倡家庭副业,譬如五亩之宅,就叫他们种桑养蚕、饲养家禽家畜。然后五十岁以上的人可以穿丝织品的衣物;七十岁以上的人可以天天吃肉了。到达了这种富庶的小康境界,进一步教化老百姓们,发扬孝悌的道德,使年长的人不必劳苦,生活能衣帛食肉,国境之内,没有人挨饿受冻。孟子说,假使一个国家经济上的富庶,政治、社会中的安定,到达了这样的情形,却还不能为国际间的政治领导者,不为天下的盟主,是不可能的。

乱世流亡图的文学

再看下面一段,孟子指出当时狗彘食人食,途有饿莩,也即如后世所说"朱门酒肉臭,路有冻死骨"的社会状况。这是一段反面文章。我们从这一小节中,又看到了孟子说话的高明技巧。他是以当代各国社会中的病态,反面地刺激梁惠王,以激发他行王道的政治。

孟子在这里，用"狗彘食人食"，及"途有饿莩"不到十个字，描写春秋战国时的乱象病态，虽然深刻而悲痛，但是，没有经历过乱世的人，也许无法在这寥寥几个字中，体会到战国时代各国的悲惨情形。

在一九三七年，即抗战开始的那一年，许多人进入四川，就亲眼看到一个个饿死的人，躺在道路的旁边，尸体的头上差不多都裹了一块白布，更增添了悲凉的气氛（当时四川百姓有如阿拉伯、印度的风俗，喜欢在头上包块白布，如古代所称的"缠回"一样）。那都是当年四川军阀们，为了争权夺利，连年内战，为四川造下的恶果。他们打仗争权，所需的经费，都是从老百姓身上榨取而来，真是弄到民穷财尽。他们榨取的方法有两种：一是征收，将老百姓的财物，单方面的强征硬取而去；一种方法是加租税，把租率提高到无法再高了，就有所谓预收。据说在一九二六年北伐前后，四川的军阀们收税，竟然预收到一九六一年的税了。这是当时一个天大的笑话，在军阀们制造的这个天大的政治笑话后面，隐藏了多少老百姓的眼泪和血汗！以四川这样的天府之国，那么富庶的地方，弄到路有饿莩，原因就是军阀的穷兵黩武，以致民穷财尽。

在历史上，这一类的事情也是屡见不鲜的，尤其是在战乱的时候为甚。像五代时南唐后主李煜的父亲李景（原名李景通，后改名李璟，又改名李景），史称南唐中主，他在国用不够的时候，就拼命增加赋税，除了提高税率以外，还增加税目，各种苛捐杂税都来了，名目繁多，简直难以计数。甚至老百姓家里的鸡、鸭、鹅等家禽，同时生下两只蛋，也要征税。到了春夏之间，老百姓庭前门外种的杨柳，当柳絮随风满天飞舞的时候，竟然还要收柳絮税。老百姓在重重赋税压力之下，再也无法负荷，敢怒而不敢言的时候，自然就形成了"予及汝偕亡"这种深深的怨恨。

像这样为扩张自己的权力，乱用民力的君主，往往在生活上贪图享受,耽于声色,每在宫中养些优伶戏子,唱戏作乐。这些伶人当然与民间较为接近,比较了解民间的疾苦,有时就在歌舞上,以幽默、滑稽的方式,将老百姓的心声,在皇帝面前反映出来。所以当李中主征税征到双鹅蛋及柳絮上面去的时候,就有一个伶人演戏时高唱着:"惟愿普天多瑞庆,柳条结絮鹅双生。"这两句深刻的讽刺,成了名句而流传千古,幸而李景故装糊涂,当时没有追究严办。

从孟子说的"狗彘食人食,途有饿莩"这两句话,就知道当时魏国所谓的公府,梁惠王和他的高级干部、大臣豪门们的生活是相当糜烂奢侈,而老百姓却相当穷困。

如果移用孟子这两句话来形容今天的美国,也有点相像。美国人养狗,有狗医生不说,还有特制的狗衣狗帽,以及狗的美容院,为狗理发修毛。平日有专门喂狗的罐头食品,其中牛肉、鸡肉都是上等货,不次于落后地区人们的食物,近来还有狗饭店,专门为那些"天之骄犬"准备它们喜欢吃的东西。在美国虽然很少听到饿死人的事,可是失业的问题却很严重。

孟子对梁惠王指出了魏国当时的不良政风,更加强了语气说,这样狗食人食的情形,你不做一番检讨;路上饿死了人,你也没有开仓发粮去救济。透过这两句话,我们就知道,魏国的政治的确不好。所以孟子就针对梁惠王自夸移民输粮的话,加强了语气说,在这样狗食人食,途有饿莩的情形下,你还自夸河东凶年移民河内,把河内粮食送到河东就是德政。对于死了的人,你还说是天灾,是凶年造成的,并不是政治不好。这种说法,和用刀杀了人,而后说不是我杀的,是刀杀的,又有什么两样?

最后,孟子说,你不必把这些造成人民痛苦的责任,推到天灾荒年上去。如能自己检讨,承认在政治上还没有真正为民谋福利,然后向王道的政治上去努力,那么就可以使天下归心,大家都会拥护你,钦仰你,到你魏国来的人民自然就多了。

读了这段记载，又使人想到五代的一些故事。在唐末以后，乃至于历代变乱的时候，中原的知识分子和高阶层人士，多向南方逃到广东、福建一带避乱。唐人诗所说的"避地衣冠尽向南"，就是这一阶段的事。唐末有一个藩镇王审知，在福建拥兵割据，他的后代曾自称闽王。王审知倒很有大量，收罗了这些自北边逃来的文人名士，都在福建落籍，名诗人韩偓就是其中之一。他在当时目睹唐末的现况，所作的诗中曾有"千村冷落如寒食，不见人烟只见花"的句子，这是何等凄凉的景象(在古代，清明节前二日为寒食节，禁火三天，全国都不举烟火，没有炊烟)。走遍了上千的村落，像是在寒食节的日子，看不见人烟，而郊野的山花，依然开放，却没有人去欣赏，又是多么落寞。光是这诗人笔下的风光，就够使人酸鼻的了。

在明代张式之抚闽的时候，亦有"除夕不须烧爆竹，四山烽火照人红"的诗句，描写战乱的景象。

至于五代诗人杜荀鹤的诗，就是把战乱中的百姓苦难，刻画得更详尽而深刻了。在这里介绍他十首时世吟中的两首，就可见其一斑：

夫因兵乱守蓬茆，麻苎裙衫鬓发焦。桑柘废来犹纳税，田园荒尽尚征苗。时挑野菜和根煮，旋砍生柴带叶烧。任是深山更深处，也应无计避征徭。

其二云：

八十衰翁住破村，村中牢落不堪论。因供寨木无桑柘，为点乡兵绝子孙。还似升平催赋税，未曾州县略安存。至今鸡犬皆星散，落日西山哭倚门。

用文艺的眼光看，这两首七律，不但是诗中有画，而且画中有泪又有血，可不就是孟子见梁惠王时，所说"狗彘食人食，途有饿莩"的放大么？这正如清末日据时期台湾诗人王松的诗说："不合时宜知多少，生逢乱世做人难。"

谈到五代的诗,又令人想起五代时冯道的典故来。冯道这个人,后代批评他无耻。指责他自称儒者,竟然"有奶便是娘",前后做了后唐、后晋、后汉、后周四个朝代十个皇帝的官。

但是深入地仔细研究冯道的诗文以及他为官时的作为,当可知道,在他心目中,五代时的那些君主,都是不值得去尽忠的。他之所以历代为官,目的并不在于贪图富贵,而是怕五代那些外族皇帝乱来,毁了中华文化。为了保全中华民族的传统文化,才不得已厕身于那乱世中的宦途,甚至冒天下之大不韪和后世的误解而为官。

这并不是故意捧他,而是有事迹可寻的。像后唐的明宗皇帝李嗣源,就是一个目不识丁的人,各方来的奏章他都不会看,要叫别人读给他听。这位老粗皇帝即位后的第二年,全国丰收,自然很高兴,也不再粗里粗气,一副不像皇帝的样子了,懂得斯斯文文,从从容容和冯道谈起国内丰收、四方无事的乐事。

这时冯道并没有一味圆滑、锦上添花地顺着明宗说话,他却对明宗说:"我以前在先帝庄宗幕府做事的时候,有一次奉命出使到中山去,经过井陉县。那里的地形非常险恶,路况又不好,崎岖不平的,我深恐摔下马来跌死了,所以两手紧紧地抓住缰绳辔口,两腿用力夹住马身,小心翼翼地走,才侥幸没有出事。等走过了这段险路,到达平坦大道上的时候,心理上放松了,手脚也放松了。可不料在这平坦大道上,却狼狈地摔下马来,跌了一大跤。所以我想到,身为一个国家领导人,从事天下国家大业的时候,大概更要时时留意。"

他就这样浇了明宗一头冷水。这盆冷水当然不敢直泼,以免惹祸,于是拐了许多弯子,也可见他用心良苦。

这位不识字的皇帝,倒蛮有器量的,听了冯道的反调,不但没有生气,反而认为冯道的话很有道理,甚至有一点向冯道讨好的意味,接着问冯道说:"今年虽然丰收了,老百姓的粮食够吃了吗?"这种态度和刚刚志得意满的味道不同了，一副忧国忧民的样子。

可是冯道还是没有阿谀奉承的话，他还是讲实际的情形和正确的道理。所以他说："农家在歉收的凶年，很可能会饿死。如果是丰收，则所谓谷贱伤农，谷米多了，卖不出高价，还是吃亏受损。所以无论是丰收或歉收，农民的生活都是很苦。我记得进士聂夷中曾经有这样一首诗：'二月卖新丝，五月粜新谷。医得眼前疮，剜却心头肉。'这首诗虽然句子很白话，没有什么文学价值，可是委婉地写尽了种田人家的实在情形，在士农工商四民之中，农民是最辛劳也是最困苦的，这是身为人主不可不知道的。"

明宗听了他这些话，大为高兴，立刻命令旁边的人，把聂夷中的这首诗记录下来，并且要常常朗诵给他听。

我们引述这些历史故事以后，对于孟子这几句精炼的话，才能够有深刻的认识，而了解他在中国文化政治哲学中的重要性，就不会觉得孟子的话枯燥无味，平淡无奇了。

同时，把历史和经书综合起来研究以后，我们更可以发现中国历史几千年来的一大缺失，就是农田水利问题。直到现代，还没有获得彻底圆满的解决。如冯道所说"丰凶两病，惟农家为然"的农村情形，自汉、唐、宋、元、明、清历代中，除了各有一段极短时期例外，农村都是如此困苦，未获解决。

只有现在三十年来，积极改良土地，建设水库水坝，再加配肥等等措施及农技，才免除了凶年歉收的现象。丰收中又实施了以高市价的标准价格，收购余粮，避免了谷贱伤农的弊病。的确是中国历史上的善举。但农村经济受到现代工商业发展的冲击，新的问题又复不断产生，因此有关当局仍须继续努力。

二郎神和都江堰

而过去几千年来，农田水利问题一直没有解决，尤其黄河的河患,往往造成千百里地田园庐墓为废墟。耕种的田地,住的房屋,乃至于祖宗的坟墓都保不住,这又和孟子所说的中国政治哲学的"养生丧死无憾"的原则违背了。造成这种弊害的,水利不兴的原因尤重。

我国自大禹治水以后,三代以下近两三千年以来,时有水患,而以黄河长江两大河流为烈。黄河的水利,根本就没有治好过;长江的水利工程,有所成就的,也只有上游川西的一段地方,就是远在秦始皇时代治好的都江堰。那是在四川青城山下,灌县县治旁边的一个峡口,名为灌口,也就是杜甫诗中"锦江春色来天地,玉垒浮云变古今"所谓的"玉垒"和"离堆"等名胜地区所在。此地筑有一座水坝,在坝上有一座二郎庙,庙中所供的神像,并不是《封神榜》小说中的二郎神杨戬,而是秦昭王时,蜀中太守主持建筑都江堰的李冰父子。

说到李冰父子,现在让我们看看清人钱茂所撰《历代都江堰功小传》中对他们的简述:

秦　李冰

李冰,战国时人。知天文地理,隐居岷峨,与鬼谷友。时张若守蜀,与张仪筑城不就,兼苦水患,乃荐冰代若。

冰莅郡治,致神龟,凿离堆,以避沫水之害。壅江作坍,穿郫检两江,别支流过郡下,以行舟船。岷山多梓柏大竹,颓随水流,坐收其利。又引溉田畴,以万亿计。旱则引水浸润,雨则杜塞水门,镂石定水则,俾无失度。作大堰以扼蓄泄咽喉,称都安堰。即今都江堰。蜀以此无饥馑,号天府焉。

冰复导洛通山洛水,与郫别江会新津大渡,穿广都盐井诸陂池,凿南安溷崖,以杀沫水,世咸飨其利,都江堰乃其较著者也。

其作堰,破竹为笼,以石累其中,或镇以石牛石人,设象鼻鱼钓护岸。有石刻《深淘滩,低作堰》六大字,尤心传之妙者,历代尊其法,食其德,立祠致祭,元至顺元年,封圣德英惠王。

至

国朝,封敷泽兴济通祐王,载在祀典。

李二郎　王叕

二郎为李冰仲子,喜驰猎,史轶其事,名字无考,世传种种异迹,荐绅先生难言之。可征者,惟作五石犀,以压水怪,穿石犀溪于江南,命曰犀牛里,与其友七人斩蛟。又假饰美女,就婚蘷觯,以入祠劝酒。或谓即冰为牛斗刺杀江神事傅会之,详见《水经注》。

然考亭朱子云:二郎与文昌,分踞蜀境,是二郎克迪前光,以得全蜀人心者,固有在也。元至顺元年,封英烈昭惠灵显仁祐王。

国朝封承绩广惠显王。

王叕事轶,蜀典姓源韵谱,谓与李冰同时人。方氏通雅作王塈,谓与冰同穿二江,其他无闻焉,或亦冰之良佐也。

原来灌口这个地方,河床有一个弯道,每年到了春末夏初的时候,这条江上游源头的雪山上,整个冬天的大量积雪开始融化,雪水自广阔的雪山山脉数以百计的峰头,滚滚而下,汇集到灌口这个隘口时,更是波涛汹涌,声若雷鸣。气势之雄,力量之大,和今天石门水库放水时的情况,有过之而无不及。如不作适当的措施,那么灾害之大,当不止四川一省,可能遍及下游各地,与黄河的水患,互相比恶了。

早在几千年前,李冰父子就想出了"深淘滩,低作堰"之六字真言,以抛流笼的办法,建筑这座都江堰,使这里的洪水不致泛滥。

所谓流笼,是用青竹,剖开以后,浸过桐油或石灰,增加它的纤维拉力,以及防水渍的腐蚀力。再将这种处理过的青竹,编织成长数丈,直径一米多,有六角形空洞(俗称胡椒眼)的竹笼,然后把大大小小圆形——近似鹅卵的石块(俗称鹅卵石),填到这竹笼内,就做成了流笼。

把这种流笼,坝作江岸,作有规则的排列,而堆积成水坝。当洪水冲来的时候，遇到这种流笼，汹涌的水势，就被阻挡，但又从笼与笼之间以及笼中鹅卵石之间的空隙通过，于是就收到了减缓水势的适度效果。堰堤水坝便安全不致被冲毁，也无堤脚被淘空的危险。只是每年要检查一下，发现了腐朽的流笼，就要更换新的。

这座都江堰，就这样从秦代到现在，使用了几千年，堰堤不坏，功能不减。抗战时期，曾有德、英、法、美等许多西方国家的现代水利学者、堤坝专家们，到都江堰共同参观研究，认为常换流笼太麻烦，于是提出计划，以他们的现代力学方法，改建水泥坝。不料还是不行，一下子就垮了，唯有恢复原状，用几千年前李冰父子的老办法。这种流笼，我国现代的水利工程人员，目前还在沿用。但是这种流笼，如果用在黄河，就失去效用。因为黄河的流水混浊，带有大量的泥沙，流过流笼时，泥沙沉淀停滞在石缝间，很快就被淤塞起来，就失去减缓水势的功用，而终被流水冲垮。

这历史上唯一成功的河渠水利工程，也反映出我国几千年来的政治，在经济建设方面，工商发展方面暂且不说，我们这个以农立国的国家对于农田水利的问题，则始终没有解决。

引申到这里，我们透过孟子这简练的几句话，可以看到中国历史上悲剧性的一面，存在着许许多多的问题，而一直未做到孟子所说的"使民养生丧死无憾"的程度。同时我们也了解，这"使民养生丧死无憾"，也就是孙中山先生所提出来的民生问题。而现在世界各国，各种政治思想哲学，都以解决民生问题为主。民生主义也好，社会主义也好，乃至共产主义也好，不管他们提的什么主张，何项办法，总不外乎解决民生问题。究竟要做到什么程度，各有各的思想，各有各的目标。当然，现在的民生主义，也就是上继孔孟所提出来的中国文化大同世界的理想。但看今日的实际情形，大同理想的实现，还有待我们各方面更多的努力。

杀人和吃人的譬喻

梁惠王曰:"寡人愿安承教。"

孟子对曰:"杀人以梃与刃,有以异乎?"

曰:"无以异也。"

"以刃与政,有以异乎?"

曰:"无以异也。"

曰:"庖有肥肉,厩有肥马;民有饥色,野有饿莩。此率兽而食人也。兽相食,且人恶之;为民父母行政,不免于率兽而食人,恶在其为民父母也。仲尼曰:'始作俑者,其无后乎!'为其象人而用之也,如之何其使斯民饥而死也。"

这段文章的记载上,显示出来,梁惠王大概受了孟子的影响,每谈一次话,态度就好转一次。这次的谈话,比以前几次更好得多了。他一开口就说:"我愿意虚心地专诚向你请教,听取你孟先生的意见。"所以他也没有提出什么问题来发问,只是希望孟子给他一些意见,今后治国该怎么办。这种态度,看来的确是虚心而诚恳的,存心要向孟子请教。

孟子见他那样诚恳,所以答复梁惠王的话,也是诚恳地讲实在话,一点没有虚伪客套。他以问为答地说:"一个人用棍子去打死人和用刀子去杀死人,有什么分别么?"孟子这个问题,可以说是不成问题的问题,所以梁惠王可以不加考虑地立即答复孟子:"当然没有什么分别啊!"虽然用的凶器不同,但杀人的居心,和杀死人的结果都是一样,这有什么不同呢?

在这里,我们又看到孟子谈话的高明了。真是剥茧抽丝,逐步层层深入。等到梁惠王肯定了他的这个问题以后,冷不防,话锋一转,逼进一步问道:"好了,你既然说用棍或用刀,都是一样杀人。

那么我再请教你,用刀和用暴虐不良的政治杀人,是不是就有所分别了呢?"

孟老夫子这一逼,可把一个梁惠王逼得转不过弯来了,也许当时被问得愣了一下,梁惠王心里总不肯承认在施行不良的暴虐之政的。但是因为自己身为施政的一国之王,只好眨眨眼,摇摇头说:"当然也没有什么两样啊!"

好了,两个问题一转折,把梁惠王扣住以后,正文来了。孟子于是说:"那么,现在的君主们,厨房里存放着许多肥美的肉类,马厩里养育壮硕的马匹。可是老百姓却吃不饱,一个个面黄肌瘦的;在城外郊野,还有人饿死在路旁。这种情形对照一下,可不等于是纵容驱使禽兽去吃人吗?"

今天在富庶社会中过安定日子的人,或者体会不到这种景象的悲惨,而认为冰柜里多存一些肉,养上几匹马,又算得了什么?殊不知,在古代没有冰箱,也没有冰柜,而内府中的人多得很,储存的肉类不能不多,但是存久了会变质发臭,就只好扔掉。这就是所谓的"朱门酒肉臭"。至于养马,现在大家都坐汽车了,不知道养马的耗费。以前养一匹壮马,比十个人的生活费还多。要给它好的豆料、鸡蛋,还要喝酒,有时候是上好的名酒。那种跑马场的赛马,还要喂整枝的人参。战马当然也要吃得很好,"马无夜草不肥",夜晚要派人去遛马,还要给马洗澡,真是一笔大耗费。现在有些人不买汽车,因为汽车每个月的油料和保养费太高了,但比起养马来,汽车的耗费又小得多。何况当时的诸侯,并不是光养一匹马,而是养许多马。大夫干部们也养许多马。还有成千上万的战马呢!了解了这些情形,计算一下所需的费用,那么就知道孟子所说的"率兽食人"一点也不假了。

孟子这几句话,反映了春秋战国当时政治和社会状况的大概,同时巧妙地指责了梁惠王与他下面的这些大臣和干部。另段"率兽食人",也等于说你梁惠王的这些大臣们,和猛兽差不多,你如今就好比带了一批野兽,在那里吞食老白姓的骨肉啊! 所以他又劝梁惠王说: 我们看到禽兽互相残杀,弱肉强食的时候,都会非常厌恶,憎恨他们,巴不得杀掉他们。而我们民族文化,作之君,作之师,作之亲,你是一国的君主,也等于是全国老百姓的父母,应该像对自己儿女一样,去爱护照顾老百姓。可是,你现在实施的政治,还免不了好像带了一群猛兽去吃人似的暴虐,那么老百姓又怎么不感到厌恶,你又怎么算得是老百姓的父母官呢?

孟子始终是尊奉孔子的学说的,最后他还是引用孔子的话来作结论。

在这里,先要提出一个题外话来研究一下。原文上,孟子引用孔子的话时,是用"仲尼曰"三个字,为什么不用"孔丘曰"或"丘曰"呢? 我们知道,孔丘是孔子的姓名,仲尼是孔子的字。依古礼对长辈,是可以称字或号的,甚至于对同辈的人,也只称字号而不称名的,绝对不能连名带姓一起叫。孔子是春秋时人,孟子是战国时人。时间上,孟子已经是晚辈了 。而孟子是子思门人的学生,子思又是孔子的孙子,所以孟子比孔子当然是再晚又晚辈了,所以他应该尊称孔子的字号。即如在《礼记》中子思称孔子,也称仲尼,这是中国的古礼。但是到了后来,渐渐变成对长辈不能称字号了。尤其是对自己的父亲或祖父,直接称号,反倒要让人觉得大逆不道了。

孟子在这次谈话中,把孔子的话举出来,他说:"孔了曾经说,第一个制作陶泥人用来陪葬的人,不会有后代吧!"因为他虽然没有用活人去陪葬,但所做的陪葬陶泥人和活的人一样,在心理上,还是存了以活人陪葬的想象——正如许多标榜素食的人,跑到素食馆里,大吃素鸡素鸭。诚然,所吃到的仍旧是豆腐、豆皮、豆干、面粉之类,如果心理上存了吃鸡吃鸭的念头,就和吃荤没有两样。既然这种用代替品假设,而存有一点活人陪葬的心理念头都是不可以、不应该的,又怎么可以活生生地使老百姓们饿死呢?

实际上孟子是指责梁惠王上梁不正下梁歪。领头在那里率兽食人的,就是他梁惠王。只是不便直接指责,才引用孔子这个"始作俑者"来隐喻,指责梁惠王领导无方,自己王府里那么奢侈,领导大臣们也竞相浪费,而老百姓们则无饭可吃,竟然饿死。

梁惠王念苦经

梁惠王曰:"晋国,天下莫强焉,叟之所知也。及寡人之身,东败于齐,长子死焉;西丧地于秦七百里;南辱于楚。寡人耻之。愿比死者一洒之,如之何则可?

孟子对曰:"地方百里,而可以王。王如施仁政于民,省刑罚,薄税敛,深耕易耨,壮者以暇日修其孝、悌、忠、信,入以事其父兄,出以事其长上。可使制梃,以挞秦楚之坚甲利兵矣。彼夺其民时,使不得耕耨以养其父母,父母冻饿,兄弟妻子离散。彼陷溺其民,王往而征之,夫谁与王敌?! 故曰仁者无敌。王请勿疑!"

他们这一次的谈话,司马迁在《史记》中《魏世家》梁惠王的一段,曾经稍稍提到过一点,语意一样,文字不同。在这里,梁惠王提起晋国。大家应该记得,原韩、魏、赵三国的祖先,历代都是臣事晋国的,后来他们分了晋国的土地,而自己独立称王。现在他又自称是承接了晋国的传统,晋国就等于是他们的祖国。因此梁惠王对孟子从他的祖国谈起。

他说:"我的宗主国在晋文公的时候,曾经称霸诸侯,历史上的强盛情形,你老夫子是知道的。但是到了我这一代,说来真惭愧,倒霉得很,在西方割地七百里,求和于强秦,在南方又常受楚国欺凌侮辱,一直受他威胁。像这样的国耻,我实在忍受不了。我愿意为这些为国牺牲的先烈们雪耻。请问你,我应该怎么做才好?"梁惠王提到他祖先的光荣历史。其实从春秋大义来说,魏是叛晋的,

谈不上光荣。不过当时在中原一带，三晋的确是相当强盛的。这
些且不去管它，我们从历史上可以知道，这次梁惠王对孟子所提出
来的，正是他那个时候的中心问题。魏国当时为政的重心所在，就
是为了雪耻图强。梁惠工先后对邹衍、淳于髡这些谋士的恭敬礼
请，也都是为了雪耻图强。当时的各国，走富国强兵的路线，人多
也都是为了雪耻图强。这是战国时代，国际间一种共同的情
况　　相当于个人的冤冤相报。在循环报复的思想下，绵延了几
百年的国际战乱，这是值得注意的。

仁 政 之 道

对于梁惠王的宏图，孟子告诉他，只要有百里的小小领土，如
果做得好的话，也一样可以成为国际上的领导国家，可以达到以王
道统治天下的目的。他继续告诉梁惠王治国之道，要用王道仁政
的精神，不要用存心去统治别人的霸道思想。所以，他要梁惠工第
一步实施仁政，其次要注重教化。

怎样施仁政？孟子对梁惠王列举了几点施仁政的做法。当
然，这只是仁政的做法，不是仁政的最高目的。

孟子列举仁政的要点，第一是省刑罚。刑与罚是法治上的两
种精神，有所不同，但却是相辅相成的两个重点。孟子这里告诉梁
惠王，对于刑罚的施为，应该以省略为上，不可太苛重。法治并不
是和王道完全相反的，法治也是王道治国的治术之一，不过在王道
的精神之下，法治要简明，不可繁重严苛。王道是要以仁义为
本的。

后世儒者有的只讲仁义，主张不要刑罚，有的法家主张治国不
能用仁义，都是失之于偏。所以唐代的学者赵蕤，在他所著的《长
短经·政体》篇中，对于严刑罚，曾引孔子的话，作了这样的评议：

　　孔子曰：上失其道，而杀其下，非礼也。故三军大败，不可斩。狱犴不治，不可刑。何也？上教之不行，罪不在人故也。夫慢令谨诛，贼也。征敛无时，暴也。不诫责成，虐也。政无此三者，然后刑即可也。陈道德以先服之，犹不可；则尚贤以劝之，又不可；则废不能以惮之，而犹有邪人不从化者，然后待之以刑矣。袁子曰：夫仁义礼智者，法之本也；法令刑罚者，治之末也；无本者不立，无末者不成。何则？夫礼教之法，先之以仁义，示之以礼让，使之迁善，日用而不知。儒者见其如此，因谓治国不须刑法。不知刑法承于下，而后仁义兴于上也。法令者，赏善禁淫，居理之要。商、韩见其如此，因曰治国不待仁义为体，故法令行于下也。故有刑法而无仁义，则人怨，怨则怒也；有仁义而无刑法，则人慢，慢则奸起也。本之以仁，成之以法，使两道而无偏重，则治之至也。故仲长子曰：或秦用商君之法，张弥天之网，然陈涉大呼于沛泽之中，天下响应。人不为用者，怨毒结于天下也。桓范曰：桀纣之用刑也，或脯醢人肌肉，或刳割人心腹，至乃叛逆众多，卒用倾危者，此不用仁义为本者也。故曰：仁者法之恕，义者法之断也。是知仁义者乃刑之本。故孔子曰：令之以文，齐之以武，是谓必取，此之谓也。”

　　赵蕤所引用孔子及各家的话，对于王道政治中，刑罚与仁义道德的关系，相辅相成的功能，体用本末的作用，实在可以视为孟子这里“省刑罚”三个字的阐扬。也是王道精神并不排斥刑罚，以仁义为本，以刑罚为用，而辅仁义教化之不足的最好说明。由此我们也可以了解孟子动辄称仁义，但是对梁惠王说仁政，只说“省”刑罚，而不说“去”刑罚的原因。所谓“治国不须刑罚”，那只是秦汉以后腐儒们的迂阔之见。

　　孟子指出仁政的第二个措施，是“薄税敛”，减轻国家的经常税赋，减轻公府的公费、规费和临时的稽征。像秦始皇造阿房宫、宋徽宗之造艮岳，征用民财，就是敛，征用民力，就夺时。老百姓这一些额外的负担和经常的税赋，都要减轻，否则的话，征敛太多太重，则等于杀鸡取卵。齐到民穷财尽，路有饿莩，则无从征敛。能够薄税敛，则藏富于民，国家自然富足，国库自然充裕。现代的名词，所谓"培养税源"，也就是薄税敛的道理。

仁政的第三个重要措施，孟子提出"深耕易耨"四个字。这是农业技术上的两件事。"深耕"就是将泥土耕得更深一些。如此使植物吸收更多养分，成长得更好。"易耨"，耨就是江南一带所谓的耘田，又叫作芟草。秧苗插下去以后，过一段时间——大多在谷雨之后，要把秧苗四周长的杂草除去，以免消耗浪费了土地中的养分，使秧苗长得更好。在台湾，我们常在季春时节，看到农民跪在水田里，两手在地上划圈圈一样，把秧苗四周的杂草压到土里，不但去除了杂草之害，这些杂草又可腐化成有益的肥料，这就是耨。而所谓"易耨"，应该包涵了轮作的意思。同一块土地每年种同样的庄稼，会长得不好；如果轮换一下，今年种稻，明年种菜，那么两种植物都会长得比较好，这是古人早有的常识。农业方面是有许多技术的，这里因为古代文学的精简，只用四个字来代表农技。所谓"不夺农时"，用现代的语言来说，就是要教老百姓把握时空、勤于耕种，改良农业技术来增加生产。

综合以上三点，王道政治的重点，第一是法治，第二是财政，第三是经建。孟子说在法治上做到了省刑罚，财政上做到了薄税敛，农业建设上做到了增加生产，便可使社会安定、丰衣足食，然后进一步再提高教育水准。

在少年人、青年人空闲的时候——正如《论语》中孔子说的"使民以时"——在最适当的时间，也就是前面所说"不夺时"，不在农忙时耽误耕作的空闲时间，教化少壮青年，具有孝、悌、忠、信的修养与行为。在个人的品德上，对父母尊长，能够善尽孝道；对兄弟姊妹，同辈朋友，能发挥友爱的精神；对人对事，能殚智竭虑，做得最适当，能够言而有信，不虚伪诈欺。人人如能如此知耻，自立自强，在家的时候，这样孝友父兄，到了社会上，能以这种品德待人处世,那么就形成了孝、悌、忠、信的大家庭。各个家庭如此,便成了孝、悌、忠、信的社会。扩而充之,就是孝、悌、忠、信的国家。

到了这个时候,不必拿兵器去作战杀人,在文化战、政治战上,就已经打了一个大胜仗。如果必要打仗时,你纵然教老百姓拿了木棍,去挞伐秦国、楚国这些具备坚甲利兵的国家,他们也会勇敢地涌上前去。

孟子告诉了梁惠王施仁政的做法之后,又返过来,从另一面分析当时邻国敌国的国情,告诉梁惠王说:"现在他们这些国家,都是不管老百姓的死活,乱用民力。不问农忙不农忙,说打仗就随时征调老百姓去打仗,使老百姓不能耕田生产,无法过农业社会的安定生活,弄得人人家园破产,上不能奉养他们的父母,致使他们的父母也冻死饿死。强迫出征,和兄弟妻子就因此而离散。像这样,等于把自己的百姓扔到水里淹死,推进深坑泥淖活活埋了。"

这种征役之苦,后世在唐代杜甫的《兵车行》和《石壕吏》等诗中,有详细的刻画,这是大家都能熟诵的。在明末,一名进士杨士聪的凶年四吟中,也有深刻的写照,其中两首写道:

名将重威信,过师从枕席;平日少抚练,临戎增叹啧;贼焰既已炽,调发杂主客;强者太狰狞,弱者不任革;缘村掠民蓄,孰操自完策;贫民无立锥,更复遭奇厄;谈笑借汝头,聊以充斩馘。

杀运殄生人,轻细如蠓蟆;兵荒已半死,岂堪罹病瘗;春来渐多疫,什九剧绵愦;蠢凶既草莽,良谨或兰折;道路续新鬼,亲属累死别;贫民无棺敛,委弃空痛结,横尸陈道衢,端为鸟鸢设。

这两首诗的文艺境界如何,且不去讨论,但说得是相当沉痛的,例如,"谈笑借汝头,聊以充斩馘。"是说借用老百姓的脑袋,造成自己的功绩,等于满清时代所说的,大人的顶子,是血染红了的(隐喻清朝大官们的红缨帽)。其余如"横尸陈道衢,端为鸟鸢设。"这就是穷兵黩武的结果,一副悲惨世界的画面。如今百余年来,我中华民族即经常在此浩劫的笼罩下,国家多难,人民不幸,实令人不胜慨叹!

还有前面引用过的一位五代朱梁时诗人杜荀鹤,也有两首诗感慨这种"陷溺其民"的暴政所造成的社会状况。他在赠朋友张秋浦的诗中写道:

> 人事旋生当路县,吏才难展用兵时。农夫背上题军号,贾客船头插战旗。

把"夺其民时"的情形,写得入木三分。

又在一首题为《旅泊遇郡中乱》的诗中写着:

> 握手相看谁敢言,军家刀剑在腰边。遍搜宝货无藏处,乱杀平人不怕天。古寺拆为修寨木,荒坟掘作甃城砖。郡侯逐去浑闲事,正是銮舆幸蜀年。

孟子早已说过,你这些拼命扩张武力的邻国,把社会弄成这个样子,陷溺其民。如果你实施了仁政,法治上了轨道,财政经济充裕,国民教育水准提高了,人人自立自强,然后再去征伐邻国,自然就天下无敌了。所谓"仁者无敌",不要对仁义治国的最高原则怀疑,不要犹豫,走向仁义的大道吧!

"仁政"——这个孟子的主张,在现代也还是正确的,如果能够施行"仁政",使人人明白国耻,人人教战,达到国强民富,则自然是"仁者无敌",最后必能致胜的。

孟子和梁惠王,从第一次见面开始,到这里告一段落。从他们两人数次的谈话中,可以知道,孟子是始终奉行中国的传统文化,尤其是孔子的学说思想,推行仁义,讲求仁政,期望天下太平,人民的日子过得好。对于当时那些策士,所谓纵横家、谋略家等游说之士,如苏秦者流,为求取功名富贵,讨好君主们扩充权力的心理,不顾老百姓死活的一套主张,他不是不知道的,而是知而不为,不愿那样去做。

人品与器识的评鉴

可是孟子运气相当不好。正当他和梁惠王慢慢谈得来,已经可以劝梁惠王不必怀疑他的"王亦曰仁义而已矣"的道理,不要犹豫去施仁政的时候,不幸得很,梁惠王死了,新王——梁襄王即位,这时孟子即将离开魏国,因为新王上台,一切情形也就不同了。下面就是孟子和这位新王见面后的情形:

孟子见梁襄王。出。语人曰:"望之不似人君,就之而不见所畏焉。卒然问曰:'天下恶乎定?'吾对曰:'定于一。''孰能一之?'对曰:'不嗜杀人者能一之。''孰能与之?'对曰:'天下莫不与也。王知夫苗乎?七八月之间旱,则苗槁矣。天油然作云,沛然下雨,则苗勃然兴之矣!其如是,孰能御之?!今夫天下之人牧,未有不嗜杀人者也。如有不嗜杀人者,则天下之民,皆引领而望之矣。诚如是也,民归之,由水之就下,沛然谁能御之?'"

这一段文章,写得真好,不要说在古文中,很少有这样生动、幽默的作品,就是在现代用白话文来写,也很难写得如此活龙活现,而又恰到好处。在字里行间,体会一下,蛮好玩的。

魏国的新王——襄王即位了,第一次召见孟子,孟子去了,可是两人见面谈话的情形和内容,没有作客观的直接记述,只说孟子见了襄王以后,出来了。然后由当事人之一的孟子对别人说:这位新王,一眼看上去,给人的第一印象,就不像个皇帝。"望之不似人君"这句话,成了名言,成了大家的口头话。几千年来,直到今天,大家常会借用这句话去批评别人,每个人都可以体会一下,当借用这一句话去批评别人时,自己的心理、情绪上,是什么状况,那一种心理状态也是颇为复杂、微妙而难以形容的。

孟子又补充一句说:等到接近他时,再仔细地看看,他一点谦虚之德都没有,一点恐惧戒慎的心情也没有。我们知道一个越是有德的人,当他的地位越高,临事时就越是恐惧,越加小心谨慎。尤其当时的魏国,在战略地理上,处于四战之地,强邻环伺,而又已经打了几次大败仗,正是国势不振的时候,他应该知道,这个国君是不好当的。别说是这样一个国际现势,就是天下太平,身居如此高位,也该诚惶诚恐才对,可是梁襄王一副公子哥儿的作风,满不在乎的样子。所以孟子说他"就之而不见所畏焉"。不但一国君主应该戒慎恐惧,就是一个平民,平日处世也应该如此,否则的话,稍稍有一点收获,就志得意满。赚了一千元,高兴得一夜睡不着,这就叫做"器小易盈",有如一个小酒杯,加一点水就满溢出来了,像这样的人,是没有什么大作为的。

这两句话,是孟子叙述他观察梁襄王以后所得的印象,好像是替梁襄王看相。当然,这个看相不是看眼睛如何? 鼻子如何? 运气又怎样? 这是一般江湖术士的看相术。中国的传统文化中,对于"识人"的学问,有好几部书。汉末有刘劭的《人物志》。最近的有清代曾国藩的《冰鉴》。《人物志》可视之为看相的书,也就是识人之学。所谓"形名"之书,也可看作是现代研究人事管理,不可不读的书。里面是讨论人的器宇、器度、神态等问题。其实说到看相,中国很早远在战国时代就有。在汉代有一个著名的相人者名叫许负,名声普闻朝野,看相看得很准。当然,也有一些是献媚的小人,对人说些好听的话,一味地阿谀奉承,这是另外一回事。但从一个人外在的言默举止,而看他的内在品德修养,也是一件很难的事。以现代的名词来说,就是品质问题。现代的工业产品,要加强品质管制,就是每一种产品,有它一定程度的规格,这种规格,就是起码的品质。产品有一定品质,出厂前要用科学方法、精密仪器鉴定,超过标准规定的是优良品质,不及的就是不良品质,必须淘汰。人也有各人的品质。人之所以成功,自有他的器度,有优良的品质。而看人的器度好坏,也如同鉴定东西品质好坏,从外形上即可看出一样,从人的言默举止之间,即可看出此人之气质如何。如所谓"龙凤之姿,天日之表"等对帝王人物的评语,就是对器度的描写。如形容汉高祖的隆准、龙颜等等,表面像龙的那个样子,鼻子高高的,下面大大的像一颗独蒜头,嘴巴阔到耳根边,睁大了两个眼睛,好看不好看呢?不去管他。也有人说明太祖朱元璋的相很像猪,指现在故宫博物院收藏的那张朱元璋画像是假的,而在庐山天池寺的一张才是真的。我看过庐山天池寺那一张被指为真的明太祖画像,真的就像一个猪头,所谓五岳朝天,嘴唇特厚。在我看来,庐山那张是假的,故宫那张是真的才对,否则一个皇帝长成那个猪头样子,实在难看!事实上也不可能。这是讲历史故事的闲话。

另外在历史上有两件关于人的器度的故事。也足以证明人的器度,的确是他的内涵修养气质的表现。晋朝著名的奸雄,也是历史上一位半成功的人物——桓温,他伐蜀打到了川东,在白帝城看到了几堆砌起的石头,据说是诸葛亮当年作战时,依奇门遁甲,克敌制胜而摆下的八阵图。这时桓温自认为了不起,觉得诸葛亮也不过如此。因而表现出一副很自豪的态度,便向身边一名在年轻时候、曾经跟随过诸葛亮的老兵说:"你是跟过诸葛丞相的,今日你看看我和诸葛公比较起来怎样?"这位老兵最初连声说:"差不多!差不多!威风差不多,可是……"顿了一下,他又叹了一口气说:"我跟过诸葛丞相许多年,可是诸葛丞相死后,这几十年来,又看了这许多人,可就没有一个比得上诸葛丞相。"桓温听了这位老兵的结论,脸都发白了。

桓温平日就很自我欣赏他的雄姿、风度、气质,认为和晋宣帝、刘琨他们的气质不相上下。他征伐了秦国回来的时候,收买了一个年纪大的女仆人,查问之下,这个女仆人以前就是刘琨的女仆,自然是熟识刘琨的。这个老女仆一见到桓温的时候,就禁不住流下眼泪饮泣起来,同时对桓温说,"您很像刘司马"。桓温听了她这句话,正中下怀,高兴得不得了,可是还不自满足,再把帽子戴戴好,衣服拉拉半,弄得更端端正正,又问这个女仆,"你再仔细看我,到底像刘司马——像到什么程度?"这个女人一面仔细看他,一面说:"您的面貌很像,就是面皮薄了一点,不像他那么福泰;眼睛也很像,可惜小了一点,再大一点就好;嗯,胡须的样子很像很像,可惜您足红胡子,不像他的乌亮;整个身材也差不多,奈何您不及他高;声音也像,但是您的声音有点娘娘腔。"这个老仆妇,奉命评头品脚,谈了老半天,说得什么都像,可是什么都差一点,都不像。把一个桓温气得摘卜帽子,脱了袍子,干脆跑去蒙头大睡,好几天都不快活。此外,例如许劭看曹操,便说他是"治世之能臣,乱世之奸雄"。曹操问裴潜说:"卿昔与刘备共在荆州,卿以备才如何?"裴潜说:"使居中国,能乱人,不能为治。若乘边守险,足为一方之主。"这些有关历史人物的评鉴,都是绝顶聪明的人旁观者清的智慧之语,当然不是全仗看鼻子、眼睛等五官相法而论人物的。

也 是 相 法

大人物的情形如此,小人物也有小人物的气质。有这样一则笑话:清朝末年,国库空虚,于是鬻官卖爵,设立捐班,定下价格,捐多少钱,便可做多大的官,以资敛取。当时有一个发了横财的船夫,捐了一大笔钱,得了一个七品顶戴,也在礼部学了礼,大概用苦功学了一段时间,在场面上也能摆出一副官架子米了。可是有一次,和一些同一阶层的官员们在一起吃饭,这位捐班出身的大人,在拿起筷子来夹菜之间,仍不改他在船上吃饭时的习惯,右手拿的筷子往左掌心一戳,把两根筷子,弄得齐平。他的这个小动作,被同席的人看见了,一猜就知道他是捐班出身,而且以前可能以是做船夫的。这还是小事。饭后大家坐下来喝茶聊天,其中有一位进士出身的清廉县知事,穿的一双靴子破了,但他仍毫无愧色地伸在前面摆开了八字脚。这位捐班的船夫看见了,于是说,某大人!你的靴子破了。这位县知事听了不但没有难为情,反而举起脚来说:"我这靴子的面子虽然破了,可是底子好得很。"这是一句双关语,意思是说:我这县官的底子,是凭学问考来的,不像你老哥这个官儿是用钞票买来的,所以羞红了脸垂下头去的,反而是这位笑别人破靴子的船夫。这就是气质的不同了。

可是看人的器度,有时也是不简单的。像这位船夫大人在手心里齐筷子,是很明显的所谓职业的习惯性动作,但也有时一些似是而非的外表,那可就要别具慧眼来辨别了。像《吕氏春秋》说的:

> 相玉者,患石似玉。相剑者,患剑似吴干将。贤主患辨者似通人,亡国之君似智,亡国之臣似忠。

识人如辨物,那一种似是而非的赝品,最会把人难倒,玉和石,是很容易分辨得出来的。但是遇到一块很像玉的石头,那么珠宝店的专家,也感到头痛了。至于评断宝剑也是一样,普通的生铁所铸,锋刃不利的,一望而知。但是样子很像什么干将、莫邪的古代名剑,也会令古董商人头痛。物固如此,对人的认识就更难。因为人是活着的,是动的,会自我巧饰,所以一个很贤能的君主,也怕遇到那种耍嘴皮子能说善道的辩士,弄得不好就误认他是有真才实学的通人,予以重用而终于误国。历史上更有许多亡国之君,看来非常聪明;一些亡国之臣,看来非常忠心的。例如大家最崇拜的诸葛亮,也把马谡看走了眼,而自叹不如刘备的知人。

鉴识人,见其器度固难,即使是从言默举止有了认识,也是不够的,还必须要更深入地了解他的个性。在荀说的《申鉴》中,有一段讨论到器度的反面个性说:

"人之性,有山峙渊渟者,患在不通。"一个稳如山岳,太持重的人,做起事来,往往不能通达权宜。"严刚贬绝者,患在伤士。"处世太严谨刚烈,除恶务尽的人,往往会因小的漏失而毁了人才。"广大阔荡者,患在无检。"过分宽大的人,遇事又往往不知检点,流于怠惰简慢,马马虎虎。"和顺恭慎者,患在少断。"对人客客气气,内心又特别小心谨慎的人,在紧急状况下,重要关键处,则没有当机立断的魄力。"端悫清洁者,患在狭隘。"做人方方正正,丝毫不苟取的人,又有拘拘缩缩,施展不开的缺点。"辩通有辞者,患在多言。"那种有口才的人,则常犯话多的毛病,言多必失,多言是要不得的。"安舒沉重者,患在后世。"安于现实的人,一定不会乱来,但他往往是跟不上时代的落伍者。"好古守经者,患在不变。"尊重传统,守礼守常的,又往往会食古而不化,死守着古老的教条,于是就难有进步。"勇毅果敢者,患在险害。"现代语所谓有冲劲,有干劲的人,在相反的一面,又容易造成危险的祸害。

所以认识了一个人的器度,同时还要看他这一种器度在反面有什么缺陷,那么"事上"也好,"用下"也好,才能达到知人善任的目的。

孟子一见到梁襄王,就说他"望之不似人君"。这是孟子的善于识人。历史上的确有许多不像皇帝的职业皇帝,尤其是生下来就是太子的人,常有不像样的。野史的资料,记载朱元璋统一全国以后,有一次拿起元朝后代皇帝的画像来看,他说:"左看右看,只像是个牛医,哪里像个君临天下的帝王相。"牛医就是兽医的意思。清代最后一个皇帝宣统,有许多人是见过的,他的照片,大家差不多都看过,虽然清秀,但却带着点"我见犹怜"的味道,的确也是"望之不似人君"的一种典型。

从"望之不似人君,就之而不见所畏焉"这两句话,就知道孟子的心目中,已经认为这位魏国新王是扶植不起来的,这时也已经注定了孟子将要离开魏国的命运。

天下定于一

孟子告诉别人——也可能是告诉他的学生,这位魏国新王,还有更妙的事。梁襄王见到孟子,既没有寒暄,也没有礼貌,招呼也不打一个,连"叟"都不叟一下了。忽然间毫不客气地、冒冒失失、没头没脑地捅出一个不着边际的问题来:"怎么定天下?"于是孟子只好答复他:"定于一。"

这一个"一"是什么? 一个人? 一件事? 一个原则? 一个战略? 或一个国家? 到底是"一"个什么? 好比佛家参禅的话头,看不出一个确定的意义,你爱怎么想就怎么去想吧!

可是这位"不见所畏"的公子哥儿想的是一个人,而且这个人就是我襄王自己。所以马上接口问孟子:"哪一个人可以定天下?"这时孟子就他的话告诉他:"只有那个不喜欢杀人的人,才能够定天下。"这时候襄王才明白,孟子所说定天下的人,并不是他梁襄王,而是不喜欢杀人的人。

不杀人的人就能定天下。如果在现代这个时代,我们依文释义,这句话似乎就不通,没有道理。你我不要说不喜欢杀人,即使杀一只鸡也害怕,难道就可以定天下? 果真如此,则人人可以定天下了。当然,我们不能作这样的解释。孟子这句话,是指当时那个时代的君主而言。在战国时代的人主——民众的家长,是可以随自己的喜恶,任意杀人,有绝对的杀人权利,没有权能分别的法令,没有绝对合理的规章,人主不必守法,可以生人,也可以杀人。所以孟子这句话,是对当时有杀人特权的人主们而言。

梁襄王说:假如一个人主不杀人,那有谁和他在一起肯来帮忙他呢? 大概战国时代,各国君主,都以杀人为务,以杀人来立威,使人畏惧,因为怕被杀而跟着走。自幼在这种人主可以随意杀人的观念下长大的梁襄王,听孟子说不杀人可以定天下,感到意外,所以才问出"孰能与之"这句话来。

孟子听到这个无知的问题,还是开导他,告诉他:"假如今天有一个爱护百姓,不随意杀人的人主,则天下的人都会和他在一起。"孟子还怕他听不懂这个道理,于是又改用比喻的方式开导他说:"您对于田地里禾苗生长的情形,是一定知道的。每年到了七八月的时候,如果久不下雨,田地干旱,稻子没有水分滋养,眼看就要枯萎了。正当这个时候,炎阳高照的万里晴空中,突然涌来弥漫着水汽的云层,接着充沛的雨水如注地降下来,很快地,那田地里本来已经垂头弯腰,快要枯萎的稻子,就又有了生气,欣欣向荣地伸直了禾秆,生气勃勃地复活成长起来。像这股充沛的滋润力,是自然的法则,又有谁阻挡得了呢?"

可慨叹的,孟子这个枯苗的比喻,恰好就是乱世败政——如战国时代人生境况的写照。

在古代历史上,碰到乱世的时代,人命真如枯苗草菅,有野心的诸侯们,大都是走"残民以逞"——满足私欲的路线。读了《孟子》这一节书,由乱离人命如草菅枯苗,使人联想到明代沈明臣的诗句——"杀人如草不闻声"这沉痛的描述。

接着孟子又说:"今天那些统领人的人主们,各国的国君们,没有一个不是好大喜功,杀人如麻而无动于衷。倘使其中有一位大仁大义的国君,能够施行仁政,体恤百姓,不随意杀伐征战的话,那么天下的老百姓,一个个都会伸长了脖子仰望着,期待着这位君主的领导。如果真的有一天,出现了这样的君主,发生了这样的情形,那么百姓们就会像往下冲的巨流般地归向他。这股自然的趋势,哪里是人力所能阻挡得了的呢? 那么这个不好杀人的君主,当然就可以统一天下了。"

这一节等于孟子的日记,是他自身的历史笔记。当他快要离开魏国之前,非常倒霉不得意,梁惠王虽然谈不拢,结果还是谈得差不多,至少是可以谈,现在这位新王根本"望之不似人君",谈也不必谈了,只有卷起铺盖走路了。

在这一节记载里,虽然梁襄王的问话不好,而且问得没有礼貌,没有意义。可孟子答复他的话,都是至理名言,是真正的道理。凡是想要作为一国之主的,就要具备这样的胸怀和器度。相反地,也解释了孟子说梁襄王"望之不似人君"的理由。梁襄王没有这种抱负,那么就不能令人见了产生肃然起敬的心理,他的器度、胸襟,都没有那种令人愿意臣服为他辅助的气势。

孟子与苏秦的对照

孟子自从那次见了梁襄王,出来对人说梁襄王"望之不似人君"以后,就离开了魏国。这应该是梁惠王刚刚去世,襄王即位那一年的事情。梁襄王二年,苏秦大约就在孟子之后,又到了魏国,并且以合纵之说,说动了梁襄王,参加了苏秦所主张的六国合纵以抗秦的计划。当然,精确的考据很难说。

这次苏秦访问魏国,和梁襄王谈话的经过,《史记》和《战国策》都有记述,内容差不多,但是《战国策》的记载比较详细而精彩。现在引用到这里,我们可以对照起来,作一些研究。

苏子为赵合纵说魏
——《战国策》原文

苏子(即苏秦)为赵合纵,说魏王(惠王嗣。时襄王二年)曰:大王之垄(古地字),南有鸿沟(即狼荡渠,在河南荥阳东,南至陈入颍,宋以前汴河是其道,今谓之贾鲁河;自荥阳经河阴开封等县,南至商水县,合于汝水)、陈、汝(汝水出今河南嵩县南山,东北过伊阳、临汝,又东南经郏县、宝丰、襄城、郾城,又东南为涡河,旧时自郾城南至西平、上蔡、元季水溢为害,于涡河截其流,约水东注,而西平上蔡之水,仍名为汝水云。魏地不至陈,盖夸之。)南有许、鄢(即鄢陵)、昆阳、邵陵(即召陵)、舞阳(今县,为汝阳道,故城在县南)、新郪(故城在今安徽阜阳县东南)。东有淮(魏地不至淮,盖夸言之。)颍(源出河南登丰县。东南流,经开封、许昌等县,合大沙河,又东南入安徽阜阳,合小沙河,至寿县入淮)、沂、黄、煑枣(故城在今山东菏泽县西)、海盐、无疎(《史记》——无海盐字,疎作胥,索隐——地阙),西有长城之界(自郑滨洛以北,至固阳。秦魏之界也。今陕西华县西廓西南有故长城,即六国时遗址),北有河外(《史记》索隐——河之南邑,若曲沃、平周等地。案今河南郏县有曲沃故城,战国魏地,非晋都曲沃也。平周,邑名,在今山西介休县。)、卷(魏邑,在今河南原武县。)、衍(故衍城,在今河南郑县北。)、酸枣(故城在今延津县北)。地方千里,地名虽小,然而庐田庑舍,曾无所当牧牛马之地。人民之众,车马之多,日夜行不休,已无以异于三军之众。臣窃料之,大王之国,不下于楚。

然横人(主张连横的人)谋王,外交强虎狼之秦,以侵天下,卒有国患,不被其祸。夫挟强秦之势,以内劫其主,罪无过此者。

且魏,天下之强国也。大王,天下之贤主也。今乃有意西面而事秦,称东藩,筑帝宫(言为秦筑宫,备其巡狩而舍之,故谓之帝宫。),受冠带(谓冠带制度,皆受秦之法。),祠春秋(谓春秋贡秦,以助秦祭祀。),臣窃为大王愧之。

臣闻越王勾践(允常子)以散卒三千,禽夫差于干遂(即干隧,吴王夫差自刎处,今江苏吴县西北万安山,一句秦余杭山,一名阳山,又名四飞山,山之别阜曰隧山,即其地也。吴王伐齐后,与晋会于黄池,于是越王袭吴。时敬王三十八年。至元王三年,越灭吴。)。武工卒三千人,革车(兵车)三百乘,斩纣于牧之野(即今牧野,在今河南淇县南。)。岂其士卒众哉? 诚能振其威也。

今窃闻大王之卒,武力(《史记》作武士,武卒也。《汉书·刑法志》——魏士武卒,衣三属之甲,操十二石之弩,负矢五十,置戈其上,冠胄带剑,赢三日之粮,日中而趋百里,中试则复其户,利其田宅)二十余万,苍头(谓以青巾裹头,以异于众)二十万,奋击(军士之能夺击者)十万,厮徒(炊烹供奉杂役)十万,车六百乘,骑五千匹。此其过越王勾践、武王远矣。今乃劫于辟臣(邪僻之臣)之说,而俗臣事秦。夫事秦,必割地效(献也)质,故兵未用而国已亏矣。凡群臣之言事秦者,皆奸臣,非忠臣也。

夫为人臣,割其主之坐,以外交偷取一旦之功,而不顾其后,破公家而成私门,外挟强秦之势,以内劫其主,以求割地,愿大王之熟察之也。

《周书》曰:绵绵不绝,缦缦(《史记》作蔓蔓,谓蔓延也)奈何!毫毛不拔,将成斧柯。前虑不定,后有大患。将奈之何!大王诚能听臣。六国从(纵)亲,专心并力,则必无强秦之患。故敝邑赵王(肃侯语)使使臣献愚计,奉明约,任大王诏之。

魏王曰:寡人不肖,未尝得闻明教,今主君以赵王之诏诏之,敬以国从。

苏秦以合纵发起国——赵国的名义来到魏国游说,实际上是为他自己争取功名富贵。他可不管梁襄王像不像人君,一开头,就从魏国的地理形势说起,细说魏国的战略地势,还带上几分夸张,把魏四周的疆界,说得很热闹,并说到魏国人民有如何的多,大吹其牛,给魏襄王戴高帽子。这也就是孟子与苏秦所以不同之处。所谓谋士、说客、纵横之士,都是给别人戴高帽子的,竟然说魏国不下于楚,其实当时南方的楚国,在领土的幅员,地理的环境等各方面,都比魏国强大得多。

接下来,把梁惠王、梁襄王父子下面的大臣,都骂了。他说他们"挟强秦之势,以内劫其主,罪无过此者",这几句话很严重,等于说梁惠王这些干部都不尽忠。苏秦的这一着非常厉害,他这一骂,把梁襄王下面那些想发表意见的人,一下子就堵住嘴了。

可是对于梁襄王,他还是一顶又一顶的高帽子继续送上去。"天下之强国也"、"天下之贤主也",大拍马屁。反正天下事,千错万错,马屁不错。和现代的推销员一样,千方百计也要把顾客说服。而说服之道,戴高帽最安全,也最有效。马屁拍完,在对方听得浑浑淘淘的时候,另一手来了,他立即一个耳光上去,说梁襄王有这么大一个强国,竟然想奴颜卑膝地向人低头,这岂不是太可耻了!

苏秦的权谋

这时,苏秦又举过去历史上吴越之战的故事,同时分析魏国的国力,作为申述他合纵主张的基础。我们不要以为苏秦第一次游说失败,回到家里,读了几年《阴符经》,就把学问读出来了。如今大家从小学读到大学,读了十六年的书,走入社会,找一份七、八千元的工作还不容易。苏秦这里所举魏国的国力,绝对不是他关在房子里,窗帘都不拉起来,头悬梁,锥刺股搞出来的。他在这段时间里,搜集情报,把国际间各国的实力,都弄得清清楚楚,了若指掌了。所以我们大家读书不要读成书呆子。苏秦第一次出来游说的时候,的确还是书呆子,但是第二次出来游说时,就大不相同,各国国防上的机密情报他已清楚得很了。

同时我们了解当时魏国是这样的情形,而孟子见梁惠王时却要他们行仁义之道的仁政,这就好比对一个衰病的老年人,要他不必吃补药、打补针,他一定不肯依着去做,是一样的。

苏秦在梁襄王面前,如数家珍地陈述了魏国当时的局面和战备详细数字,接着又骂他下面的那些大臣、干部们,说梁襄王身边这些亲信的人,都是奸佞之臣,只是会讨好、拍马屁,不会谋国的奸臣,而不是忠臣。苏秦以一个外国人,跑到魏国,居然敢在魏国君王的面前大骂他的亲信大臣,我们就要从这里了解到他当时的背景。

苏秦第一次游说的时候,虽然已花了家里很多钱,有车、有马、有裘,打扮得很像个样子,颇壮行色,但到底是单枪匹马,脑袋是提在手上的,弄得不好,随时会丢掉的。可是这次的苏秦,胜过以前不知多少倍了。他是先说服了赵王接受他的合纵计划,然后是代表赵国去说服梁襄王的。这时的苏秦，不但身边带了一大批助手和卫士，而且还有赵国作后盾，所以他说话的态度就不同了。义正辞严地指责魏国的大臣们，以人主之地，与外国结交，贪求近功，不顾后果。其实这些话都是骂梁襄王的，只是他身为一个外交官、一个谋略家，自然不便，也不会去面对面地骂一个他要说服笼络的君主。于是就把这些话、这些责任完全转嫁到这个国家的干部身上，使对方有一个转身的余地。

苏秦的这一着，是骂得相当厉害的，他所指的"以外交偷取一旦之功"这些话的评语，也正和前几年美国国务卿基辛格的情形完全一样。其实呢？苏秦他自己不也正是"以外交偷取一旦之功"吗？由此看来，天下的是非，大多数只能暂时保留一时一地，很难永远成为"公是公非"。

然后，他再引经据典地说出《周书》的理论。在当时可以说没有出版事业，书籍都是刻在竹片上，非常稀少而珍贵。苏秦引经据典，暗示了他自己很有学问，读过一般人不易读到的书，一方面表示他的计划是有根据的，最后说出他六国纵亲的计划，礼貌地请梁襄王作决定。

那么，孟子形容为"望之不似人君"的这位梁襄王，听了苏秦这番话以后怎样呢？自己责备自己不肖，从来没有听过这样高明的意见，立即签约，全力支持到底。

不过，后来苏秦死了，张仪也来见梁襄王，提倡连横之说，又是另外一套理论，反过来驳倒苏秦的说法。这两篇文章，如果办报纸、杂志，正是社论体结构上的好蓝本。

我们读书，是为了引古以证今，也可由今而鉴古。单看这一篇《战国策》中的文章，记载苏秦说魏国梁襄王的故事，当时情形是不是完全一样，不得而知。但后代的记载，大部分是不会太离谱的。看了这篇文章，就知道当时是很热闹的了。

由这篇文章，可以了解魏国在梁惠王、梁襄王那个时代，也就是孟了到魏国的那一段时期，魏国所处的国际地位和战略环境，它的历史背景以及当时的国内情形。了解这些以后，我们可以用现代的立场，去体会一下梁惠王、梁襄王在战国那个时代中，如果采用孟了所提出来行仁政的工道精神，是不是行得通？

当然，孟子对梁惠王所建议的，只是政治哲学上的最高原则，并不像苏秦、孙子等兵法家、谋略家那样，提出立即可以付诸实施的，如"合纵"、"连横"一类的具体办法。不过话得说回来，假定梁惠王或其他国君，接受了孟子这项政治哲学的最高原则，像鲁国接受了孔子的意见，并给予权位一样，那么孟子有了权位以后，自然会提出具体的办法。因此，我们不要随随便便就把"书呆子"这顶帽子往孟子头上戴。

孟子的机锋转语

尽管孟子说(魏)梁襄王"望之不似人君"，但是照这段《孟子》记述的文字来讲，其中含有中国传统文化上政治哲学两个大道理，必须特别留意，不可只为了一句"不似人君"的评语，就轻轻地盖过去，认为孟子对梁襄王的问题，并没有用心去答复。其实他说梁襄王"不似人君"是一回事，他以诚恳的教化对人，又是一回事。

第一个问题，当然就是梁襄王提出的"天下恶乎定"，这个定天下的问题。他问的是如何"定"天下，并不是说如何"安"天下。就中文的含义来讲，这一个"定"字与"安"字，用在这里，就大有分别了。如照曾子所著《大学》一书的观念来讲，"定而后能安"，也是有它程序上不同之差别。

我们只要了解了前面梁惠王所说，他自己国家的处境，和他个人心理上的烦闷，便可知道梁襄王父子当时在战国互相吞并局势上的困难和不安。再看一看《战国策》上所记载苏秦说梁襄王的一段，对于魏国当时情势上的分析，便可知道梁襄王问孟子的"天下恶乎定"的问话，并没有错。错只错在他问孟子这个问题时的诚心和态度而已。

我们大家都很欣赏《三国演义》上所描写刘备三顾茅庐问计于诸葛亮的一幕，此景此情，也正是梁襄王当时的写照。只是刘玄德冒着寒风大雪，三顾诸葛先生的茅庐之中，他所表现的诚恳和谦卑，首先便具备了一副"君人之度"、"有容德乃大"的卓越风范，不得不使那高卧隆中的诸葛孔明，为了感遇知己，而为他破格出仕了。

梁襄王所问的如何能定天下，这正是周秦以后千余年来，生当乱世，每一个具有武力，具有野心者的初心动机，也就是所谓霸业思想的原动力。天下一定，便可化家为国，"四海之内，莫非王土；率土之滨，莫非王臣"，家天下的威权，便从此建立。刘邦做了皇帝以后问他的父亲，我挣的财产比哥哥多吧？李世民要起义，他的父亲李渊对他说，希望你这一举，便能"化家为国"。这些观念，也都是由一个"定天下"的观念而来。

孟子深深知道这种心理的错误，所以他不从如何"定天下"的霸业思想上去答复梁襄王的问题。他要从王道的思想上去诱导梁襄王行仁政开始。所以从表面看来，便大有牛头不对马嘴，所问非所答的味道，自然就不能投当时人主们的喜好了。由于古文写作，重在浓缩简化，对此要点语焉不详。因此我们在此加以申论，才能把孟子弘扬传统王道学术思想的精神，更明显地表达出来。

第二个问题，便是孟子所提出天下"定于一"的重心。孟子只是说天下定于一，并没有说只靠一人来定，或者说定在哪一个"一"上。这句话看来真是相当含糊，因此也难怪梁襄王为之茫然，于是颠倒了它的逻辑，跟着便问："孰能一之？"哪一个人才能一定呢？因此，孟子只好将错就错，他知道这位"望之不似人君"的梁襄王很难懂得这个高深的政治哲学，于是把它向当时时代病，极其需要的一剂消炎药上去引导，希望他施行仁政，所以就说，"不嗜杀人者能一之"。其实,天下真正好杀人的并不多。不敢杀人,与不好杀人的人很多。难道那些不好杀人的便都能统一天下吗? 这个道理,上面已经约略讲过,不必重复讨论。

如果要认真讲来,古文写作的文法和逻辑,实在是很认真的。只是古今文法运用不同,就显出它的逻辑也有点矛盾。尤其古代由于印刷不发达,所以古文尽量要求文句简练,一个字往往代表了一个观念,含意又深又多,于是后世就难得读懂了。

例如宋代欧阳修奉命修《唐史》的时候,有一天,他和那些助理的翰林学士们,出外散步,看到一匹马在狂奔,踩死路上一条狗。欧阳修想试一试他们写史稿作文章的手法,于是请大家以眼前的事,写出一个提要——大标题。有一个说:"有犬卧于通衢,逸马蹄而杀之。"有一个说:"马逸于街衢,卧犬遭之而毙。"欧阳修说,照这样作文写一部历史,恐怕要写一万本也写不完。他们就问欧阳修,那么你准备怎么写? 欧阳修说:"逸马杀犬于道"六个字就清楚了。这便是古今文字不同的一例,再看第一个人的文句,就好像明代一般文字的句法。第二人的,好像宋代的句法。其实,时代愈向后来,思想愈繁复,文字的运用也就愈多了。

定 于 一

如孟子这一段中,一句"定于一"的答词,非常有趣,而且内涵深远,是对中国政治哲学的至高原则而言,既不是指一个人,或一件事,更不是说某一种方法,当然也不是光指仁或义。因为仁和义,也只是政治行为之一,是实施一种政治思想的高度道德行为而已。所以"不嗜杀人",也是针对当时好作乱好杀伐的政治风气,一种高度道德性的政治行为。在战国当时,或任何一个混乱的时代中,这是值得天下归心的作为。如果以现代民主思想的眼光来看,那是不必说的当然道理。除非好杀成性的暴力主义者,或是今天国际政治上闹笑话的非洲阿明,那就不足道了。

可是这句"定于一"的答话,一听进梁襄王的耳朵里,他脑子里的观念反应,却一变而成为"天下可定于一个人的手里"了!因此他便迫不及待地再问出哪个能够一统天下的问题来,你看这是多么有趣的误解,使孟子再也无法发挥"定于一"的高度哲学理论,只好随着他所能了解的方向,一变话题,转而为"不嗜杀人者能一之"的答案了。

我的口才不好,对于这句话在逻辑上的分析,或许不够清楚,同时又不肯引用翻译式西方逻辑那些名词和术语来表达,只好凭诸位高明,自己去体会其间会心之处。但在此可以引用唐代禅宗大师们的一个故事,作为参考。

"满堂花醉三千客,一剑霜寒十四州。"就是唐末一位有名的诗僧贯休,他为越王钱镠所作的名句。钱镠看了很高兴,但是要他把十四州改一改,变成四十州。他不肯,便说,州也不能添,诗也不能改。因此他和钱镠处不来,便千里迢迢跑到四川去依靠蜀主王建,写出"一瓶一钵垂垂老,万水千山的的来"的千古名句。有一次贯休自己作了一首很得意的诗,其中有"禅客相逢唯弹指,此心能有几人知"的两句名言。他拿去看当时有名的禅宗大师石霜禅师,认为是自己明心见性的悟道之作。石霜看了诗,便放在一边,转过来问他:"如何是此心啊?"这一下,问得贯休和尚哑口无言,无法对答。石霜禅师便说:"你不知道,就问我。"贯休不觉脱口问道:"如何是此心呢?"石霜禅师一笑而答说:"能有几人知。"你看,懂了这个逻辑运用的关系,便同样可以了解孟子这一节天下"定于一"和梁襄王问答的要点了。

儒道同源的一统天下

说了这些闲话,我们再回头来讨论这个中国政治学上"定于一"的问题。讲起来,实在牵涉太多,也太难。不但孟子指出"定于一",我们且把后世自称为正统儒家们所不甚同意的道家老祖宗——老子的话搬出来看看,他同样也有中国政治哲学有关"一"的思想。老子曾说:"天得一以清。地得一以宁。侯王得一以天下平。"老子这个得一以天下平的"一",和孟子劈头而来的"定于一",是不是一个模子,如出一辙呢?实在值得慎思,明辨。

综合起来,这个"一"的问题,如果和专讲内圣外王之学的《大学》《中庸》的内圣之学相提并论,那么《大学》的"明德"和"慎独",以及《中庸》的"中和"和"诚明"串通一气,发而挥之,岂非又是一部专论吗?虽然,孟子这里的"一",也可以说是一个中心思想——实行仁政的王道。

但再引申为外王之学来讲,那么,孟子所讲天下"定于一"的道理,便可认为是中国历史哲学的不二法门,必须要"天下统一"或"天下一统",才有长久的安定。我们只要仔细研究秦、汉以后历史,凡是不得统一的时代,它的祸乱也始终不得平静。这已成为中国历史上千秋不易的定则。因此自孟子以后,影响两千年中国历史上的帝王政治,都是循着孟子这个论断的观念去立足的。甚至反动的人,也都是拿它来做口号。

不管是正的或反的,假借为号召的或真心为国家天下的,对于这个"定于一"的理论,当然都无可非议。事实上,凡是真理,自然便是不二法门,当然无可非议。可是两千年帝王专制政治,到处都是假借孔孟之学的大盗而兼神偷,真如庄子所谓连仁义之道也被他们偷盗而用了。这是什么理由呢?因为孟子只说了一句天下"定于一"三个字,他并没有说定于一人啊!而历代的帝王们,却生吞活剥地把"定于一"三个字,硬生生地拉到定于一人,而且一定是定于我了。你看这有多滑稽!

现在问题不要扯得太远,免得与讲孟子的本意大相径庭,暂时到此打住。拉拉杂杂说了一大堆,只是提醒大家研究上的注意,孟子这段对话中机锋转语的关键,不要随便忽略。

在我们几千年来的中国文化里,有一个中心思想——"邪不胜正"——这是一项真理,已成为家喻户晓、人人能道的至理名言了。但是自古以来,在任何时代,行正道都是非常艰难的。孟子始终想要行正道,所以他的理想很难实现。不过,如果说苏秦这派人所行的是邪道,而究竟邪到什么程度呢? 这也很难下定论。他们的主张,只是针对当时的利害而来的。摆在眼前的现实利益,不管智、愚、贤、不肖,大家都容易看见,人人能取得,如果立刻见效,大家都乐意去做。而孟子所提倡的王道仁政,是大利,是远利,是百年大计,甚至更远在百年后。今天耕耘的人,自己不一定享受得到它的成果。

人不论为国、为家、为自己,都是希望自己看到,享受到自己努力的成果,这也是人情之常。对照一下孟子与苏秦两人,对魏国君王所提的意见,以及所获的迥然不相同的结果,很明显地我们可以看到,人类总是急功好利的。对此,也只好付之一叹了!

关于孟子说梁襄王"望之不似人君"的话,并非说他没有人样,只是不像可以当大君的神态。很可能他是南唐李后主、蜀主孟昶一流人物,风流潇洒,可以成名士,不能做人君。据晋武帝司马炎时代挖出梁襄王坟墓的出土资料,在他葬的墓穴中,还藏有相当可观的古典经书,由此可见他也是个读书种子,例如三国时代的江夏刘表,还是位《易经》专家呢! 讲到这里,想起我幼年的一位老师作的诗:"隋炀不幸为天子,安石可怜做相公。若使二人穷到老,一为名士一文雄。"梁襄王可能也是这个类型的人,不适宜于做人君。

仁爱的推广

齐宣王问曰:"齐桓、晋文之事,可得闻乎?"孟子对曰:"仲尼之徒,无道桓、文之事者,是以后世无传焉,臣未之闻也。无以,则王乎?"曰:"德何如,则可以王矣?"曰:"保民而王,莫之能御也。"曰:"若寡人者,可以保民乎哉?"曰:"可。"

本来在《孟子》这本书里,所以把他见梁惠王、梁襄王父子最后的谈话,放在最前面,是因为这些谈话,是孟子政治哲学的中心思想,所以放在最前面,以显示其重要性。孟子见齐宣王是在见梁惠王之前的,不过这种孟子年代时间上的争议,历来就很分歧不一,各有各的考据理由,也实在很难确定。我们在这里特别再提醒大家 下。在本章后段再讲齐宣王,等于现代小说写作法中的所谓倒叙法。

齐宣王见了孟子以后,开始就问:在春秋时代齐桓公和晋文公,都曾经先后称霸于天下,他们是怎样能够做到天下的盟主? 这其中的道理,你可以说给我听听吗?

孟子的答复,可并没有说齐桓公、晋文公称霸的理由何在,因为他是孔子的孙子子思一系的学生,一生都尊奉孔子的学说,所以他站在自己的学术立场上说话。他说孔子的弟子们,从来没有说过关于齐桓公、晋文公他们称霸的事情,因此后世没有传下来,我也没有听过我的前辈们告诉我这些事,假如你齐宣王一定想要知道如何领导天下的话,又何必一定要了解齐桓公、晋文公称霸的道理呢? 他们没有什么了不起,不过称霸而已,真正想治好国家,名称普闻于天下,何不谈谈称王于天下的王道。

这里我们知道,孟子是一直强调施行王道的。不过我们读了"仲尼之徒,无道桓文之事"这几句话,就囫囵吞枣吃下去,不咀嚼一下,好好作一番理解和体会,那一定会食而不化,成为笑话了。如果真的如此,孔子三千弟子不谈,就以七十二贤人来说,连桓文之事都不知道,岂不太孤陋寡闻,太不渊博了? 何况孔子正当春秋时人,一部《春秋》是孔子自己著作的,书里尽多的是谈桓文之事的地方,孔子这些学生,岂有连老师所著的书都不读的道理? 这可成为大笑话!

老实说,这时的孟子是有意逃避,不愿意和齐宣王谈霸道,只是想对齐宣王说他的王道政治,这也可以看到孟子之所以为孟子,儒家标榜的圣人之所以为圣人,就是那么方正,不转一点弯,假如纵横家者流,一定先顺着齐宣王说一番桓文的道理,接着说一番王道的道理,比较一下两者的利益,最后劝他行王道,而孟子则一圣就圣到底,直言无隐地说了。

齐宣王不像屠户

于是,齐宣王问孟子,那么我行德政,讲究德行,就可以王天下了吗?这里齐宣王只称德。在古代——秦汉以前,"德"与"道"是两种不同的概念,所以在那时以前的古书上,这两个字大多是分开来,到了后世,才把道德两字合在一起用,而成为"道德"一统的概念了。这里齐宣王以修德、行德政为问,而孟子仍没有作正面的答复,只是告诉齐宣王,你如果能够保护老百姓,爱护老百姓,就可称王,没有人可以抵抗你的。齐宣王进一步又问,像我这个样子来说,你孟先生看看,可以做到保护老百姓的仁政吗?孟子说当然可以。

曰:"何由知吾可也?"曰:"臣闻之胡龁曰:'王坐于堂上,有牵牛而过堂下者,王见之,曰:牛何之?对曰:将以衅钟。王曰:舍之,吾不忍其觳觫,若无罪而就死地。对曰:然则废衅钟欤?曰:何可废也?以羊易之。'不识有诸?"曰:"有之。"曰:"是心足以王矣。百姓皆以王为爱也,臣固知王之不忍也。"王曰:"然。诚有百姓者,齐国虽褊小,吾何爱一牛?即不忍其觳觫,若无罪而就死地,故以羊易之也。"曰:"王无异于百姓之以王为爱也。以小易大,彼恶知之?王若隐其无罪而就死地,则牛羊何择焉?"王笑曰:"是诚何心哉?我非爱其财而易之以羊也,宜乎百姓之谓我爱也。"曰:

"无伤也。是乃仁术也,见牛未见羊也。君子之于禽兽也,见其生不忍见其死,闻其声不忍食其肉,是以君子远庖厨也。"

齐宣王听见孟子说他可以做到保民而王天下,反问孟子说,你怎么知道我可以?齐宣王也许听了这句话,相当高兴,希望多听几句好听的,或者没有自信,以为孟子是顺口说说的,所以追问一句。但孟子不能不说出一番理由来,而且举事实为证。

他说,我曾经听见你一位臣子——胡龁,和我谈起,说你齐宣王有一次坐在庙堂上面,有一个人牵了一头牛经过下面,被你看见了,问他把牛牵到哪里去。他告诉你是牵去杀了取血涂钟(古代铸钟要用畜牲的血去涂祭)。你听了他的报告后,命令把那头牛放了,你说看到那头牛发抖的样子,像一个没有犯罪而被送去杀头的人,十分可怜,实在不忍心杀他。于是那个牵牛的人向你请示,是不是新铸的钟不必再涂牲血了。当时你又说,这怎么可以不涂血呢?另外换一只羊好了。

我所听到的这件事,不知道是不是真实的。齐宣王说,有这回事啊!孟子就说,凭了你的这种"不忍见其觳觫"的心理,扩充开来,就可以实行王道。虽然你的老百姓们说你小器,舍不得杀那么大一头牛去取血涂钟,才换一只较小的羊去杀。可是我知道并不是牛较大,羊较小的原因,而是你不忍心。

齐宣王说,你说得对。诚然我的老百姓误会我是因为那头牛太大舍不得杀,而换一只小一点的羊。但是你是知道的,我齐国固然没有统一天下,不能说大,可也并不是太小的国家,还不至于连一头牛也吝啬得不肯杀。实在是因为我看见那头牛发抖,像一个没有犯罪的人被牵去杀头一样很可怜,心里不忍,才换了一只羊的。

孟子接着说,你也不必怪你的老百姓误会你吝惜一头牛,是因为牛比较值钱。事实上牛比较大,羊比较小,你用小的羊去换大的牛,价钱上有显著的差别,他们又怎么知道你是另有原因呢?话又说回来,假如你是为了看见牛发抖而不忍杀他,于是另外换了羊,可是,羊同样是一个生命呀,这又怎么说呢? 老百姓又怎能理解呢?

这一说,齐宣王听了,不禁笑起来:真是! 这到底是一种什么心理啊? 不过说真的,我当时绝对不是因为牛大,比较值钱,舍不得杀才换羊的。不过经你这么一说,就难怪我的老百姓们误会我是小器了。

接下来,看到了孟子的答话,就知道孟子的高明,因为在当时君主时代,齐宣王不忍杀牛的这一片好心,老百姓不但不领情,反而说他小器,万一弄得不好,这位国君因此一发怒,又不知道会枉杀几个人,所以孟子设法缓和齐宣王的情绪,作一疏解。

其次,孟子也为了要齐宣王接受他所提出的意见,施行王道的仁政,所以在这里,以幽默式的轻松的口吻,把话锋一转说道,这也是一件小事,老百姓的这种误会,对你不会有什么损失或妨害的,这正是你的仁术(注意,孟子只说他是仁术,并没有说他是仁心。这个"术"字,读书时不要轻易放过)。因为当时你只看到牛发抖,没有看到羊流泪。作为一个君子,只愿意看到禽兽活生生的样子,不忍心看到它被杀的惨状。如果听到它们被杀的惨叫声,就不忍吃他的肉了。所以说君子远离庖厨,就是这个道理呀! 也就是和你的羊换牛的心理完全一样啊!

可是,君子远庖厨这句话,被后世曲解了。近代的年轻人,当太太要他到厨房里帮个小忙的时候,他就拿这句话来做挡箭牌。太太请原谅! 孟老夫子说的,"君子远庖厨",我要做君子,你的先生不能是小人哪! 于是坐在客厅沙发上看电视,等太太把热腾腾的菜饭端来。这是笑话。可是后世把古人的名言曲解,并拿来做胡作非为的藉口的事例,实在不少,这且不去说它。

行 为 心 理

在《孟子》这一节里,涉及到一头牛的问题。中国古代,凡是谈到君主帝王,大多都以龙来作比拟。这次孟子和齐宣王见面,而大谈其牛,这是历史上较为有趣的事。然而这次谈话中,讨论的是齐宣王不忍杀一头牛而改杀羊的事情。这件事在后世学者研究孟子思想时,列为重要的问题之一,经常特别予以讨论的。从这件事上,我们至少可以发现两个学说问题:第一是仁爱心理的心理行为问题;第二是领导人行仁政的方法问题,亦即古代帝王,以及现代民主国家、政治领导人行仁政的方法问题。

先说心理行为问题。针对孟子对齐宣王的这段谈话而言,当时齐宣王看出了一头牛被杀前发抖,而不忍宰杀的时候,告诉他,这就是人类仁慈心理的根本。

这种仁慈心理,在平时看起来,似乎人人都具有,并没有什么了不起。但是假如真正研究心理学,不论政治心理学,或者宗教心理学,齐宣王这个以羊易牛的故事,可以用一句后世人人引用,大家都知道的俗语——"妇人之仁"来形容。因为女人容易掉眼泪,只要一点点鸡毛蒜皮的小事情,就难过掉泪。我认为,古人说"妇人之仁"这句话的意思,是要人们的慈悲,不要走小路线,要发大慈悲,具大仁大爱,所以才用妇人之仁——看见一滴血就尖声惊叫的"仁"来作反面的衬托。实际上妇人之仁,也正是真正慈悲的表露。正如齐宣王看见一头牛发抖不忍宰杀,扩而充之,就是大慈大悲,大仁大爱。只可惜没有扩而充之而已。

一般的妇人之仁,如果扩而充之,就是仁之爱,那就非常伟大了。且看不同宗教中的几位代表人物,就可知母性仁爱的伟大。佛教里最受欢迎的是观世音菩萨,虽然在佛经的原始记载上,他是一位男性,但是他却常以女身出现,而后世人们也都喜欢膜拜他以女性姿态出现的化身。代代相传，如今他已成为母性慈爱的象征。天主教的圣母玛丽亚，是伟大母爱的表征。至于道教标榜的则有瑶池圣母。尽管人类不少宗教的教规、教条、教义，都是重男轻女，但最后还是推崇女性的伟大。看来蛮有意思的。

谈心理行为的修养，齐宣王看到牛发抖，不忍心宰杀。我们在路上看到，一条狗、一只猫被打死或被车碾死，围上一堆人，欣赏名画似地观看，甚至有的还拍手。如果一定说这些人是坏人，那也未必。他们在另外某些事上，却又很仁慈。人的心理经常在变化，很难从某一件事上就遽然断定他是仁慈或者不仁慈。有的人有其习惯，也许他会杀猪，不喜欢杀牛。譬如印度教徒，绝对不杀牛，但却杀猪；伊斯兰教徒则不吃猪肉，但他们杀牛杀羊，吃牛羊肉。

对 牛 谈 心

中国历史上关于牛的故事也蛮多的，五代时的另一位才子皇帝——前蜀的后主王衍，他的醉词："者边走，那边走，只是寻花柳；那边走，者边走，莫厌金杯酒。"是脍炙人口的名句。他爱好文学也喜欢看戏，自己还会唱戏，常有一些伶人在他身边玩乐。南唐中主——李璟也有此同好，有一次他正玩得高兴，见原野上一头牛，悠闲地吃着草，画面很美，他顺口就称赞那头牛很肥。晚唐以后的伶人——现在叫作明星的，有一些真是了不起的。这时他身边有一位伶人李家明，听见他称赞这头牛以后，就立刻作了一首咏牛的诗："曾遭宁戚鞭敲角，又被田单火燎身；闲向斜阳嚼枯草，近来问喘更无人。"

四句中，三句说到牛的典故，这是大家都知道的。齐国的名相宁戚，在他未发迹以前，曾经替人放过牛，也许在他牧牛的生活当中，磨练了自己，也许在牛的身上得到过什么启示，而结果成为名臣。反过来说，牛对宁戚是曾经有所贡献的。次句田单的故事，用火牛阵，一举而复国，牛的功劳可大得很。第三句指眼前的这条牛，可就可怜了，在日落黄昏的斜阳下吃草，吃的却还是枯草，连嫩草都没得吃。最后一句就厉害了，"近来问喘更无人"，这是汉代名宰相丙吉在路上，遇到杀人事件，他理也不理，后来看见一头牛在路边喘气，他立即停下来，问这头牛为什么喘气。后来有人问他，为什么关心牛命，而不关心人命。丙吉说，路上杀人，自有地方官吏去管，不必我去过问，而牛异常的喘气，就可能是发生了牛瘟，或者是其他有关民生疾苦的问题，地方官吏不大会注意，我当然就必须问个清楚。由于他细察垂询牛喘的事，于是名声流传，而称他为好宰相。

李家明的这首诗，等于是说当时的南唐，可惜没有像丙吉这样的贤相。这是李家明对李璟的一种讽谏，另一面看，也就是李中主身边的这位伶人，很大胆地把当朝在位的大臣都骂了。他想促使这个风流才子型的皇帝，收收心，好好当政。

我有一天吃西餐，当牛排端上来的时候，曾经想到上面这首诗，因此也作了一首诗，题名《吃牛排有感》。说来供大家一笑："曾驮紫气函关去，又逐斜阳芳草回。挂角诗书成底事，粉身碎骨有谁哀。"老子出函谷关，没有交通工具，只有坐在牛的背上。又隋唐之间的李密，早年时，家贫好读，曾骑在牛背上读书。他每次出门，便把书本挂在牛角上，这就是后世挂角读书的典故。这一天，当我看到大家吃牛排时，油然生起了对牛的感激之心。现在全世界的人，都在风行保护动物的运动，成立动物保护会，利用电影、书刊，以及各种传播工具，广为宣传提倡，可没见人成立一个敬牛会。为什么要敬牛？现在全世界的人，都在吃牛肉，喝牛奶，穿牛皮等等。可是除了印度尊牛为圣牛，尊得太过分之外，全人类就没有人感谢牛所给予的恩惠。看来似乎是可以替牛掉一滴同情之泪。

同时想到，曾经有一位老兄讲过一则颇有深意的笑话。他说世界上爱好吃牛肉，戴尖顶高帽的民族，都是喜欢征服别人的。反之,不吃牛肉,戴平顶帽的或圆顶帽的民族则比较爱好和平。他说,你如果不信,就去研究一下世界历史看看。这话虽幽默,确也有些道理,不过有一个很大的例外,戴平帽的日本人,曾经对我们发动了这么一次重大的侵略战争。

另外,在好的一面,如佛教或其他宗教、学说,他们谈修养时,也常常谈到牛。四川峨眉山上,有一座佛教的寺庙,命名为牛心寺。我问庙里的和尚,这寺名的来历,他说是因为这座庙前面的溪水中,有一块大石,被称为牛心石,所以这座庙宇,就据以命名为牛心寺。实际上并非如此,因为佛教中常常谈到牛,如禅宗的大师们,就好几位都是谈牛说法的。

因为佛学中本来就有拿牛来比喻心性的故事,所以唐代著名的禅宗大师百丈和尚,有一次答复他的弟子长庆禅师时,便用牛作比喻。长庆问他:"学人欲求识佛,何者即是?"百丈说,你这一问,"大似骑牛觅牛"。长庆又问,那么,假如"识得后如何?"百丈说:"如人骑牛至家。"长庆又问:"未审始终如何保住?"百丈说:"如牧牛人,执杖视之,不会犯人苗稼。"因此长庆便悟到了此心即佛的要旨,再也不向外面去乱找什么佛法了。后来长庆禅师教化别人,也常用牛的故事作譬喻。

因此,在宋元以后,禅宗里出了一位普明和尚,把心性的修养,比如牧牛,从一头野牛修到物我双忘,分作了十个步骤。第一是"未牧",好比恣意咆哮、随意践踏禾苗的野牛。第二是"初调",已经穿上了鼻子随着人意牵着走。第三是"受制",不再乱走,牛绳子可以放松一点。"回首"是第四,癫狂的心境比较柔顺了,但是还要牵着鼻子走。"驯伏"第五,可以自然收放,不必牵了。"无碍"第六,可以安稳不动,不必让人费心。"任运"第七,牧童可以睡大觉了。"相忘"第八,牧人和牛两无心。"独照"第九,到了无牛的境界,人的一切妄心已除。最后"双泯",则人也不见,牛——心也不见。

还有最妙的比喻，无过于著名小说《西游记》中的牛魔王。大家都知道，《西游记》是阐述修道的一部小说，其中的孙悟空，是表征努力改过，有意向善的人心。而牛魔王，是孙悟空的拜把兄弟，代表了到处乱跑，不易驯服的狂野之心。因为牛魔王厉害，又是天将，所以孙悟空遇到他也没有办法。牛魔王固然厉害，更厉害的是牛魔王的太太铁扇公主。她厉害的是嘴巴里一样法宝，在牙缝里藏有一把芭蕉扇，这把扇子就是她的法宝。拿出来放大的时候，上可以遮天，下可以盖地。这还不算，更厉害的是，她用这把扇子，正面一扇，天下就清凉起来，反面一扇，全世界就着起火来。所以牛魔王两夫妇如果一合作，孙悟空就赶快逃，深怕一身猴毛都给烧掉。

《西游记》里这类故事，也就是心理行为的分析，可惜孟子当时，《西游记》这部小说还没有写出来，否则的话，他如果看了《西游记》，对齐宣王说牛的故事，要说得更有趣。一笑。

政治领导者的病态心理

当我幼年读书的时候，读到这一段，觉得一位圣人和一位皇帝谈话，不谈天下国家大事，却谈拿小羊换大牛的事，似乎孟老大子未免小题大作。可是经过几十年的人生经历，读书、作人，累积起来，才知道凡是人，都离不开这种心理行为的范围。

不但是齐宣王，世界上任何一个人，在心理行为上，即使一个最坏的人，都有善意，但并不一定表达在同一件事情上。有时候在另一些事上，这种善意会自然地流露出来。俗话常说，虎毒不食子，动物如此，人类亦然。只是一般人，因为现实生活的物质的需要，而产生了欲望，经常把一点善念蒙蔽了，遮盖起来了。而最严重的，是刚才说到的，《西游记》中的牛魔王，也就是人的脾气，我们常常称之为牛脾气，人的脾气一来，理智往往不能战胜情绪。所以凡是宗教信仰、宗教哲学,乃至孔孟学说,都是教人在理性上、理智上,就这一点善意,扩而充之,转换了现实的、物质的欲望和气质,使内在的心情修养,超然而达到圣境。所以孟子及时把握住齐宣王的这一点"不忍其觳觫"而舍牛的善念,就是基于这种心理行为的道理。

如《吕氏春秋》说:"有道之士,以近知远,以今知古,以所见知所不见。故审堂下之阴,而知日月之行。瓶水之冰,而知天下之寒。一脔之肉,而知一镬之味。"这也就说明,在心理行为学上,孟子看齐宣王以羊易牛这件事,就知道齐宣王有善念,有仁慈之心。仁政要从仁心做起,也就是扩大那点善念。公孙文子说的:"心者,众智之要,物皆求于心。"可以说是更强调了心理影响对于人类行为的重要。至于佛家,更是主张唯心了。但这里只讲孟子,且不必多牵涉到其他方面的思想,只讨论到齐宣王的善念与心理行为的问题。

其次关于领导人的心理行为问题,我们站在心理哲学立场(我今天提出"心理哲学"这一名词,也许有些人要反对、批评或指责。但事实上任何一种专门学说刚刚提出来的时候,一定会遭遇到这样的反应,然后大家慢慢了解,而接受。如果有时间到学校里开这么一门课,必能建立起"心理哲学"这一学说的完整体系)。来看历代帝王,有很多人,或多或少,都有心理变态,或心理病态的。如明代的开国皇帝、明太祖朱元璋,到了晚年的好杀,就是心理病态的一种。至于其他皇帝所表现的,也往往有医学上所称"心理变态"或病态的症状,只是各有不同而已。有的好杀,有的好色,有的好货等等,但都属于心理变态或病态的症状是没错的。如果遇到这样的皇帝,那就很不幸了,往往会弄得民不聊生,甚至于丧身失国。

历史上这一类的例子很多,所以几千年来,我国固有文化讲究心性修养,讲究内圣外王之道,尤其对于君临天下的政治领导人要求更严,这是很有道理的。这里孟子把握机会,对齐宣王的谈话,要他扩大以羊易牛的那一点仁心善念,保民治国,这就是对齐宣王讲领导人的心理行为学,不过那时候还没有成为一项专门学问,没有这个名词而已。

不但是古代需要重视领导人的领导心理行为,就是现代,更要重视这门学问。放眼今日世界,有许多国家的领导人,像现在乌干达的阿明,假如他有勇气到心理医师那里去就诊,那么诊断书上的记载,可能相当严重。至于拿破仑、希特勒、墨索里尼等,世人已经公认了他们心理不健全。至于尼克松、卡特将来如何,尚难定论。我们不再讨论它了。

现代的暂且不说,再回过头来看我国古代,还是以前面刚说的那位五代蜀主王衍为例。这位"只是寻花柳"、"莫厌金杯酒"的才子皇帝,经常喜欢奇装异服,把一方小布巾,在头上裹成一个圆锥形,顶上尖尖的。这位风流皇帝带了许多宫妓,穿起女道士的衣服来,头发上簪着莲花帽子,脸上用胭脂涂得红红的,号称这种装扮为"醉妆",在后宫饮宴无度。这时候,他的心理和隋炀帝当年开好运河以后,南游到江南扬州时的情形一样。当时隋炀帝照着镜子,拍拍自己的颈子,自言自语地说:"好头颅,谁能砍得!"这时候,他明知道自己的这种做法不会有好结果,所以才有这种感慨。他既然明知道自己这样做没有好结果,又依然故我地这样做,这就是心理病态了。这不是政治的病态,而是他本人的心理有了病态。

王衍当时,也有隋炀帝一样的心理病态,明明知道这样的生活是不对的,却一直颓唐下去。所以在和那些宫妓们一起饮酒作乐时,自己也唱起名诗人韩琮的《柳枝词》来:"梁苑隋堤事已空,万条犹舞旧春风。何须思想千年事,谁见杨花入汉宫。"他能唱出这首《柳枝词》来,从另一面看,也可以说和隋炀帝一样,是相当聪明的人。他能够看到自己的错误,知道未来的恶果,奈何却不肯,或许不愿改过来。

在王衍唱过了这首韩琮的《柳枝词》后,有一个学问很好的内侍宋光溥,正在旁边,吟出胡曾一首有关吴越之战的诗:"吴王恃霸弃雄才,贪向姑苏醉绿醅。不觉钱塘江上月,一宵波送越兵来。"咏叹吴王夫差,当年自恃已称霸天下,把伍员这些英雄豪杰之士,都弃而不用,甚至杀害,一天到晚在姑苏台上和西施饮酒作乐,遭到迅速的败亡。这也是宋光溥的一番劝谏,王衍听了以后,大发脾气而撤除了这次宴会,这不是王衍的心理病态么? 他如此的饮宴无度,难得有自知之明,唱出韩琮的《柳枝词》来。宋光溥看到他灵明一现,立刻把握这进谏机会,希望能够挽救这位皇帝,挽救前蜀的江山。不料王衍又复归昏昧,发起脾气来,在一席酒之间,这几层情绪的变化,喜怒的起伏,岂不是心理的变态、病态?

历史上这一类的故事可多了,研究起来,又可立一个专题,写好一部书来讨论。年轻人不要以为无书可读,世上的书实在是没有读完的时候,只要抓到一个问题,就够你去钻研半辈子了。在这里,不另作发挥。还是回到《孟子》的原文上来。

孟子的行为心理学

王说曰:"诗云:'他人有心,予忖度之。'夫子之谓也。夫我乃行之,反而求之,不得吾心。夫子言之,于我心有戚戚焉。此心之所以合于王者,何也?"

孟子从以羊易牛这件事情,指出齐宣王是一位有仁术的君主。齐宣王听了非常高兴,就对孟子说:好极了,《诗经》上说的,别人有什么心事,我都可以揣摩测度出来。这句话,就好像是为你孟老夫子说的。我当时以羊换牛,哪里是为了价钱的问题,只是一点慈悲的心理而已。当时我看见那头牛发抖的样子,没有做什么考虑,就那样做了,叫人不要杀牛,另外换一只羊。后来我自己想想,为什么会这样做呢? 怎么会有这个心理? 是什么理由使我这样做?

我自己也想不出一个道理来,你现在这样一讲,把我当时做这件事的心理状况,以及道理一说出来,的确就是如此,和我当时的心境完全一样。回想起来,现在好像都还有那种感受。不过,你说凭着我的这种心理,就能实行王道而名闻天下,这又是什么道理呢?

齐宣王不知道自己当时以羊换牛的心理,大概是当时还没有心理学这门学问。如果他生在现代,读过心理学,就不待孟子指明,而自己了然了。不过,也不尽然,有些心理医生或学心理学的,自己也正好有心理病。接着,孟子就告诉他:"是心足以王矣",也正是对他讲的政治领导心理学,我们看孟子怎么答复他:

曰:"有复于王者曰:'吾力足以举百钧,而不足以举一羽,明足以察秋毫之末,而不见舆薪。'则王许之乎?"

曰:"否。"

"今恩足以及禽兽,而功不至于百姓者,独何欤? 然则一羽之不举,为不用力焉;舆薪之不见,为不用明焉;百姓之不见保,为不用恩焉。故王之不王,不为也;非不能也。"

齐宣王问到了这里,孟子便引比喻来以问为答。他说:假使有一个人告诉你,到底他有多大力量的时候。他说,他两只手的力气,可以举起一百钧来。可是要他去捡起一根羽毛来,他却没有办法。至于他的眼力,可以把秋天鸟类换毛时,身上刚长出来的茸毛末梢,都看得清清楚楚。可是有一整车的木柴,他却看不见。像这样的话,你齐宣王会相信他吗?

齐宣王说:不! 当然不相信,世界上哪有这种事,哪有这样的人呢? 孟子当然知道齐宣王也认为这是不可能的,不合逻辑的,但是他要齐宣王亲口否定了这种不合逻辑的假定,才好继续作深一层的进言。

所以齐宣王一否定了比喻的可能性,他就立刻说:

好了,既然能举百钧的人不可能拿不动羽毛,能察秋毫的人不可能看不见一车子木柴,那么现在事实上,你齐宣王能以羊易牛,恩惠普及于禽兽,而你的功业成果,老百姓却分享不到,得不到好处。我们知道,举得起百钧的人说拿不起一根羽毛,那是他不肯用力。至于眼力可以看见秋毫末端的人说他看不见整车木柴,是因为他不肯用眼力。而你齐宣王,对于一头牛都能够发慈悲,下命令不宰杀;可是你的百姓们却没有过着安和乐利的生活,你还没有好好保养,保护他们,那是因为你没有顾念到他们。所以没有去实行王道政治,而不是你没有推行王道的能力。

曰:"不为者与不能者之形,何以异?"

曰:"挟泰山以超北海,语人曰:'我不能',是诚不能也,为长者折枝,语人曰'我不能',是不为也,非不能也。故王之不王,非挟泰山以超北海之类也;王之不王,是折枝之类也。老吾老,以及人之老,幼吾幼,以及人之幼,天下可运于掌。诗云:'刑于寡妻,至于兄弟,以御于家邦。'言举斯心,加诸彼而已。故推恩足以保四海,不推恩无以保妻子。古之人所以大过人者,无他焉,善推其所为而已矣。今恩足以及禽兽,而功不至于百姓者,独何与?权,然后知轻重;度,然后知长短。物皆然,心为甚。王请度之!抑王兴甲兵,危士臣,构怨于诸侯,然后快于心欤?"

孟子一说齐宣王有走王道路线的能力,而没有去实行王道,于是激起了齐宣王的反问,孟子便在"不为"与"不能"的问题上,作更进一步的说明。这一说明,又是逻辑上的一个问题。

于是齐宣王反问说,你所说的"不为"和"不能"这两种情况,又有什么样的差异呢?什么样具体的情形是"不为"?什么样的具体事实是"不能"呢?

乍看起来,齐宣王连不为和不能都分辨不出来,这位国君似乎是太差劲,太幼稚了。我们不可以用这样的观念去读这句话,否则的话,差劲、幼稚的该是我们了。首先要了解,当时的齐国,在各国中是相当富强的国家之一，正如现代的美国一样。在战国时代，凡是有学之士都到齐国去，不但孟子、邹衍这些人到了齐国，就是后来的荀子也去了齐国，住在齐国。所以读古书要深思，要经史合参，每句每字都不轻易放过，不要像现代有些青年读书，肤浅地去做表面的文字解释。

齐宣王当时心目中是认为，我齐国如此富强，要做的都做了，而你还说我没有做。那么到底要怎样才算做了？我们经讨一番深思，了解了齐国当时的背景，就知道齐宣王这句话，问得相当有深度，也颇有涵养，因为他不好意思和孟子作正面的辩论，于是对孟子提出这样一个问题来，是很有道理的。

权能问题

孟子答复他，假如叫一个人，把泰山挟在腋下，跳过北海，这人说，这种事情我办不到。正如现在我们叫世界拳王阿里，挟起日本的富士山来，跳过太平洋，落到美国西海岸去，阿里说，我办不到。这是不能，是能力不够，不是不愿意去做。假如叫一个人去为一位老年人折一根树枝，而这个人说，我没有办法，折不下来。那么，这个人是不肯做，而不是他没有能力。

孟子引用这种譬喻，粗看起来，很像一个童话故事，没有什么了不起。其实，内涵很深。一个普通人，当然不能"挟泰山以超北海"。但是如果领导集中一国人，或天下人的力量，那就另当别论了。再进一步来说，一个普通人，对于举手之间，折下一根树枝，这件小事当然可以做到，但他不肯做，这又是一个问题了。这正是孟子暗示齐宣王，你有此权能，不是做得到做不到的问题，只是你肯做不肯做而已。因此，答复了齐宣王这个问题以后，马上直截了当指到事实上来。于是他紧接着说，如果你齐宣王能走王道的路子，肯施行王道的政治，以你现有的国力和所处的政治环境而言，并不像挟泰山以超北海那么困难,并不是没有推行王道政治的能力,就像不愿为长者折枝一样,是你不肯去实行,而不是没有实行的能力。

孟子又不待齐宣王插嘴,继续向齐宣王推销他中国传统政治哲学的最高理想,以大同世界为目标的王道与仁政。他说,假使你齐宣王施行仁政,从你本身做起,然后推行到全国的老百姓。先敬重每个人自己的父母长辈,然后推而广之,同样地敬重别人的父母长辈,每个人都爱恤自己的子弟,然后把爱恤自己子弟的心,推广开来,扩而充之,同样地去爱别人的子弟,等到你做到了这种程度,那么天下就可以运筹在你的手掌上了。

正如《诗经·大雅·思齐篇》上所说的,先做一个榜样出来给自己的太太看,使她也做到这样,然后再推广到你的兄弟身上,再扩大来教化整个的家族,乃至于治理一个国家。这几句话的意思就是教我们推己及人,把这种老吾老,以及人之老,幼吾幼,以及人之幼的仁心,扩而充之。如果能扩大仁心,推恩出去,保护四海的百姓,就能够保有天下。否则的话,只顾自己的权位、利益,刻薄寡恩,那么到头来,会连自己的妻子儿女也保不住了。

在历史上,有不少刻薄寡恩的政治领导人,都不得善终。所以古代的人,如尧、舜、禹、汤、文王、武王、周公、孔子,乃至于齐桓公、晋文公这些人,他们在思想上、功业上,所以能够大大地超越别人,使他人望尘莫及,并没有什么其他特别的本领,他们不过善于推广他们的仁心,也就是孔子所说的那种推己及人的恕道。譬如你想吃好的,穿好的,也让别人吃好的,穿好的。从心理建设、建立恕道开始,行仁政就是这样去做的。

可是现在你齐宣王,对于一头牛,看见它发抖,就那么慈悲,不忍心杀了它。而你对你的老百姓,却没有像对这头牛这样的有爱心,你的恩惠并没有用到老百姓的身上,他们并没有获得你给他们的什么利益呀!那么,这是什么原因呢?为什么给禽兽恩惠,唯独不给老百姓恩惠呢？这就是孟子从心理行为上，对齐宣王的一个分析了。

接着孟子又举出一项物理性的事例，说出一个逻辑。他说，譬如一件东西，用秤称过，才知道它的轻重，用尺量过，才知道它的长短。世间万物，也都是这个样子，要经过某些标准的衡量，才知道究竟。而一个人的心理，更应该如此，经常反省衡量，才能认识自己，改善自己。

我们要注意孟子的这句话，人的心理行为，应该经常自我检讨，这就是《论语》上曾子说的"吾日三省吾身"。我们如果不及时反省，就会犯错误。而心理反省对道德修养的重要，就和秤与尺在权衡上所占的分量一样重要，所以，检讨了自己的行为，多加反省，就可知道自己是不是合乎道德的标准。如不反省，就无法知道自己的思想、心理，有哪些地方需要改过，有哪些地方需要发扬光大。正如齐宣王放了那头牛，而不知其所以然是一样的。在佛家的唯识学里，这种反省功夫，也只能叫做"比量"，还不是佛学心理的最高境界。其实严格地说，"比量"也就是"非量"，这是对形而上的本体而言。至于形而下的起用来说，就不能不用"比量"了。

孟子举出心理上的衡量，更重于物质的衡量，并请齐宣王仔细省察他自己的心理之后，进一步向齐宣王追问，难道你是要兴甲举兵，发动战争，使自己国家的官员百姓，受到战乱的威胁，同时在国际上，造成紧张的敌对情势，你才觉得痛快吗？换句话说，杀一头牛，你心里就不忍，便发慈悲。难道去发动凶恶的战争，你心里反而感到痛快吗？

世上无如人欲险

王曰："否。吾何快于是！将以求吾所大欲也。"

曰："王之所大欲，可得闻欤？"王笑而不言。

曰:"为肥甘不足于口欤? 轻暖不足于体欤? 抑为采色不足视于目欤? 声音不足听于耳欤? 便嬖不足使令于前欤? 王之诸臣,皆足以供之,而王岂为是哉?"

曰:"否! 吾不为是也。"

曰:"然则王之所大欲可知已。欲辟土地,朝秦、楚,莅中国而抚四夷也。以若所为,求若所欲,犹缘木而求鱼也。"

王曰:"若是其甚欤?"

曰:"殆有甚焉! 缘木求鱼,虽不得鱼,无后灾。以若所为,求若所欲,尽心力而为之,后必有灾。"

孟子问齐宣王,是不是要发动战争,才觉得痛快。齐宣王说,不是的,我哪里是想发动战争来求得自己的快意呢! 不过,我有一个大的愿望,希望能够实现。齐宣王没有直接说出他的这个理想是什么。于是孟子便问他,你这个愿望是一个什么样的大愿望,可以说来听听吗?

齐宣王对于这个问题,只是笑一笑,并没有答复。在他这一个笑容里,也许有故作神秘的味道,也许表现了"你猜猜看"的反问眼神;也许根本就懒得对这位孟老夫子说;我们没在场,就不得而知了。假如把这一段故事,用现代的戏剧表现出来,那么舞台上齐宣王的面部表情、眼神、笑声,或是无声的笑,或者打个哈哈摇一摇头就不说下去了。该如何去表达齐宣王这时的心理状态和情绪,那就要导演去揣摩,去指导了。

总之,齐宣王没有说话,没有直接把他的大愿望说出来,孟子对他没有办法,也只好故作猜哑谜状了。于是就说,难道说你是为了吃的方面不能满足,想吃得更好? 或者是为了身上所穿的衣料不理想,不够柔软,不够暖和,又不够轻巧? 或者是要有好看的,或者是要好听的呢? 以现代的视听享受来说,别人有录放影设备,而你还只是一架彩色电视机放在客厅里,或者你只有一部钻石唱针的留声机,而希望有八声道、立体声、收、录、放三用的声响设备吗?

拿古文和现代语一对照,就看出今古文章的写法不同。古文精简几个字,涵盖的意义很广,现代只讲电视、录音机两种视听上的享受,就要说上一大堆了。这是顺便说一下文学方面古今不同之处,其余的还是由大家自己去体会它的文学价值。现在且回到原文吧!

孟子讲述了物质声色上的享受,又继续转到人事上来。他说,假如你不缺乏这些物欲上的享受,那么难道是在你身边那些服侍你的臣仆,以及你所宠信喜爱的男女宫人,不够称心吗?事实上,现有的大小臣仆,男女宫人,已经是够你使唤,可以把你服侍得舒舒服服,难道你还不满意吗?

齐宣王说,不!这些倒不是我所要追求的。

到了这个时候,孟子便直截了当说出齐宣王的心思来了。实际上,在我们现在看来,孟子应该早就知道了齐宣王的大欲是什么。也许一开头说穿了,双方都难为情,齐宣王还可能会加以否认。所以先说一些声色货利等琐碎的事,把齐宣王套住,让他先否定了这些以后,才真正地放矢,直中红心,说到他内心深处。因此这时候便说,既然这些都不是你的大欲,那么除此之外,你的大欲,说来也就可以想象得到了。那就是希望扩张领土(在战国当时来说,扩张领土,自然就是掠夺别家诸侯的土地,划入自己的版图的侵略行为,孟子不便当面指他侵略,只有含蓄地说扩张,因此用这个"辟"字,不用"夺"字)。增强国力,让目前国际间的最强盛的秦国和楚国,都向你低头,向你朝拜进贡,那么你站在霸主的立场,以中国之主的地位,去抚顺四夷(东方的夷族,西方的戎族,南方的蛮族和北方的狄族),要这些没有文化或文化落后的民族,都来归顺你。换句话说,你的大欲是要成为全中国的领导者。但是,以你现在这样的做法,而希望能够实现你这样的理想,满足你这样的欲望,就好比是爬到树上去抓鱼,永远也达不到愿望的。

关于齐宣王说到的大欲,在后面他还会很坦诚、很直率地说到他个人还有好勇、好货、好色等私欲,而有别于这里所说君临中国的大欲。孟子在前面所说的那些衣食声色等方面的享受,也只是小欲而已。其实,这里所说的大欲和小欲,只是比较的说法。

就人类的欲望而言,在《礼记》中记载孔子的话说"饮食男女,人之大欲存焉。"这是每一个人,上自帝王,下至百姓,人人共有的大欲。但是我们要知道,人的欲望是没有止境的,一个人到了某种地位,某种环境,某一时间,某一空间,他的欲望是会变的,会不断地增加累进。尤其做了君侯的人,除了饮食男女基本的欲望以外,他的大欲就是君临天下,要权势,要更大更大的权势。普通的人,满足了饮食男女,就是求功名富贵,拿现代的话说,是发展事业,事业成功了,要权力,可以支配别人;有了权力,又希望君临天下;君临天下以后,还是不能满足;那么,希望长生不老,永远活下去,永远掌握着这个权力,所以秦始皇派人到蓬莱三山去求长生不老之药,当然是求不到,但求不到还是要求,希望在家天下的支配欲上延伸,把这份已得的权力,传给自己的万世子孙,永远掌握下去。

在明、清之间,有一本闲书名叫《解人颐》,这个书名就说明了,只是使人破颜一笑,松弛板起的面孔,咧开嘴来笑一笑的意思。这本书里许多记载,的确有令人发出会心微笑之处。不过它也是像《聊斋志异》一样,大多以孤鬼的故事来讽世。它所搜罗的许多可笑的文字中,笑里或有血,或有泪,蕴含了许多做人处世的道理,启发人们的良知,在过去的时代,的确是深具教育意义的一本闲书。

这本《解人颐》中,有一篇很有哲学意味、描述人类欲望无止境的白话诗:

终日奔波只为饥,方才一饱便思衣。衣食两般皆具足,又想娇容美貌妻。娶得美妻生下子,恨无田地少根基。买到田园多广阔,出入无船少马骑。槽头扣了骡和马,叹无官职被人欺。县丞主簿还嫌小,又要朝中挂紫衣。(做了皇帝求仙术,更想登天跨鹤飞。)若要世人心里足,除非南柯一梦西。

这其中"做了皇帝求仙术,更想登天跨鹤飞"两句是我随便凑上去的。这位作者写这篇白话诗的时候,正是君主专政的时代,当然不敢连皇帝也写进去。而在历史的事实上,像秦始皇、汉武帝一样,做了皇帝又想长生不老的例子也不少。所以齐宣王虽然已为一国之主,但还想君临天下,那也是很自然的趋势。

这篇七言韵文的白话诗,可说道尽了人类欲望无穷,欲壑难填的心理状态。本来一个一无所有的穷光蛋,连吃饭都成问题,一天到晚,劳劳碌碌,也许是贫户登记,扫街掏沟的。好不容易,赚的钱吃饱了,就觉得身上穿的毛线衣,已经穿了三五年,下水洗过很多次,不够暖和,去见朋友时,也不体面,于是在衣服上讲究起来了。等到衣食两个问题都已解决,那么正如谚语所说,饱暖思淫欲,想娶一个漂亮的小姐作太太。后来,太太也娶了,孩子也生了,一家数口,融融乐乐,过得蛮好的,可是还不能满足。念头一转,家无恒产哪!总得买幢房子,弄点田地什么长久的生产之道,打下经济基础,让下半辈子生活安闲,子孙也不愁吃穿。这些都齐全了,还想买汽车,坐在八个汽缸的全自动别克名牌汽车里,又想到警察昨天开了一张违规的红单子,税务员的面孔不大好看,而朋友张三做了官,比较吃得开,还是弄个一官半职在身,才不吃亏受气,于是竞选去,或者走门路,搞个官来做。官也当上了,可是这县政府的科长、秘书,能指挥的人太少,来指挥自己的人多,还是不过瘾,应该想办法当大官去。又这样往上爬,结果当了皇帝还是有欲望,又希望成仙上天,长生不老,所以这位作者最后两句结论是,人类这永无止境的欲望,除非到死方休。其实人的欲望,是死也不休的。

梦似人生

中国文学里,有三个很有名的美梦,是指点人生哲学的妙文。一个是庄子的蝴蝶梦;一个是邯郸梦;还有一个便是唐人李公佐著的南柯梦。纵然南柯梦醒，但人欲无穷，仍不肯罢休。死了还想升天堂，到他方佛国，也许在那里，可以满足了在这个世界上所不能满足的欲望吧！

其中一个唐代文学上有名的梦，便是邯郸梦。这是说一个庐姓书生，进京去考功名，走到邯郸道上，疲倦了想休息，旁边一个老头子正把黄粱米洗好，要下锅做饭，就把枕头借给这个庐生去睡。这个书生靠在他的枕头上睡熟了，睡中他做了一个梦，梦到自己考上功名，中了进士，娶妻生子，又很快地当了宰相，出将入相，四十年的富贵功名，煊赫一时，结果犯了罪，要被杀头，像秦二世的宰相李斯一样，被拉出东门去砍头。他一吓醒来，回头一看，旁边这个老头儿的黄粱饭还没煮熟。老头子看他醒了，对他笑一笑说：四十年的功名富贵，很过瘾吧！他一想，唉呀！我在做梦，他怎么知道？他一定是个神仙来度化我的。于是不去考功名，跟着老头儿去修道了。

有的说，这个邯郸梦的主角，就是历史上有名的神仙吕纯阳，那个老者，便是他的老师钟离汉。这个故事，是教化性的，宗教哲学性的，要人看破人生。所以在后世的文学中、诗词里，很多提到黄粱未熟，或黄粱梦觉。

但是后来有一个读书人，却持相反的意见。他也落魄到了邯郸，想起这个故事，作了一首诗说："四十年来公与侯，纵然是梦也风流。我今落魄邯郸道，要向先生借枕头。"即使是梦中事，也可以过过富贵瘾。这首诗对人欲的描述，真可说淋漓尽致。

我们除了引用《解人颐》中的一首白话诗，来说明齐宣王在人性上，很自然地会产生君临天下的欲望以外。其次，我们再从历史上来看齐国当时的背景、国情和环境，来了解他这欲望的由来。

据历史上的记载，当齐宣王即位的第二年，魏国梁惠王发动了战争，用庞涓为大将，率兵攻打赵国。这一仗，赵、韩联盟，韩国向齐求救，起用孙武子的孙儿——孙膑的战争计划，歼灭魏国的名将庞涓,打败了魏国以后,过了将近二十年的安定生活,可以说是当时很有福气的一个君王。他在安定中,把内政做得还算不错。在这时期,他娶了一个历史上最有名的丑女人"无盐"作君夫人,这是后话,留待下次再说。他这样把齐国经营得几乎有了国际间霸主的气势,当然,君临中国的大欲自然而然地就慢慢形成了。在这二十年当中,他虽有这种欲望,可是没有发动过大规模的侵略战争。只有对北方的燕国,有一次还不算太大的战役。在《孟子》本书中,下文便有记载,在宣王晚年,到他儿子湣王的阶段,割据了燕国一小块土地,埋下了后来被燕国乐毅连下七十余城,几乎亡国的仇恨种子。幸好有田单在莒、即墨二城,又兴起反攻复国的事。但是当孟子在齐国的这个阶段,也正是苏秦去齐国游说合纵的时期,从《战国策》中,"苏秦为赵合纵说齐宣王"这篇记载中,便可了解到孟子见齐王时,那时齐国的国情了。

齐国富强的素描

"苏秦为赵合纵说齐宣王"原文:

苏秦为赵合纵,说齐宣王曰:齐南有太山,东有瑯邪(山名,在今山东诸城县东南),西有清河(《史记正义》:即贝州),北有渤海(案下云四塞之国,则太山、瑯邪、清河、渤海。皆以山川形势言,以郡邑当之恐误。《方舆纪要》曰:齐西有清河,即济水也。当以济水为是。),此所谓四塞之国也。

齐地二千里,带甲数十万,粟如丘山,齐车之良,五家之兵,疾如锥矢(小矢也,喻劲疾也。),战如雷电,解如风雨。即有军役,未尝倍太山,绝清河,涉渤海也。

临淄(齐都,故齐城,在今山东临淄县北)之中七万户。臣窃度之,下户三男子,三七二十一万,不待发于远县,而临淄之卒,固已二十一万矣。

临淄甚富而实,其民无不吹竽鼓瑟,击筑弹琴,斗鸡走犬,六博
蹋蹹者。临淄之途,车毂击,人肩摩,连衽成帷,举袂成幕,挥汗成
雨,家敦而富,志高而扬。

夫以大王之贤,与齐之强,天下不能当。今乃西面事秦,窃为
大王羞之。

且夫韩、魏之所以畏秦者,以与秦接界也。兵出而相当,不出
十日,而战胜存亡之机决矣。韩、魏战而胜秦,则兵半折,四境不
守。战而不胜,以亡随其后。是故韩、魏之所以重与秦战而轻为之
臣也。

今秦攻齐,则不然,倍韩、魏之地,过卫阳晋(故城在今山东曹
县北,故卫地)之道,径亢父(故城在今山东济宁县南,故齐地)之
险。车不得方轨,马不得并行,百人守险,千人不能过也。秦虽欲
深入则狼顾,恐韩、魏之议其后也。

是故恫疑虚揭,高跃而不敢进,则秦不能害齐,亦已明矣。夫
不深料秦之不奈我何也,而欲西面事秦,是群臣之计过也。今无臣
事秦之名,而有强国之实,臣固愿大王之少留计。

齐王曰:寡人不敏。今主君以赵王之教诏之,敬奉社稷以从。

这篇资料,一开头就指出了齐国在战略上极其有利的地理形
势。国内为一大平原,而四面的疆界,都有大山巨川或深海,可为
险阻。所谓"四塞之国",易于防守,而外敌不易入侵。

次一段,是指出齐国国富兵强的实际情形。苏秦把齐国的兵
力,了解得清清楚楚。他指出,齐国正如现代的强国一样,军队有
数十万人。粮食的储存,堆积得像山一样高。军队的强盛,攻击力
量的尖锐,行动的迅速,可以雷电疾风作比拟。这当然是苏秦夸张
性的形容,但仍可见齐国的军力之强。他并指出,这样强大的武
力,一旦有敌人来侵,可以不必离开自己的国境,就把敌人击退,使
得难越雷池半步。

接着他叙述齐国首都临淄的情形，当时人口就有七万户，如果以战国时代的人口比率来说，则当时七万户大约相当于今天的国际名都——纽约市的人口。依照苏秦的估计，一户有三名兵役年龄的男子，那么临淄在一夜之间，就可以动员二十一万的士卒，不必再从外县市征调，这是首都一地的充足兵源。

再看临淄的繁荣，经济上的富庶，所表现在居民日常生活上的状况，真是富足得不得了。社会安定，经济富裕后，社会的趋势就一定会变，于是吃喝玩乐都来了，或者是玩玩竽、筑、琴、瑟这些乐器，或者是斗鸡、跑马、打球以及各种赌博性的娱乐。在路上，车子太多，轮轴常常互相摩擦。路上的行人当然比车子还多，挤在一起，有如台北的西门町，走起路来都感到困难。这些人把衣裳的下摆连起来，或者把袖子接连举起，就会形成一块大布幔，密不透气的。这时候如果大家同时流汗的话，就会像下雨似的。

由于人们都过得殷实而富裕，所以一个个都显得志得意满的样子。"家敦而富，志高而扬。"这八个字，是苏秦对临淄居民的生活写照，我们在今天读史时，对于这八个字，就要特别注意了。这八个字，从另一面看，也是一种弊害的源头。当一个国家，经济安定，社会繁荣，国民收入增加之后，往往就流于浪费，生活方式多半都骄奢淫逸，精神生活方面则道德堕落，产生优越感，看轻别人。这就是当时齐国的情形，和今天美国的情形差不多。

下面是苏秦的说辞。他说，以你齐宣王的英明，领导国家建设，趋于如此的地步，各国诸侯，没有比得上你的。可是你却还要对西方的秦国低头，去听他的话，我苏秦实在替你暗暗惭愧，真是不必如此啊！

苏秦这个论调，对当时的齐宣王来说，实在是够刺激的。

苏秦指出了齐国当时地理上的先天优势，以及充沛的军事与经济力量，然后再进一步对齐宣王分析当时的国际情势。他说，韩国和魏国会怕秦国的原因，是他们的边界和秦国的边界连接在一起,如果打起仗来,双方出兵,力量都差不多,不出十天的时间,就可以决定胜负。韩、魏两个国家,如果打败了秦国,这场战争,必然是很刺激的。虽然胜了,也会损失一半的国力,余下的一半力量,实在不足以保卫疆土,在国防实力上,还是处在空虚危险的状态中。假如打了败仗,当然更惨了,跟着来的,就只有亡国的命运。由这样不利的形势,韩、魏就把和秦国作战,看成了严重的问题,所以他们避重就轻,只好对秦朝贡称臣,以博取和平。

苏秦的这一分析,确实是有相当道理的,这又证明了他刺股用功,不止是读一部《阴符经》而已。而是得到《阴符经》的启示,晓得要注意到各国的形势,去搜集国际资料,了解各国的国情和国际形势。年轻人今天读书,实在要把握这一点,才不会读死书,变成书呆子。

他作了国际形势的分析后,再进一步将齐国的国际关系,分析给齐宣王听。他指出:秦国当然也有他的大欲,也想君临中国。不过秦国如果要攻击齐国,情形就不一样了。

第一,齐秦之间,还隔了韩、魏这两个国家,还要借道于卫国的阳晋,再经过亢父一带险要的山区。这一段路,战车无法顺利通过,马匹也不能并行。只要派一百人守在那里,那么成千的兵力都攻不进来,是十倍兵力所不能攻克的战争死角。

还有,纵然秦国冒了最大的危险,深入内地进犯。它也还要狼顾一番(中国相法中,"狼顾"是奸诈的表象,因为狼在走路的时候,是低着头,眼睛向左右回顾四周。"鹰视"是眼睛发现一个标的时,睁了大眼盯着看,眼神中含有贪婪的掳掠意味。有时狼顾鹰视并用,这是描述一个人的奸诈、贪婪而又狠毒)。要分心注意到韩、魏这些国家,是不是会动脑筋,乘它秦攻击你齐国的时候,在它的背侧,向它进攻。

以秦攻齐,既处于不利的战略形势,又有后顾之忧,因此,这只是吓唬人的心理战术。虽然秦国的确是跃跃欲试,可是却不敢轻易付诸行动，所以，秦国不足以为害你齐国，是很明显的事了。

苏秦分析了这些情势，最后作了结论，也是他对齐宣王的进言：现在，你低估自己，没有想到秦国是奈何不了你齐国的，它根本不敢来攻打齐国，而你反而要去听秦国的话，跟着它走。帮你出主意的大臣们，实在是估计错误了。如今，假使能照我的意见来合纵，那么齐国不但在名义上，不需称臣于秦；而且实质上，还是一个真正强盛独立自主的大国。我希望你能多加考虑。

齐宣王听了，于是"敬奉社稷以从"，加入了这个合纵的国际组织。

从这里，我们又可以知道，苏秦之所以能够同时把六个国家的相印，挂在他的腰上，并不是一件简单的事情。

从这一段苏秦口中所说的齐国情形，齐宣王用孙膑打败魏国后，二十年来的经营，达到国强民富的地步。而苏秦以"无臣事秦之名，而有强国之实"两句话，说动了齐宣王加盟合纵，这证明孟子见齐宣王时，齐宣王正有称霸天下的心思，这也就是他"笑而不答"的大欲。

在那个时候，天下知名的知识分子，大多数都在齐国，像今天的美国一样，齐宣王当然想开疆辟土，使秦楚来朝，进而平定天下，这是很自然的。孟子当然知道他有这个野心，这里不过是用饮食、声色这些基本的欲念来套他的话，诱导他行仁政。孟子并没有阻止他这种欲望，只是告诉齐宣王，以他现有的政治做法，而要实现他这样的理想，就好比爬到树上去抓鱼吃，是绝对办不到的。在他认为，齐宣王的行为与理想是背道而驰的。

于是齐宣王说，依你这样说，我现在的所作所为，错得这么厉害吗？孟子说，事实上你的作为，比缘木求鱼还要严重得多。爬到树上去抓鱼，虽然抓不到鱼，再爬下树来就是，不会有后遗症，不会有什么祸害。可是你现在的情形不同，以你现在的做法，去追求你那个莅临中国，抚有四夷的大欲，纵使你竭尽心力也不可能达到目的,而且会有后遗症、副作用,会带来灾祸的。

曰:"可得闻欤?"

曰:"邹人与楚人战,则王以为孰胜?"

曰:"楚人胜。"曰:"然则小固不可以敌大,寡固不可以敌众,弱固不可以敌强。海内之地,方千里者九。齐集有其一。以一服八,何以异于邹敌楚哉? 盖亦反其本矣。

今王发政施仁,使天下仁者皆欲立于王之朝,耕者皆欲耕于王之野,商贾皆欲藏于王之市,行旅皆欲出于王之涂,天下之欲疾其君者,皆欲赴愬于王。其若是,孰能御之?"

缘 木 求 鱼

齐宣王听孟子说得那么严重,以他多年来的经营,到达了《战国策》中所描写的富强情形,还说有后遗症,当然觉得不可思议,于是对孟子说,你说得那么严重,到底会发生一些什么事,是不是可以说来听听看。

孟子说,假如我自己的故国——邹,和现在南方的强国——楚国打仗。你看是哪一方面胜利?

齐宣王说,那当然是楚国会打胜的。

于是,孟子说,这是很容易明白的道理,小国当然不能去敌对大国,兵少的不能和兵多的打仗,力量弱小的也不能去对抗力量强大的,这是不变的原则。如今,你齐国虽有千里之广的土地,但却只占了天下的九分之一而已。你现在以九分之一的力量,想去征服其他九分之八的力量,以达到称霸天下、统一中国的目的,就等于邹国去打楚国一样,最后一定失败的,而失败的后果就严重了。所以你最好从根本思想上,回过头来重作考虑,放弃用武力统一天下的想法,改变国策,从实施仁政做起,使天下读书人——知识分子,想做官的人,都愿意做你的干部;所有的农人,都喜欢到齐国来耕种;所有的商人,都愿意到齐国来做生意;而观光客们也都愿意到齐国来游览;国际上,所有对他们领导阶层不满意的,都到齐国来向你投靠。到了这个地步,虽然你不动一兵一卒,谁又能和你相对抗呢?

孟子的这些主张,是反缘木求鱼的。而他把齐宣王的做法,比为缘木求鱼,的确比喻得很妙,所以这句话也就成了后世几千年来,大家常引用的成语。

说到缘木求鱼,想起另外一句成语——"百尺竿头,更进一步"。大家都知道,这是一句鼓励别人的话,和缘木求鱼的意义不一样,作用也是不相同。一般人听了"百尺竿头,更进一步"的话,都很高兴,认为是被夸奖励,而没有仔细去想一想,为什么说百尺竿头更进一步呢? 试想想看,在地上竖立了一根一百尺高的竿子,当一个人由地面向上爬,爬到了一百尺的竿上,已经到了顶点了,还鼓励他更进一步? 这一步进到哪里去? 再一步就落空了,落空可不就又掉到地下来了吗? 所以这句话的意义,是勉励人,要由崇高归于平实。也就是《中庸》所说的"极高明而道中庸"。一个人的人生,在绚烂以后,要归于平淡。

在明人的笔记中,有一则类似"百尺竿头,更进一步"的故事,叙述一位道学家求道的故事。这位道学家修道,研究了许多年,始终搞不出一个名堂来,得不了道,非常苦恼。于是有一天,带了一些银子,出门去访名师。不料在路上遇到一名骗子,知道他是出外访师求道的,身边带有许多银子,就打他的主意,设法和他接近。骗子当然是很聪明的,和他一聊上天,两人就很谈得来。可是尽管这个骗子,假装是得了道的道学家,使这位求访名师的书呆子道学家,对他十分钦佩,但就是骗不到他的钱。后来,到了一个渡口,要过河了。这名骗子脑筋一转,对道学家说,要传道给他了,而且选择在船上把道传给他。这位道学家听到有道可得,非常高兴。两人上了船,那个骗子告诉道学家,爬到船桅顶上就可以得道。这位求道心切的道学家,为了求道,为了便于爬桅杆,他那放有银子而永不离身的包袱,这时就不能不放下来了。当他爬到桅杆的顶端,再无寸木可爬的时候,也没有看见什么道,便回过头来,向这位传道的高人请教:道在哪里?不料那名骗子早已把他留在甲板上的包袱银子拿去,走得无影无踪了。船上的其他乘客都拍手笑他,上了骗子的当。可是这位道学家,在大家拍手笑他的时候,他在桅顶上,突然之间真的悟了,所谓道就在平实之处,并不是高高在上的什么东西啦。于是立刻爬下桅杆来,对大家说,他不是骗子,的确是高明!的确是吾师也!他高高兴兴地回去了。

这虽然是一则讽刺道学家迂腐的笑话,透过这个笑话来看,实在有其至理。和"百尺竿头,更进一步"那句话一样,道就在平庸、平淡之中,也就是极高明而道中庸的道理。

笑话说过了,再回到《孟子》的本文。我们看他在大原则上,对齐宣王说,不要用武力,而以仁政,使天下归心,各行各业,各阶层的人,都会愿意到齐国来,作齐国的臣民。如此,自然就可以"莅中国而抚四夷",齐宣王的大欲,就可以达到了,这当然是没有错的。

但是参考苏秦、张仪这些所谓纵横家的谋略之士们,依据各国的情势、地理环境、时代背景、战略地位,再配合国际关系的说辞,则与孟子之说有所不同了。

就战略、政略问题的讨论上来说,我们不妨牵扯一点孙武子所著《兵法》中的两段记载。孙子说:

兵者,国之大事,死生之地,存亡之道,不可不察也。

兵者,诡道也。

凡用兵之法,驰车千驷,革车千乘,带甲十万,千里馈粮,则内外之费,宾客之用,胶漆之材,车甲之奉,日费千金,然后十万之师举矣。……夫兵久而国利者,未之有也。故不尽知用兵之害者,则不能尽知用兵之利也。

如果我们假设一下，由孙子来与齐宣王见面，那么他将会说出上面这些话的。从这里看到，以一师之众，要十万人作后盾，而所花费的战费，是多么庞大，所以作战用兵久了，绝对不可能对国家有利。后人也说兵贵神速，如果战争拖下去，绝没有好处。抗战期间，日本人估计，只要三个月便可征服中国了。而我们对日本人的战略，就是以空间换取时间，尽力设法把战争拖延下去，使日本人渡太平洋而战的部队，师老兵疲，自尝败亡的苦果。所以，如果没有把作战的害处弄清楚，就不会懂得用兵，当然也就不会得到战争的胜果。因此，作战并不是那么容易的。这又是个不同的论点。

经济和政治

王曰："吾惛，不能进于是矣，愿夫子辅吾志，明以教我，我虽不敏，请尝试之。"

曰："无恒产而有恒心者，惟士为能。若民，则无恒产，因无恒心；苟无恒心，放、辟、邪、侈，无不为已。及陷于罪，然后从而刑之，是罔民也。焉有仁人在位，罔民而可为也？

是故，明君制民之产，必使仰足以事父母，俯足以畜妻子，乐岁终身饱，凶年免于死亡，然后驱而之善，故民之从之也轻。

今也，制民之产，仰不足以事父母，俯不足以畜妻子；乐岁终身苦，凶年不免于死亡。此惟救死而恐不赡，奚暇治礼义哉？

王欲行之，则盍反其本矣。"

齐宣王听了孟子这一番行仁政的王道理论，似乎还听得进去，对孟子的态度也算客气，称"夫子"，不像梁惠王只称他"叟"。所以他对孟子说，我真有点糊涂，没有你看得那么远，这方面还有什么更高深的道理，希望你帮助我，明白地告诉我。虽然我还不够聪明，或者可以听你的办法，试着去做。

　　于是孟子提出一个原则来,也成为后世的千载名言。不过名言是名言,有时候又会事实归事实。因为在某一种时代,某一种情况,或某一种特殊的因素,这种种客观的条件下,现实与理论会互相违背的。

　　孟子这句名言的意思是,有恒产的人才有恒心。他说"无恒产而有恒心者,惟士为能。"假使一个人没有稳定的经济基础,而对一件事,一个观念,或一个中心思想,能够专心一致地奉行下去,中途并不因穷困而改变他的节操,不见异思迁,不改行跳槽的,只有那些品德好、有修养、有学问的人才做得到。普通的人,一定要有了稳定的经济基础之后,才可能奉公守法,才可能讲礼义廉耻。四川朋友有两句谚语:"最穷无非讨饭,不死总会出头。"一个人既然穷到了讨饭,他还有什么顾虑? 这时候名誉根本无所谓了,什么操守、人格的,更是管他去的。为了填饱肚子,为了活命,什么都做得出来。一般没有固定产业的人,既没有恒心,就没有中心思想,平日的生活行为,或者是任意妄为,放肆胡搞,或者是稀奇古怪,吊儿郎当,或者走邪门,或者挥霍无度。因为在没有恒产的心理上,认为反正就是这么点钱,花了再说,享受了再说。所以没有钱的,反而舍得花钱。钱花惯了,虚荣心越来越大,总有一天钱不够用了,于是心存侥幸,动起脑筋作奸犯科,无所不为了。等他们犯了罪以后,你齐宣王用法令,又把他们抓来,再处罚他们,一定是这样办的。现在,你看见他们犯了罪以后,只晓得去处罚他们,而不改善你的政策,使他们不至于走上犯罪的路,这就等于你设下犯罪的陷阱引他们跳下去,结果又来责罚他们,这就是陷他们于不义。一个真正行仁政的领导人,是不会如此对待老百姓的。

　　看完了这一段孟子的谈话,我们就可以作几点研究了。

　　第一,我们读了《战国策》中苏秦描写齐国,尤其描写齐国首都临淄的情形,是那么繁华,那么奢靡,而这种社会形态的内在精神又是什么呢? 所表现的是一种什么样的社会心理呢? 就是孟子这里所讲的："放、辟、邪、侈，无不为己。"而终于"陷于罪"的一种社会心理和时代精神，是病态的，而不是健康的。以现代的理论去衡量齐宣王时代的社会，是没有真正实行民生主义，使每一个国民，每一个家庭，都得到富足、安乐、和睦、健康的生活，而只是表面的繁华而已，只是一个所谓"浮华"的社会，并不是踏实的安和康乐。

第二，孟子的这段话，虽然是对齐宣王说的，可并不一定齐国才如此。战国时代，各国的情况，也都是如此，无以强国为然。所以孟子的话，也可以说是针对整个时代而说的。

第三，在任何时代，任何政权下，政治不上轨道，社会形成病态，都会产生这类现象。

那么如何才能做到强国富民的均富政治，建立安和康乐的社会？孟子继续说出了他的意见，在现代来说，他指出了民生主义的重要性。他主张先要使每个人经济安定，每个家庭经济充裕，然后达到社会的富裕，国家的富强，仁政一定要以经济安定、安和康乐的社会为基础。在当时，是没有现代这些分门别类的术语来表达这种政治的境界，孟子只有以具体的事实状况作说明。所以他说，一位英明的政治领导者，实行建设安和康乐社会的政策，必须要使得每个国民，对上能够养得起父母，对下能够娶得起妻子，生儿育女后，要有抚养孩子的能力，更重要的，到年成好，丰收的时候，大家都可以吃饱；即使遇到歉收的凶年，大家也不会有饿死、流亡的痛苦。假如社会建设到这个地步，每个国民都可以安居乐业，然后再施以教化，教百姓都向好的一面去努力，往好的方面去求进步。这些也都做到了，你有事下一道命令出去，老百姓们很自然地都乐于听从了。

现在你齐宣王在民生问题上的措施，究竟如何呢？你走军国主义的路线，武力第一，只求国家的强大，实施专制的、独裁的、集权统治的政治。拼命榨取人民，扩充国家的武力军备，结果弄得老百姓养不起父母妻儿，家庭破碎。即使年成好，农产丰收，也被集权统治的政权——征敛去充实军备了，老百姓还是吃不饱。假如是遇到年岁不好，粮食歉收，那就更惨了，只有饿死。到了这个地步，活都活不下去了，还谈什么教育，讲什么礼义。所以齐宣王你，如果想行仁政，使全国国民都很乐于服从你，然后以王道领导天下，那么你就应该一反今日的做法，回到根本原则上去检讨，有所改变才行。

我们看到孟子这项主张，就知道儒家的孔孟之道，并不是像后儒所说的那样，坐在那里空谈、讲道，钻研心性微言，讲授孔孟理学，静坐终日，眼观鼻，鼻观心，观到后来，只有"乐岁终身苦，凶年不免于死亡"。那才真是误了道，造了孽了。所以孔孟之道是救世济民的，正如管子政治哲学的名言："仓廪实则知礼节，衣食足则知荣辱。"都是先要个人的经济充裕了，才有安和康乐的社会，然后才能谈文化教育，谈礼乐。孟子也是如此，大家可不要冤枉了孟子，以为他们是坐在那里眼观鼻，鼻观心的，只讲养浩然之气，讲尽心修道而已！

为而不有的农民

"五亩之宅，树之以桑，五十者可以衣帛矣。鸡豚狗彘之畜，无失其时，七十者可以食肉矣。百亩之田，勿夺其时，八口之家可以无饥矣。谨庠序之教，申之以孝悌之义，颁白者不负戴于道路矣。老者衣帛食肉，黎民不饥不寒，然而不王者，未之有也。"

这一段话，前面孟子见梁惠王的记载中，已经有过。只是"数口之家"，在这里记的是"八口之家"；"七十者衣帛食肉"，在这里记的是"老者衣帛食肉"；这些具体数字的些许差别而已，在文义上，没有什么不同，所以这里就不再作字句上的讲解了。

从齐宣王问齐桓、晋文之事开始，到这里为止，他和孟子一波三折，数度起伏的谈话，告一个小小的段落。就在这一小小段落中，有好几个值得我们研究讨论的重点。

后世常引用孟子的许多名言名句，如"君子远庖厨"，"察秋毫之末而不见舆薪"，"是不为也，非不能也"，"犹缘木求鱼"，"邹人与楚人战"，"无恒产，无恒心"及"乐岁终身苦，凶年不免于死亡"等等，不但是文学上的名句，也是学术思想上的名言。无论研究政治，研究经济，研究社会，乃至于研究民生问题，土地改革，以及心理建设，文化教育等等，都是很有参考价值的至理名言和最高原则。它涵盖的意义，相当广泛，值得作更深入的研究。

其次，齐国当时的社会，尤其首都临淄的景象，表面上是商旅辐辏，经济繁荣，市面一片景气，简直如欧洲的罗马鼎盛时期，又如今天新大陆的纽约一样。然而，这种繁荣的现象，是真实的吗？是表里一致的吗？不然！在齐宣王的战国时代的政体，一般学说上，称之为封建制度，这是对中央政府的周天子而言。如果以诸侯各国的内部施政，就诸侯与人民之间的权利义务而言，则与秦以后的专制政体，是完全一样的。所以一般以为在秦商鞅变法以后，才有"私有财产制"，其实春秋诸侯各国，早已演变成了私有财产制。从孟子建议梁惠王和齐宣王"五亩之地，树之以桑"，发展农村副业以达到"仰足以事父母，俯足以畜妻子"的目的，就证明了当时的财产私有制。商鞅不过是就当时演变发展所形成的事实，制作一套更完整的法令制度出来，更便于征敛而已。当时各国的财政、军用，都靠征敛而来。而征敛的对象，唯有从土地上去不断压榨，在农产品上去征收了。

不但战国时代如此，后世两千年来，尽管在汉以后，有了盐、铁资源的开发，所谓"上山下海"，扩大了生产的领域，增加了这两方面以及其他商业货物方面的税赋收入。可是直到几十年前，我们还是以农立国，于是不可避免的，农民就挑起了国家财政的重担，成为征敛的主要对象。尤其在战国时代，国家一旦用兵，军费支出之浩大,人力消耗之惨重,如前面孙子所说的那样,实在是农民们的苦难。

所以孟子"乐岁终身苦,凶年不免于死亡"不只是对齐宣王说的,也是对当时各国说的。不只是战国时代如此,后世几千年来的事实,大多如此。而他的"乐岁终身饱,凶年免于死亡"的希望,也是几千年来国民共有的希望。尽管几千年来的历史,都在歌颂农民,赞叹农民,但在没有实施"耕者有其田"的平均地权政策以前,农民的生活始终没有获得保障,始终是一个问题。

生民何计乐樵苏

其次,我们研究政治的也好,研究社会的也好,研究军事的也好,许多都认为历史上朝代的变更,是由于农民不满于政府的压榨,而起义革命,也有的说是农民与知识分子结合而起义。认真地说,只有来自农村的人,知道民间的疾苦,与知识分子结合,起来革命的则有,至于农民本身起来革命的事情则没有。固然汉高祖、朱元璋曾经种过田,但也只是一个短时期,不算是真正的农民。但是,因为中国的农业社会,几千年来,都停留在"乐岁终身苦,凶年不免于死亡"的状况之中,有人起来鼓动一下的时候,社会就乱了。

以上这些是中国的情形,我们放眼看世界各国,又有所不同。例如欧洲的古希腊、西班牙等等国家,先天上没有办法向农业方面发展,只有在商业上找出路。而商业的最好出路,是航海到别的岛屿或陆地做生意,于是形成了海运的发达。当时的所谓海运,老实说,到了陆地,有王法的地方就是贸易,在海上一般人看不见,就是海盗。至于奴隶的买卖,女奴的掠夺,乃至新大陆的恶行劣迹,都是有史可寻的。大概说,十六世纪以前,欧洲国家并不富裕,连黄金都少有,许多都是这些海盗们抢印度,骗中国,这样从东方劫掠过去的。

等到欧洲的产业革命以后，机器发达，代替了人力，资本集中，大量生产以后，资本家的财富愈来愈多，工人愈来愈苦。这时马克思看到当时的景象，才提出了劳工第一、劳工神圣等意识，才有共产主义思想的产生。

但是也说明了，在欧洲、美洲以及世界其他地区，不问其是以农立国或工商立国，在过去的历史，一般百姓们总是过着"乐岁终身苦，凶年不免于死亡"的生活。

至于今后如何呢？经济不断地发展，社会福利等措施也不停地扩展，大家都汲汲于全人类的"乐岁终身饱，凶年免于死亡"。结果如何呢？问题似乎并不单纯，也不乐观。因为还有一个复杂的心理问题有待处理，在心灵的修养，达到相当的程度，精神、物质两方面都满足了，人类才有安定的可能。不然，仍会造成"乐岁终身苦，凶年不免于死亡"的痛苦。

孟子和齐宣王的这段谈话中，我们还可以看到他们两人思想上，最大的一个分歧点。孟子是圣贤，圣贤的思想，处处是为了大多数人，普遍的、平等的和长远利益着想，要大家"乐岁终身饱，凶年免于死亡"。而齐宣王是一个国君，尤其是战国时代的典型君主，他的为政，是为了他那笑而不答，隐藏在心里的"莅中国而抚四夷"的个人大欲。所以我在前面讲到，历代帝王出来打天下，口里都是说为人民解倒悬之苦，而事实上是为了满足他们个人的权力欲。过去由英雄主义一变而跃登帝王宝座的帝王与强盗，都一样会造成社会的不安和动乱。

元朝时有人就曾写过这样一首诗："中原莫遣生强盗，强盗生时岂可除？一盗既除群盗起，功臣原是盗根株。"

元人还有一首讽刺帝王政治时代官场的白话诗说："解贼一金并一鼓，迎官两鼓一声锣。金鼓看来都一样，官人与贼不争多。"锣是金属制成的，所以金字也就是代表锣。

不敢为天下先的后儒

我们研究《孟子》到这里,从书上记载的编排次序,可以知道孟子已见过了梁惠王、梁襄王和齐宣王。前后三位国君,每一位国君的思想观念、处境以及素养,都有所不同。而孟子对他们,却一贯地阐扬王道政治的哲理和政策。

从他和这三位国君的谈话中,我们可以了解,就教育的方法看,他是用诱导的方式,就教化的立场而言,他始终走的是师道与臣道之间的路线。例如,他对齐宣王的谈话,一开头就把握住齐宣王不忍杀牛这一点善念,然后教他将这一点扩而充之,推及到爱人、爱世上面。这就是顺其所念所行而诱导,不像一般宗教或其他说教的理论,以辨别是非善恶的方式,在可以与不可以、善良与罪恶的种种对比中,作强制性的说教。而是先同意、赞成对方的意见,而后诱导对方,使他扩而充之,知道自己所爱好的别人也爱好,自己所要的别人也要,这就是孔子"推己及人"的恕道,也是实施仁义之道的方法。所以跟着下面齐宣王说到自己好乐、好勇、好色、好货的时候,孟子都说没有关系,不要紧,不过要扩而充之,使天下人都能达到富强康乐的生活水准。

我们看到孟子这种教化的方式,联想到一个非常有趣的问题。众所周知,两千多年以来,孔孟之道一直是中国文化的中心,也是儒家思想的中心。但是几千年来,儒家在推行王道政治,发挥仁道精神的作为上,虽然秉持着师道的原则,但事实上,始终是走臣道的路线。换言之,是"依草附木"式的,依靠一个既成的力量借以推行王道的理想。尽管儒家标榜的是尧、舜、禹、汤、文、武历代帝王的盛德,可是他们本身所走的路线,都是依据既成的力量,推行他们的理想;依附别人的门户,并没有自己去走出一条路来,或自己起而行之,去实现他们的理想。

　　简要而切实地说，儒家从来没有想到自己为尧，为舜，也没有这样做过，他们只是希望已经在位的帝王，能够变成尧，变成舜，因此影响到后世两千年来的儒家思想，永远是走臣道的路线，只希望做到"致君尧舜"，使在位的帝王，能够像尧舜一样，施行仁政。

　　可是，"致君尧舜"又谈何容易！白秦汉以后，历代的帝王，在基本素质上，他们不但并非尧舜的根株，而且都是以征服起家的。正如杜甫《过昭陵》诗说："草昧英雄起，讴歌历数归。风尘三尺剑，社稷一戎衣。"

　　这一首五言绝句，短短的二十个字，对于历史哲学的感慨，既含蓄又坦率，直言无隐，和司马迁写《史记》的哲学观点，完全一样，只要懂得古诗写作原则，了解所谓温柔敦厚的含蓄艺术，便可透过他每一句的字面，明了他所说的深邃含义。

　　第一句"草昧英雄起"，一开头就说明生当乱世时期，英雄都起于草泽之中，成王败寇，很难论断，到了成功以后，便四海讴歌赞颂，认为是天命有归，历数更代，成为不可置疑的真命天子。事实上，他们无非都起于风尘之中，犹如汉高祖，手提三尺剑，斩白蛇而起家。到了以戎衣而平定群雄之后，江山社稷便成为一家一姓的天下了。他由唐太宗的开基创业，而联想到汉高祖等历代帝王，几乎都是一个模式出来的。

　　但"乃翁天下"虽在马上得之，当然不能在马上治之。于是乎才轮到了后世标榜儒家的读书人们，来坐而论道，大谈其治平之学，与孔孟之道了。事实上，那些天子的禀赋，既非尧舜的本质，要想"致君尧舜"，岂非痴人说梦。历史上虽然也出过极少数几个比较好的皇帝，到底距离孔孟所标榜的先王之道，相差太远。可怜的后世儒生们，在文章上拼命讲述"致君尧舜"，而事实上每况愈下，都只是希望自己考取功名以后，"致身富贵"而已。

　　像孟子一样，极尽所能诱导齐宣王走上王道的路子，结果还是徒劳无功。何况既非孔孟之才，又非孔孟之圣，哪有可能？此所以我们过去的文化历史，始终在帝王专制政体中，"内用黄老，外示儒术"的一个模式之下，度过了两千多年。也使孔孟的道统精神，依草附木式地攀附在帝王政体之下，绵延存续了两千多年。

以前我在读《孟子》的时候，也曾为古圣先贤们发出同情的一叹，写了一首不成才的诗："千秋礼乐论兴亡，儒墨家家争辩忙。尧舜不来周孔远，古今人事莽仓仓。"我说是不成才的诗，那是老实话，绝不是自谦。

在文艺与哲学相凝结的唐诗里，前有杜甫《过昭陵》的五言绝句，后有唐彦谦《过长陵》的一首七言绝句，都是很好的历史哲学写照，而且很典型地具有温柔敦厚的诗人风格。他的诗说："耳闻明主提三尺，眼见愚民盗一抔。千古腐儒骑瘦马，灞陵斜日重回头。"

第一句"耳闻明主提三尺"，是说由历史得知，凡是开国的君主帝王，大都以武功而得天下。这一句和杜甫诗的涵义一样。第二句"眼见愚民盗一抔"，其典故出在汉文帝时，张释之为廷尉，说"愚民有盗长陵一抔土即斩首"的法令，此处影射历史上成王（夺得天下即为天子）败寇（侵犯帝陵即便杀头）的人生悲剧。下面两句，也便是我们常有的感慨，自孔孟以来，后世的读书人——儒家们，虽然满腹诗书，究竟有何用？比较有成就的，也只是引经据典，成为第一流的帮闲而已。等而下之，差一点的，一辈子死于头巾之下，谈今论古，满腹酸腐味道，也就是汉高祖——刘邦口头常常爱骂的"竖儒"或"鲰生"、"腐儒"之类，等于近代常用的"酸秀才"、"书呆子"，是同样的意思，所以唐彦谦在他后两句诗里便感慨地说，最可怜的是像我们这些念书的，生逢乱世，"千古腐儒骑瘦马"，只有一副穷酸落魄的样子，在那夕阳古道，经过汉王帝寝的灞陵之下，回头望望，发思古之幽情，作一副无可奈何的穷酸样，所谓"灞陵斜日重回头"而已。

在宋人笔记上记载着一则故事更有趣。有一次，宋太祖赵匡胤经过一道城门，抬头一看，城门上写着"某某之门"四个字，他便问旁边的侍从秘书说,城门上写着某某门便好了,为什么要加 个"之"字呢?那个秘书说"之"字是语助词。赵匡胤听了就说,这些"之乎者也"又助得了什么事啊!

讲到这里,同时要注意中国文化的诗和哲学等等,都有我们民族传统的特性,必须具有温柔敦厚的内涵,才算是忠厚之德,不然,就都流于轻薄。中国人喜欢作诗,无论是古诗或今诗——白话诗,反正大家先天秉性就有诗人的才情,这也是我们民族的特殊气质之一。但是有才华,还必须要经过力学的锻炼才好。比如诗圣杜甫,或者较有名的历代诗人们的好诗,都有这种风格。刚才所举杜甫、唐彦谦两首和历史哲学有关的诗,的确是涵养深厚,使人读了虽然有感于怀,却不致愤世嫉俗。

相反地,有同样的思想,但一下笔、一出口,便具有煽动性,容易引起叛乱意识,犹如《水浒传》上梁山泊式的诗,我们举一个例子来看,那便是前面所讲元朝人作的那首:"中原莫遣生强盗"的诗,你能说这首诗作得不好吗?看来浅显明白,而且直截了当便表白了对历史哲学的看法,哀伤感叹、悲天悯人的文学心理,都兼而有之,但它在文学的价值上,就不足为训,不足为法,到底是缺乏文化熏陶的根基。前两首与此有同样的意义,但用不同的文字修养来表达,便合于中国文化"温柔敦厚,诗之教也"的标准了。前面提过近代诗人易实甫先生的"江山只合生名士,莫遣英雄作帝王"那就对了,这也是文化与教育最要注意的地方。

尤其是诸位年轻的同学们,如果去当老师,培养后一代,那就更要注意了。像我现在讲《孟子》,讲《论语》,故意用轻松的办法,嬉笑怒骂,来引起大家对固有民族文化思想的注意,只能偶而一用,到底有流于轻率之嫌,不足为训。所以我始终说自己这些讲解,虽然用心良苦,但却不入正途的。大家千万注意这一点,有的人用来可以改邪归正,但同样的方法,被别人用偏差了,说不定会改正归邪了。

　　现在我们研究,孔孟当时为什么会走这种师道与臣道之间的路线呢? 我们知道,虽然后世的儒家,有了门户之见,对于道家的思想起了争论,但是在孔孟当时的知识分子,是没有儒道之分的。老子有三宝之说:曰"慈",曰"俭",曰"不敢为天下先"。孔孟的这种作法,也就是老子的"不敢为天下先",绝对没有挺身而出,亲自扮演尧、舜的思想。

　　这种自己绝对不来的态度,是儒家的好处,因为他们唯恐会使天下更乱。儒家自己不来,好了儒家,却苦了天下的老百姓,更可怜的是影响后世的儒家精神,只能规规矩矩走臣道的路子,但是要想"致君尧舜"——走上王道,改变现有的状态,却又往往力不从心,受到各种客观环境的限制而事与愿违。在达不到理想的时候,有时只能以身殉道,充分发挥了"臣节"的教育精神,做到了尽忠报国,尽忠报王而已。如果就行为哲学和历史的事实互相参究起来,那么这是一个值得深思的问题,也是个很难解决的问题。我们看历代的名臣和大臣以儒家之学,处身庙堂,尽管有许多作为,有许多成就,可是一遇到帝王本身或者宫廷中出了问题,他们便一点办法也没有。所以从几千年的历史来看,儒家只是一直依傍人家的门户,无法自立,也无法对天下有更大的影响。让我们抛一句文言,便可说:"至堪浩叹!"

梁惠王章句下

庄暴见孟子曰:"暴见于王,王语暴以好乐,暴未有以对也。"曰:"好乐,何如?"

孟子曰:"王之好乐甚,则齐国其庶几乎!"

他日见于王曰:"王尝语庄子以好乐,有诸?"

王变乎色,曰:"寡人非能好先王之乐也,直好世俗之乐耳。"

曰:"王之好乐甚,则齐其庶几乎! 今之乐,由古之乐也。"

曰:"可得闻与?"

曰:"独乐乐,与人乐乐,孰乐?"

曰:"不若与人。"

曰:"与少乐乐,与众乐乐,孰乐?"

曰:"不若与众。"

臣请为王言乐:"今王鼓乐于此,百姓闻王钟鼓之声,管籥之音,举疾首蹙頞而相告曰:'吾王之好鼓乐,夫何使我至于此极也? 父子不相见,兄弟妻子离散!'今王田猎于此,百姓闻王车马之音,见羽旄之美,举疾首蹙頞而相告曰:'吾王之好田猎,夫何使我至于此极也? 父子不相见,兄弟妻子离散!'此无他,不与民同乐也。

"今王鼓乐于此,百姓闻王钟鼓之声,管籥之音,举欣欣然有喜色而相告曰:'吾王庶几无疾病与! 何以能鼓乐也?'今王田猎于此,百姓闻王车马之音,见羽旄之美,举欣欣然有喜色而相告曰:'吾王庶几无疾病与! 何以能田猎也?'此无他,与民同乐也。

"今王与百姓同乐,则王矣。"

讲究礼乐的治道

前面已经提过,《孟子》的这一章,绝大部分是记载孟子与齐宣王的谈话。从齐宣王心理上不忍杀牛的一点善念说起,一直谈到后面实行王道政治的许多问题。在孟子到齐国的前后,也正是田氏齐国最鼎盛的一个时期。此时,苏秦也到齐国游说合纵的思想。这里的记载,则是孟子在齐国的这段长时间里,与齐宣王多次见面的谈话摘要。

这段又提到一件事,是说有一次孟子接见他的学生,也就是齐国的大夫——庄暴,谈到齐宣王好乐,所引起的一次谈话。庄暴有一天来见孟子,对孟子说:我见到齐宣王的时候,在闲谈中,齐宣王说他好乐,我当时不知道君主们偏好音乐这件事,对或不对,不晓得该怎么说才好,所以没有作答。请问孟老夫子,君王偏好音乐这件事,您认为怎样?

对于这个问题,以我们现代的观念来看,会觉得很滑稽,好乐就好乐!这有什么了不起。好比有一个朋友告诉你,他的孩子一天到晚弹吉他,你一定说,好嘛!既然有这方面的天才就好好培养他往这方面去发展。所以只从"好乐何如"这四个字的字面上去看,依文释义,或断章取义,就往往会发生偏差了。

如今要注意的是,这句话是针对人主而说的,人主的嗜好,所发生的影响就大了!一个国家的领导人有了偏好,或者好音乐,或者好打球,则往往会影响到政治,所谓"上有好之者,下必甚焉",问题就来了。因为庄暴知道这个问题的严重性,所以特别向孟子提出来请教。其实庄暴问话的语气里,可以看得出来,庄暴这个人的心目中,认为齐宣王偏爱音乐,是不大妥当的。

孟子对于这个问题持什么态度呢?他与庄暴不同,他始终是用诱导的方法,希望君主们能行王道,施仁政,这就是孟子所以能为圣人的道理。他不同于一般说教家,明辨是非,将善恶作尖锐的对立;也不像后世的理学家们,认为这件事不好,就把它戒除掉。

例如宋代的大儒家程伊川(颐)做讲官时,一日讲罢,还未告退。宋哲宗站起来松动一下,顺手折了栏杆外的一条柳条,程颐马上就进谏说:"方春发生,不可无故摧折!"上掷枝于地,下殿而罢。

所以明人冯梦龙便说:"遇到孟夫子,好货好色都自不妨。遇了程大子,柳条也动一些不得。苦哉! 苦哉!"因此把他列入迂腐之列。

我们且看在这段书里,孟子怎么答复。他告诉庄暴说,齐宣王好乐有什么关系? 如果他对音乐喜好到推之于民,那么齐国差不多可以治平了。

为什么齐宣王把好乐的嗜好扩而充之,齐国就能平治呢? 这个在孟子与齐宣王另一次见面的谈话中,就有了交代。

过了几天,孟子和齐宣王见面,提起上次和庄暴谈的那件事。他对齐宣王说,我听庄暴说,你曾经告诉他爱好音乐,有这回事吗?

我们看齐宣王用什么态度来答复呢?

"王变乎色。"

从这句话,可以看到《孟子》这本书,文章手法的高明,这也是古文的妙处。短短的四个字,表达了许多的含义,而且把当场的情况写活了。我们透过这四个字,可以想象,当齐宣王听到孟子谈到他对庄暴说过,自己爱好音乐时,脸色有多尴尬!

齐宣王为什么会变了脸色呢?

第一,我对你庄暴说我爱好音乐,这里君臣如家人一样闲聊自己的私生活,你却把它当作话柄,去和这位外国来的老夫子谈论,真是莫名其妙!

另一方面,自己是一国之主,和这位外国嘉宾,所谈的是天下国家大事,属于严谨的一面。而今人家却问起自己爱好音乐的问题,好比现代一个国家领袖,被人问起他爱好流行歌曲一样,当然是有点尴尬。

虽然如此,齐宣王的修养还是蛮好的,脸色变了一下,仍然静下心来,和孟子谈论这个问题。而且下面还很幽默地承认自己有好勇、好色、好货等的毛病。他甚至于坦白地说,自己所爱好的是现代音乐,是流行歌曲,而不是先王流传下来的正统音乐。因为上古时代的那种传统音乐太高深了。

重要的问题来了,我们在孔孟和历代学者的著述中看到,中国文化在上古时代,尤其到了周朝,是很注重礼乐之治的。而且后世也都一直推崇上古的音乐是如何如何的好。儒家这样推崇上古礼乐,绝不是盲目的,也不是故意强调的,在中国上古时代,就已向往先民时代的文化了。但所谓的先民(先王)时代,究竟断自何时,我们很难决定一个明确的时间。这不只是从黄帝的时代算起,可能在更上古时,曾经有很好的文化成就,在文化成就达到巅峰的时候,又进入了一个冰河时期。所以儒家推崇的先民时代,很可能是个很古远很古远的代表。后世儒家向往先民的文化精神,所以都讲礼乐之治,行先王之道。

从这里又可以看到,不只是孔孟及后世一般儒家注重先王的礼乐之治,齐宣王也说出"非能好先王之乐",这证明当时一般人,也都是崇尚先王之乐的,所以他对孟子谈到这个问题的时候,会不大好意思,并且又接着坦白地说,他不懂得先王之乐,所以他只爱好现代音乐。

孟子却说,爱好现代音乐并没有什么不对,只要你能够把这好乐的精神,推广开来,对于齐国的民俗政风就有帮助。这是孟子的精神,此所以孟子之为孟子也。同时,从这里我们又看到孟子思想之开阔,不像后世儒家所标榜的那么严谨而趋于狭隘。

孟子接着告诉齐宣王说,现代音乐并不是突然凭空产生的,而是由古代音乐慢慢演变而成的。

孟子的这个理论固然是事实,是可以成立的,从另一个角度看,也可见孟子是善于辞令的。本来齐宣王为了好今乐而不好古乐,感到难为情。现在经孟子这样为他开解,心理上原有的那一层阴影,自然就解除了,所以也就轻松了。于是便问孟子,为什么自己好乐,扩充开来,齐国就可以治理得很好?希望孟子把道理解说一下。

于是,孟子问齐宣王,你一个人单独听音乐,和与别人一起欣赏音乐,这两种享受,哪一种乐趣高?

齐宣王说,当然和别人共同享受,会更加快乐。

孟子又进一步问,是和少数人共同欣赏音乐快乐呢?还是和多数人共同欣赏音乐快乐呢?

齐宣王说,当然和大伙共同欣赏音乐,来得更快活啊!

这时齐宣王说出了"独乐乐"不如"众乐乐"的看法,于是孟子抓住了这个观点,提出具体的例子,作进一步的发挥。

他对齐宣王说,假使你在深宫里,举行音乐会的时候,老百姓听见了从宫廷中散播出来的钟、鼓、管、籥等等乐器的声音,大家都像生了病似的——以我们现代语说,感到头痛,皱起了眉头,相互议论着说,我们的君王有那么好的兴致开音乐会,而我们却困苦到这个地步,妻离了散,生不如死。

或者你去野外打猎,老百姓听到你的辚辚萧萧的车马声,看到那色泽艳丽,迎风而舞的羽饰、旗帜,大家也是紧皱着眉头,深恶痛绝地议论着,我们的君王竟然在那里兴高采烈的打猎哪!但是我们却困苦地流离失所,不得安居。

像这样的怨声四起,没有别的原因,就因为你作国君的,没有与民同乐。

但是,相反的情形,你在宫廷中开音乐会的时候,或者在田野间打猎的时候,老百姓听到了乐声或车马声时,看到你美丽的旗帜,全体都高高兴兴地谈论着,我们的国君一定很健康,心情好,所以他今天才有这样好的兴致举行音乐会或出来打猎。

　　为什么老百姓有这样良好的反应呢?这也没有其他特别的原因,只因为你能与民同乐而已。

　　这一段的原文,举了鼓乐和田猎两个例子,每一例子,又举了正反两面的情形,但只说了与民同乐一个道理。而在原文文字的安排上,有许多重复之处,如"今王鼓乐于此",有正反两面叙述时的重复,又有与"今王田猎于此"的相叠形式。或许有人嫌它啰嗦,但这是古文学写作上的一种方法,以现代语来说,这是写作技巧的一种,它的功用,一方面加强文字形式上的排列美,一方面加重了语气,也就是现在所谓的强调,这样可以加深读者对其含义的印象。后世的骈体文、赋、诗、词中的双声叠韵,如李清照词中常常连叠好几个字;对联以及今天的白话文中,也常见许多重复句子,这些演变都具有同一种作用。所以这一段也可以说是,颇具有欣赏价值的文章。如果认为重复太多而嫌啰嗦,那就只好嫌自己不懂得欣赏了。不妨试着朗声读诵一篇,就读出味道来了。

　　孟子说完了这几个例子,把正反两面的现象作结论说,你齐宣王喜欢音乐,好打猎,好开运动会或喜欢其他娱乐活动都没关系,只要能做到与百姓同乐,就可以达到王道与臣道的仁政境界了。

　　这是孟子就齐宣王自己说的好乐,借机诱导。孟子的手法的确不错,多半是启发式的,抓住一个机会,就施以教育,拼命鼓励他,走上王道的思想,实施王道的仁政。

音乐的今昔观

　　在这段记载里,引发一个问题,值得我们讨论。那就是儒家素来标榜的礼乐之治。在礼的方面,包括了一切文化的整理。乐的方面,是单就音乐对政治教化的重要关系而言。

　　据说,孔子删诗书订礼乐,一共整理了《诗经》、《书经》、《易经》、《礼记》、《乐经》及《春秋》六部书。但自秦始皇烧书,再加项羽咸阳的一把火,《乐经》遂告失传。所以流传下来只剩了"五经"。到现在,中国文化流传下来和政治哲学有关的乐礼部分,只有《礼记》中的一篇《乐记》。但不足以概括当时孔子所整理的《乐经》。孔子本身对于音乐的造诣颇高。我们从《论语》中的记载,可以看出一个大概。"子谓韶,尽美矣,又尽善也。谓武,尽美矣,未尽善也。"推崇舜作的韶乐,而批评武王作的武乐不及韶乐好。

尽管孔子在春秋时代,认为当时的礼乐已经不如古代,文化在衰退了,可是我们现在从历史的资料上来看,则春秋时代的礼与乐,还是很可观。例如孔子曾经从学过的音乐大师师襄,以及为了音感的灵敏,希望学好音乐,而把眼睛刺瞎的师旷,这两人都有很高的音乐造诣。

究竟中国的音乐好到什么程度?据孔子的话,以及古书上的资料,有许多神奇的故事,如弹琴、吹箫,演奏到美妙处,能够使百鸟来朝。不但天空中所有的飞鸟会来,而且百兽率舞,各种野兽听到音乐,也都会跑来,满山遍谷,远远近近的,在那里随着乐声起舞。真不知道这种音乐有什么力量,能够引起这种共鸣,产生这种反应。至于现代音乐,除非是缅甸人驱蛇,笛子一吹,洞穴里的蛇都出来了。

诸如上述的神话很多,透过这些神话的流传,其含义,一言以蔽之,不外乎推崇中国古代音乐的造诣成就。

《乐经》虽然流失,但也不能说中国的古乐就完全消失,例如古代的琴、瑟、筝、鼓等等,都流传下来,乃至后世杰出的音乐家,也有很好的作品。可是现代的我们,不但找不到秦汉以前的音乐,就是唐、宋间的音乐也找不到了。听说这些在韩国、日本还保留了一些。当然,很多也走了样。

唐太宗统一天下以后,在贞观元年,春正月,大宴群臣的时候,曾经演奏了一首《秦王破阵乐》。是唐太宗当秦王时,破刘武周的战役中,利用闲暇时所作的一阕大乐章,配合了一百二十八个舞蹈乐工,穿上银色的甲胄,拿着戟为武器,随乐声起舞,后来这个音乐又改名为《神功破阵乐》。到贞观七年的时候,又改名为《七德舞》,这显然是场面很壮观的集体演奏的音乐,但现在也失传了。最近听说,韩国还保存了一部分,而日本则保留了全套的音乐和舞蹈。

谈到中国上古的乐器,使我们联想到一个颇为有趣的问题,如钟、鼓、琴、瑟、筝、箫,这些上古的乐器,除了钟以外,多偏重于丝竹之声,其次为土、革,或木质等质料,很少用金属制乐器。现代的金属乐器,则多来自西方,这又是东西文化基本精神在乐器上所表现的不同之外(甚至可能"锣"都是由西域传过来的)。中国古代作战的时候,是以击鼓为号,以鼓声来传达进退攻守的命令,后来才有鸣金收兵,以敲锣声来辅助传达作战时的号令。而胡琴、琵琶等,这些都是外来的乐器。所以我们乐器的历史,越到后来,发出的声音愈大,也越是可以让多些人来共同欣赏,而这些乐器多半来自胡地。

现在我们再回头看看齐宣王好乐的问题。照现代观念,一个国家的领袖爱好音乐,这会有什么问题?二十多年前,碧瑶会议后不久,我们一个记者团去访问菲律宾,当时菲律宾的总统,还开舞会欢迎。第一支音乐起奏,就由总统夫人以女主人身份,邀请记者团的团长共舞。而我国的传统文化,即使在现代,当友好国家的元首来访,以国宴款待时,也演奏国乐,作为一种外交礼仪。

远在战国时代,也有关于音乐用于外交的故事,那是赵惠文王和秦昭襄王,相约在两国的边界渑池会盟。见面以后,举行欢宴,在酒席上,正喝得高兴的时候,秦王突然对赵王说,听说你在音乐方面,很有造诣,现在我有一张宝瑟,是不是可以请你演奏一个曲子,给我们大家欣赏欣赏?在国际性的欢宴中,却要一国君主在酒席上弹琴助兴,这是多不礼貌的事!赵王听了,脸都涨红了,可是那时秦国比赵国强盛得多,又不敢拒绝,只好乖乖地演奏了一支曲子。更气人的是,秦王立即叫他的史官记下来,某年某月某日,秦王与赵王会于渑池，令赵王鼓瑟，把这一件事，记到秦国的历史上去，岂不是千秋万世都丢人。这时赵国的宰相蔺相如，端了一个瓦盆子到秦王面前说，赵王也听说你秦王对秦国的音乐很有造诣，现在也请你演奏一下你们秦国的乐器，互为娱乐。秦王听了也气得变了脸色，说不出话来。蔺相如端了那只盛酒的瓦盆，跪到秦王面前说，你秦王是仰仗你国力强大吗？现在我离你不到五步，可以用我头上的血，溅到你秦王的身上。这时秦王的卫兵们想把蔺相如拉开来，可是他睁大了眼睛大骂这些人，连头发、胡子都竖了起来。秦王的卫兵看见他这暴怒得要拼命的样子，都吓得进退无据。秦王这时心里虽然不高兴，但也有点顾忌，只好勉强在那瓦盆上敲了几下。于是蔺相如才起来，也叫赵国的史官，记录下赵王令秦王击缶的这件事。

现在庄暴听了齐宣王好乐，会认为很严重，是因为一个国家领导人，如果有所偏好，则对于社会风气，会发生很大的影响。

后世好乐的帝王也很多。刚才说的唐太宗，他也爱好音乐，同时爱好武功，爱好书法。中国的书法，以他提倡最力。后来几位大书法家，如颜真卿、柳公权等，都出在唐代。其实唐太宗自己的字就写得很好，还有他的"秘书长"虞世南，"秘书"褚遂良等，都是最好的书法家。唐太宗临死时，什么都不要，吩咐他儿子把从别人那里抢来的王羲之写的《兰亭集序》，放到棺材里陪葬，可见他爱好之深。他同时也爱好诗，结果不但自己的诗作得好，而且影响唐代的诗达到鼎盛。唐太宗有多方面的兴趣，也有多方面的欲望，可是他自己知道站在领导人的地位，应该如何去适当处理自己的欲望，使之变为正常化，所以他能够成为后世的英明之主。不然的话，像另外几个爱好音乐的帝王，因为不善于处理自己的爱好，结果都是把政治生命连同本身生命一起玩掉了。

在唐代帝王中，最好提倡音乐的就是唐明皇，后世戏班中供奉的祖师爷，就是这位唐朝的皇帝。

唐代末年的僖宗,年少不懂事,只好玩乐,政令都被他左右的权奸、大臣们所把持。他好踢球,自己认为球技最佳。有一天打球回来,对他最嬖幸的优人,也是球手石野猎说,如果打球也可以参加考试的话,我一定可以考取状元。石野猎说,不错,你在打球上可以考状元。但是,如果碰到尧舜来主管吏部的话,在考绩的时候,一定会把你免职了。僖宗听了,便哈哈大笑了事。

再下来残唐五代,几乎没有几个帝王不好音乐、戏剧,如南唐后主等,结果都是这样玩玩,把政治搞坏了。国家也完了,而整个五代也因此弄得乱七八糟。这在历史的环节中,也是很有趣的问题。如果我们不作深入的研究,不了解这些史实,就会认为齐宣王爱好音乐,玩玩乐器,听听歌有什么关系呢? 这就错了。

在音乐本身而言,以我们自己几十年来的生活体验,礼乐在整个文化中,的确是占了重要的位置,是一个大问题。音乐往往能代表一个时代的精神,过去的音乐就代表了过去的时代;现代的音乐,则代表了现在的时代。在文化深厚的时代,所产生的音乐的确也更丰硕、更深厚。

　　齐宣王问曰:"文王之囿,方七十里。有诸?"
　　孟子对曰:"于传有之。"
　　曰:"若是其大乎?"
　　曰:"民犹以为小也。"
　　曰:"寡人之囿,方四十里,民犹以为大。何也?"
　　曰:"文王之囿,方七十里,刍荛者往焉,雉兔者往焉。与民同之,民以为小,不亦宜乎? 臣始至于境,问国之大禁,然后敢入。臣闻郊关之内,有囿方四十里,杀其麋鹿者,如杀人之罪。则是方四十里,为阱于国中;民以为大,不亦宜乎?"

林园与治道

这里当然又是另外一件事了。有一天,齐宣王问孟子,据说文王有一处可养鸟兽的皇家大园林,方圆达七十里,有这回事吗?

这在当时已经是考古的问题了。当然齐宣王没有亲眼见到,不知道有没有这件事,我们现在也无法知道它究竟有多大,因为古代的度量衡,和现代的度量衡有所不同。而当时孟子答得很高明,他说在古书上是记载了这样的事。

齐宣王接着又问,有那么广阔么? 大概孟子认为机会来了,又赶紧抓住机会说,那时的老百姓,还认为文王的这处皇家花园太小了呢!

齐宣王说,我的森林花园,方圆不过是四十里,和文王的比较起来,范围已经小得多了,可是我的老百姓们,还觉得太大了,这是什么道理呢?

好了,孟子就事论事,发挥起来了。他说,文王的森林花园,虽然方圆七十里,比你的大得多,可是百姓们可以去里面割草、砍柴,也可以到里面打野鸡、捉兔子。他开放了这座森林花园,和老百姓共同享用。老百姓们嫌它太小,不是很合情理的吗?

可是我到贵国来,在还未进入你的国境之前,就先打听了你们齐国的大禁。当时就听说,在都城外百里的郊关之内,你有一处森林花园,方圆是四十里。如果有人在这四十里方圆内,杀死一头小鹿,就和犯了杀人罪一样,是要抵命的。那么你这方圆四十里的王家林园,对百姓来说,岂不好比是一个具有诱惑力的大陷阱吗? 老百姓们觉得四十里方圆太大了,可不也是合情合理的么?

这一段谈话内容,和前面他与梁惠王立于沼上谈灵台之乐的意义是一样的,不必重复解释了。

但这一段中,有句名言,我们要注意的,那就是"问国之大禁"

这句话,也就是后世说的"入国问禁,入乡随俗"。这是很重要的一个措施,尤其近代交通工具发达,超音速的交通,减少了旅途上使用的时间,等于缩短了空间的距离,于是人与人的接触愈益频繁。因此,在现代所谓"人际关系"上,问禁与随俗,更是十分重要的。我们在进入一个国家之前,一定要先了解这个国家的法令;去一个地方时,也一定要先弄清楚这个地方的风俗习惯;到任何国家,任何地方,都要尊重当地的法令和习俗,不要做出违逆的事来。对异国如此,对他乡客地如此,最好对于一般团体也如此。假如你带了一包猪肉松走进一所清真寺去,那就犯了莫大的忌讳。对于个人也应注意到,例如某人精神有问题,见不得红色,而你穿了一件大红衣服去看他,结果一定很糟糕。扩而大之,对于某些行业,也要注意其禁忌。比如坐旧式的船,在船上吃过饭后,把筷子搁在碗上,就犯了大禁忌。我们这样注意自己的行为,一则是对人的礼貌和恭敬,次则是减少自己的麻烦和困扰,甚至减少失败的因素。可惜许多年轻人都忽视了孟子这句话,认为是几千年前的陈旧思想。

另外让人感慨的是,从孟子那个时代开始,一直到清朝两千多年来,中国历代的帝王,都是尊儒家孔孟之学。但他们只是要求别人遵孔孟之学,尽为臣之道,以立身处世。而他们自己,却忘了为君之道。在这一方面,都和梁惠王、齐宣王一样,甚至比独享园林还过分的事,也照做不误。真是"教化自教化,帝王自帝王",直到孙中山先生领导了革命,推翻清朝,取消帝王专制政体,建立了自由民主的中华民国,这才取消了宫廷的林园。

　　齐宣王问曰:"交邻国有道乎?"

　　孟子对曰:"有。惟仁者为能以大事小,是故汤事葛,文王事昆夷。惟智者为能以小事大,故大王事獯鬻,勾践事吴。以大事小者,乐天者也;以小事大者,畏天者也。乐天者,保天下;畏天者,保其国。诗云:'畏天之威,于时保之。'"

　　王曰:"大哉言矣! 寡人有疾,寡人好勇。"

对曰："王请无好小勇。夫抚剑疾视曰：'彼恶敢当我哉！'此匹夫之勇，敌一人者也。王请大之。诗云：'王赫斯怒，爰整其旅，以遏徂莒，以笃周祜，以对于天下。'此文王之勇也。文王一怒而安天下之民。书曰：'天降下民，作之君，作之师，惟曰：其助上帝，宠之，四方有罪无罪，惟我在，天下曷敢有越厥志？'一人衡行于天下，武王耻之，此武王之勇也。而武王亦一怒而安天下之民。今王亦一怒而安天下之民，民惟恐王之不好勇也。"

外交策略——大小之间

这开头一段，也是一个大问题，孟子所提出的，正是中国传统文化中，外交思想的两大原则。至少在过去，中国的外交思想不出这两大原则。

齐宣王提出来问孟子，对于与邻国的邦交，有什么好的办法，好的策略。孟子说：大致可以分成两种原则。一种是"以大事小"，这是仁者的风范。虽然自己的国土大，国力强，但是仍旧愿意配合领土比他小、国力比他弱的小国的政策。像在历史上，夏朝的时候，汤以亳为都城，地大人众，国力强盛。而夏朝的另一诸侯，赢姓的葛国，在领土、人民、财力上，都不及汤。葛的故城，在现在河南省葵丘县东北，在地理位置上和汤为邻。当时的汤伯虽有专事讨伐的特权，但葛在夏朝诸侯的等级上也称为葛伯，政治地位不下于汤，所以汤在国交上，对葛仍然是尊敬的，顺服的，绝对不因自己的权势大，而去欺凌力量弱小的葛国。

更近一点的史实，在商朝的末期，西方的昆夷——即犬戎，那是以犬皮作为战衣，乘坏车的国家，和在西岐的文王接壤。而文王当时所治的周国，不论文化、经济，都非常发达，广土众民，声望又高，不知道要比犬戎强盛多少倍。可是文王为了行仁政，绝对不以兵戎相见,为了行仁政,不忍动武,虽然犬戎经常有粗暴鲁莽的侵犯行为,而文王还是忍让着,不愿意生灵涂炭,以免苦了老百姓。

孟子再举出第二个外交原则:"以小事大",这属于明智之举。他也举出两个当时的史例,一个是周太王的例子。商朝末期时,姬周诸侯,由太王当政,这时周国正在积极图治,而北方自五帝时期以来,就常常在边界上生事的獯鬻——也就是后世匈奴的一支,这一支游牧民族非常强悍,常常犯边闹事,周太王为了致力于内政,为了在安定中求进步,不去和匈奴力争,而采取退让的态度,以免扩大战争,影响了内政的建设。

第二个例子,是吴越两国的史实。越王勾践被打败了以后,只好对吴国俯首称臣,一切听从吴王夫差的命令,还献上绝代佳人供他娱乐,讨他欢心,以便能够回到自己的故国。他回国后,卧薪尝胆,"十年生聚,十年教训",而后终于雪耻复国。这都是明智的外交原则。自己力量不够的时候,就顺服强者以图生存。

他举了仁与智为出发点的两大外交原则以后,又对齐宣王作进一步的阐述。以大事小的外交原则是"乐天"的,以小事大的外交原则是"畏天"的。

这里所说的"乐天""畏天"的天,当然不是愚夫愚妇心目中的天老爷。不是讨天老爷欢心的"乐天",或者怕上天打雷的"畏天"等愚妄迷信。这里的"天",在"天人合一"的哲学上,是包括了人事在内。如果作详细的解释,会是一篇很长很长的文章。限于时间和篇幅,姑且勉强作个简单的解释。以现代名词来说,就是非人力所可违反的定理;拿我们中国的词汇来说,就是天理。

那么以自己的大国之尊去配合小国,就是顺应"天地生万物"的乐天心理,不愿意欺负弱小;至于以弱小的国势臣服于强国大族,不敢得罪大国,就是敬畏天理。否则,天地间的定理,不会容许你成功如愿的。最后,孟子进一步说,凡乐天的,效法天地的博爱精神,不以强压弱的大国,结果一定四海归心,可以保有天下;而弱小的国家，如果能够畏天道，服从强者的领导，不怀叛逆之心，那么就可能保住自己的国家。他并且引据《诗经》来支持他的理论，他说，《诗经·周颂·我将》篇中记载着"畏天之威，于时保之"，这个"威"字的含义，是指时代的大趋势。孟子引用这句话，是对智者的外交政策而言。意思是说，必须以敬畏谨慎的心理，因应国际上自然的大趋势，把握时间的契机，以维系自己的生存。

孟子说到这里的时候，齐宣王不让他说下去，在中间打了岔，插进来说，孟先生，你讲的这些理论，太伟大了，太高深了。暂时不谈这么高远深奥的哲理，就目前的现实问题来说——换言之，他不喜欢再听孟子那些大道理，什么是畏天戒慎一类理论，他心里对当时的国际看法，正是认为强权就是公理。因此便直截了当地说，我有一个毛病，我这个人爱好武勇。

大勇定天下

齐宣王这一打岔，话题就转了方向，可是孟子也真高明，立即随着这个方向，继续施行他王道仁政的教化。他说：你齐宣王好勇，不要紧，只要你爱好的不是小勇。你不要专去喜欢摔跤、柔道、弄枪、舞棒这些个人小勇的玩意儿。一个人握着剑把子，把剑抽出一截来，眼睛瞪得大大的，冲着人说，你敢跟我较量吗？这种只是普通的个人勇武而已，充其量是一个人对一个人的对打。功夫好，也许可以把别人打垮；功夫差，自己会被打得鼻青眼肿，难有大志。我相信你齐宣王不会局限于这样的小勇，我希望你能把好勇的范围扩大，像《诗经·大雅·皇矣篇》所描写的文王那样。当文王得到密国无故攻打阮国的报告时，怒不可遏，立刻整军经武，出兵阻挡了密国的攻击，逼得密国退兵，不敢再轻易侵犯别人。同时巩固了周国自己的国防，增加了周国人民安居乐业的福祉，对天下人的期望也作了交代。这就是"文王之勇"。所以说，文王一怒，使得天下人民得到安定。当然,文王有没有真的发怒,不得而知。像文王这样的人会不会发什么怒,也很难说。

在大家的想象中,孟子说话,总是有根据的,他说了文王的大勇后,接着又引《书经·泰誓》所说,"作之君,作之师"的话,对齐宣王说,《书经》上这几句话告诉了我们一个政治哲学的大原则,这原则要把握住。

在我国古代,君道与师道是平等的,要同时注意的。除此之外,后世要加一个"作之亲"。身为一个领导人,不但要作为部下的老师,教导他们;同时还要像父母待子女一样,关怀他们,保护他们。今天的公务人员,也应该具备这种精神的修养。虽然以公仆的观念做事,但同时要具有"作之君,作之师,作之亲"的情操。处理行政事务时,要兼带教导之责,与关怀之情。

《书经》上接着说:"其助上帝,宠之。四方有罪无罪,惟我在,天下曷敢有越厥志?"在天时、地利、人和等各方面有所欠缺时,政治领导者要设法弥补这种缺陷。同时一方面管领四方的百姓,不管他是善良的或邪恶的,都要负起教化、领导的责任。只要我这个领导人在,有谁敢放肆作乱? 这一种气魄,确实是宏大。因此,一旦有人横行天下的时候,武王就责无旁贷地加以平服,使天下没有横行的人,没有横逆的事。这就是武王的大勇。所以他一怒之下,便吊民伐罪,把残暴的纣王灭掉,而安定了天下的人民。

孟子最后说,你齐宣王的好勇有什么关系,只要你所好的不是匹夫小勇,而是如文王、武王的大勇,能够有大英雄气魄,在一怒之下,而使天下安定下来。那么有哪一个老百姓不喜欢大王的好勇?大家只怕你齐宣王不这样好勇呢! 从齐宣王不忍心杀一头牛开始,一直到这一段,孟子对齐宣王所谈的任何事,都是采取诱导的教育方法。齐宣王说自己有好勇的毛病,孟子就说好勇不是毛病,只要能够扩大这个好勇的境界,齐国就有办法。好像是假如齐宣王说好吃零食,他也会说没有关系,只要把点心做得很多很多,人人都能吃到就行。假如齐宣王说好踢球,大概孟子也会说没关系,只要全国的人都有踢球的闲暇和兴致,都把脚力练好,就是好的。这就是孟子的教化,可见他并不是一个迂腐的人。

美中不足的,是他并不能像纵横家们一样,只用两三句话,就投其所好,打动对方的心。孟大了的王道仁政毕竟还是难于被接受。

齐宣王这里讲到好勇,前面讲到好乐,后面还讲好货、好色。在他同一时代的各国诸侯中,谁也没有这样坦白的,即使后世那样多的帝王中,也很少有他这样坦率的。所以我觉得他是比较可爱的一个人,而在他二十年的当政期间,能把齐国治理得繁荣、安定,实在有他的道理,并不是一件偶然的事情。

他在这里所说的好勇、好乐、好色、好货,其实也不只是帝王的心理如此,每一个人都有这种心理。谁不好勇、好乐、好色、好货?只是在程度上略有不同而已。当然他在这里所说的好勇,也不是孟子所说的那种大勇。他所好的,还是一般人所好的小勇。谈到好勇,我们想起两个好勇的人,他们也是一国的君上。

为强国而改服制——赵武灵王

其中之一是赵国的武灵王,他是一个好勇任事的国君,最后失败了,当然这是由于没有扩大好勇的胸襟所致。赵国的北边,是和胡人的边界连接的,那时候的边疆民族,都是游牧民族,为了生活方便,同时受生活环境的影响,都是好勇斗狠。所以在服装上,都是短衣窄袖,甚至露出一条手臂来。而我们中国古代的服装,受礼乐之熏陶,向来是宽袍阔袖,走起路来"翼如也",两只大袖子像翅膀张开似的,雍容有致,的确是很好看的。当时武灵王为了要使赵国强盛,下命令改变服装,废弃中国原来的服饰,改用胡人的装扮,希望借此能达到富国强兵的目的。当时赵国的王室和大臣们纷纷反对。武灵王和这些人的辩论很有趣,也有他的道理。我们姑且不论他这一做法对或不对,看看他的这些辩论,也可想见他当时的思想观念。

有一天,赵国的辅相肥义和武灵王闲聊,问赵武灵王有没有想过世局的变化,军事的部署,以及先王们如简王、襄王他们当年的勋业,以及和胡人们的利害相处等等问题。

武灵王说,后辈的君王,不忘前辈君王的功勋德业,这是作君王的本份。而为人臣子的,则应该研究这些资料,记取历史的教训和榜样,辅助君王,尽量发挥他们的长处。所以贤明的君王,在平时教化人民,有所作为时,就要宣扬先王的功业。作人臣的,在不得其位时,要涵养孝悌、谦让的德性;在显达时,就要为老百姓们谋福,同时辅助君王的功业。这就是君道的不同了。

现在我想向胡、翟这两个邻邦拓展领土,以承继襄王未完成的功业,但是也许我这一生都不可能实现。因为敌人弱小的话,我们才能借机拓展领土,才能够用力少而功业多,不必耗尽民力,而得到如先王般的荣耀。但是目前的情势是强邻压境,胡人、翟人都那么强悍,这就难办了。

现在我也有我的构想,然而凡是有卓越功勋的人,在当初往往会留下不同习俗、违情悖理的恶名;有独到见解的人,在当初又往往得不到人家的信任,往往受到顾忌和反对。譬如我打算要全国的百姓,改穿胡人的服装,学习胡人骑马射箭的本领,想来一定会受到物议和反对的。

而这个肥义却是赞成他的。他说,对一件事犹豫不决,就难以成功;对一个行动迟疑不定,就难有结果,现在你不妨决定这革新的计划,不要顾虑别人的议论。俗语说:"论至德者,不和于俗;成大功者,不谋于众。"凡是讲最高德行的人,往往不能跟着世俗走;要成大业的人,也不必和众人商议。从前舜到有苗这个地方,曾经随俗而舞。而禹甚至曾经敞开衣服到裸体国去访问。他们都不是为了纵欲或享乐,而是为了德业上的远大理想,而随俗变通。所谓"愚者暗于成事,智者见于未萌",一个笨人在事成之后,都还不明就里;而聪明人在事情还没发生时,就已洞烛先机。您就照您的意思去作罢。

肥义说,所谓"疑行无名,疑事无功",所谓"论至德者不和于俗,成大功者不谋于众",是引用商鞅游说秦孝公变法的话。他这一派独裁论,又牵强地把舜、禹办外交的故事引了进去,于是把武灵王说动了。

武灵王对他表示,不是对穿胡服这件事的本身有什么犹豫,只是恐怕天下人笑话。既然肥义你也这么说,那么我就下定决心了。于是自己先做一套胡服,准备上早朝的时候,穿起来和群臣见面。

当时公子成是武灵王的长辈,素有盛望。武灵王恐怕会遭到他的反对,所以先派了一位大臣王孙绁去疏通,请公子成也能响应改换胡装。

疏通不成,于是武灵王亲自到公子成家里解释说,服装不过是要穿用方便,礼仪也是为了处事方便。古王先贤订下的礼法,都是因地制宜,因事制礼而来的。像南方的越国人,他们一个个披着头发,衣装不整的露个右膀子,浑身刺满了花纹;而吴国人甚至把牙齿染得黑黑的,额上刺些怪里怪气的花纹,头上戴的是鱼皮帽子,衣服则缝得粗里粗气。在我们看来,简直就像野人,但是他们却觉得安逸而自在。总之,不同的各种装扮,同样都是为了因地制宜,只要对大家方便,并不一定要统一。像儒家,同是一个老师教的弟子,他们发挥的文教就各不相同。他最后说出,变更服装,是为了便利教老百姓习武,以达到开拓领土的目的,以湔雪国耻。于是公子成同意了他的作法。

但是另一个大臣赵文,又提出反对的意见说,自古为政的原则,就是要辅导世俗合于礼法,提高文化水准。礼制中,衣服的式样有它的常规;而人民守法,不违俗礼,是他们的本分。您现在不顾前人的礼法,要改穿胡人服装,实在是有违传统文化的精神,希望您还是多考虑一下。

而武灵王辩论说,你这些都是墨守成规的世俗之见,不是具有创造性的远见。就说古代吧,三代的服装各不相同,而他们都完成了称王天下的伟业;五霸的教化也互不相同,但他们也都有相当可观的政绩。有头脑的人创制礼法,一般的常人就遵循他所制订的礼法,循规蹈矩的去做。贤能的人经常会评论世风习俗的好坏,而一般的世人则依照流传的成规去做。礼制和习俗,都是根据时代趋势在变化。这种变化是由在上位的人来领导和提倡的,而一般人就照着规范去做。现在正是他们在位者,就当下国情,订定一套因应环境需要的服制的时候。你放心好了,不必多虑。

又有一个叫赵造的,也力加反对。他的理由是,推行社会教育,不一定要改变人民原来的生活形态;行政措施,也不一定要变更原有的民风习俗。因民而教,据俗而为,往往收效更大。现在改穿这种奇形怪状的胡服,很可能会影响人们原来淳善的心理;教人们像胡人般一天到晚骑马打仗,也很可能会造成好勇斗狠的社会风气。反过来说,依循旧制,总是稳当的,遵照原有的礼法,也不至于出什么差错。

武灵王则对他辩论说,古代和现在习俗各不相同,到底要以哪个朝代的习俗为标准呢? 历代帝王的礼法,也不是一成不变的一直沿袭下来,我们又该遵循哪一个时代的制度呢? 像宓戏(伏羲)神农的时代,对犯罪的人是教而不杀。黄帝、尧、舜时代,对犯了死罪的人,虽然杀了他,内心还是哀怜同情的。到了夏、商、周,又因时代背景之不同,而制订不同的法律;因国情的变化,而订立不同的礼制。总之,都是以"方便制宜"为原则。衣服、器具的式样,也都基于同样的原理而有变革,不一定要效法古代一成不变的。一个开国的明主,虽然不承袭古法,仍然可以领导天下。至于夏、商衰败的时候,虽然他们没有变更古制、礼法,却也一样灭亡。所以反古不一定不对,而遵循礼法也不一定好。至于邹、鲁两国的服装奇特,但民风不正,那是由于他们没有卓越的领导人才。

他最后说:遵循法度的作为,绝不可能有盖世的功勋;效法古代的成规,也不足以适应现实的环境。我的决定大致不错,你就不要反对了吧。

这篇史料有很多高明的道理,可以启发大家的慧思,所以把原文附录于下,供大家参考:

武灵王平昼间居,肥义侍坐曰:"王虑世事之变,权甲兵之用,念简襄之迹,计胡狄之利乎?"

王曰:"嗣立不忘先德,君之道也;错质务明主之长,臣之论也。是以贤君静而有道民便事之教,动有明古先事之功;为人臣者,穷有弟(悌)长(上声)辞让之节,通有补民益主之业,此两者君臣之分(去声)也。今吾欲继襄王之业,启胡翟之乡,而卒世不见也。敌弱者,用力少而功多,可以无尽百姓之劳,而享往古之勋。夫有高世之功者,必负遗俗之累,有独知之虑者,必被庶人之恐。今吾将胡服骑射以教百姓,而世必议寡人矣。"

肥义曰:"臣闻之:'疑事无功,疑行无名。'今王即定负遗俗之虑,殆毋顾天下之议矣。夫论至德者不和于俗,成大功者不谋于众。昔舜舞有苗,而禹袒入裸国,非以养欲而乐志也,欲以论德而要功也。愚者暗于成事,智者见于未萌。王其遂行之!"

王曰:"寡人非疑胡服也,吾恐天下笑之;狂夫之乐,知(智)者哀焉,愚者之笑,贤者戚焉。世有顺我者,则胡服之功未可知也。虽驱世以笑我,胡地中山,我必有之。"

王遂胡服,使王孙缲(音薛)告公子成曰:"寡人胡服且将以朝,亦欲叔之服之也。家听于亲,国听于君,古今之公行也。子不反亲,臣不逆主,先王之通谊也。今寡人作教易服,而叔不服,吾恐天下议之也。

夫制国有常,而利民为本,从政有经,而令行为上。故明德在于论贱，行政在于信贵。今胡服之意，非以养欲而乐志也。事有所出，功有所止，事成功立，然后德且见也。今寡人恐叔逆从政之经，以辅公叔之议。且寡人闻之，事利国者行无邪，因贵戚者名不累。故寡人愿望募公叔之义，以成胡服之功，使缉谒之叔，请服焉！"

公子成再拜曰："臣固闻王之胡服也，不佞寝疾，不能趋走，是以不先进。王今命之，臣固敢竭其愚忠。臣闻之：中国者，聪明睿（音锐）知（智）之所居也，万物财用之所聚也，圣贤之所教也，仁义之所施也，诗书礼乐之所用也，异敏技艺之所试也，远方之所观赴也，蛮夷之所义（仪）行也。今王释此而袭远方之服，变古之教，易古之道，逆人之心，畔（判）学者，离中国。臣愿大王图之！"

使（去声）者报王。王曰："吾固闻叔之病也。"即之公叔成家自请之，曰："夫服者，所以便用也。礼者，所以便事也。是以圣人观其乡而顺宜，因其事而制礼，所以利其民厚其国也。被发文身，错臂左衽，瓯越之民也。黑齿雕题，鳀（音题）冠秫（音术）缝，大吴之国也。礼服不同，其便一也，是以乡异而用变，事异而礼易，是故圣人苟可以利其民，不一其用。果可以便其事，不同其礼。儒者一师而礼异，中国同俗而教离，又况山谷之便乎？故去就之变，知（智）者不能一。远近之服，贤圣不能同。穷乡多异，曲学多辨，不知而不疑，异于己而不非者，公于求善也。今卿之所言者，俗也；吾之所言者，所以制俗也。

今吾国东有河薄洛之水，与齐中山同之，而无舟楫（楫）之用。自常山以至代上党，东有燕东胡之境，西有楼烦秦韩之边，而无骑射之备。故寡人且聚舟楫之用，求水居之民，以守河薄洛之水。变服骑射，以备其参胡楼烦（《史记》无楼烦二字）秦韩之边。

且昔者简王不塞，晋阳以及上党，而襄王兼戎取代，以攘诸胡，此愚知（智）之所明也。先时中山负齐之强，兵侵掠吾地，系累吾民，引水围鄗，非社稷之神灵，即鄗几不守，先王忿之，其怨未能报也。今骑射之服，近可以备上党之形，远可以报中山之怨；而叔也顺,中国之俗,以逆简襄之意,恶变服之名,而忘国事之耻,非寡人所望于子。"

公子成再拜稽(上声)首曰:"臣愚不达于王之议(《史记》作义),敢道世俗之闻,今欲继简襄之意,以顺先王之志,臣敢不听今再拜!"乃赐胡服。

赵文进谏曰:"农夫劳而君子养焉,政之经也。愚者陈意,而知(智)者论焉,教之道也。臣无隐忠,君无蔽言,国之禄也。臣虽愚,愿竭其忠!"

王曰:"臣无恶扰,忠无过罪,子其言乎!"

赵文曰:"当世辅俗,古之道也;衣服有常,礼之制也;修法无愆,民之职也;三者,先圣之所以教。今君释此而袭远方之服,变古之教,易古之道,故臣愿王之图之!"

王曰:"子言世俗之间,常民溺于习俗,学者沉于所闻。此两者,所以成官而顺政也,非所以观远而论始也。且夫三代不同服而王,五伯不同教而政。知(智)者作教,而愚者制焉。贤者议俗,不肖者拘焉。夫制于服之民,不足与论心;拘于俗之众,不足与致意。故势与俗化,而礼与变俱,圣人之道也。承教而动,循法无私,民之职也。知学之人,能与闻迁。达于礼之变,能与时化;故为己者不待人,制今者不法古。子其释之!"

赵造谏曰:"陷忠不竭,奸之属也。以私诬国,贼之类也。犯奸者身死,贼国者放宗。此两者,先圣之明刑,臣下之大罪也。臣虽愚,愿尽其忠,无循其死!"

王曰:"竭意不讳,忠也;上无蔽言,明也;忠不辟(避)危,明不距人,子其言乎!"

赵造曰:"臣闻之:'圣人不易民而教,知者不变俗而动。'因民而教者,不劳而成功,据俗而动者,虑径而易见也。今王易初不循俗。胡服不顾世,非所以教民而成礼也。且服奇者志淫,俗辟(避)者乱民,是以莅国者不袭奇辟之服,中国不近蛮夷之行,非所以教民而成礼者也。且循法无过,修礼无邪,臣愿王之图之!"

王曰:"古今不同俗,何古之法?帝王不相袭,何礼之循?宓(音伏)戏神农,教而不诛。黄帝尧舜,诛而不怒;及至三王,观时而制法,因事而制礼,法度制令,各顺其宜,衣服器械,各便其用;故礼世不必一其道,便国不必法古。圣人之兴也,不相袭而王,夏殷之衰也,不易礼而灭;然则反古未可非,而循礼未足多也。

且服奇而志淫,是邹鲁无奇行也;俗辟而民易,是吴越无俊民也;是以圣人利身之谓服,便事之谓教,进退之谓节,衣服之谓制,所以齐常民,非所以论贤者也;故圣与俗流,贤与变俱。谚曰:'以书为御者,不尽于马之情;以古制今者,不达于事之变。'故循法之功,不足以高世,法古之学,不足以制今,子其勿反也。"

赵武灵王和大家辩论一番后,仍然下令全国上下改穿胡服。大家都系皮腰带,穿皮靴,把衣服袖子改小,露出右边的臂膀,只有左手穿着袖子,披着衣衿。同时把乘车改为骑马,教导人民每天骑马出外打猎。

赵武灵王这一番经营,确实收到了一时的效果。国内的军队强壮起来。于是他自己亲身带了部队出去攻打胡、翟的边界,拓展了好几百里的领土。有了这次辉煌的成果,野心逐渐扩大,接着就打算向西边的秦国进攻。

据传说,武灵王长得非常威武,他身高八尺八寸。古来称男子汉,有"昂藏七尺之躯"的说法,他的身高自然在一般人之上了。而且相貌堂堂,有龙虎之威,满脸的络腮胡须,皮肤黝黑而发光,胸脯有两尺宽,比起现在的拳王穆哈默德·阿里,或曾经做过拳王的乌干达总统阿明,还要威武。总之,被人形容为气雄万夫,志吞四海。

他亲自带兵,攻占了别人几百里土地,接着又开始打秦国的主意。于是他把王位传给他宠爱的吴姬所生的次子,立为惠王,而自称王父——太上皇。自己干起情报工作来,假冒是赵招,奉赵王之命出使秦国。暗中却带了一批测量人员,一路上探测秦国的山川形势，居然到了秦国的首都，谒见了秦昭襄王，应对得不卑不亢，也很得秦王的敬重。但到了那天半夜，秦王想起这名赵国的来使，仪表如此魁梧轩昂，不像是一个普通臣子的样子。而且传说赵武灵王长得非常雄武，觉得不太对劲。等到天一亮，就派人到大使馆去请这位大使来。而赵武灵王推说有病，拒绝前往。过了三天还是没去，秦王于是派人强迫他来，这时他已经逃走了三天了。

可是，这位有雄才、有谋略的武灵王结果如何呢？因为被废的太子与继承王位的赵惠王争权，互相残杀，而他一个人被困在沙丘的宫里，活活饿死了。真是智足以知人，而不足以知己，才足以取人而不足以自保。至堪浩叹！

秦武王的任力好勇

另外有一位以好勇闻名的国君是秦武王，他也长得非常高大，孔武有力，自认为天下无敌，因此常常喜欢和那些大力士们比武取乐。当时秦国有两位前代将领的子弟，一名乌获，一句任鄙，都因为武勇力大，而得秦武王的宠爱，加倍封给他们高官厚禄。后来齐国也出了一个叫孟贲的大力士。据说他走水路不怕蛟龙，走旱路不怕虎狼，哪里都敢去，如果发起脾气来，怒吼一声，就像打雷一样地惊天动地。有一次他在野外看见两头牛正在相斗，他上前去劝架，用手把两头牛分开来。其中一头牛听劝，伏在地上不斗了，另外一头牛还要打。他大为恼火，左手按住牛头，右手把牛角活生生地拔了出来，这头牛当场毙命。

后来他听说秦武王正在招纳天下勇武之人，于是离开齐国去投奔秦国。往秦国的路上，正要渡黄河的时候，他不按先后秩序，抢着要在众人之前先上船，被人用桨子在他头上打了一下。他气得大吼一声，这一吼，河水被震动得起了浪头，翻动船身，一船人都被冲到黄河里去了。孟贲跳上船，拿起篙子一撑，脚底下稍一用力,一艘船就离岸射出去好几丈远,不多时就到了对岸,下了船直奔咸阳。见了秦王以后,和乌获、任鄙一样,也得到秦武王的宠爱,做了大官。

　　这位好勇的秦武王,自幼生长在中国的西陲边地,从来没有看到过中原鼎盛的现象,因此他颇为仰慕中原的文化。他觉得如果能到辇、洛一带观光一次,则死而无憾了。奈何他好勇,不循正当的外交途径作正式的访问,却计划要把隔在中间的韩国打下来,以达到他这个愿望。后来居然打下了韩国,进了洛阳。周赧王派人到城外欢迎他,他却不去觐见。带了几个勇士,偷偷跑到周朝的太庙去参观宝鼎。他看到鼎上分别刻有九州的名字和图腾,指着镌有"雍"字的鼎说,这是秦鼎,我将来要把它带回咸阳去。又听守鼎的人说,这九个鼎每个千斤之重,从来就没有人能够移动过。秦武王问身边的任鄙、孟贲两人,能不能举起来,任鄙比较聪明,他说我只能举百斤,这鼎有十倍重,我没有办法举起来。孟贲就不同了,他说让我试试,他把鼎举离了地面半尺,可是因为用力太猛,眼球都暴了出来,眼眶裂开,流血不止。秦武王看了说,你既然能举,难道我不能举?任鄙在旁边劝他,以一国之君的身份,不要随便去尝试。可是他不听,反而说任鄙自己举不起来,唯恐他能举得起来。任鄙就不敢再多嘴了。秦武王也举起了半尺,他还想走几步以胜过孟贲,不料一转步,力尽失手,宝鼎掉下来,把他的胫骨压断,昏了过去。当天晚上,就因为流血过多而死了。这就是好小勇的结果。

　　秦武王身边三名力气最大的武士,他们的结果,也不相同。乌获在攻打韩国宜阳城的时候,他身先士卒,跑在前面,一跳就跳得和城墙一样高,用手抓住了城头的雉堞,可是他力气太大了,雉堞被他一把抓坏,崩裂下来,他也就摔了下来,跌落在一块大石头上,肋骨折断而死。至于孟贲,则在昭襄王即位后,检讨举鼎这次事件的时候,被认为是他闯出来的祸,于是把他磔死——裂身而死,并且灭族。而任鄙则因为当时曾经进谏，劝过秦武王不可轻易尝试，于是派他作了汉中太守。他们这三位大力士的不同下场，值得后世那些好小勇的人作为借镜。

项羽和刘邦

再将偏好个人武勇，与能任大勇的人，在对立之下，作个比较。历史上对这两个人，记载得很详尽。一个是项羽，有拔山扛鼎之勇，作战时单枪匹马，闯到敌人的阵中，纵横驰骋，谁也不敢阻挡。当汉高祖和他最后一次会战，用了许多兵力，围困他许久，虽然楚军已败，可是谁都不敢接近项羽。在这之前的另一次战役中，项羽和汉高祖在阵前见了面。项羽说，天下这多年来的战乱，就只是你我双方打来打去，今天你我见面了，我们双方下令，所有的部下都不许动手，你我两人出来单打独斗，作一死战，来决定胜负，免得再打下去，伤了许多无辜的生命。汉高祖说，对不住，我绝不和你单打独斗，我是斗智不斗力的。这就是汉高祖与楚霸王不同之处。

赵武灵王、秦武王、项羽等等，这些都是好小勇的人，不懂得大勇的道理。在历代帝王中，不问他们好的是大勇或小勇，只要是好勇的，从他们的谥号中，就可以看得出来。像赵武灵王、秦武王、汉武帝等等，凡是有一个武字的人，大多数都是好勇。但这些却不是中国文化中孔子所标榜"智仁勇"之勇的真正精神。

墨 子 谈 勇

如何才是正确的好勇？我们再看一段历史上的纪录。

墨子谓骆猾厘曰："吾闻子好勇。"曰："然。吾闻其乡有勇士焉，吾必与斗而杀之。"墨子曰："天下莫不予其所好，夺其所恶。今子闻其乡有勇士而斗而杀之,是恶勇,非好勇。"

　　恐怕一般人,都是"骆猾厘式"的好勇,或简称之为"骆式"的好勇。现在电视、电影武打片中,常常可以看到这种典型的好勇,尤其是一些青少年们,听说某人拳头厉害,就不服气,一定要想办法,找到对方较量较量,势必将对方打垮才甘心。以此来表现自己的本领比他大,武功比人高,而且还自鸣得意,认为自己勇敢,不怕死。而墨子对这种心理,痛下针砭地说,世上的人,没有一个不是对于自己所爱好的,就加以保护、照顾,而对于自己所厌恶的,则扬弃或者销毁。就好像你喜欢自己的小孩,你一定培植他,你讨厌吃人的野兽,就杀掉它。现在你听到哪里有勇士就去杀他,这是恶勇,而不是好勇。

　　这是墨子所讲个人好勇的哲学。老实说,个人好勇,最高明的也不过是"任气尚侠"而已,其偏差的流弊很大,甚至睚眦必报,犯禁杀人而自取灭亡。至于帝王好勇的偏差,则必然会穷兵黩武,以残杀侵略为能事,那就弄得生灵涂炭,造成社会、国家、人类的大祸害了。最后的结果,不但害了别人,自己的社会国家也同样受害,乃至于本身生命都不保。现代史的希特勒和第二次世界大战的日本军阀们,就是如此。只有一怒而"安"天下,这才是大勇。

　　不管齐宣王口中所好的勇是什么勇,但他和孟子谈话时,是很够味道的。他也很尊重孟子,很有礼貌,对于孟子所提的意见,讲的大道理,都还算能听得进,认为不错,可是做不来,不能接受。到了要紧关头,受不了了,就想开溜,把话岔开。但他也很坦白,像前面孟子说到乐天、畏天的大道理,他就坦白地说,你这种高见实在很伟大,只可惜我是个老粗,我有好勇的毛病哪!

　　齐宣王见孟子于雪宫。王曰:"贤者亦有此乐乎?"孟子对曰:"有。人不得,则非其上矣。不得而非其上者,非也;为民上而不与民同乐者,亦非也。乐民之乐者,民亦乐其乐,忧民之忧者,民亦忧其忧。乐以天下,忧以天下;然而不王者,未之有也。

昔者,齐景公问于晏子曰:'吾欲观于转附、朝儛,遵海而南,放于琅邪;吾何修而可以比于先王观也?'晏子对曰:'善哉问也! 天子适诸侯曰巡狩;巡狩者,巡所守也。诸侯朝于天子曰述职;述职者,述所职也。无非事者。春省耕而补不足,秋省敛而助不给。夏谚曰:吾王不游,吾何以休? 吾王不豫,吾何以助? 一游一豫,为诸侯度。

今也不然:师行而粮食,饥者弗食,劳者弗息;睊睊胥谗,民乃作慝,方命虐民,饮食若流,流连荒亡,为诸侯忧。

从流下而忘反,谓之流;从流上而忘反,谓之连;从兽无厌,谓之荒;乐酒无厌,谓之亡。先王无流连之乐,荒亡之行。惟君所行也。'景公说,大戒于国,出舍于郊。于是始兴发,补不足。召太师曰:'为我作君臣相说之乐。'盖征招、角招是也。其诗曰:'畜君何尤!'畜君者,好君也。"

雪 宫 论 政

齐宣王有 次在他的雪宫,也许是夏天避暑的地方,也许是下雪时取暖的宫殿,但应该不是办公室,或会议厅之类处理政务的场所,多半是供享乐纳福的别墅——和孟子见面,他就眼前的享乐和设施问孟了:"贤者亦有此乐乎?"这和梁惠王在沼池上问的话一样。可见战国时那些诸侯们,不顾百姓死活,高高在上,那种志得意满的样子。我们可以想象另一种画面,好像老农夫们一天工作完毕,吃饱了晚饭,在门前大树下一坐,一支烟筒在手,摸摸挺起的大肚皮,大有"虽南面而王,不易也"的味道。

孟子答复他说:有啊! 谁有了这种环境都会感到快乐的,谁都希望能有这种享受。不过一般老百姓得不到这样的享受,就会埋怨他们的国君。老百姓如果因为得不到这快乐,而埋怨国君,实在是不对的。然而一个领导人，没有做到与民同乐，也是不对的。一个领导人，以人民的快乐为自己的快乐，老百姓也就会以领导人的快乐为快乐。领导人能把人民的忧苦，看成自己的忧苦来解决，那么老百姓也会把国君的忧烦，看成为自己的忧烦去尽忠。所以，如果领导人以天下人的快乐为快乐，以天下人的忧苦为忧苦，而说他不能行王道于天下，那是绝对不可能的。

我们可以看到孟子又在这里推销王道了，他好像推销员似的，随时随地都在叫卖："王道！王道！"这也可见他忧世之急切了。

他说了这番理论，似乎意犹未尽，又举出一件事例，企图说服齐宣王，他举的正是春秋时代齐景公和相国晏婴的一段故事。晏婴是历史上的名相，《晏子春秋》就是他的大作。

当然，齐景公是姜太公的后人，而现在和孟子说话的齐宣王已经不是姜太公之后，他的祖先原是齐国的权臣田家，后来篡了位，而传给宣王的。孟子举出这段故事来也是一种很高明的说话技巧。从表面上看，孟子是以自己的口，说出他人（晏子）的意见来，而实际上他是借了他人（晏子）的口，来表达自己的意见，他举出的这段历史故事是这样的：

有一天齐景公对晏子说，我想去看看转附和朝儛这两座名山，然后沿海再到南方去，一直到琅邪为止。你看看，此行要怎么样才能够比得上先王他们那样的壮观呢？从"放于琅邪"和"比于先王观"这两句话上看，很明显地透露了齐景公当时，也是有统一天下的大志，并不是普通的观光旅行、游山玩水而已。只是当时有尊周——尊重中央政权的口号，不便把心意直接说出来。

晏子不愧为名相，他很聪明，听了景公的问话，就先用一套历史哲学答复他说："善哉，问也。"你这问题好极了。中国的佛经常有"善哉！善哉！"的说法，当时的译文就是套这些书来的。原文就是"好的"意思，佛家译经时，借用了这个名词。后经佛家多年的开口"善哉"，闭口"善哉"，慢慢地似乎这两个字，就含了更多的意义，而有浓厚的宗教意味。

晏子说了"这个问题很好"之后，接着就说，依照礼法，中央政府的天子，到各诸侯那里去巡视一周，叫做"巡狩"，意思是巡视诸侯所守的地方。而诸侯要到中央政府去朝见天子，名为"述职"，意思是向天子报告自己职务以内的事务。如果天下安定，没有非常特殊的意外事件的话，在春天，要出外视察民众的耕作情形，如果有情况欠佳的，就要设法补助。在秋天，则出外看着大家的收成和赋税状况，如果有人不敷出的，就设法贴补。所以在夏朝政治最修明的时候，民间流行的谚语说，君王不出来走走，我们哪里能喘口气？君王如果身心不适，我们又怎么得到他的帮助呢？所以古时候大家都希望帝王出来坑坑，好沾点光，得些好处。所谓"龙行一步，百草沾恩"，龙走一步路，下了雨，百草都得到滋养。所以那时候天了每次出来巡狩，不但给诸侯、大臣们一个警惕，同时也为"注意民生疾苦"树立一个榜样。

晏子说了过去的，又说到当时的。他感叹今不如昔地说，现在可大不相同了啊！诸侯们离开国都，一有行动，就带了大批的军队侍卫。于是后勤的各种补给，诸如粮食的供应，一大批、一大批地运送出去。如此一来，原本吃不饱的老百姓们，大家工作得更劳苦了。在强烈的对比之下，老百姓的眼里难免就有了怨恨之色。闲话、怨言当然也就开始了。日积月累地，就造成社会上的反感心理。诸侯们的这种行为，违背了天理人道，对老百姓不但没有善尽保护之责，反而加以虐待。只要"流、连、荒、亡"四种现象一出现，政权就要出问题了。今天这些诸侯们的所作所为，真让人担心啊！

像隋炀帝出游扬州，极尽奢靡，老百姓没有饭吃，他也不管。国君们只要动一动，下面的人就有得忙了，老百姓更是累得惨兮兮的。天怒人怨的结果，只有"好头颅"被搬家了。

这使我们想到一个明朝的小故事。从前的某些小庙，相当可怜，住在庙里的小和尚，等于是地方官绅们的仆役，常要听他们的差使。有的人做了官,衣锦荣归,事先通知庙里和尚准备素斋,约了朋友,到山明水秀的庙里联欢,吟诗作对。有一次,这些大人先生们,吃罢素斋,悠游半日,大为赞赏,对和尚说,大家劳碌半生,今天这次清游,一顿素斋,太舒服了。老和尚说,各位大人是舒服了半天,可是我们已经忙碌了三天啦。这就是"劳者弗息"了。

晏子又解释说,领导人的生活堕落,遂其私欲,像水势向下流,不知停止,就叫做"流"。违反人情,倒行逆施,如逆水而上,就叫做"连"。时常像野兽那样冲动,暴发兽性而不加节制,就叫做"荒"。沉溺酒色,永不满足,就叫做"亡"。这些都是领导人容易犯的错误。您景公方才问到,如何才可以比于先王的壮观。据我所知,先王们是不会有这样的"流""连"之乐,也不会有这种"荒""亡"的行径的。你自己看看该怎么办吧!

齐景公听了他这番话,非常高兴,立即下命令改革政治。同时以身作则,走出深宫内院,接近百姓,访察民情,并且积极从事地方建设,注意到社会福利。景公将行政工作处理妥当以后,就把兼管国史、文化、礼乐的太师找来,要他在国史上记下这件事,并且为他和晏子这段君臣相得的美事,谱下一段乐章。《征招》、《角招》两篇乐章,就是由此而来。这乐章中有一句诗,意思是说,我们的国君虽然是欲望大,但是没有关系,这并没有错,因为他扩充他的大欲望,建设了我们这个康乐的社会,正是一位好的国君。

这里孟子又针对齐宣王爱好享受的心理,借机启发他与民同乐,与民共享的精神。这次他运用的是鉴古以观今的手法,拿齐景公与晏子的对话加以阐述,孟子的用心,可谓良苦。他所讲的晏子,是春秋战国之间的名臣贤相,他留下的嘉言善政很多,大家不妨去读《晏子春秋》这本书,相信也会获益不浅。

由齐宣王在雪宫中与孟子的一段对话,又联想到齐景公与晏子的另一则故事,几乎和孟子对齐宣王的回答同样有趣。这个故事简短而生动,而且更有内涵,并不像孟子的长篇大论。这件事故的资料记载在《晏子春秋》里。有一年的冬天,连下三天的大雪。齐景公穿了很好的白狐袍子,坐在王宫里纳福,他对晏子说,下了三天的大雪,似乎没有什么寒冷的感觉! 晏子听了便说,一个贤明的君主,自己吃饱的时候,应该要想到社会上还有饥饿没饭吃的人。自己温暖的时候,更应该想到世上还有没有衣服穿、受寒冻死的人。齐景公听到晏子这样一说,马上便把身上的狐裘脱了下来,当然他脱下狐裘不是生晏子的气,他是被晏子说醒了,觉得自己过分享受,忘记了百姓的饥寒,当着晏子的面有点不好意思。所以齐景公到底还不失为当时的一个好国君,因此也才能使晏子尽忠而直言无隐。可惜孟子碰到的齐宣王,比齐景公要差了些。原先的记述是这样的:

景公时,雨雪三日。被狐白裘,坐于堂侧,谓晏子曰:三日雨雪,天下何不寒? 晏子曰:夫贤君饱则知人饥,温则知人寒。公乃去裘。

古书上短短五十字的精简记述,便说明了一个领导人在政治道德的心理行为上,应当如何自处的道理,内涵丰富而精辟。如果用现代话来写,又要用很多字了。所以讲中国文化的复兴扎根,实在应当要注意国学的素养,这是刻不容缓的事。

齐宣王问曰:"人皆谓我毁明堂,毁诸? 已乎?"

孟子对曰:"夫明堂者,王者之堂也。王欲行王政,则勿毁之矣。"王曰:"王政可得闻与?"对曰:"昔者文王之治岐也,耕者九一;仕者世禄,关市讥而不征,泽梁无禁,罪人不孥。老而无妻曰鳏,老而无夫曰寡,老而无子曰独,幼而无父曰孤。此四者,天下之穷民而无告者。文王发政施仁,必先斯四者。诗云:'哿矣富人,哀此茕独。'"王曰:"善哉言乎!"曰:"王如善之,则何为不行?"

什么明堂

有一天,齐宣王提出一个问题对孟子说,现在外面有人建议我,要把明堂拆毁,你孟先生对这件事有什么高见? 如一般人所说,把这座不实用的建筑拆除掉呢? 还是保留下来好呢?

所谓"明堂",就是"明政教化之堂",周代初期的建筑。也就是天子的庙堂,举凡祭祀、朝会诸侯、飨功、养老、教学、选士等,意义重大的活动,当在这里举行。是中国文化的重要精神表征,具有崇高的意义和文化的价值。在《礼记》中有一篇,专门记述明堂的建筑规格,以及政教活动的内容。以现代观念而言,它象征了固有文化的精神堡垒,比起法国的凯旋门,美国的自由女神像,乃至丹麦的美人鱼等等,不可同日而语,具有特殊的内涵与神圣的精神。

齐宣王所说的这个明堂,是周武王东征时所建的,直到汉朝还存在,后世才逐渐湮灭。当然,它表征了中国文化,同时象征了当时中央政府周天子的尊严。在齐宣王的心目中,虽然久已不闻尊周的口号,可是还没有一个诸侯敢明目张胆地提出灭周的主张。齐宣王这时把国家治理得蛮有规模了,在他心理上,不能说没有取周而代之的野心。拆毁明堂,何尝不是他自己的意思! 可见他有蔑视和反抗中央周天子的微妙心理。但在孟老夫子面前,又怕碰钉子,不敢开口,于是借口是外面有人传说。换言之,是民间的舆论如此,借此来试探孟子的意向。否则的话,他假如没有这个念头,根本认为不可行,就不必问孟子拆了好呢? 还是不拆的好呢?

孟子答复齐宣王的话,却也避开正面,不谈尊周与否的问题。他只说,这是王者之堂,象征着王道思想,您如果要想行王政的话,最好不要把明堂毁掉。齐宣王就说,你所说的王政,究竟是怎么回事呢?

其实对于王道仁政,孟子已经说过好几次了,而这里齐宣王还问孟子什么是王政,这就显示出齐宣王对孟子的意见,也许是根本没兴趣,从来就没有专心听过,所以现在又提出这个问题来。也许孟子所提倡的有关仁政学说,颇受当时社会民间的欢迎,各方予以好评,齐宣王不得不对孟子表示尊敬。也许这时候仁义还有利用的价值,可以披起仁义的外衣,而进行实质上的侵夺兼并,所以不得不向孟子请教。这也可以说是齐宣王的可怜处。

再反过来看孟子,他也很难堪,他希望推行王道仁政,但屡次被齐宣王在重要关头,来个太极拳的推手,推得远远的。于是他又"打蛇贴棍上"式的,再顺着齐宣王的话,接上去,还是推销他的王道思想。用心之苦,实在苦得也很可怜!他们两个,虽然互相尊重,而彼此似乎又话不投机。

在这里,孟子被直接问到王政的本题上去,自然有点兴奋了。我们知道,孟子是一直以孔子的学说为标榜。而孔子对于政治,是推崇上古以及文、武、周公的政治风范的。所以孟子就举出周文王的政绩答复说,以前周文王在岐山发祥之初,走的就是传统王道精神的政治路线。第一点:"耕者九一",对农民只收九分之一的田赋。

这是古代的土地政策,后世称作"井田制度"。当时地广人稀,没有私人财产制,土地均属国有,田园都依照方整观念来划一。每一田园,在规制上区分"井"字式,分成九部分,收获的时候,四周八分,分别归八户农民所私有,中间　份公田,收成归政府,所以说只收九分之一的田赋,后世称此为"井田制度"。其实九分之一的田赋税收,也只是后世人根据古代资料来讲的。究竟实际情形如何?这种制度,历代学者也有很用心去考证的,但到底还不够详细,同时我们不要忘记,当时人口稀少,土地广大而没有太多利用和开发。其实在管仲相齐桓公的时期,以及秦孝公时期,中国的经济制度,早已演变为具有私有土地的形态了,商鞅只是就当时的实际情况和需要,也可以说,他师法管仲,订出一套完整而具体的法制来管理。

在历史上，秦以后，曾经有不少人向往古代的井田制度，更曾经有几度，意欲恢复它。最显著的莫如汉朝的王莽，想恢复井田制度，取消私有财产制。当然，王莽并不是因为有高深的政治思想或突出的见地，只是盲目的好古，妄想复古而已，所以没有成功。到了宋朝王安石变法，也想走这个路子，因为用人不当，也失败了。

孟子说到第二点"仕者世禄"，是说当时的政府官职，大多数是世代相袭的。这一点，和我们今天的观念不同。但在孟子当时，却不能说他百分之百是错误的。因为在那个时代，一直延续这样的制度。不仅在教育制度上，政治思想上也都是如此，没有发展出全民教育的观念，读书人也都是士大夫的世家世袭的。我们以现在民主思想为基础，就会批评那是封建思想，甚至斥为封建余毒。可是我们如果综合了时间、社会、经济、政治等等因素，去探讨这种制度的精神，则可发现，它的功用在当时的时代环境中，可能还是鼓励人们保护及发扬传统文化的最好制度。总之，我们论史，应该尽量客观厚道，就"时"论事。不能纯出主观，以今之所有，笑古之所无；也不能以古之所无，便否认今之所有。

第三点，孟子说到"关市"方面，关卡和互市，也就是现在的关税和商业市场上的捐税。这在文王时期是"讥而不征"的。只是派人巡察，看看有没有非法之物，顺便了解货物的议价状况，并不需要收什么关税、交易税之类。因为在战国当时，征敛相当繁琐、严苛，常常弄得民不聊生，所以他提出这一点。

再其次，说到周文王时"泽梁无禁"。泽为水泽，梁指山林。广义地说，就是无论上山下海，包括河川的资源开发，山林资源的开发，都是没有什么禁令的。人民在这方面的生产是自由的，但人民也懂得节制，不至于弄到资源枯竭。这里有一点我们要知道，倒退回去两千多年看，那时候的社会结构，可以说一切都还在尚未开发的阶段。情况和现在不大相同。

在司法方面,孟子指出"罪人不孥"。就是罪不及妻子,个人犯罪个人承当,自己受法律制裁,与家属无关。这句话在今天的年轻人听来,觉得没有什么道理,因为大家目前所认识的法律,本来就是如此,似乎这句话是多余的。可是在还没有推翻清朝以前,中国几千年来的法律,不像今天民主制度的法治精神。由春秋战国到清代的几千年帝制中,有许多情况,都是罪及妻孥,乃至于一人犯罪,可以诛灭九族,全凭当时专制帝王的意思而定。所谓"人主"者,朕即国家,朕即法律,他是国家主权的象征,他说的话就是最高的法律。在这种情形之下,孟子讲这句话,就非同小可了,可以说孟子相当大胆,凭他的浩然正气而对宣王进谏直言。

接着,孟子又举出在周朝的王道政治上,社会福利事业的成功,他说:鳏、寡、孤、独这四种人,是社会上最困苦无依的人。文王当时,凡是仁政爱民的措施,一定先顾及到这些人,使孤苦无依的人优先得到利益。他同时引用了《诗经·小雅·正月篇》第十三章,最后两句"哿矣富人,哀此茕独"来强调穷人的可怜。诗的意思是说,社会上一般衣食无忧的人是没有什么问题了,但是有些孤苦伶仃的人还不知道怎么活下去呢? 对这些人,我们必须伸出关切和同情的援手。

孟子说"王政"说到这里,刚刚才一开头,还没有讲到正题上去,可是齐宣王似乎已经听不下去,又打起太极拳来了,插上一句"善哉言乎!"意思是说,你讲得好,讲得很好。又把"王政"这个正题用太极拳的推手往外一推。可是孟子还是用打蛇贴棍上的办法说,您既然认为这个道理很好,可是为什么不去实行呢?

王曰:"寡人有疾,寡人好货。"对曰:"昔者公刘好货,诗云:'乃积乃仓,乃裹糇粮。于橐于囊,思戢用光。弓矢斯张,干戈戚扬。爰方启行!'故居者有积仓,行者有裹粮也,然后可以爰方启行。王如好货,与百姓同之,于王何有?"

寡 人 好 货

孟子采紧逼盯人的姿态,追问齐宣王,您既然认为很好,为什么又不实行王政呢? 齐宣王答得很妙,他说我有一个毛病,我非常爱好财富。

古代"货"字的意思和现代的"财"字相同,包括了金钱、物资等等。齐宣王这句答话,在表面上是牛头不对马嘴,答非所问,但也很妙。孟子要他优先救济社会上最困苦的四种人,这当然是要花钱的,而他却说我爱钱,舍不得花钞票啦! 这就像篮球场上的大国手们,你从后面紧逼盯人,我就来个转身,摆脱你。奈何孟子还是不放松,对他说,这没有关系呀! 周朝的先祖公刘,就是一位好货的人,而且有诗为证呢!

公刘,据《周纪》说,是弃的后代。弃是唐尧的兄弟,到虞舜时,被封为后稷,有相当伟大的德业,传到不窋这一代的时候,因政治的衰退,不窋丢了官,就流亡异域,到戎、狄这两个外族之间的漆沮"自漆沮度渭,取材用"一带去求发展(漆水源出陕西省同官县东北大神山,西南流经邠县至耀县会沮水。沮水出耀县北分水岭)。当传到公刘的时候,才又振作起来。《诗经·大雅》生民之什的《公刘》篇,就是歌颂这段故事。

孟子又继续引用《诗经》的记载作补充说明。他说,公刘当年好货,但能推己及人。他首先教导人民,因地制宜,努力耕作,增加生产。在秋天丰收时,将粮食堆满在仓库里,还有许多粮食放不下时,只好堆积在仓外。另外,制造干粮,放在橐里、囊里,以便人民迁移时,可以随身携带。由于仁心德政的措施,投靠他的百姓愈来愈多,逐渐地便富强起来了。于是他又整军经武,把老百姓集中起来训练,等这些都差不多了,才带了弓箭,装备着干戈斧钺等各种武器,浩浩荡荡地由漆沮出发,回到他原来的封地豳邑,复兴他祖先后稷的旧业。所以留守的人有露天堆积的米粟和充实丰富的谷仓,出发的人有包裹好的干粮,如此准备妥善,才向豳地进发。周代也就从这时开始,渐渐兴盛起来。

所以当齐宣王说他自己好货时,孟子却故意装作不懂地说,您身为一国之君,喜欢财富是应该的。像周朝的先祖——公刘,创建基业时,也是积极地从事经济发展。如果您也能效法先人积极进取的精神,从事生产工作,藏富于民的话,如此,齐国得以富强,而百姓得以安居乐业。这不是很好的事吗?在这里,可见孟子的诱导教育,以及紧逼盯人的技术,和齐宣王的推拖工夫是同样高明。

齐宣王的"太极拳"由"好乐"、"好勇",这里又段数升高到第三段的"好货"了。现在让我们再来讨论一下好货的问题。

在中国文化中,有一句话,包括四件事:"声、色、货、利"。在历史上只要帝王好"声色货利",那个社会、国家,没有不乱的。这四件事,没有一件是好事,全是坏事。而齐宣王对这四大坏事,没有不好的,他全都爱好。

后世一些读书人,读了《孟子》这一类的书,学了这一派的论调,每提到"声色货利",就视同毒蛇猛兽,像有剧毒一样的恐惧。其实,我们每一个人,对于声色货利,没有不爱好的。只是对这四件事的欲望,程度上有大小的不同而已。孟子这里没有从心理这方面发挥,其实人人都是同样爱好这些的,只是程度上有所不同。只要扩充这人家都爱好的事,并导之正途,那么不但对社会无害,而且能收到移风易俗的效果,反而是国家、社会、人民的福利了。我们所谓现代化的第一流强国,正是"声色货利"最先进的国家。反之,就是尚在落后,尚未开发中的国家。

从这里,使我们想起齐桓公,他也有像齐宣王所说的三好。但在当时,他有幸得到一位好帮手管仲,能在当世成大功,后世历史上成大名。让我们看看齐桓公与管子对话的记载。

桓公谓管仲曰:寡人有大邪三。不幸好畋,晦夜从禽不及,一。不幸好酒，日夜相继，二。寡人有污行，不幸好色，姊妹有未嫁者，三。管仲曰：恶则恶矣，非其急也。人君惟不爱与不敏，不可耳。不爱则亡众，不敏则不及事。

齐桓公有一天对管仲说，我这个人，有很不正经、很邪门的三个嗜好，你看多糟糕！怎么办！喜欢打猎，常常跑出去玩，有时追捕猎物，玩到天黑了还不肯回来，第二天当然没有精神理政问事了。这是第一件事。

还有我喜欢喝酒，讲究口腹之欲，白天晚上都吃喝个不停。齐桓公好吃，是有名的饕餮，天下所有的美味，他都找来吃。他的一个部下易牙，专以烧一手好菜来侍候他、满足他。有一天，他吃喝得高兴了，对易牙说，天下的美味，我都吃过了，可就没有吃过人肉，不知道人肉的味道如何。后来齐桓公吃了一碗以前没有吃过的肉类，问易牙这是什么肉，易牙说是人肉。原来易牙杀了他自己儿子，来取悦于桓公。因此齐桓公认为易牙很忠心。当然有人说连自己儿子都会杀掉的人，一点仁心都没有，怎么谈得上"忠"。这是另一段公案，我们暂时不去讨论。易牙是坏蛋，历史早有明证和定评了。但由此可知齐桓公的好吃好喝，到了什么程度。他自己也对管仲说，这是他的第二件缺德。

他又说，更不幸的，我有比前面两项，更不干净的行为，说起来都难为情，我还喜欢女色。好女色倒是小事，我的同宗姊妹中，还有尚未出嫁的。他的姊妹为什么不出嫁，这当然是使他最难为情、难以启齿的话。只说这是他第三项劣行，就意在不言中了，所以他的毛病可真大，比齐宣王严重多了。

可是管仲怎么说呢？他说，你这三个大毛病，的确很不好，坏是坏透了，但对你现在来说，还不是最重要的事，不一定要立即改正。事实上，管仲明知他一下子改不过来。如果管仲说，要他马上改，反而会弄僵了。管仲只是说，一个作领袖的人，如果没有爱心，不爱天下人，智慧反应都不够敏捷，这才是最大的忌讳。因为没有爱心，不能"爱民"的话，就不会有群众和人民拥护他；不够积极，不能"勤政"的话，就会政务荒弛。因此，"勤政爱民"，是领导人所最需具备的条件（就是在管仲之后的孟子所说的仁政）。

这是管仲对君主辅助的一个范例。几千年来直到现在，我们一直都标榜管仲是历史上的大政治家。他不但是政治思想家，也是实行家，连孔子都很推崇他。现在管仲与齐桓公所谈的内容，和齐宣王与孟子之间的谈话内容是一样的。而谈话的态度与方法，孟子与管仲也差不多一样。所不同的一点，管仲是站在大政治家的立场，作臣道的建议和提醒，针对现实政治的具体做法而言。至于我们这位孟夫子，则更偏重于政治哲学的原则，同时带着师道的诱导方式，在境界上当然比管仲更高一层，可惜效果上，却差了许多。但是有一点要注意，孟子和管仲所遇到的两个主顾——老板，在人格、个性上，也有许多差异。因此，在历史上的成就，也就大不相同了。

其次，我们要讨论的"声、色、货、利"四事，我国历史文化上，几千年来，都认为是要不得的坏事。直至国民革命成功，推翻清朝以前，大家还是看不起工商业，尤其是看不起商人。过去习惯上所谓的士、农、工、商，商人被列为四民之末，这都是中国文化受这些传统观念的影响，致使工商业不发达，科学不进步，而形成中国文化呆滞的一面。

《货殖列传》的一斑

中国文化真是如此呆滞丑陋的吗？我们不必归罪于什么理学家、道学家或哪一家上去，只是由于少数读书人，把观念搞错了，把大家的观念带到歧路上去。中国文化的本身，并非如此。历史上，汉代的司马迁曾经就"货利"的问题，正式提出来谈经济思想。当时别人都不大注重经济问题，只有他特别注意，而在《史记》中写了

《货殖列传》,成为中国经济学上的第一篇传记,也是中国讨论经济哲学思想的好著作。另外,《平准书》也是财政学上的重要资料。

司马迁看法与众不同,在当时大家看不起货利的时候,他却认为货利非常重要。他提出来的第一位经济专家是姜太公,第二位是范蠡,第三位是孔子的天才学生子贡。接下来还有很多,现在我们择要摘录下他这篇文章,来作个研究。

老子曰:"至治之极,邻国相望,鸡狗之声相闻,民各甘其食,美其服,安其俗,乐其业,至老死不相往来。"必用此为务,挽近世涂民耳目,则几无行矣。

太史公曰:"夫神农以前,吾不知已。至若诗书所述,虞夏以来,耳目欲极声色之好,口欲穷刍豢之味,身安逸乐,而心夸矜势能之荣使。俗之渐民久矣,虽户说以眇论,终不能化。故善者因之,其次利道之,其次教诲之,其次整齐之,最下者与之争。

夫山西饶材、竹、谷、纑、旄、玉石;山东多鱼、盐、漆、丝、声色;江南出枏、梓、姜、桂、金、锡、连、丹砂、犀、玳瑁、珠玑、齿革;龙门、碣石北多马、牛、羊、旃裘、筋角;铜、铁则千里,往往山出棋置;此其大较也。皆中国人民所喜好,谣俗被服饮食奉生送死之具也。故待农而食之,虞而出之,工而成之,商而通之。此宁有政教发征期会哉?人各任其能,竭其力,以得所欲。故物贱之征贵,贵之征贱,各劝其业,乐其事,若水之趋下,日夜无休时,不召而自来,不求而民出之。岂非道之所符,而自然之验邪?

《周书》曰:"农不出则乏其食,工不出则乏其事,商不出则三宝绝,虞不出则财匮少。"财匮少而山泽不辟矣。此四者,民所衣食之原也。原大则饶,原小则鲜。上则富国,下则富家。贫富之道,莫之夺予,而巧者有余,拙者不足。故太公望封于营丘,地泻卤,人民寡,于是太公劝其女功,极技巧,通鱼盐,则人物归之,襁至而辐凑。故齐冠带衣履天下,海岱之间敛袂而往朝焉。其后齐中衰,管子修之,设轻重九府,则桓公以霸,九合诸侯,一匡天下;而管氏亦有三归,位在陪臣,富于列国之君。是以齐富强至于威、宣也。

故曰:"仓廪实而知礼节,衣食足而知荣辱。"礼生于有而废于无。故君子富,好行其德;小人富,以适其力。渊深而鱼生之,山深而兽往之,人富而仁义附焉。富者得势益彰,失势则客无所之,以而不乐。夷狄益甚。

《谚》曰:"千金之子,不死于市。"此非空言也。故曰:"天下熙熙,皆为利来,天下攘攘,皆为利往。"夫千乘之王,万家之侯,百室之君,尚犹患贫,而况匹夫编户之民乎!(文中所述范蠡、子贡等人致富之道,从略。)

此其章章尤异者也。皆非有爵邑奉禄弄法犯奸而富,尽椎埋去就,与时俯仰,获其赢利。以末致财,用本守之;以武一切,用文持之。变化有概,故足术也。若致力农畜,工虞商贾,为权利以成富,大者倾郡,中者倾县,下者倾乡里者,不可胜数。

夫纤啬筋力,治生之正道也,而富者必用奇胜。田农,掘业,而秦扬以盖一州。掘冢,奸事也,而田叔以起。博戏,恶业也,而桓发用富。行贾,丈夫贱行也,而雍乐成以饶。贩脂,辱处也,而雍伯千金。卖浆,小业也,而张氏千万。洒削,薄技也,而郅氏鼎食。胃脯,简微耳,浊氏连骑。马医,浅方,张里击钟。此皆诚壹之所致。

由是观之,富无经业,则货无常主,能者辐辏,不肖者瓦解。千金之家比一都之君,巨万者乃与王者同乐。岂所谓"素封"者邪?非也?

《史记》作者司马迁及其父司马谈,都是比较偏爱黄老道家的学术思想,尤其是推崇老子的思想。他写的《货殖列传》,首先就引用老子的话,描写社会到了富强康乐,民主自由的极点,才能真正进入大同的理想境界,也才能达到老子所说的无为之治,法乎自然的境界。老子前面的一段话,意思是说,比邻的国家,国界相接,或隔一条路,或隔一条小溪,彼此都可以一望而见,连鸡鸣狗吠的声音都听得清清楚楚。而各国的老百姓,都能够吃得好,营养足;穿得好,没有穿打补钉的衣服;社会风气安定,没有不良分子的骚扰;对自己的事业、职业,都很满意,各人安守本分。生活在这样安定快乐的社会中,人人都很满足,终此一生,都不会去羡慕别人,更不会为了生存,而离乡背井去外地谋生。

本来老子的说法,在我看来,和儒家大同思想的说法并没有两样,不过老子是对理想境界描写,儒家的《礼运篇》则是原则的叙述。二者都是根源一脉相承的中国古代文化传统,如果一定要以表面的文字,把他们硬分为两派,是一件很遗憾的事情。

曾经听一位青年人说,现在日子过得好,有了钱,退了休,就该环游世界一番,"到老死不相往来",不出国门,活着有什么意思。出国走走,这是一种很时髦的观念,而且也可增广见闻,但对于老子这句话的反驳,则似有断章取义之嫌。先从近处说起,就在台湾的山区或农林中,还是有一些人,不但没有到过台北,甚至连他居处的县治所在地也没有去过,一生没有离开家乡一步,但因生活过得安定快乐,临终之时,心中了无遗憾。而现代许多曾经环游过世界的人,在他临终之际,或对后代子孙,或对国家社会,或对他自己的一些事情,还是很不放心,带着满腔的无奈而去。

也还有人说,至美国、或到欧洲,去求学深造,或发展事业又有什么不好? 为什么要"至老死不相往来"? 这也是忘记了这句话前面的"至治之极",以及接下去的描写。我们要反过来问一句,假如我们今天成为世界上经济力量最雄厚,教育文化水准最高,科技最发达,军事力量最强大,社会也最安定的国家,那么你还会想到外国去求深造,求发展吗? 再进一步说,全世界,全人类,每个社会都达到了这个水准,那么又有谁不愿安安稳稳在自己家乡努力,反而到处奔波劳苦,替别人洗碟子、擦地板呢? 现代的澳洲人,位于南半球,一般人过着太平日子,就很少往外国跑了。不过,在现代也有一种反面的"至老死不相往来"的现象。那是南北韩之间的三十八度线;东西德的围墙;我们与大陆之间的一衣带水。由此可见,想要达到"至老死不相往来"的境界,是不容易的,除非全世界、全人类,都富强康乐了,才能达到这个美好的境界。

历史社会演变的趋势

所以司马迁说,人类最好往这种美好的理想去努力。但是近代(司马迁当时的近代),一般人都只图声色耳目的享受,已经不可能达到那么高的境界了。

接着他又发表他史家立场的意见说,神农以前的情形怎样我不知道。我所知道的,像《诗经》、《书经》这些书上所记载的事迹,自虞、夏两代以后,由于社会的演进,人们都偏好物质生活的享受,喜欢追求声色之娱,以及口腹之欲。身安逸乐而汲汲名利,人人都如此,没有什么稀奇。这种风俗的演变,不是一天形成的。自从虞夏时代开始,就逐渐转变成近代这个样子。社会风气到了这一步,你即使以最高的哲理,挨家逐户地去劝他们,放下物欲,寻求精神生活的超脱,也是没有用的。

因此,自上古以来,最高明的为政方法是"因之"。依着百姓的本质和禀赋,在立法行政上,很自然地把他们引到好的方向。

如果这样行不通,退而求其次,顺着他们的兴趣嗜好,针对他们重视现实的心理,"利道之",以利为引导,导致他们走到良善的路上。

"其次教诲之",如果还是不能,于是用再次一等的方法,也就是用比较强硬一点的方法,教育他们,告诉他们,什么是对的,是应该的,什么是不对的,是不可以做的。

如果仍然没有效果,这就只好用更次等的方法,"整齐之",以法令来纠正了。纠正不了的话,等而下之,"与民争利",和百姓对立相争。

从这套理论来看,几千年的历史,都是等而之下,在与民争利之中。达尔文的进化论"物竞天择",也同样认为人类文化,是在竞争当中发展的。

司马迁这几句话,把人类社会演变的程度,以及人心不可挽回的趋势,全都说完了。我们无论研究政治、哲学,或者经济、历史,对司马迁这里所说,和孔子《礼记·礼运篇》的叙述,互相参合研究,便可成为一部中国文化历史演进哲学的专书。

其次,司马迁举出当时中国所发现的资源情形,也相当富饶,很有利用价值的。但是现在我们新发现的资源,在质与量上都增加了许多,在这里不作详细的介绍了,且看他对于物资利用的观点。

"待农而食之",在当时的农业社会,许多资源技术还没发掘,社会经济的必然趋势,当然是要依赖农业生产,才有饭吃。"虞而出之",还要开发山林和畜牧的资源。"工而成之",然后将农林、畜牧的产品加工制造。"商而通之",最后,再由商业的经营,来流通农林畜牧和工业的产品,于是才能达到有无相济,各获所需,不虞匮乏的地步。

接着他又说,这种经济形态的发展,是顺着人类社会的需要,而自然演变出来的一种生活方式,并不是由法律或命令规定而来的,也不是由某一人提倡或教育而成的。而是大家为了生活上的需求方便,很自然地发展出来的。所以每个人都是各尽自己的能力,换取自己的需要。

在商业的经营上,是"物贱之征贵,贵之征贱"。也就是中国商业一句传统的成语——"贱物不可丢,贵物不可收。"一样货品,价钱跌了,不要赔本卖掉。储存在那里,将来一定回涨,甚至还可以加工制造,再卖出去,很可能还会赚大钱。一样东西涨价了,贵了许多,千万不要一窝蜂地跟着去买,因为不久的将来,很可能会跌价。所以,"贱价不卖,贵不买"。

"各劝其业,乐其事。"各人安于本分,敬业乐群。这种趋势,像江河的水往下流一样，是很自然的发展，用不着特地订立法令规章，自然而然就来了。一切物资的生产分配，也用不着刻意去营谋，社会上自然会有妥善的调配。这不就是老子"自然"之道吗？

接着他又引据《书经》上的话，强调农工商虞的同等重要性。这些来自农林、畜牧，以及工商业的产品，是富国富家的基础。虽然各地的气候、土壤、人力不同，资源的储藏与开发也不一样，但经营得好就富足，经营不好就贫穷。上天是不会厚此薄彼的。

像齐国的姜太公初被封到营丘时，那里靠海边，土里的盐分很重，老百姓很少。当地的土质根本就无法耕种，简直无饭可吃。可是姜太公不为地理环境所困，他教导妇女发展手工业。直到现代，山东烟台一带的刺绣、抽丝等工业还是很有名的。在台湾具有这种技术的人，也在生产从事外销，可能就是从古老的姜太公时代所流传发展下来的。除此之外，他又设法开发盐业和渔业，外销他国。齐国就此繁荣富庶起来，"冠带衣履天下"，各国闻风相望，连服饰都以模仿齐国为时尚。不论是靠山或临海的国家，都希望能到齐国去见识见识，如今天世界各国的人，一窝蜂地往美国跑一样。

后来齐国到了中叶，国力曾经一度衰落，直到齐桓公的时代，用了现在大家都知道的，以经济政治为主，并以经商出名的管仲为辅相，把齐国的国势再度复兴起来。他设立了九个有关财经的行政机构，设置学财务的官员，行"轻重法"，而使齐桓公完成他的霸业，九合诸侯，一匡天下。而管仲个人亦有富埒土侯的"三归"建筑，爱好豪华，也相当奢侈。政治地位到了陪臣——和国君近于朋友的关系，财富可和其他诸国的国君相比拟。可是他使得齐国的富强，一直延续到威王、宣王的时代。

经济、文化、道德的连锁关系

司马迁引《周书》的话，并举出齐国姜太公和管仲的例子，说明经济财富对政治功业的重要以后，又引用"仓廪实而知礼节，衣食足而知荣辱"这两句名言，讨论财富和德业的关系，提出"礼生于有而废于无"的主张。因为礼节、仁义这些德性，是以安定的生活与财富为基础的。一个君子富有了，就更乐于行善积德；而普通的人有了财富，也就安守本分，不会作奸犯科。接着他又把财富比作高山大泽，把品德比作山泽间的生物。水深了，自然有鱼，山高了，各种兽类自然繁殖其中。沟里水浅是养不活鱼的；小山也隐藏保护不了大的兽类。换句话说，贫穷就难有高超的道德修养，也难做出对人有益的善行。所以，有了财富，才能发挥出仁心义行。一个人有了钱，如果再得权势，就更容易彰显善举。反之，既无势力，又无钱财的他乡游子，自身难保，更何况其他。这是对有文化根基的中国而言，在文化低落的边疆来说，财富对德性的影响就更严重了。

所以普天之下，熙熙攘攘，来来往往的，都是为了一个"利"字。不论千乘之国，或者万户之侯，或者百室之君，他们都一个个惟恐受到贫穷的困扰，更何况一般老百姓！

接着，他又继续举出范蠡、子贡、猗顿、卓氏、程郑、宛孔氏、师史、任氏等十几位历史上名人的致富之道，以及对国家社会的影响，来强调财富和德业事功的关系。同时他强调说，所举的这些人，还只是少数的例子，而且都不是继承祖业，或世袭俸禄而来，都是靠自己的努力，用心经营，把握了时机，去规规矩矩地发展，以最平实的方法来赚钱，而以最高明的原则来守成。至于其他，以发展农林工商而富可倾城的，或者富甲一县，或者称富乡里的，这些就多得数不清了。

结论说，靠自己的劳力，从小生意做起，一点点积蓄起来，这是谋生发财的正道。但是小富由勤，大富由命，发大财也要靠机运。同时司马迁又强调，发大财，还要有头脑，譬如用兵，要出奇制胜。于是他陈列出一些历史资料说，像秦扬这个人，以种田起家，他的财富居然盖过了一州，等于现在富过一省。照理说，挖人家的坟墓,偷盗葬物,这是犯法的,可是田叔就这样起来的;赌博说起来也是坏事情,但桓发却因此致富;至于行贾,类似我们现在所说跑单帮的,在古代也是大家不在意的行业,而雍乐成由此起家;卖油脂,当然也是低贱的行业,一身油垢,不受人尊重,而雍伯就在这个行业中,聚积了上千金的财产;叫卖浆汤、油条,是小生意,但张氏以此赚了千万的资财;磨刀,可以说是最简单的技术,但郅氏以磨刀闻名,人人找他磨,到后来发了大财,养了一大家的人,吃起饭来都是鼎食,气派大得很;卖猪肉干、牛肉干,也只是小本生意,浊氏却因此发财,养了几十匹马。在现代说,就是拥有几十辆汽车了。还有马医,古代医生的社会地位不像现在这么高,兽医更是如此。可是有一个兽医张里,家里开饭的时候还要敲钟,可见其富庶的程度。以上这些都是因为专精一业,勤奋努力而来的。

最后他的结论说:从这些事实看来,致富并没有什么一定的行业,财富也不是说一定永远属于谁的。有能力的人自然会发财,懒惰的人就是站不起来。富有了自然就显贵。一个富有千金的人,就像士大夫般地被人敬重。至于巨万富翁,就和王侯一样享受。这不是上天所赐,也不是祖宗所给,都是靠自己努力得来的。

他这篇文章里,介绍那些商业巨子和大富翁的妙论很多。谈到好货的心理时,曾经举出,像秦始皇这位暴君,对于财富也很重视。当时在四川有一个名字叫"清"的寡妇,拥有大量的丹砂矿,富有得不得了,秦始皇还特别邀请她到咸阳,待以上宾之礼。同时为她建筑了一座"女怀清台"。由此可见财富的重要。不但个人如此,他也说到,国家非财富不能强盛,社会非财富不能繁荣。

我们看了司马迁在《货殖列传》中的议论,再来看看明人冯梦龙的一段小文,相互对比,倒是别有一番兴味:

人生于财,死于财,荣辱于财。无钱对菊,彭泽令(陶渊明)亦当败兴。倘孔子绝粮而死,还称大圣人否?无怪乎世俗之营营矣。

究竟人寿几何!一生吃着,亦自有限。到散场时,毫厘持不去。只落得子孙争嚷多,眼泪少。死而无知,真是枉却;如其有知,懊悔又不知如何也。吾苏陆念先应徐少宰记室聘,比就馆,绝不作一字。徐无如何,乃为道地游塞上,抵大帅某,以三十镒为寿,既去戟门,陈对金大诇曰:以汝故获祸者多矣,吾何用汝为! 即投之洞水中。人笑其痴,孰知正为痴人说法乎。

寡人好色

再来看齐宣王讲到好货时,孟子不朝这一方面多作发挥,只是又把重点引向了王道仁政。其实在孟子之前的管仲的思想与理论,乃至在孟子之后的司马迁的思想与理论,孟子都了解,不过他不讲,不走这个路,而始终诱导人君们向"道德"这个方向走,这就是圣人之为圣人也。他告诉齐宣王,你好货没有关系,只要扩充你好货的境界,做到了"藏富于民",这不是很好吗? 其实,他这句话的内涵,已经包括了比他迟生四百年的司马迁一篇《货殖列传》的精义了。可惜的是,齐宣王听不懂,这一句话头,无法接受。

这时候,齐宣王的下一招又来了,刚才一招没有推成功,他再来一个太极拳的"野马分鬃"。

王曰:"寡人有疾,寡人好色。"对曰:"昔者大王好色,爱厥妃。诗云:'古公亶父,来朝走马。率西水浒,至于岐下。爰及姜女,聿来胥宇。'当是时也,内无怨女,外无旷夫。王如好色,与百姓同之,于王何有?"

齐宣王说,孟先生,你有所不知啊! 我不只爱财,我还有一个大毛病,我好色。孟子说,不要紧,好色有什么关系。他又提出周朝的太王——文王的祖父——古公亶父的事迹,他也有好色的档案,在《诗经·大雅·绵之篇》里就有记载,当年太王为了躲避狄人的攻击,要迁往岐山,通宵整理行装。第二天一早,骑马出发,沿着漆水、沮水，到了岐山的下面。带着他喜爱的外国太太姜女，到这里察看未来定居的地方。在那个时候，太王的国境之内，家家户户都是成双成对的，没有嫁不出去、找不到丈夫的怨女，也没有娶不到太太的旷男。每一个家庭，都幸福圆满。现在你齐宣王好色，有什么关系，只要和太王一样，把你好色的心理，扩而充之，使全国百姓都能有美满的家庭生活，这岂非是大好事！你怎么还耿耿于怀呢？

这时我们必须了解一件事，周朝七百多年的天下，诚然是肇基于太王在西岐的仁心德政，而后才有武王伐纣的成功，同时在文化方面也发展出灿烂的成果。周朝的根基，扎得很深远，很巩固，如果我们以严谨的治学态度，穷本探源的话，那就还要追溯到公刘迁豳的生聚经营。自公刘又传了九世，到太王——古公亶父的手里，因避狄乱而迁到西岐，于流离播迁之际，又以百姓的宜室宜家为要务，奠下了稳固的政基。

因此，我们也可说，公刘开始了周代后来的王业，而太王更为这已开始的王业，打下了深厚的基础。如果拿建筑作比方的话，公刘就好比一个垦荒者，开拓出一块建地。而太王则是架地梁、筑地基的人。文王、武王则负责盖起了这栋美仑美奂、坚固耐用的巍巍大厦。所以对于周朝，对于后世几千年来直到今天的中国文化，公刘与太王都有很大的贡献。他们不但在政治上、私生活上，乃至其他方面，也都有很好的德性，并不像一般只顾个人私欲的庸主。孟子在此举他们为例，而谈好货好色，只是一种权巧方便，借此诱导宣王向他们的功勋德业看齐而已。

眼看孟子被宣王的一招"野马分鬃"，又推于千里之外，可怜兮兮的。但齐宣王这一招，又被孟子破了，推也推不开，又落了下风。而且，齐宣王也不是什么好色的人，为了逃避孟子，而硬把自己说成是好色之徒，这也是他的可怜之处。

奈何后世的人，读了这段书，发生了误解，以为太王和齐宣王真是好色之徒。乃至一般好冶游的人，往往引齐宣王这句"寡人有疾,寡人好色"的话来自我解嘲,这真文过饰非了。

其次,有一点要附带声明的。诸位看了孟子引用的这段《诗经》,或许以为太王专宠了一位妃子。其实不然,因为在夏、商以前,并没有分别后妃的明文规定。国君的太太,都称作妃。所以黄帝、帝喾都有四个妃,而不见有后。一直到了周朝,武王平定天下以后,才确立制度,天子立后,正嫡称后,其他的叫做妃。所以孟子这里所说的"太王好色爱厥妃",不能视为他冷落元配,而专宠一个姨太太。

丑 与 美

刚才说过,齐宣王的好色,不一定是真的,他只是用"好色"来打太极拳,企图把孟子推开。事实上他娶了一位历史上最著名的丑女人作夫人,如果他真的好色,怎么会娶那么难看的女人?这丑女人就是我们常听说的"无盐"。其实无盐不是她的名字,而是一个地名,她是在这个地方的人。她复姓钟离,单名春,用现在南方习惯的叫法,应该叫她"阿春"。这位阿春丑到什么程度呢?依照书上的记载,可真有得看的了。她的前额突出,而且特别宽,当然就形成了倒三角脸。眼睛深陷下去,鼻梁又长得很高,倒似乎有点像现代的西方人。但那时代西方人还没有来到中国,这深目高鼻的样子,在人们的视觉上就很不习惯,太别扭了。还有,一个女人家,居然长了个大大的喉结,鼓鼓地突出来。很可能是缺乏碘质,脖子特别粗大,衣领都包不住。背又是驼的,手指特别长,脚也特别大,头发又黄又乱,像秋天的一堆枯草,皮肤像黑漆似的。假如把这些特征画出来,可真是不堪入目。当然,这副长相是嫁不出去的,当她四十多岁的时候,还是"小姑居处尚无郎"哩!

一天,齐宣王在他曾经问孟子"贤者亦有此乐乎"的雪宫里,大摆筵席,招待天下的美小姐们,正在兴高采烈地饮酒作乐时,我们这位奇丑无比的阿春小姐，穿了一身又脏又破的衣服，来到了雪宫，求见齐宣王。宫门口的警卫们看到她又丑、又脏、又破，当然伸手一把拦住，不让她闯进去。她却理直气壮地说要见齐宣王。雪宫的卫队长看见她这副样子，居然要求见齐宣王，也许觉得又好气，又好笑，蛮好玩的。同时，因为太违反常情了，也许真的是什么异人，也不敢怠慢，原原本本，去报告了齐宣王。齐宣王听到报告，也感到奇怪，正是雪宫里美女如云的时候，一个丑女子求见，总该不会来赛美的，于是也好奇地召见了她。见面后，齐宣王问她，你一普通老百姓的妇道人家，今天要来见我，难道你有什么了不起的大本领吗？你到底有什么与众不同的本事呢？阿春说她会打哑谜。于是齐宣王要她打一个哑谜给大家猜猜。阿春就做了几个动作，把眉毛眼睛斜斜地向上一翻；咧开厚嘴唇，露出一排凹凸不平的牙齿；举起一只手指与手掌长度不相称的手，另一只手拍拍自己的膝盖。做了这么些个怪异的动作，可以说丑上加丑。她还问齐宣王，懂不懂她这几个动作所表示的是什么意思。齐宣王当然不懂。

于是阿春解释说，我翻眼睛，是告诉你敌国快要打来了，你危险得很；露牙齿，是告诉你，左右大臣都要不得，老百姓恨得咬牙切齿！她又建议齐宣王不要用王骧、驺衍这班人。她最后说，你好色是要不得的，你应该娶我，表示你好德不好色，而且我非正宫娘娘不干。奇怪的是齐宣王果然娶了她，并且封她为无盐君。这是很尊贵的封号，像当时的孟尝君、平原君、春申君等等，都是不得了的人物。阿春虽然反对驺衍这一派的人，但却尊敬孟子。总之，从这段丑夫人的记载可以证明，齐宣王并不好色。他自称好色，只不过是和孟子打太极拳使用的招术而已。

在我们中国历史文化上，素来是反对好色的，但很妙的是，却允许帝王好色，三宫六院，甚至更多也无妨，愈多愈好，而且建立制度规章，法令也明文规定。儒家讲了几千年的不可好色，但却没有改变了哪一个帝王这种好色的生活。想来帝王也是教化之民吧？
英明的帝王好色，美色只是生活的点缀，并不会影响他的事功。差
等的皇帝，一沉迷美色，就昏天黑地去了，亡国灭家在所难免。

色字诗话的插曲

讲到历代帝王好色的故事，只要从古代的诗词中，就可以看到
很多，如果把这些诗词集中起来，一一加以阐述、讨论一番，又可以
编辑成有关这方面的诗话了。我们仅仅随意举几个例子来研究。

唐末的诗人李山甫题《石头城》那一首七律说："南朝天子爱风
流，尽守江山不到头。总是战争收拾得，却因歌舞破除休。尧将道
德终无敌，秦把金汤岂自由。试问繁华何处有？雨莎烟草石城
秋。"这是李山甫在南京，有感于南北朝时代，在此立都，沉迷歌舞
女色而亡国的名诗。诗的大概意思是说，南朝的皇帝们差不多都
是战场上打下来的江山，辛苦多年，流血拼命所争取到手的，结果
却为了几场歌舞，转手让人。

像远古的尧舜，以道德垂拱，结果天下太平，人心归向。而秦
始皇以武力统一了天下，又继之以严刑峻法，结果却不足以保妻
子。所谓"南朝金粉"，当时这座帝王都城，在风流皇帝的奢靡下，
不知是何等风光！而今，往日的荣华安在？摆在眼前的，就是这座
石头城上的荒草，在细雨之中，摇曳在秋风里。

这首诗委婉地写出了南朝帝王好色的后果，也提到尧的圣德。
后来宋太祖看见了这首诗，叫大臣写下来，在宫廷立了一个碑，希
望后代子孙看到这首诗，能够有所警惕。但是到了徽宗，仍然走进
了这座窄门。

中国历史上几千年来，经常在讨论好色与政治的问题，自然就
涉及到一些美人。如西施、王昭君、杨贵妃等等，为数很多。其中
有人是谴责她们的，也有为她们叫屈的。几千年来，一直在争论不

休,不曾得到定论。

有关王昭君案外的评语

像清代刘献廷咏王昭君的诗说:"汉主曾闻杀画师,画师何足定妍媸。宫中多少如花女,不嫁单于君不知。"大家都知道这个故事,汉元帝时,宫廷中设有画师,把宫女们的像,画给皇帝去选择,以便召幸。当时的画师毛延寿没有把美丽的王昭君画好,以致她未得到宠幸,而被送给外国人了。汉元帝因此非常生气,把那名画师毛延寿杀了。杀掉毛延寿的传说,可靠性不大,因为后人为昭君抱不平,就都想把毛延寿杀掉。

这首诗是说,一个画师怎么能够评断出一个人的美丑? 个人的审美观点,本来就不完全相同的,后宫里的美女,像王昭君这等姿色的,可能还多的是,只因为昭君要嫁到外国,临行前向皇帝辞别时,才被元帝发现了她的美。至于那些始终没被皇帝发现,白头宫中的美女,还不知道有多少呢。表面看来这是为毛延寿喊冤的诗,其实也是对历史评论的反驳。主要寓意,则是对古代帝王后宫美女太多的一种责备。

昭君出塞的这段史实,不知博得多少人的同声一叹,感叹着红颜薄命的悲凉。另外一首咏王昭君的诗,则有不同的论调,另持一种观点,也是明代诗人的名诗:"将军杖钺妾和番,一样承恩出玉关。死战生留俱为国,敢将薄命怨红颜。"

这首诗以王昭君的口吻说,将军战士们出关,是拿了兵器打仗;而我王昭君一个弱女子出关去,是遵奉国家的外交政策,通婚和番,嫁给外族人,以谋国家安宁,同样都是奉了国家的命令,远出塞外。多少战士们在国外战死了;而我,身负和平使命,必须活着留下来。死者生者,都是为了国家。如今我这个弱女子,虽然远离故土,到那蛮荒的塞外,终此一生,又哪敢怨叹呢? 他这一首诗,把王昭君对国家的忠义之情，推崇得就高了。昭君地下有知的话，不知作何感想！

唐代和番政策的感伤

另外，在唐代也发生过类似的故事。中国西北边疆的回纥、突厥等，在汉唐两代的时候，经常在边界上闹事出问题。而汉唐两代，对边防外族的确是没什么高明的办法。唯一省事的办法，是靠女人来安抚。汉唐两代，是我们声威最盛的时期，可是外交政策上却走女人和番的路线。对大汉天威而言，不能说不是一项污损。如果站在中国妇女的立场来写历史，应该说汉、唐两代外交上的辉煌史迹，大多是靠女性挣来的。因此清人刘献廷有诗感叹说："敢惜妾身归异国，汉家长策在和番。"

唐大历四年，回纥很强，向中国要求通婚，要一个公主嫁给他。当然，皇帝不愿把自己的女儿嫁到回纥，于是在后宫中挑选了一名宫女，封为崇徽公主，嫁到回纥去。当出嫁行列经过山西汾州，即将出关的时候，崇徽公主怀着满腔的怨恨，无奈又绝望地伏靠在关口的石壁上，真是凄凄又恻恻。然而，无奈归无奈，绝望归绝望，最后只得狠下心来，尽力一推，把自己推向那无边的塞外，真是一推成永别。美人含悲而去，石壁上则留下了她手掌的痕迹，后来有人在此，立了一座崇徽公主手痕碑，记述这件事情。

诗人李山甫经过这里的时候，就写了这样一首诗："一掐纤痕更不收，翠微苍藓几经秋。谁陈帝子和番策？我是男儿为国羞。寒雨洗来香已尽，澹烟笼着恨长留。可怜汾水知人意，旁与吞声未忍休。"留有崇徽公主手痕的石壁，长满了苔藓，经历了无数的春秋。究竟是谁想出这种以女子和番的办法？我们这些保国有责的男子汉，看到这种事情，不禁要为国家的声威而感到羞耻。这名女子为国牺牲的事迹，虽然像山上的花香一样，随着寒雨而逝，被人们淡忘了。可是那满含着幽怨隐恨的手痕,却仍然笼罩在烟云中。这汾河里的水,似乎也通晓人意,仍然伴着这石上的痕迹,呜咽地流着。

前面说到李山甫悲南朝那些风流皇帝的诗,有多少兴亡慨叹!同在唐代,名诗人韦庄的七律咏南国英雄,也是令人吟后荡气回肠,唏嘘不已的。他的诗说:"南朝三十六英雄,角逐兴亡自此中。有国有家皆是梦,为龙为虎亦成空。残花旧宅悲江令,落日青山吊谢公。毕竟霸图何物在,石麒麟没卧秋风。"他感叹南朝各国的几十个帝王英雄,互相争夺,此起彼落,不但国与国争,姓与姓斗,甚至骨肉相残。虽然强者一时得势,不久又可能被人踩到脚底。到头来,国也好,家也好,权也好,势也好,都不过是一场幻梦。所谓"南朝金粉",由这句话,我们可以想见当时繁华的盛况。但也只是"想见"而已,不但是现在无以目睹,就是距离那个时代很近的韦庄,也只见到残花旧苑、落日青山而已。表志功业的石麒麟,早已湮没在秋风荒野之中,徒然使人悲吊那江令、谢公。试问当年的霸业,又留下了什么呢?这是人生的感慨,乱世的悲叹!也是站在另一角度的政治哲理吧!这似乎是对只求现实权力者的一种告诫。其实看历史文化,也不必如此的悲叹。宋代谢涛一首《梦中咏史》吟得好:"百年奇特几张纸,千古英雄一窖尘。唯有炳然周孔教,至今仁义浃生民。"现实的权势过后必然落空,而一种正确的文化思想,如周公孔子的仁义之道,则是千古不变的。

从这些正面反面的诗史,我们可以看出中国文化的政治哲学。我常常告诉这一辈的青年人,如果不深入中国的诗词,就无法了解中国文化的哲学思想。因为中国文化与西方文化的形态与结构不一样,中国文化的文学与哲学是分不开的,中国文化的诗词里往往都含有哲学思想,而高深的哲学思想也往往以优美的文字来表达,尤其喜欢透过有节奏、有旋律、有音韵美的诗词来陈述。

这些有关"好色"的正反两面的文哲思想,颇为有趣。同时也看到,在历史上和女人有关的政治资料,以及各种不同的见解。

杨贵妃的翻案语

顺便,我们再看看有名的杨贵妃。历史上说,由于唐明皇的好色,引起了安禄山之乱,因此部队发生了兵变,把唐明皇所喜欢的杨贵妃,活活吊死在马嵬坡。后世有许多诗文骂杨贵妃,也有许多诗文为杨贵妃叫冤。在唐明皇之后,那位喜欢吃喝玩乐,说他自己打球的技巧可以考状元的僖宗皇帝,为了避黄巢之乱,逃到四川,经过了当年唐明皇避安禄山之乱,吊死杨贵妃的马嵬坡。于是就有人在马嵬坡的驿馆题了一首诗道:"马嵬烟柳正依依,重见銮舆幸蜀归。泉下阿蛮应有语,这回休更怨杨妃。"也有人传说这首诗是罗隐作的。他咏叹说,马嵬坡的杨柳树,和以前一样,正是诗情画意的时候。唐朝的末代皇帝僖宗,又是为了逃难远离宫城,路过此地。玄宗地下有知的话,应该会说,你们这一次出的乱子,再也不会推到我那位杨贵妃身上来了吧!(唐玄宗小名阿蛮)这是为贵妃所作翻案文章中最精彩、最有趣的一首诗。

再说寡人好色的公案

我从前读《史记》读到《越世家》的时候,有所感触,曾写下这样的一首七言绝句:"玉颜不意自成名,当日那知事重轻。存越亡吴论功罪,妾身恩怨未分明。"历史上的美人不少,而被议论得最多的,乃至在文学、艺术作品中出现最多的,恐怕是西施了。她之所以在几千年后,还有这许多人研究她,讨论她,批评她,歌颂她,扮演她,除了归之于"命运"外,恐怕很难有更好的理由了。其实她自己不过是诸暨乡苎罗村里,一个以卖柴为生的樵夫的女儿。可能是因为常常挨饿,罹患了胃病,就常常扪住胸口,皱起眉头。那样子也怪惹人怜爱的。乡下人嘛,在村里村外走动的,看到她那娇弱的样子,和一般粗野的村姑大不相同。男孩子都认为她很美,别的女孩子也跟她学起来,于是名声就传出去了。这时越国被吴国打败了,带了仅仅五千人,困在会稽这个小地方。为了找美女献到吴国去求和,地方小,人口少,西施就被负责选美的范蠡选上了,把她送到吴国去。在她当时,只知道去侍奉一个外国人,可以多得一些赏钱,孝养她的父亲,哪里知道这许多国家大事的重要性。后来越王勾践灭了吴王夫差,报了仇。站在勾践一边的说她好,而为吴国说话的则骂她是罪人。直到现在,她在历史上的恩怨是非,还没有定论。

其实不论是功是过,都是后世的人,借用了她这一个出身山村美人的遭遇,来发挥自己对历史的政治哲学观点,或者抒发自己的一些感触而已,对于西施没有多大的关系。当我写出上面这首诗时,我的儿子说,好像曾经看过古人有同样的句子,但是出自哪里,一时找不出来。所以在此特别声明,"书有未曾经我读",有些与古偶合,事非得已。不然,被别人发现了,还以为我犯了偷诗的盗窃罪呢。

像上面这类的诗文很多,虽然大家会喜欢这一类文学作品,但这里到底是研究《孟子》这本书,如果反宾为主,再继续引出这类诗词来讨论,那就有太过好色之嫌了。(一笑。)就此打住。

人事行政

我们讨论到正题上来。孟子和齐宣王之间,"打太极拳"也好,"打篮球"也好,两个人推来推去,看来蛮好玩,也都蛮可怜。但齐宣王始终很尊重孟子,尽管他不接受孟子的意见施行王道,自然他有他不得已的苦衷。而孟子也真的看中了齐宣王,其实齐宣王也真是蛮可爱的。在战国时代的各国诸侯中,讲实在话,齐宣王是比较好的一个。

现在,孟子和齐宣王两个人推了半天,都推不出一个名堂来,于是孟子改变拳路,拿出大洪拳,硬碰上去。

孟子谓齐宣王曰:"王之臣,有托其妻子于其友,而之楚游者,比其反也,则冻馁其妻子,则如之何?"王曰:"弃之。"曰:"士师不能治士,则如之何?"王曰:"已之。"曰:"四境之内不治,则如之何?"王顾左右而言他。

有一天,孟子对齐宣王说,假定你齐宣王的部下中,有一位大臣,把自己的妻子儿女,托给一位朋友照顾,自己到楚国去访问,等到他出国回来的时候,妻子儿女都已经冻死饿死了。像这样的朋友该怎么办呢?

齐宣王说,对于这样的朋友,很简单,不理他。孟子又说,如果你下面的执法官员,没有好好尽职做事,那你怎么办?齐宣王说,那只有免了他的职位。孟子于是紧跟着问,那么一个国家的不安定,这个责任问题怎么办?齐宣王被他这么一来,大洪拳的打法太硬,吃不消了,只好不理他,随便找个其他的话题,岔过去。齐宣王此时好像和孟子下象棋,被将了一军,进退两难,下不了台了。

孟子见齐宣王曰:"所谓故国者,非谓有乔木之谓也,有世臣之谓也。王无亲臣矣。昔者所进,今日不知其亡也。"王曰:"吾何以识其不才而舍之?"曰:"国君进贤,如不得已,将使卑逾尊,疏逾戚,可不慎与?左右皆曰贤,未可也;诸大夫皆曰贤,未可也;国人皆曰贤,然后察之;见贤焉,然后用之。左右皆曰不可,勿听;诸大夫皆曰不可,勿听;国人皆曰不可,然后察之;见不可焉,然后去之。左右皆曰可杀,勿听;诸大夫皆曰可杀,勿听;国人皆曰可杀,然后察之;见可杀焉,然后杀之。故曰:'国人杀之也。'如此,然后可以为民父母。"

　　孟子将了一军之后,接着就使出柔道,乃至西洋拳击,硬拼硬打的都上场了。这个时候,大概孟子也看出苗头不对,准备收拾行李要走路了(这是孟子第一次离开齐国)。所以又一次对齐宣王说:

　　所谓历史悠久的国家,不是指年代的久远,而是指文化根基的深厚,因此,参大的古木,不足以代表文化故国的气息。兼备功勋德业的世臣,才是一个文化故国的精神表率。现在您不但没有这一类的大臣,就是连真心忠于您,亲近您,而值得信任的臣子也没有。过去有人推荐了人才给您,虽然您也立即录用,可是过不了两天,把这个人的名字都忘记了,甚至于他因不被重用,悄悄离开了您,您都不知道。这怎么可以?

　　实际上,齐宣王最大的毛病,在于他不能真心信任臣下。后来他的儿子——齐湣王继位,变本加厉,更不能全心全意信任重臣。苏秦的弟弟苏代看出了他的弱点,报告了燕昭王,于是燕国打败了齐国,使齐国一蹶不振,几乎至于亡国。这一次,齐宣王很可能被孟子上一次大洪拳式的谈话,打得人厉害,答不出话来以后,齐宣王把他冷落在一旁,两人可能很久没有见面了。

　　齐宣王听孟子这么说,也只好敷衍地问,我下面那么多人,我怎么知道谁不好,应该免了他,不用他呢? 我实在无法考核啊! 孟子说,用人本来是有人事制度,可按照制度办理的,但是真遇到人才的话,就不要拘泥成规,应该越级拔用,使得人尽其才。接着孟子就对人事考核的几项原则,作个解说。

　　这个原则,孔子也曾经提到,在《论语》中有过记载。孟子的观点和他完全一样。他说有一个人,如果您左右的人都说他好,您不可以因此认为他好;您的高级干部们也说他好,您还是不可以认为他就真好;即使全国的人都说他好,您还是要慎重,加以考察,考察的结果,发现他真的很好,然后再用他。相反地,对于不好的人,也要这样一一查询,再经过仔细的审核,发现了他的确很坏,实在可恶,然后才可以不用他。这样,即使您下命令杀了这个犯罪的人,也等于是全国的人要杀他的,谁也不会怨恨您。要做到了这个样子,然后才可以为民父母。

其实一个国家的领导人,把全国老百姓,当作自己的子弟,予以教养爱护,使他们安居乐业,这就是老百姓最好的父母官。后世的人怕得罪帝王,而说地方官为民父母,就是脱胎于此,演变而来。

现在我们再次深入研究这段文章,这章书,是孟子在齐梁之间自己的笔记,至少也是门人记录,或者经过他自己看过、核定过的。可是这一段的内容,好像是凌空而来,与前后文的内容都不相衔接,没有关连。据我研究的看法,孟子和齐宣王两个人,一路打"太极拳"玩推手,推来推去,推到最后,孟子忍不住,突然猛击一拳,"跆拳"都上了。"跆拳"一上,齐宣王被打怕了,干脆不和孟子见面。

隔了一段时间,孟子有一天硬是轧一脚进去。见了面,孟子又改变拳路,来一套"形意拳",骂他一顿。这就是上面的一段话。这一段的开场白等于说,你请了客人来,又不请他入席,这怎么可以呢? 当然孟子不好意思说自己是圣人,只说他请来的人,如果悄悄地离开,他都会不知道。而齐宣王对他的答复——并不问有哪一位圣人贤人我没有用他,只说:"吾何以识其不才而舍之?"我怎么知道谁是饭桶而教他走路呢? 这句话使得身为贵宾的孟子,听来很是难堪。孟子自己知道,很难在齐国再待下去了,可能很快就要走路了。所以才有"国人皆曰贤"、"国人皆曰不可"、"国人皆曰可杀"这三段话。因为孟子前面的"士师不能治士"和"四境之内不治"这两句话,把齐宣王和大臣们都骂进去了。这一拳是打得很重的。

可见这时,齐宣王左右,反对孟子的人很多,甚至可以怀疑,包括稷下先生们,以及推行合纵计划的,如苏秦方面的人,甚至孟尝君的门下客,都可能从中捣鬼。从孟子强调"国人皆曰可杀"的话,可见他们攻击孟子，几乎到了非去之而不甘心的程度。千古以来，政治上的倾轧，都是如此。小人与小人之争，是为了权势利害；君子与君子之争，则是为了思想意见不同。历史的成败关键，往往就种因于此。古今中外，都跳不出这个圈子，深为可叹！

高明柔克

说到这里，又使人想起清初乾隆时代的重臣孙嘉淦一篇奏议，也就是后人称为《三习一弊疏》的大文章。后来曾国藩到了功成名遂，威望足以震主的时候，他从实际人生的经验中瞻顾上下左右，忽然想到了这篇文章，极力主张大家去细读。一方面是对湘军中如他的兄弟曾国荃等将领而发，一方面也是希望清廷能够警觉，不要生起疑忌之心。

其实，任何一个事业的主脑人物，到了功成名就的时候，都可能有这种情形发生。无论是政治财经上的领导人物，或工商业的巨子，乃至学术教育界的权威，都必须一读此文，深切省察，以永保成功。

有一点我们要知道的，孙嘉淦的《三习一弊疏》，是对升平时世的明主，如乾隆一类的老板讲的。换言之，中人以下的历代职业帝王们，还不足以语此。忠言逆耳，古有明训。讲话固然不容易，能够接受，能够听话的更难。只有高明的人，才肯接受逆耳之言。孙嘉淦的学养人品，素以审慎谨愿著称。如果他碰到的主子不是乾隆，大概也不会有这个奏本了。

因为孟子对齐宣王讲了这段话，使人想起距离孟子两千年后，有孙嘉淦指出，身处如齐宣王一样的环境和地位的人，应当要自己警惕的重点。所以特别附录原文，以供大家参考研究。

孙嘉淦《三习一弊疏》

　　孙嘉淦，字锡公，山西兴县人。康熙癸巳进士，官至协办大学士，谥文定。

　　此疏乾隆元年上。曾文正公《鸣原堂论》文云："乾隆初，鄂、张两相国当国，蔡文勤辅翼圣德，高宗聪明天亶，如旭日初升，四海清明。每诏谕颁示中外，识者以比之典谟誓诰。独孙文定公，以不自是匡弼圣德，可谓忧盛危明，以道事君者矣。纯庙御宇六十年，盛德大业，始终不懈，未必非此疏裨使高深。厥后嘉庆元年，道光元年，臣僚皆抄此疏进呈。至道光三十年，文宗登极，寿阳相国祁寯藻亦抄此疏进呈。余在京时，闻诸士友多称此疏为本朝奏议第一，余以其文气，不甚高古，稍忽易之。近所细加绅绎，其所云三习一弊，凡中智以上，大抵皆蹈此弊，而不自觉。而所云自是之根不拔，黑白可以转色，东西可以易位，亦非绝大智慧猛加省惕者，不能道。余与沅弟忝窃高位，多闻谀言，所闻三大习者，余自反实难免。沅弟属官较少，此习较浅，然亦不可不预为之防。吾昆弟各录一通于座右，亦小宛诗人迈征之道也。"

　　臣一介庸愚，学识浅陋，荷蒙风纪重任，日夜悚惶。思竭愚夫之千虑，仰赞高深于万一。而数月以来，捧读上谕，仁心仁政，恺切周详，凡臣民之心所欲，而口不敢言者，皇上之心而已。皇上之心，仁孝诚敬，加以明恕，岂复尚有可议。而臣犹欲有言者，正于心无不纯，政无不善之中，而有所虑焉，故过计而预防之也。

　　今夫治乱之循环，如阴阳之运行。坤阴极盛而阳生，乾阳极盛而阴始。事当极盛之际，必有阴伏之机。其机藏于至微，人不能觉。而及其既著，遂积重而不可返。此其间有三习焉，不可不慎戒也。

主德清则臣心服而颂，仁政多则民身受而感。出一言而盈廷称圣，发一令而四海讴歌。在臣民原非献谀，然而人君之耳，则熟于此矣。耳与誉化，匪誉则逆，故始而匡拂者拒，继而木讷者厌，久而颂扬之不工者亦绌矣。是谓耳习于所闻，则喜谀而恶直。

上愈智则下愈愚，上愈能则下愈畏。趋跄谄胁，顾盼而皆然。免冠叩首，应声而即是。在臣工以为尽礼，然而人君之目，则熟于此矣。目与媚化，匪媚则触。故始而倨野者斥，继而严惮者疏，久而便辟之不巧者亦忤矣。是谓目习于所见，则喜柔而恶刚。

敬求天下之士，见之多而以为无奇也，则高己而卑人。慎办天下之务，阅之久而以为无难也，则雄才而易事。质之人而不闻其所短，返之己而不见其所过。于是乎意之所欲，信以为不逾，令之所发，概期于必行矣。是谓心习于所是，则喜从而恶违。

三习既成，乃生一弊。何谓一弊？喜小人而厌君子是也。

今夫进君子而退小人，岂独三代以上知之哉？虽叔季之主，临政愿治，孰不思用君子。且自智之君，各贤其臣，孰不以为吾所用者必君子，而决非小人？乃卒于小人进而君子退者，无他，用才而不用德故也。

德者君子之所独，才则小人与君子共之，而且胜焉。语言奏对，君子讷而小人佞谀，则与耳习投矣。奔走周旋，君子拙而小人便辟，则与目习投矣。即课事考劳，君子孤行其意，而耻下言功，小人巧于迎合，而工于显勤，则与心习又投矣。

小人挟其所长以善投，人君溺于所习而不觉，审听之而其言入耳，谛观之而其貌悦目，历试之而其才称平心也。于是乎小人不约而自合，君子不逐而自离，夫至于小人合而君子离，其患岂可胜言哉！

而揆厥所由，皆三习为之蔽焉。治乱之机，千古一辙，可考而知也。

我皇上圣明首出，无微不照，登庸耆硕，贤才汇升，岂惟并无此弊,亦并未有此习。然臣正及其未习也而言之;设其习既成,则有知之而不敢言,抑可言之而不见听者矣!

今欲预除三习,永杜一弊,不在乎外,惟在乎心;故臣愿言皇上之心也。语曰:"人非圣人,孰能无过。"此浅言也,夫圣人岂无过哉? 惟圣人而后能知过,惟圣人而后能改过。孔子曰:"五十以学易,可以无大过矣。"大过且有,小过可知也。

圣人在下,过在一身;圣人在上,过在一世。书曰:"百姓有过,在予一人。"是也,文王之民无冻馁,而犹视以为如伤,惟文王知其伤也。文王之易贯天人,而犹望道而未见,惟文王知其未见也。

贤人之过,贤人知之,庸人不知。圣人之过,圣人知之,贤人不知。欲望人之绳愆纠谬,而及于所不知,难已! 故望皇上之圣心自懔之也。

危微之辨精,而后知执中难允。怀保之愿宏,而后知民隐难周。谨几存诚,返之己而真知其不足。老安少怀,验之世而实见其未能。夫而后欿然不敢以自是,不敢自是之意,流贯于用人行政之间,夫而后知谏诤切磋者,爱我良深,而谀悦为容者,愚己而陷之阱也。

耳目之习除,而便辟善柔便佞之态,一见而若浼。取舍之极定,而嗜好宴安功利之说,无缘以相投,夫而后治臻于郅隆,化成于久道也。

不然,而自是之根不拔,则虽敛心为慎,慎之久而觉其无过,则谓可以少宽。励志为勤,勤之久而觉其有功,则谓可以稍慰,夫贤良辅弼,海宇升平,人君之心稍慰,而欲少自宽,似亦无害于天下。而不知此念一转,则嗜好宴安功利之说,渐入耳而不烦。而便辟善柔便佞者,亦熟视而不见其可憎。久而习焉,忽不自知,而为其所中,则黑白可以转色,而东西可以易位。所谓机伏于至微,而势成于不可返者,此之谓也。是岂可不慎戒而预防之哉。

《书》曰:"满招损,谦受益。"又曰:"德日新,万邦为怀;志自满,九族乃离。"《大学》言:"见贤而不能举","见不贤而不能退"。至于好恶拂人之性,而祸所由失,皆因于骄泰。满于骄泰者,自是之谓也。

由此观之,治乱之机,转于君子小人之进退。进退之机,握于人君一心之敬肆,能知非,则心不期敬而自敬,不见过,则心不期肆而自肆。敬者君子之文招,而治之本。肆者小人之媒,而乱之阶也。然则沿流溯源,约言蔽义,惟望我皇上时时事事,常存不敢自是之心,而天德工道,举不外于此矣。语曰:"狂夫之言,而圣人择焉。"臣幸生圣世,昌言不讳,敢故竭其狂瞽,伏惟皇上包容而垂察焉,则天下幸甚!

关于孟子这一节,除了上面所讲的大义以外,另外联想到几个重点,可以加以讨论。

世臣巨族门第之见

第一,是孟子对齐宣王讲提拔人才,引进人才的用人制度问题。由本节文字上"所谓故国者,非谓有乔木之谓也,有世臣之谓也"的措词看来,再加以历史上对历代人事行政的记载来参考,大凡要奠定一个新时代,开创一个新局面的时候,用人都不是依照治平时候的人事制度,都有一番新的气象、新的局面。等到天下安定以后,加上时间的历练,用人行政便不能不上轨道,要依循某种人事制度法规来进用,这也是古今不移的演变。一种制度施行久了,渐渐纰漏就出来了,这是必然的趋势。

一个有悠久历史的国家,故家世族,功臣遗荫,每每在政权体制的成规下,演变成左右政权,把持朝政的形势,成为政坛上的大包袱、大障碍,这也是历史上必然的趋势。例如两汉以后直到魏晋南北朝,士族门阀的权势,影响了四五百年的人事结构。

唐代新兴,在开创基业的时候,一个新的局面打破了这种陋习。但自唐太宗以选举考试取士以后,经过历史年代的累积,门第世臣的弊病还是照样发生。在盛唐的时候,如众所周知的李白、韩愈等名士,求取功名之初,还不是到处上书,希望那些有名的世臣们加以提拔。也有少数文武人才,是靠世臣故家的赏识,所谓"拔识于稠人"之中的,因此成为千秋佳话。"稠人"就是普通的群众的意思。如郭子仪在未得志时,由于李白的推重,才被重用。后来李白犯了死罪,靠郭子仪以身家性命力保而得救。这些历史资料,就是古今中外、千秋人情的各种反映。

到了晚唐的时候,在政坛上就有著名的牛(僧孺)、李(德裕)党派之争。李德裕乐于提拔平民出身的寒士们,等于我们现在所说的起用新人,后来李德裕被世族牛僧孺一派推翻,而内阁改组之后,被贬逐到岭南去。当时有"八百孤寒齐下泪,一时回首望崖州"的名诗,就是记载晚唐历史上这一事件。等而下之,宋、元、明、清,每个历史朝代,这些同类的故事的重演,比比皆是。其中比较最为悲惨严重的,那便是历史上有名的党锢之祸。

派系党祸之争

第二,是孟子讲到身为一个领导人的用人之道。无论是人才或非人才,好人或坏人,一个领导不能随便听信人言。甚至全国人都说其人可杀或可用,也不能受到群众情绪的影响。必须由"明主"来自决自裁。这种用人行政之道,在历代帝王专制的史实上,有太多数不清的资料。尤其中国历史的史家,特别强调历代的明主、贤君们在用人行政上的"不次之擢"——就是不照成规法令提拔人才。

但是话说回来,引用人才的最后取决裁定之权,全仗明主、贤君们的聪明智慧,由他自己的好恶来选择,也实在太难了。到底明主之所谓"明",贤君之所谓"贤",他的明,他的贤,到了什么程度?

而且真明真贤之主究竟有多少？实在都是问题。历史上最令人推崇的唐太宗，他也亲自在诗上说："待予心肯日，是汝运通时。"这是极权性的坦白表达。他说，等到哪一天我心里高兴，愿意给你官做，给你富贵的时候，你的好运气就来了。以李世民之英才，尚且如此，何况等而下之的平庸之主呢！

在过去的历史上，因为人事制度不上轨道，取予裁夺，升降生杀之权，往往系于人主一时的喜怒，或出自党派的倾轧。因此，历史上冤死的人才，也是数不清的。在升平的时代，如唐、宋的党争，所谓君子与君子们在学术思想意见的争执，而形成政权上的排挤倾轧。末落的时代，则有如汉朝、明朝的党祸与派系之争。至于晚唐五代的乱世，好恶生杀之权，完全出于人主们的自决，那就更惨不可言了。这种历史的事实也很多，我们只要看看晚唐诗人杜荀鹤吊祭朋友的几句诗，便可知道了。杜的诗说："杀戮眼中皆名士，几人安稳到黄泉。"以及他的"四十年来人杀尽，似君埋少不埋多"。再加上唐末道人钟离权一首诗："莫厌追欢笑语频，寻思离乱可伤神。闲来屈指从头数，得见升平有几人。"这是多么悲哀的局面啊！当然，这些都是乱世的现象，好像与本题不大相关，其实是有关的。

随便信手举几个大家容易知道的史实来说，如刘宋时代的杀檀道济，宋代的杀曲端、岳飞，甚至如明代的杀于谦等等公案，这些罪过，都是由于人主们专权裁决之过。历史上在政坛的冤狱，岂只是少数而已！

至于由派系倾轧、政见不合所造成的，如宋代洛蜀两党之争，都标榜圣贤之学。如二程夫子等人与王安石，以至到苏东坡，这些正反双方人物，总不能算是坏人吧！而任侠好义的苏东坡，几乎也身遭不测，如果不是宋神宗的祖母太皇太后再三维护，恐怕苏东坡的性命，也早已不保了！我们且看看苏东坡最倒霉的时候，关在牢里，听到要被杀头的谣言，非常恐惧痛苦而作的诗。这时唯一令他安慰的，是浙江杭州一带的人们，为了他，请和尚道士念经，替他祈求消灾免难。他的诗说："圣主如天万物春，小臣愚暗自亡身。百年未满先偿债，十口无归更累人。是处青山可埋骨，他年夜雨独伤神。与君世世为兄弟，又结来生未了因。""柏台霜气夜凄凄，几动琅珰月向低。梦绕云山心似鹿，魂惊汤火命如鸡。眼中犀角真吾子，身后牛衣愧老妻。百岁神游定何处？桐乡知葬浙江西。"他在狱中做了这两首诗，自题为："予以事系御史台狱，狱吏稍见侵，自度不能堪死狱中，不得一别子由，故作二诗，授狱卒梁成，以遗子由。"最后又自注："狱中闻杭（州）湖（州）间民，为余作解厄道场累月，故有此句。"他作了这两首诗，拜托看守的狱卒梁成寄给他的兄弟，当然被侦察的人员拿到，不知道如何又传到宋神宗那里去了，皇帝看了也很难过，便说："我并没有一定要他死啊！"因此反而没有事被释放了。以苏东坡的旷达才情，真碰到要命的时候，也还是说："圣主如天万物春，小臣愚暗自亡身。"甚至也会："梦绕云山心似鹿，魂惊汤火命如鸡。"是多少的可怜。像这一类的事件，又完全靠那个为人主的皇帝在左右大臣们皆曰可杀时，作了聪明睿智的决定，平反了他的冤枉。当然，最大的影响，还是皇帝的老祖母。所以当太皇太后死时，苏东坡痛苦极了，他又写下两首名诗："巍然开济两朝勋，信矣才难十乱臣。原庙固应祠百世，先王何止活千人。和熹未圣犹贪位，明德惟贤不及民。月落风悲天雨泣，谁将椽笔写光尘。""未报山陵国士知，绕林松柏已猗猗。一声恸哭犹无所，万死酬恩更有时。梦里天衢落云仗，人间雨泪变彤帷。关雎卷耳平生事，白首累臣正坐诗。"自注题为："十月二十日，恭闻太皇太后升遐，以轼罪人，不许成服，欲哭则不敢，欲泣则不可，故作挽词二章。"这里所说的太皇太后，是宋神宗的祖母，也是历史上有名的贤后。她是名将名臣曹彬的孙女。他在诗中所说"先王何止活千人"，是指在宋史上，仁宗皇帝和皇后，的确是很了不起的。应该说，都是读通了孔孟之学的吧！

　　我们牵扯了这些历史故事，都是为了讨论孟子和齐宣王对话的主题。当然，最重要的，由此可见孟子当时在齐国受排挤、受威胁的严重性，所以有不得不走的趋势，同时他所说对于用人行政的主旨，在当时封建制度的君主专权之下，不好太明白表露出君主必须要尊重人民，实行民主法治。但今日民主法治的要义，也已经隐约在其中矣。

民主难，法治也不易

第三，讲到选拔人才和用人的民主法治，我们拿孟子在这一节说话中的语意，来证之于近代和现代西方文化民主法治下的各种形态，也会有很多的感想。过去历史上一切的决定权，都取决于君王，实在是不合理，毛病很大也很多。但真正的全民民主可也真难说，要讲真正的全民民主，先决的条件，除非是真正做到全民都是圣贤。至少要全民的教育水准、学识修养都能达到一致的水平才可以。不然，千万不要忘了群众有时的确是很盲从盲动的。众人之纷纷，不如一士之谔谔，那也是个可否认的事实。所以国人皆曰如何如何，也并不见得就是真正的是非善恶。因此一个强有力的君主，他的主张的确具有百分之百决定性的影响，这就必须靠君主的聪明睿智了。我们放眼看今日西方文化的民主，尤其如美国模式的民主，群众所公认选举的，又何尝一定全是好的？至于幕后操纵在资本家手里的暗潮，更不必谈了。

现在转回来再说孟子当时对齐宣王说这一段话的时候，他虽然不像我们上面所讨论的三点那样具有严重的威胁，但齐宣王已经很不是味道了。总之，无论是天下大事如国家的拔用人才，小则如一个公司行号，乃至一个小小团体，人挤人，人排人，总是难免的。因为人这个生物，天生就是如此不成器的。所以一个当主管的、当家的，一定要切记"士无论贤愚，入朝则必遭谗。女无论美丑，入宫则必遭嫉"的原则，然后处之以仁义，运用以智慧德术，或者效果会好得多。

齐宣王问曰："汤放桀，武王伐纣，有诸？"孟子对曰："于传有之。"曰："臣弑其君可乎？"曰："贼仁者，谓之贼；贼义者，谓之残。残贼之人，谓之一夫。闻诛一夫纣矣，未闻弑君也。"

对圣人怀疑的趣话

上一次孟子打形意拳式的讲话，大概说得齐宣王也有点不好意思了，于是有一次和孟子谈起来，他问孟子，商汤把夏桀放逐到南巢去，武王出兵牧野攻伐纣王，有这件事吗？夏朝的末代皇帝桀最暴虐，弄得民不聊生，于是他的大臣成汤兴起，把桀赶到蛮荒的南巢去，汤取而代之做了君王，称为商朝。而殷商的最后一代后帝纣王，也是因为暴虐，而周武王起兵把他杀掉，也取而代之，这是大众都知道的过去两次历史上所谓真正的革命。现在齐宣王对这历史革命发生了怀疑，而提出来问孟子，是不是真的有这回事。

怀疑历史是件有趣的事，写《厚黑学》的四川人李宗吾，又自称是"厚黑教主"。所谓"厚黑"，脸厚心黑也。这位"教主"也是我相识中的老一辈朋友，其实他本人一点也不厚黑，可以说还很厚道，只是喜欢写反面文章来讽世而已。这位怪才，也是怀疑尧舜之为圣人的问题，还说这是他的发明，其实他前辈同宗明朝的李卓吾，已经开其先例。还有明朝末期的一些名士，也曾提出尧舜的禅位问题来讨论过。《木皮散客鼓词》里也是怀疑尧舜的，其中有一段说说到尧是为了自己的儿子无能，怕他将来保不住江山，被不相干的人夺去，就太可惜了，而见到舜很孝顺，又有能力，所以就把自己两个女儿嫁给舜，把舜收为了自己的女婿，女婿是有半子之分，由女婿即位做了皇帝，那么自己的儿孙，还是可以享受荣华富贵的。而李宗吾的《厚黑学》立论，却完全是从李卓吾和《木皮散客鼓词》

上学来的,可惜他死了,如果还在的话,见了面,我可一定要骂他不老实,侵夺了别人的著作权。其实对于历史的怀疑,由本文便可证明齐宣王在那个时候,就已经提出来了。

孟子碰到这个问题,知道不大好答复,但是他答得很高明,完全用外交词令说,在古书上是这么说的。言外之意,还可能"待考"呢！齐宣王说:这不是臣属的叛逆行为吗？为人臣怎么可以杀国君呢——齐宣王可忘记了,他田家的上代田和,何尝不是这样把姜太公的后代吕贷——齐康工送到海边,而篡了工位而当起齐威王来,吕氏主祀就此断绝的。

但孟子对于这个问题的答案,作了历史性的解释,对中国文化的政治哲学,提出了两个观念。他说,这不是臣弑君,不是叛逆。只要一个国家的领导人违反了仁道,就算是坏人,就叫"贼",不够资格做领导人。违反了毁坏了义理和道义的,就叫做"残",他是冷酷无情的、是心智不完整的、精神有缺陷的人。这种贼仁残义的人,就是"独夫"。所以汤、武的革命,只是去掉一个独夫,并不算是叛逆的行为。这是中国历史文化的政治哲学,儒家大部分都强调这一点,在我看来,这是历史上的问题。司马迁虽然没有标明,但隐约间也透露了,他并不同意孟子这种看法。

除了司马迁以外,后世写历史的人,一直依照孔孟的这种思想,不敢有丝毫违反。不过,中国几千年来,对这个历史采怀疑态度的人很多,只因在儒家的权威之下,不敢过分反抗,所以这一方面留下来的文字,并不太多,现在提几则小故事来看看。

在古人的笔记资料里,提到唐代名臣高定,他在幼年七岁时,读《尚书·牧誓》这一篇,里面说周武王集合诸侯,在牧野这个地方,誓师讨伐纣王的故事,也就是孟子这里所说汤、武革命的事。高定就对他父亲高郢说,做臣子的怎么可以用兵杀国君呢？高郢说,这件事是应天命顺人事的事情,不比一般的叛逆。孩子都是喜欢打破沙锅问到底的,于是他追问父亲说,听话的人,连他已经死的祖宗三代都会得到奖赏。不听话的人,就要被杀掉,这难道也叫做应天命顺人事的事吗?结果他的父亲答不出话来,拿不出任何理由对他解释。

这高定的思想,也不能说他不对。所以后世有些人,对于儒家过分强调标榜的思想,往往持高定这一类的态度。人类的思想观念,在有了怀疑时,提出来讨论,才可获致真理,否则过分强调某一思想的权威性,另外又过分压制别的思想,则并不见得有什么好处。

另外一个故事,宋代的名儒李觏(字泰伯),是一位很有风格的人,文章也写得很好。但他素来不喜欢佛,也不喜欢孟子,常常骂佛,骂孟子。他喜欢喝酒,有一天,一个政坛上地位很高的朋友,送了他许多高级名酒,他自己家里也做了些好酒。有一位读书人很想喝他的酒,但又喝不到,知道他喜欢骂孟子、骂佛,于是作了几首骂孟子的诗送给李泰伯,第一首诗是关于孟子说尧舜事:"完廪捐阶未可知,孟轲深信亦还痴。岳翁方且为天子,女婿如何弟杀之?"他说历史是很难相信的,有许多舞弊不光彩的事情,未必会写上去,但孟子偏偏去相信历史,真是不够聪明。有些史料,是否有问题,还不得而知。至少在《孟子·万章篇》中记载完廪捐阶的事。是说,唐尧当皇帝的时期,自己非常俭朴节省,住的也只是"茅茨土阶"而已,但赐给舜仓廪和牛羊。以后,舜的父亲与异母弟弟,想害他,叫他爬上仓库顶上去整修仓顶,却在下面放火烧他。结果舜在事前已受到两位太太的指教,把预先穿上去的大衣服张开,像飞鸟一样地跳了下来,安全地逃出这场火灾。后来,又教他去凿井,然后投井下石想压死他。结果,舜又经太太的设计,预先在井的内壁旁边,打通遂道,压阶而上,安然无恙地出来。这首诗说,舜是尧的女婿,岳父作皇帝,舜的弟弟怎么敢去杀他。所以孟子相信历史的记载,实在很傻!

他的第二首诗说:"乞丐何曾有二妻,邻家焉得许多鸡?当时尚有周天子,何事纷纷说魏齐。"他批评孟子的话说:孟轲说齐国有一个人,在外面讨饭为生,而家里却有一妻一妾,哪里有讨饭的能娶得起两个老婆,而且邻居们哪有这许多鸡给他偷呢? 还有孟子那个时代,中央政府,周朝的天子还在那里,他应该和孔子一样尊周而讲王道,何以他不到周天子那里去帮助中央政府推行仁政,反而去游说齐国、魏国的诸侯,还想把他们培养成功,取周室而代之,这不是不对么? 我们知道,孟子是赞成汤武革命的,并不像孔子是主张尊周的,这也是事实,而这位读书人就凭相隔几千年的习惯和想象来骂孟子。李泰伯读了他这两首诗,引为知己同志,大为高兴,请他喝酒,一边喝酒,一边谈话骂孟子,连过几天,也骂了几天,把所有的酒都喝完了,这位读书人也走了。

几天以后,又听说有人送酒给李泰伯,于是这个书生不作诗了,作了三篇文章,名为《仁义正论》,都是骂佛的,送去给李泰伯。李泰伯看了他的文章后,知道这书生又是想来喝酒的,于是笑笑说,你的文章真好,可是上次的酒都被你喝光了,弄得我自己好久都没有酒喝,非常难过,对不起,这一次你尽管骂佛,请原谅我再不敢留你喝酒了。

金、元时期的名诗人元遗山,有一次,经过殷商的首都朝歌,也对武王伐纣的历史,兴起怀疑的感慨,他曾作了《北归经朝歌感寓三首》诗。其中的两首,也牵连到尧舜的"茅茨土阶"和纣王的造九层台,以及后来的墨子,因路过朝歌,对地名常有歌乐意味的反感,就立即回车、不肯经过朝歌的历史故事,提出怀疑的评论说:"黄屋何曾土作阶? 祸基休指九层台。书生不见千秋后,枉为君王泣玉杯。""墨翟区区不近情,回车曾此避虚名。采薇唯有西山老,不逐时人信武成。"

其实,对于尧舜禹三代禅让传位的怀疑,以及有关汤武革命的批判,都是后世人吃饱了饭很无聊的闲事。尧舜禹三代的禅让,在古文的记载上,明明告诉我们是"禅",是"让",已经很明显地说出

"禅",就是退位递补的意思。"让",就是让送的意思。既然又让又禅,其中多少有些过节,但在过节当中,毕竟很坦率自然地把自己一手所掌握的天下权位交出去,并没有恋栈而不舍,也没有交了以后有怨恨的,这就不是一般常人所能做到的。他们所以能够如此做,当然道道地地可称之为圣人的行为,又何必多此一举,用后代世道人心的不古,而反证古人也必如后人的勾心斗角,而且是必须要把它拉到和自己当代同样的坏才算是合理? 这岂不是读书人思想上的癌症,是多余的致命伤吗?

对汤、武革命的疏解,也是一样,古书上明明告诉我们这两代的历史事件,是革命性的,事实上,也说明是出兵去征伐的。可见古人并没有文过饰非,故意加上那些好听的名词来骗后世的人们。只因为桀纣不道德,虽为全国之君,而弄得民不聊生,水深火热,劝又劝不听,谏也谏不了,要他改又不肯改,谁也阻止不了,那么,汤、武不起来革命,难道要全国的人民生命财产完全毁于一个精神不正常的暴君手里,才算对吗? 所以汤、武起来革命,充其量,也只能说出于被迫,不得已而倒行逆施,然后归之于正。何必另加曲解,硬认为他是蓄意图谋叛逆,早就想取而代之了。例如现代历史,孙中山先生领导全民革命的全盘经过事实,也便可以证明真正革命的意义,确是出于不得已,确是抱有一种悲天悯人、救国救民的志愿。如果硬要说汤、武的革命早已别有用心,则也可说是"欲加之罪,何患无辞"。这也是读书人思想上的恶性瘤。至于后世的儒生们,硬要把汤、武征诛,汤、武革命,加上极其冠冕堂皇的文句,强调应天顺人,那也只能视为秘书人才的文告手法,必须如此写作罢了。有人善用文词,便写成了应天顺人。读通了书,懂了道理,这些只是文字上的花枪,又有什么稀奇。不过,自从汤武用过"革命"一词之后,后世的变乱,甚至是抢劫、残杀,也便借用了什么革命等等的名词,这就等于老子、庄子们所说"仁义"一词,被后人假借乱用之过,两者实在不可一概而论。

所以我们要知道,凡是这些问题,都只是思想上、文词上、论理上的是非——逻辑问题,并非人事上实际的善恶问题。如果把文字逻辑的是非问题,硬用到实际人事上的善恶问题,有时候,会使你产生无可挽救的偏差。不过,这个专题的确也很不简单,不是三言两语可以讲得完的,必须另作一个专题,在此只好打住,不再多做讨论了。

学非所用用非所长论

孟子见齐宣王曰:"为巨室,则必使工师求大木。工师得大木,则王喜,以为能胜其任也。匠人斫而小之,则王怒,以为不胜其任矣。夫人幼而学之,壮而欲行之。王曰:'姑舍女所学而从我。'则何如?今有璞玉于此,虽万镒,必使玉人雕琢之。至于治国家,则曰:'姑舍女所学而从我。'则何以异于教玉人雕琢玉哉?"

有一天,孟子再见齐宣王,对齐宣王说,假如你要建筑一座巨大的宫殿,一定会命令负责工程的人,先去找很高大的木材——古代还没有钢筋、水泥,只有找大木材了——负责工程的人,找到了高大的好木料,你一定很高兴,认为他了不起,能够胜任这件工作。当然,从森林中砍伐来的原木,还不能立即拿来作梁、作柱,一定还要经过加工整理,用斧用锯,修整到合用为度。结果你看到他们把得来不易的大木头削小了,你一定很生气地认为他们没有善尽职守。一个人从小学一样东西,等长大了,要施展所学的时候,你对他说,不要管你所学的那一套,跟我走,照我的办法就好了。你齐宣王想看看,结果会是怎样呢?

再假定现在有一块很好的玉石在这里,虽然价值达二、三十万两黄金之巨,也一定要"使"琢玉的工人依他的学识技术,把它雕琢好才可以。你现在虽在寻求治理国家的人才,但你却要求那个人放弃平生所学,跟着你的方向,照你的办法去做,这样岂不等于叫琢玉的人,放弃他所学的技术,照你的办法去琢玉一样,这怎么行得通呢?

这一段的背景,是孟子在齐国已经逗留好几年了,很不得志,孟子很着急,不得不像下象棋一样,要将上一军了。他对齐宣王说了这么多话,齐宣王一动也不动,没有听他的意见实行仁政,似乎有一点点震动了孟子的浩然正气,好像胡子都翘起来了。

说到这里,可看清一个事实,凡是一个知识分子,有了学问以后,想实行他的理想,有所作为,在际遇不好,机会不来的时候,都是这般痛苦的。过去如此,将来也还是一样。读了这段书,仔细想想,真令人不禁有许多感慨。中国过去有句俗话:"学成文武艺,货与帝王家"(古人对于文学、武学,叫做文艺、武艺。古人这个"艺"字用得非常好,不管是文学、武学,或任何学问,修养到了艺术的境界,才算有相当的成就。学武也是一样,学到了相当的程度,才称得上武艺,入于艺术境界,也就是所谓"化境"。不像日本人,有所谓一段、两段,一直到九段。日本武术的分段法,是由中国佛家禅宗的"浮山九带"蜕变而来的)。上面引用的这句古话,相当深刻,从这句话来看人都有不满现实的情绪,尽管学问好,本事大,卖不出去,也是枉然。孟子卖不出去,孔子也是卖不出去,在《论语》中记载着孔子说的:"沽之哉!沽之哉!"结果到了流动摊位上,还是卖不出去,永远是受委屈的一副可怜相。孟子也一样,现代和将来的人也是一样,卖不掉的时候,都很可怜。这就是世间相。过去是将学成的文武艺卖给帝王家。现在呢?是卖给工商巨子、大资本家。中国的知识分子,几千年来都是如此。沿街叫卖闹莲花的,又岂止是我们位亚圣夫子而已。

另一方面,那些大老板的买主们,态度都很令人难堪,不但是讨价还价,苛求得很,有时候对知识分子就像对上门兜售的小贩一样,看也不看一眼,一挥手,一个劲儿地比着:"去!去!去!"你把黄金当铁贱卖给他,他也不埋,就是那么个味道。

我在小的时候,父亲告诫我两副语体的对联说:"富贵如龙,游尽五湖四海。贫穷如虎,惊散九族六亲。"另一副说:"打我不痛,骂我不痛,穷措大(现在叫穷小子)肝肠最痛。哭脸好看,笑脸好看,田舍翁(现在叫有钱人)面目难看。"活了几十年后,对人间事阅历多了,回头再想这副联语,的确是世间的淋漓写照。孟子的仁义之道,在齐宣王那里兜销不出去,他也不想再看这副脸色了。

在古代,尤其春秋战国间,知识分子第一个兜销的好对象,当然是卖给人主——各国的诸侯,执政的老板们。如果卖出去了,立即就可平步青云,至少可以弄个大夫当当。其次,卖不到人主,就卖给等而下之的世家,如孟尝君、平原君等四大公子,一般所谓卿大夫之流,能够作他们的座上客,也就心满意足了。实际上,名义虽称之谓"宾客",也不过是一员养士而已。如弹铗当歌的冯谖,即是如此。到秦始皇统一天下以后,曾经下了逐客令,当时李斯也在被逐之列,临行之时,上书劝谏,秦始皇觉得有理,于是收回成令,李斯后来因而得以重用。虽然如此,各国诸侯的灭亡,对养士风气不能说不是个打击,这一阶段的读书人,是比较凄凉悲惨的,大多流落江湖,过着游侠的生活,这就是汉初游侠之风盛行的主要原因。

攀龙附凤——读书人的通路

汉代的初期,差不多也还有秦代轻视读书人的风气。秦始皇焚书坑儒,固然杀了很多读书人,但留下来的读书种子仍然不少。例如为汉代初创政治礼仪最著名的叔孙通,在汉高祖起义,到处征伐的时代,叔孙通便盯着他,跟来跟去的,很想把他的学问卖给汉高祖,可是总是卖不出去。当时汉高祖看见读书人就骂,甚至把儒生们的帽子拿来当便器用。叔孙通和他身边的许多学生,只有忍耐。有时学生们急了,催促他走了算了,叔孙通一直劝学生们忍耐等待。

等到汉高祖统一天下以后,中央政府里,都是和汉高祖一道起来打天下的好汉们,其中有许多还是地方上的流氓地痞。上朝、开会,都没有秩序,更没有气度。在朝廷开会的时候,饮酒争功,吵闹咒骂,甚至有当场拔剑击柱的,乱七八糟,没有一点体统,倒很像一群流氓在聚会生事。

乱无章法的朝廷会议,使汉高祖感到头痛之极,就采用了叔孙通的建议,颁布一项重要的律令,叫做"朝仪"。本来,汉高祖对儒生是看不起的,也没有信心,但聪明的叔孙通,看准了汉高祖烦厌廷臣不守秩序的心理,就对他说:"夫儒者难与进取,可与守成。臣愿征鲁诸生,与臣弟子,共起朝仪。"这下只好依叔孙通了。于是叔孙通召集了一百多人,照规范排练了一个多月。就像今天庆典,先要学生练习排字,或大会操、团体舞一样,等精娴熟练了,才请汉高祖观礼。汉高祖看了大为高兴,于是命令群臣学习,这是汉高祖六年的事。第二年,高祖七年十月大会群臣,皆依朝仪行事。并由御史做监督,若有哪个举动不合礼仪的,立刻抓起轰出去。于是举朝秩序井然,无人再敢喧哗失礼。汉高祖坐在龙位上,高兴极了,得意洋洋地说:"吾乃今日知为皇帝之贵也!"——我直到今天才知道当皇帝是何等威风啊!他高兴之余,马上拜叔孙通为"奉常",等于礼部大臣,并赐黄金五百斤,并且封他的学生们也都为郎官。

后来,陆贾又屡次建议汉高祖,推行诗书礼教。汉高祖听得不耐烦了,就破口骂道,你啰嗦什么? 老子的天下是马上打来的,什么诗啊书的,有屁用,"乃公居马上得之,安事诗书"? 陆贾说,不错呀! 你的天下是骑在马上打来的,可是你不能够还一直骑在马上当皇帝,"居马上得之,宁可以马上治之乎?"应该坐在宫廷的大位上治理天下了。

陆贾这个人很会讲话,很有办法,也很高明的,他曾先后代表汉高祖、汉文帝出使南越王赵佗，稳住了两广、南越一大片属国。并和陈平、周勃联手，平定吕氏诸王，拥立了汉文帝。

当时汉高祖听了陆贾的这句话，认为很有道理，要他详细报告，后来陆贾一连提了十二次建议——上奏章，汉高祖都说好，全部采用。这十二次奏章后来编在一起，就是有名的陆贾《新语》。

由这两件事看来，可见历史上许多读书人，大多同叔孙通一样，功名富贵必须靠嘴巴游说，或靠别人的推荐。运气好，就推销得出去，否则便岔然潦倒一辈子。

当然，有不少是例外的，如孔孟之圣，如高士之高，隐士之隐，名臣大臣之精忠亮节，有许多可歌可泣之事。但在汉初那个时候，知识分子的功名富贵，还是靠嘴巴来游说，或者靠别人的推荐。

到了汉武帝以后，才有了选举制度的创立。那时的选举，是真正的选举，不像现在，竞选是竞而选之，靠竞争，那已不是中国文化的选举精神了，所以只可以依着西方文化叫做"竞选"。汉朝的选举，是由地方官和地方人士，平常就对贤良方正、孝悌忠义等品行加以考察，凡是有学识、德性高超的人，由地方官推荐称贤，向朝廷保举上去，称为"孝廉"。清初的博学鸿词征召，也是套用这个制度而来的，这样叫做"选举"。这种汉代初期的选举，一直延用到汉末，但也变了质，人才推荐的出路都由世家门第把持，由平民出身的读书人，很不容易飞黄腾达。即使同是平民读书出身，到了权位关头，竞争排挤，也事所难免。例如汉武帝时代的名相公孙弘，结果也会排挤董仲舒，所以元人李过庭的诗说："古来好客数平津，我道真龙未必真。一个仲舒容不得，不知开阁为何人？"

在南北朝混乱的时代，读书人的出路就靠门第，靠名士们的揄扬推荐。所谓"门第"，就是有祖先父母的余荫，同时还带有现代人所谓"学阀"的那种味道。由于仕途受了这类世族子弟的专横把持，所以天下事也就不问可知了。

唐代选举的进士

在唐代的时候,唐太宗确立了考试制度,于是读书人埋头苦干,十载寒窗,一朝登第,一步一步,钻到功名场中。一直到现在,都在隋唐时代所创立的考试制度的精神下,使得考试成为知识分子求得功名富贵的必经之路。因此在隋唐以后,有很多的文学作品,赞颂由考试所取得的功名科第。社会上,每个家庭,每一个读书人都在祈求,希望由科第而考取功名,来光耀门楣,荣宗耀祖。到了清朝,甚至连作皇帝的乾隆,还想暗地化名来参加考试,偷偷尝试那考取进士的味道呢。所以以前教育儿童的读物,便有"天子重英豪,文章教尔曹。万般皆下品,唯有读书高"的格言。当然,这些话到了现代工商业的社会,完全变成落伍的陈腔滥调了。现在应该可以将它改为:"社会重金条,技能须学高。万般皆上品,唯有读书糟。"

其实,在从前,考取了科第功名是一回事,有了功名,能不能在宦途上飞黄腾达,又是另一回事。许多人就是有了功名,没有门第,没有背景,没有人提拔,还是一样的清寒一生,只比那没有考得功名的白丁略胜一筹而已。例如在唐代诗的文学中,大家都读过秦韬玉的《贫女吟》,便是感叹这种宦途不遇而发泄的无奈和悲哀。同样的情形,借贫女来作寄托,抒发自己怀才不遇的诗,还有唐末诗人李山甫的一首名作:"平生不识绮罗裳,闲把簪珥益自伤。镜里只应谙素貌,人间多是重红妆。当年未嫁还忧老,终日求媒即道狂。两意定知无处说,暗垂珠泪滴蚕筐。"第三句和第四句,就是感叹社会人情现实的可怕。第五句第六句,是说自己在年轻时代意气飞扬,非常自负,但早已顾虑到青春逝去,年华老大,还是早点找归宿才好,所以一直托人作媒,不过,别人却笑她疯,认为以她的美丽才华,不怕没有对象。最后说,现在呢? 什么都没希望了。还是一个贫女终老，每天作作苦工，只有对着蚕筐暗自滴泪了。这是读书人多么有趣的讽喻，但其中又含有多少的悲哀啊！时代虽然不同，人情世态还是一样，即如现代读书人，得到了博士、硕士学位以后，同样地，也是"货与帝王家"，出卖给那能付你薪水高的人，三万五万一个月，非向他低头不可，只不过现在是由帝王家的买主，一变而为资本家的老板而已。

由此看来，孔孟以下，古今中外的读书人，大多是那么可怜，有时还卖不出去，像孟子一样。他和齐宣王这一次的谈话，就可想而知，有点类似买卖不成仁义在，讨价还价的味道。在这节书中，已可看出，齐宣王与孟子之间的往来，差不多快要结束了，同时孟子和齐宣王也都已过中年。我看齐宣王倒蛮有福气，舒舒服服地过了一生，人也蛮可爱的。老实说，孟子这样顶撞他，假如换作后世一些帝王，很可能不会接受，认为你孟某人谈了半天都是空话，我爱用你的意见就会用，我不用你，你就乖乖地领薪水吃饭，还来什么玉人、匠人、工师的，我现在不要盖房子，你工师又怎么样！假如是另一种个性的齐宣王，就告诉他，我现在不想盖房子，坏卡也找不到，你让我清静清静好吧！或者是"王拂袖而起"，以示冷落，不接受。

齐燕之战——历史战略的经验

而在孟子方面来说，平生志学孔子之道——"祖述尧舜，宪章文武"。而今遇非其主，言不听而教不从，"良禽择木而栖"，又何必为了生活而贪恋禄位，只是尸位素餐而已。因此他的去志已坚，只是还有老母待养，拖家带眷，不得不使他为现实生活、现实环境而踌躇再三了。

孟子终生奉母教

大家都知道,孟子的一生,除了他天生本质具有圣人之资以外,还有一个最大的助力,那便是一位贤母的教导。孟子不但在幼年时期、少壮时期,接受了母亲严谨的教育,即如这一次与齐宣王话不投机,决心要去齐的时候,又是接受孟母的鼓励,使他去志更加坚定。如《孟子外书》所载的母教,也正是他们母子俩在这个时期的故事。

孟子处齐为客卿,居常有忧色,拥楹而叹。

孟母见曰:子拥楹而叹,若有忧色。何也?

对曰:轲闻之,君子称身而正位,不为苟得而受赏,不贪荣禄。今道不用于齐,愿行,而母老,是以忧色。

孟母曰:妇女之礼,精五饭(稻、黍、稷、麦、菽五种饭类),幂酒浆,缝衣裳而已。故有阃内之修,而无境处之志。《易》曰:"无攸遂,在中馈。"《诗》曰:"无非无仪,惟酒食是议。"以言妇人无擅制之义,而有三从之道也。故幼则从乎父母,嫁则从乎夫,夫死则从乎子,礼也。今子成人也,而我老矣。

子行乎子义,吾行乎吾礼。子何忧也。

孟子和齐宣王最后几次谈话,齐宣王在礼貌上虽然还相当尊敬孟子,但实际上已大有貌合神离的味道。孟子觉得不须再留下去了,心里很不自在。心有所思,容貌上不免略现愁苦之色。有一天,手搭着前门的柱头发呆,轻轻地叹息。

孟母早就看在眼里,心里有数。再次看到这种情形,就不得不问他了:

儿啊!你为什么在这儿唉声叹气的,愁眉不展呢?

孟子听到母亲在问话,不免自悔失态,但又不能欺瞒母亲,因此便答道：

儿子认为一个君子，应该知道进退之方。一个人的立身出处，必须名正而言顺，有为有守，不可以苟且求取荣誉与俸禄，贪受不义而不应该的赏赐。如今我和齐宣王话不投机，看来他是绝对不会接受王道政治思想，自然就无法在齐国实行仁政了。在这种情形之下，儿子觉得再不能待下去，但是想到您老人家年纪大了，更不宜远游，使您老人家受苦，所以左右为难，决定不下。

孟母听了孟子的对话，又是一本正经地说：

一个妇道人家，只要安安分分地烧饭、煮菜、酿酒、缝衣裳，那是应守的本分。妇女的德行是专重家务的操持，不应该多管外务才对。《易经》家人卦的六二爻辞说："无攸遂，在中馈。"家庭主妇没有向外发展的必要，只需管理家务，主持中馈便好了。《诗经·小雅·斯干》上也说："无非无仪，惟酒食是议。"一个贤良的主妇，平日不说什么东家长、西家短的是是非非，只要把家务和全家饮食起居料理妥当就好。这些上古的名言，都是讲到妇人不该乔权，不要对外务擅作主张的意思。

况且自古以来的传统，妇人有三从之德：一、在幼年的时代，要依从父母。二、在婚嫁以后，就要顺从丈夫。三、如果丈夫去世了，儿子已是一家之主了，就要以儿子的前途为中心，加以辅助。

这是合情合理的事。而今你已长大成人，我也垂垂老矣，你不但已是一家之主，而且你走的是顶天立地大丈夫应走的仁义之路，我当然跟着你、赞同你。即使在生活上清苦一点，也是我应该分担的分内之事。你不必为了我而迟疑不决，果敢地决定你的方针吧！

我们读了这一节书，可以推测，孟子听了他母亲的这番话之后，宽心大放，去志更坚。不过，到正式离开齐国，还要一段时间来料理事务。因此，接着还有后文。

齐人伐燕，胜之。宣王问曰："或谓寡人勿取，或谓寡人取之。以万乘之国，伐万乘之国，五旬而举之，人力不至于此。不取，必有天殃。取之何如?"

　　孟子对曰:"取之而燕民悦,则取之;古之人有行之者,武王是也。取之而燕民不悦,则勿取;古之人有行之者,文王是也。以万乘之国,伐万乘之国。箪食壶浆以迎王师,岂有他哉?避水火也。如水益深,如火益热,亦运而已矣。"

孟子的策略——规之以正

　　从这段记载看来,战国时代虽然已经很乱了,但是比起现在世界各国,用武力征服了人家,接着就并吞占为己有的情形要好些。所以齐宣王也还是蛮可爱的,竟然把这个问题提出来问。

　　这件事发生在周显王三十六年,齐宣王十年之间,也正是苏秦身佩六国相印的后期。燕国的国君文公死了,他的儿子易王继位,齐宣王是乘人国丧而去趁火打劫的。

　　齐国派兵去打燕国,在短期间内,齐国很快就把燕国打败了,齐国获得全胜,占领了燕国十个城池。齐宣王征求孟子的意见,问孟子说,有人建议我到此为止,不要把燕国并吞。也有人建议我,现在就把燕国并吞下来算了。以我这万乘之国的齐国,而去攻打万乘之国的燕国。在相等的国力之下,竟然不到两个月的时间,就把燕国打败了。这种胜利,似乎非人力所能为,看样子是天命。假如不把燕国拿下来,就是违背了天意,上天会降下灾难的。我看还是把燕国拿下的好。你孟老先生以为怎样?听听你的高见如何。

　　孟子告诉他说,假如你把燕国占领了,燕国的老百姓很高兴、很愿意的话,就不妨占领下来。古代曾经有这样的例子,那就是周武王。假如你占领了燕国,而燕国的老百姓不高兴,不愿意的话,那就不要占领,古代也有这样的历史经验,像周文王就始终没有起兵伐纣。

　　后世的说话,标榜文王是"不忍心也"。假如暂且推开王道精神不谈,只从谋略的观点来看,实际上是文土看得很准,在他那个时候,时机还没有成熟,在他自己手里来不及了。况且姜尚(太公)七十多岁才遇文王,而文王那时已经九十多岁,步入迟暮了。等到他儿子手里,纣王还不能反省转变的话,那么,一切的机缘成熟,才能一举成功。所以他把这个事业,留给儿了去完成。

这个历史故事被曹操"翻了版",有人向曹操劝进,取汉献帝而代之,曹操说:"我其为文王乎!"下面意思就是说,让我儿子去干吧!

孟子接着又针对这次齐国伐燕国的战役对齐宣王说,如果以万乘之国伐万乘之国,在相等的国力下,只有五十天的时间,就打败了对方,而对方的老百姓们,拿了吃的、喝的,来欢迎你的部队。没有别的原因,只因为他们的内政太乱了,老百姓们一心想要避开水深火热般的暴政,所以欢迎你去解救他们。假如你去了,老百姓生活得更痛苦,那怎么行呢? 原来的统治是暴虐的,而你又更暴虐。这样,只不过是换一个暴虐的"手"而已。——这个"运而已矣"的"运"字用得很妙,可以作"换一手"解释,也可以解释为"也会轮到你遭遇同样的失败下场"。这"运"是运转,有如佛家说的轮回果报。

这一件事,在另外有些史书上的记载,孟子当时却是另外一种说法。因此,这件事成为历史上的一个大疑案了。

据《战国策》的《燕策》记载,孟子对齐宣王所说取不取燕国的话是:"今伐燕,此文武之时,不可失也。"

但是《史记·燕世家》却说,孟子这些话是对齐宣王的儿子齐湣王说的。

苏秦口辩轻取十城

但据后世考证,本书上这一次的对话,应该是孟子对齐宣王说的话。至于"今伐燕,此文武之时,不可失也"的话,大致确定是孟子对齐湣王说的话。孟子第二次再到齐国,也就是湣王当政的时代,而且居留在齐国的时间也比较前一次长久,或者有此一说?

燕齐两国之争,也是历史上的大事。这一次的战役,齐宣王虽然也征询了孟子的意见,但到底没有采用,结果还是取了燕国十城。

燕易王没有办法,就来找苏秦理论了。他说:"往日先生至燕,而先王(燕文公)资先生见赵,遂约六国从(亲),今齐先伐赵,次伐燕,以先生之故,为天下笑。先生能为燕得侵地乎?"

苏秦被燕易王这一责问,惭愧难受到了万分,他便很肯定地说:"请为王取之。"——我一定可以为你燕国收复这十个城市的失地。

于是苏秦便转到齐国来见齐宣王。他首先向齐宣王朝拜,庆祝他打燕国的胜利。随后站起身来,便仰起头,对着齐宣王故做吊丧式的悲悼状态。齐宣王看了他的举动,莫名其妙,就说:你何以这样举止失常,一忽儿向我庆祝,一忽儿又那么悲伤?

苏秦说:燕国虽然弱小,但也是秦王的少婿呢,你齐宣王只顾眼前的利益,侵略了他十个城市。可是你知不知道,这样一来,你便与西陲的强邻秦国,结了不解之仇了。"今使弱燕为雁行,而强秦制其后,以招天下之精兵,是食乌啄之类也。"燕国好比一只飞行的孤雁,猎人看了,当然忍不住要射击,殊不知这只孤雁的后面,就跟着一只强有力的大猛鹫。你在前面射下了孤雁,它就趁机以保护弱小为名,来侵略你。你这样做,不是太危险了吗?

齐宣王一听,脸都变青了,赶紧请教,该怎么办?

苏秦说:"古之善判事情,转祸为福,因败为功。"你肯采纳我的意见,马上归还从燕国抢来的那十城失地,燕国无故而收复你慷慨还他的十城,必然欢喜得不得了。同时秦国心里也很明白,知道你是为秦、燕有岳婿的关系,而卖了一个面子给他,所以归还了燕国

的失地,当然也很高兴你作得漂亮。此是所谓"弃强仇而立厚交
也"。

　　齐宣王立刻接受苏秦的意见,甘愿吞下这包泻药,马上归还了
燕国的失地。其实孟了的意见,比起苏秦的理由来,崇高而伟大,
深谋而远虑,只有更好,没有更坏。为什么齐宣土听不进去? 苏秦
一说,就立刻变色呢? 因为孟子说的目标,是要齐宣王光明正大,
施行大仁大义的王道精神,所以齐宣王听了,认为是读书人的迂腐
之见而已。苏秦说的,是动之以眼前的利害,惧之以可怕的后果,
人的眼光见地到底是短视的,眼前的利害容易看得到,长远的大利
实在无法去想象。

　　不过,由此也可见两个要点:一是辩士、说客的作风,与真儒圣
贤的态度,截然不同。二是无论善恶、是非的动机如何,要想说得
动人,听得进去,临机应变的妙用,实在是不简单。所以韩非子一
再强调"说难",说话不容易啊!

　　其实,孔孟圣人的仁义是正道、是正理,好比一个人的头脑。
而利害权谋的运用,好比手足(手段)的运用,所以苏秦之辈,在当
时的游说策辩,也非偶然,不是只凭一张嘴随便说说的。后来宋代
司马光论史,曾经说过:

　　齐地广而民众,负沧海以临中夏,重以威宣之贤,国家富强。
　　及湣王骄汰,不可盈厌,自取颠沛。苟无田单,齐不国矣。凡游上
　　言从横者,虽更相倾覆,要之合者从,六国之利也。齐为三晋燕楚
　　之根柢,三晋燕楚为齐之藩篱。秦虽强暴,百有余年,不能一诸侯
　　者,以其表里相钩带也。及齐王建用后胜之谋,信秦间之言,拱手
　　以事秦,不救五国,五国已亡,而齐并为虏,理势然也。

燕齐之战

为了研究孟子的学术思想,这里仅就流传较广的《史记》、《战国策》等资料,先约略了解孟子答复齐宣王敢燕与否的时代大势。然后,便须了解孟子后来对齐湣王的一段话。

在《史记·燕世家》里,说是燕王哙读书,中了"书毒",很想自己当尧舜,学尧舜的禅位,把国家让给别人。当时燕国有一位叫子之的奸臣,是一个大坏蛋,知道他这位宝贝老板,有如此的想法,就布置了一个局面,由燕王哙把政权让给他。这个时候,燕国国内已经乱得不得了。

正在这个时候,苏秦在齐国被刺了,受了重伤。当时齐宣王听到苏秦被刺,非常生气,他因为爱才,特地亲自去慰问苏秦,并且追问凶手是谁。苏秦这个人真是高明,他很清楚,受伤太重,已经没有希望了,但临死时,还想出死后报仇的方法。他告诉齐宣王,查凶手的方法很简单,只要在他死了以后,对外宣称,苏秦本来就是为燕国到齐国来作间谍的,现在把他刺死了,对国家的贡献非常大。凶手有这样的大功,应该给予奖赏。齐宣王在苏秦死后,照他的话做,果然那名刺杀苏秦的凶手,出面来领赏,齐宣王把这名凶手杀掉,替苏秦报了仇。

苏秦过后,他的弟弟苏代起来了。苏秦读了几年书,连弟弟都能教得出来游说诸侯。现代的基辛格,只能一个人玩,还玩得并不十分高明。而苏秦兄弟两人,都能够把各国放在自己手掌摆来摆去地玩弄。最初,苏代到齐国、燕国,都不大受欢迎。可是不知道苏秦写了或读了一本什么秘笈,这秘笈后来可能被烧掉了,或失传了。而当时竟然教会了他弟弟,所以苏代尽管最初不受欢迎,但经他三言两语一说,那些君主们又听他的,相信他而任用他了。

这时苏代奉了燕王之命,也到了齐国。而《史记·燕世家》及

《战国策》记载，燕王哙三年，燕国大乱，百姓恫恐，构难数月，老百姓死者数万。在当时的人口，几个月死了数万人，用现代人口数字类比，就好像一个国家在几个月以内死了几百万人，这数字是不得了的。

齐国就在这个时候，开始攻击燕国。这就是为齐、燕之间的仇恨，种下的一个因。后来燕国的昭王即位以后，为了要复国中兴，就广求天下良才，交接贤能才智之士，集中人才，共谋大事。这时有一个名叫郭隗的策士，抓到了机会，去对燕昭王说，你如果要招纳天下贤士，就先把我这个并不见得有特殊本领的人高抬起来，那么天下的贤能之才，自然就都到你燕国来效力了。燕昭王问他，这是什么道理？他说，从前有位喜欢千里马的国君，出千金的高价去找。后来派去买的人，花五百金买了一具千里马的骨骼回来。这位国君起初很生气，但派去买马的人解释说，连死马都花高价买了来，更何况活马呢！这个风声一传出去，千里马很快就会来了。果然，他爱马的名声传出去了，不到一年，就有了三匹千里马。现在你燕昭王把我供在这里，自然天下贤能之士，都投奔到你燕国来了。

燕昭王听了他的建议，用了他，后来果然许多知名之士都到了燕国。最后昭王用了乐毅，很快就把齐国打败，连下七十余城，只剩下即墨、莒两城未下。后来齐国又用田单，以火牛阵反攻，打败了燕国而复国。

这些战役，都是齐湣王在燕王哙让国而内政大乱时，乘人之危，攻打燕国所种下的祸因。

根据《战国策》和《孟子》的记载，好像齐国在攻伐燕国之前，齐宣王（《史记》则说是齐宣王的儿子齐湣王）曾经问孟子，可不可以占领。而《战国策》与《史记》上记载，孟子说，"今伐燕，此文武之时，不可失也。"意思是说，你现在去打燕国，和古代武王代纣，完成文王的事业一样，正是时候，你可以去打。假如孟子真的是这样说法,那么孟子和苏秦、张仪也差不多了。如果孟子没有说,那么司马迁和《战国策》的作者,就犯了诽谤罪,就要像最近报纸上为了韩愈的一篇文章,要打官司了。

总之,这已经为孟子上了一点颜色,有了一个小小污点。因为这句话等于鼓励齐国去侵略,这是很严重的。《孟子》本书上记载,当时便有人问孟子是不是曾经鼓励齐宣王去打燕国。孟子说,这是沈同问起,像燕国目前这样,燕王唅糊里糊涂地让国给子之,而子之把内政弄得乱七八糟,死了好几万人,燕国的老百姓这样痛苦,可不可以去攻伐。我告诉他,可以。但是我说的可以,是指顺天应人,吊民伐罪的出兵,而不是说侵略性的攻伐。正如有人问起,某人杀了人,犯了罪,可不可以处以死刑。我说可以,但并不就是说,任何人都可以去杀这个犯人,而是要执法机关依照法定程序,去判处他的死刑。

但这些话,对齐宣王说的也罢,对齐湣王说的也罢,对别人解释也好,到底孟子说了没有? 是怎么说的? 在《孟子·公孙丑下》,便有对沈同一段话,可作说明。

接下来第二部分疑案,是年代问题。本来孟子的年代,以及那时候许多事情的年代,是很难确定的。据《史记》记载,孟子这段话是对齐湣王说的,是孟子去过魏国,见了梁襄王,不投机,就回鲁国去住了一段时间,然后再次回到齐国来,见了齐湣王,湣王正好出兵攻打燕国。后正《孟子》这本书,不论是孟子自己作的笔记,或者门人根据资料写的,在文字上总会有多少修饰。但在语气之间,还是赞成有此"吊民伐罪"的一战,只是不像《战国策》式说得那么激烈而已。

苏代评论齐王

在当时的国际背景,还有一段有趣的事。原来燕国是派苏代去齐国做间谍的,苏代到了齐国,齐湣王本来认为他是一个政客,两边跑的,不太理他。可是苏代很厉害,最后还是说服了齐湣王,暗中帮了燕国的忙,甚至于齐国要他带兵去打燕国,结果打了败仗,齐湣王还是相信他,他又利用当时的国际情势,使齐王派他出使到燕国。

燕王哙看见自己派往齐国的间谍回来了,就问苏代说,齐王可能称霸天下吗? 苏代说,不可能。燕王哙问,这是什么道理呢? 苏代说:"不信其臣。"这四个字是不是实在呢? 这也是实情。

我说过,齐宣王是相当有器量的。那时候天下贤能之士,如孟子、邹衍等名贤,都集中在齐国,而齐宣王也很尊敬他们。这些人讲的话,他也听,但接纳不接纳是另外一回事。他等于设立了一所研究院,用很高的待遇养着这些人。你们讲演也好,开座谈会也好,你们尽量去吹你们的,我有我自己的一套,并不偏爱某一人,也不专采某一人的建议。结果他的儿子齐湣王也和他的父亲宣王一样,但更有甚焉,"不信其臣"。

苏代把这情形报告了燕王哙以后,燕王哙知道齐国已不能称霸天下,于是放心了,同时听了别人"不信其臣"的弊端,便专任子之,让他负更多的权责。最后让位给子之,终于导致了燕国内部的大动乱。

但是还有更深一层的秘密,原来子之早就看出苏秦是一个很厉害的角色。所以就教他的儿子,积极追求苏代的女儿。两个年轻人结了婚,子之和苏秦、苏代之间,早已成为儿女亲家,而且在苏代奉燕王之命到齐国去做间谍以前,是有深交,苏代自然要帮忙亲戚。所以又是寥寥"不信其臣"四个字,不着痕迹地种下了燕王哙让国的前因。再加鹿毛寿说的"人谓尧贤者,以其能让天下也。今王以国让子之,是王与尧同名也",于是就演出了一幕食古不化的丑剧。

了解了当时的国际情势和人事的背景,权臣谋士们心术品格的卑劣,再来看《孟子》这一段书就更有味道了。虽然孟子说的是可取之道,与不可取之道,谈的是理论。但是以孟子谈话的气势、口吻,和当时国际情势配合起来看,那么孟子的话,和当时的谋略家,纵横家们没有两样,他的态度是赞成的了。其实在精神内涵上,还是大有不同。

前面已经讲述,齐宣王时期出兵攻伐燕国,打了胜仗,占领了若干土地与城市。但仍有下文:

齐人伐燕,取之。诸侯将谋救燕。宣王曰:"诸侯多谋伐寡人者。何以待之?"

孟子对曰:"臣闻七十里为政于天下者,汤是也。未闻以千里畏人者也。《书》曰:'汤一征,自葛始。'天下信之。东面而征,西夷怨;南面而征,北狄怨;曰:'奚为后我?'民望之,若大旱之望云霓也。归市者不止,耕者不变。诛其君而吊其民,若时雨降,民大悦。书曰:'徯我后,后来其苏。'"

"今燕虐其民,王往而征之,民以为将拯己于水火之中也,箪食壶浆,以迎王师;若杀其父兄,系累其子弟,毁其宗庙,迁其重器,如之何其可也?天下固畏齐之强也,今又倍地而不行仁政,是动天下之兵也。王速出令,反其旄倪,止其重器;谋于燕众,置君而后去之,则犹可及止也。"

前文讲到齐国打燕国,把燕国拿下来了。可是国际上不同意,看不过去了。诸侯之间,计划组织一个联合阵线,要打齐国。这时,齐宣王问孟子,现在诸侯们要联合起来,替燕国打抱不平,攻击我们齐国了。孟先生,你看我应该怎么办?

孟子说,就我所知,我只听说过以方圆七十里领土,而领导了天下,像商汤当年就是这样兴起的。可还没有听说过,拥有方圆千里的一个大国,竟然还会畏首畏尾的。

从孟子这段话的论调,可以看到,战国时代终归是战乱的时代。不管你圣人高明到什么程度,时代的趋势,国际政治风气的力量,毕竟很大,个人的思想观念终究还是会受到影响,所以这时孟子就以力的大小来立论了。

孟子又继续引经据典,用《尚书·商书》上仲虺诰文"汤一征,自葛始"的一段话对齐宣王说,《尚书》上仲虺制的诰文上记载,商汤为了除暴安良,从"葛"这个小国开始了他的统一大业,天下的人都信服他。当商汤向东面征伐的时候,西面的夷人就抱怨,向南面征伐的时候,北方的狄族也在抱怨。他们都抱怨说,为什么不先来我们这里,而把我们摆在后面呢?

孟子说那时各方面的老百姓们,盼望商汤的王帅,像久处大旱的农民,对着万里无云的晴空,盼望着能有云霓的涌现一样。

不过历史上汤武那个时候,是不是这样,就不知道了。也许是仲虺这位左丞相,在制诰时对尚汤仁义的强调宣扬。

孟子继续描写商汤征伐时,部队纪律良好的情形说,当商汤的部队打来了,当地的老百姓,做生意的还可以照常做生意,种田的也照常种田,一点也不受影响。

像这样的情形是不是真的也有呢? 在我们的历史上,像这样好的部队,像这样不扰民的战争,曾经发生过很多次。问题全在于这位指挥部队的司令官是一个什么样的人。

仁将——曹彬

如历史上有名的仁厚将军,宋朝初兴时的曹彬。他奉命攻打江南,征服南唐后主——就是那位被俘解送到汴京途中、船上吟诗填词"四十年来家国,三千里地山河"的李煜。

当时曹彬围攻南京半年多,连秦淮河、白露洲、西门水寨都占领了。到最后,只要一仗就可以轻易攻进金陵——南京城了。李煜也准备要投降了。在这紧要关头,总司令曹彬突然生病了。生的什么病呢？大家都着急，都监——副总司令兼政治部主任潘美，先锋——前敌指挥曹翰等都到总司令部去探病。问起生的是什么病，曹彬说是心病。于是大家纷纷主张找医生，还要找名医。曹彬说，不必找医生，我的病医生治不好，只有你们各位能医好。大家问什么办法。曹彬说只有一个办法，就是打进南京的时候，不许随便杀一个人，也不许任何人奸淫掳掠，做不做得到？这时一班将领们只好说，你命令下来就好了嘛！曹彬说，不行，要先发誓。于是大家就发誓。发过誓后，立刻下攻击令，打进了南京城，而城里的老百姓还不知道呢！

潘美的难以控制，曹翰的好杀，都是事实。当宋太祖赵匡胤授命曹彬去打江南的时候，曾告诫曹彬最好不要多杀人，对李煜一家人，更是要加以保全。曹彬当下迟疑不答，既不抗拒命令，也没有明确的答复。他只问副将——副司令要派谁来负责。赵匡胤马上懂了他的意思，立刻召见了潘美、曹翰等人，发表他们作副司令。不过，当着他们，交给曹彬他平日用的一把宝剑，告诉他说，你拿着这把剑，"如朕亲临"，等于我本人在场一样，凡是副将以下不听命的，我授权给你，你只管照军法办理，先斩后奏，一切由你全权作主。他一面对曹彬说，一面眼角看着潘美、曹翰。吓得这些人汗流浃背，只有禀报"末将听命"的了。

曹彬的高明还不止如此。他又向赵匡胤请调一位将军田钦祚，来担任另一路的前敌指挥官。弄得潘美、曹翰他们都觉得很奇怪。因为这个姓田的，既狡猾，又贪污，爱争功，又不肯负责。同时又最喜欢打小报告给赵匡胤，常常忌功而倾轧同事。曹彬所以请调了他来参加战役，作用是准备平定江南之后，送点功劳给他，免得他在后方捣乱，又增加赵匡胤的怀疑顾虑，而对前方有所牵制。这就是曹彬高明的权术大用了。

曹彬、潘美等破城以后，李后主在无可奈何之下，穿着白纱衫帽，亲自向曹彬投递降书。他先见副帅潘美，只好叩拜如仪，潘美却也答拜叩头还礼。进一步,便要上船晋见大元帅曹彬,他也设拜叩头。曹彬便叫左右告诉他说:恕我"介胄在身,拜不及答。"换句话说:对不起,我是军人,只好以军礼接见你,不能跪拜还礼了,请原谅。

行过了投降的典礼,正副元帅曹彬和潘美先自登上两只大船,很礼貌地请李后主上船饮茶。由岸上到战船上的跳板,当然是独木板。李煜素来是养尊处优,平时生活,哪里受过一点罪,今天忽然要他经过独木板上船,实在没有这个胆子,再三徘徊不敢踏上去。曹彬便命令左右的副官扶他上来。

曹彬的确是很仁厚,他招待李后主吃茶的时候,他问起李煜家庭的成员,知道总共有三百多人,就替他准备一百条官船,给李煜三天时间,收拾财物,带着进京。并吩咐他尽管多带些财物去,暗示我曹彬不要钱,可是到了京里,还是有人要钱的,得准备送红包。然后放李煜这些人自己回去,连卫兵都不派一个跟着。其他将领们很不放心,但曹彬并不在意。他说,放心!他连上船的木板都不敢走,生怕掉下水去,可见他怕死得很,哪里会有逃跑的勇气。

曹彬知道有些人是靠不住的。等李煜走了,他吩咐副将潘美代理职务,表示自己要暂时离开总司令部三天,把统率部队的责任交给他,并特别交代不许杀人犯军纪。然后带了二百名亲信,在李后主的宫殿四周布防保卫,不许任何人闯进李煜的宫中。自己则亲守在大门口,以防止下面的士兵们,以对待敌人的态度,进大危害骚扰。第三天以后,李煜带了三百多人上了船,他才进宫去,查封了宫里的财物,造册呈报给朝廷。

据宋人的笔记,另一面他的副司令曹翰,后来奉命攻打九江。打进了九江,纵兵掳掠,还要屠城。而他自己却装了二十几船的财货宝物,悄悄地运回家乡去了。与曹彬相较之下,就有天壤之别了。

这是历史上有名的仁将。所谓"积善之家必有余庆",他的后代也很好,孙女做了宋仁宗的皇后,被誉为圣后;相传还有一个孙女成了神仙,便是道家《灵源大道歌》的作者曹文逸真人。历史上仁厚的名将,当然不只曹彬一个,其他还有很多,这里只是提出最有名的曹彬作例子。

这就是王者之师、仁义之师的风范。打仗时只要屈服了敌方的领导阶层就好,而对老百姓则是慰问、关怀、救助,像及时雨一样,老百姓当然高兴。孟子说,像这样的仁义之师,就如《尚书》上仲虺在诰文上记载,那时的老百姓天天盼望着仁主到临,仁主来了,就有好日子过,就能离开水深火热的苦难。

孟子引用了《尚书》的话以后,又针对当时的情况对齐宣王说,现在燕国内政那么紊乱,又虐待他的人民,你发兵去攻打燕国,这时燕国的老百姓以为水深火热的生活可以有所转机,他们将会有好日子过了,所以他们从家里拿出吃的喝的,高高兴兴地招待你的部队。如果你反而杀了燕国的百姓,捆绑他们的子弟,拆毁他祭祀祖先的宗庙,搬走他们贵重的宝物,使燕国的老百姓受到更深的痛苦,那怎么可以呢?

至于国际上的观感与反应,你要知道,天下各国诸侯对你国势的强盛,本来就畏惧三分,现在你打下燕国,得了加倍的土地,又不行仁政,各国诸侯为了自己的安全,同时又有了口实,自然要联合起来攻打你了。这等于是你自己发动天下的兵来讨伐自己。现在你只有赶快发布命令,释放俘虏,停止掳掠,再召集燕国的臣民代表开一个会,替他们选出一个贤君来,然后班师凯旋。这样还来得及阻止各国对你的联合攻击。

仁义的实质与权谋

从历史的资料看,齐、燕的结怨,有两件事足以启发后人的睿思。

第一是，燕王哙传到昭王以后，燕国起来复仇。要复国仇，必须要内政修明，力图强盛。而内政之修明，又以人才之争取为先。他第一个就采用了郭隗"千金市马骨"的精神原则，广求人才，得到乐毅这一批贤能之士，一战连下齐国七十二城，湔雪了国耻。

第二是，在那个时候，苏代曾对燕昭王说过这样一句话："仁义者，自完之道也，非进取之术也。"他认为仁义的精神和行为，是个人对自己的一种最高修养。但是如果要想取得一国的政权，治理天下的百姓，仅仅讲究仁义的道理，是没有用的。把苏代这个理论和孟子的话对照一下，则很可以作一番深入的研究。基本上，仁义的思想和精神没有错，只是在方法上，因时间和空间的不同，而有所变通。

其实，苏代的话仍然不脱纵横家的论调，把仁义限制在个人的修养上。我们知道，武王在起兵伐纣之前，曾经和姜太公商量过。据《太公金匮》的记载："武王问太公曰：殷已亡其三，今可伐乎？太公曰：知天者不怨天，知己者不怨人。先谋后事者昌，先事后谋者亡。且天与不取，反受其咎。时至不行，反受其殃。非时而生，是为妄成。故夏条可结，冬冰可释。时难得而可失也。"

周武王在准备起兵攻伐纣王之前，对姜太公说，现在殷纣王因为暴虐无道，已经失去了他十分之二的国力、土地和人民，而且看来还会变本加厉，天下将更动乱，百姓将更痛苦。现在是不是可以起兵，以革命行动，把殷纣的政权拿下来呢？

姜太公对武王说：据我所知道的，凡是知天——懂得天时、地利、人事等这些客观因素和时代趋势的人，当势不利于自己，而无法实现理想时，他是不会怨天的。一个真正了解自己的人，也能将人心比己心，以己心度人心，那么就不会轻易去责怪别人了。所以处理一件事情，先把客观的因素衡量清楚，对别人的心理也了解了，根据这些条件，作好周密的计划，然后按计划行事，一定会成功的。反过来，如果不能把这些客观和主观的条件弄清楚，盲目地先做了再说,那就必然失败无疑。而且,在客观条件已经具备,时机成熟,唾手可得的时候,你却迟疑不进,坐失良机,这样不是太可惜吗?比如田里的稻子已经成熟了,而你不去收割,这就不对了。一件事情,时机到了,大势所趋,由不得你,而你却偏偏不采取行动,这样是不会有好结果的。我们日常生活中的小事都要如此,大事业更要注意。至于时机不到,或者时机已过,却勉强去完成的,那是妄成,不会持久的。譬如夏天,枝叶茂盛,花开之后,到了秋天,自然结果。等到严冬来临,则遍地冰雪,但是到了相当的时节,又自然地春江水暖了。任何事情都有一定的时机,一个恰当的时机很难遇到,但却很容易失掉。

鹖子也曾经有这样的话:"发政施令为天下福,谓之道,谓之仁。信而能和者,帝王之器。"据《汉书·艺文志》记载,鹖子名熊,著《鹖子》三十篇,分一卷六篇。他这几句话的意思是说,为天下福祉所作的行政措施,就是最崇高的行为,也就是所谓的仁道。能使全国上下安居乐业而心悦诚服,就是帝王之才。自己并不着意去追求争取,而自然由他人拥戴,那么你便立了信。为天下民众除害,换言之,谁危害天下人,你就除掉谁,这就是仁。如果顺天应人,自然获得权位,执政以后,全国上下亲爱精诚,和睦相处,一旦有了外患侵凌,或内在的灾祸危难,则和衷共济,同心协力。能做出这种政绩,那就真是为帝为王的材料了。

同样地,我们可以了解,孟子的赞成——至少是不反对齐宣王伐燕,并没有违背他一向所主张的"仁义"思想。而仁义也不一定如后来所说的,只是完成个人美好人格的修养而已。依照姜太公的说法,在客观条件的需要下,战争的手段可以完成更崇高的目的,则不但不违背仁义,且合乎仁义。照鹖子的理论推衍,一场为天下除害的战争,也就是仁道的伸张。

总之,孟子因为燕国老百姓生活于水深火热中,所以不反对齐国去攻伐,这并不违义。他的论调,可以说和当年姜太公对武王所说的，是同一个方向。问题是齐国之伐燕，没有做到如鬶子所说的那几个原则，也就非帝王之器了。事实上，基于当时时代趋势等因素，孟子的思想并不像孔子那样宗周。因为历经七百多年来的中央周室，实在已是一个扶不起来的破砂锅了。因此，只要有人能真正施行仁义，为民造福，他便可辅之为王。

孟子在魏齐的外一章

孟子为什么不能得到齐宣王、梁惠王的深信和重任呢？这实在使人有"读兵书而流泪，替古人担忧"之慨！为了解答历史上这一疑问，就不得不回来再综合研究齐宣王与梁惠王一下了。

齐宣王的风格

战国末期的齐国，已非西周时代的旧齐国，也非东周初期的齐国，而是由田完敬仲的后代，篡位而据为己有的新齐国。尤其从齐威王开始称王以来，齐国便成了与秦、楚分庭抗礼而互相争霸的大国了。

齐威王死后，他的儿子辟疆继位，称宣王。据孟尝君的父亲靖郭君（田婴）的门客齐貌辨的观察，说："太子（指齐宣王）相不仁，过颐豕视，若是者背反。"由此而知齐宣王的相貌和个性的一斑。所谓"过颐"，便是方面大腮，满脸福相的描述。也可以说是脑后见腮，不可往来，后有反骨的相貌。所谓"豕视"，便是像猪看东西一样，表面很糊涂似的，而实际上，心中自有主张，很精明，而且不时偷看到两旁的东西。所谓"不仁"，不是说他一点也没有仁慈的心肠，而是说他是个不容易对付、不容易侍候的角色。

但事实上，齐宣王也可算是一个英明的主子，有他父亲威王慷慨雄豪的秉赋。而且根据《孟子》的记述,他爽朗地承认有好勇、好货、好色的多种毛病,婉转地推掉孟子的高论,也可以说是不凡的作风。

朝中文武多才士

在他亲政的初期,仍然任用邹忌为相,但却召回了被邹忌所排挤,而具有上将之才的田忌为将,任命孙膑做元帅,一战而擒杀了魏国的名将庞涓,俘虏了魏惠王的太子申,一举而震动国际,威加海内。

齐国,不但一跃而为当时国际上的政治大国,而且是赫赫的经济强国。

当此之际,齐宣王任命了重要的高级干部:

孟尝君(田文)继邹忌为相国。

礼遇高士颜斶、王斗;甚至间接优待鲁仲连等不世人物。

优容淳于髡的滑稽隽才。

他听了邹忌及王斗当面批评他,不肯起用人才的一番话,一下子便任用他们与淳于髡等所推荐的一批人,而使得齐国大治。

邹忌事宣王,仕人众,宣王不悦。晏首(齐臣)贵,而仕人寡,王悦之。邹忌谓宣王曰:"忌闻以为有一子之孝,不如有五子之孝。今首之所进仕者,以几何人。"宣王因以晏首壅塞之。

先生王斗造门而欲见齐宣王,宣王使谒者延入。王斗曰:"斗趋见王为好势,王趋见斗为好士,于王何如?"使者复还报。王曰:"先生徐之,寡人请从。"

宣王因趋而迎之于门,与入,曰:"寡人奉先君之宗庙,守社稷,闻先生直言正谏不讳。"王斗对曰:"王闻之过,斗生于乱世,事乱君,焉敢直言进谏。"

宣王忿然作色不说(通悦)。有间。

王斗曰:"昔先君桓公所好者五,九合诸侯,一匡天下,天子受籍(谓土地人民之籍),立为大伯,今王有四焉。"

宣王说,曰:"寡人愚陋,守齐国,惟恐失扰(同陨)之,焉能有四焉。"

王斗曰:"否,先君好马,王亦好马;先君好狗,王亦好狗;先君好酒,王亦好酒;先君好色,王亦好色;先君好士,王不好士。"

宣王曰:"当今之世无士,寡人何好?"

王斗曰:"世无骐骥騄耳(良马之名),王驷已备矣;世无东郭逡卢氏之狗,王之走狗已具矣;世无毛嫱、西施,王宫已充矣;王亦不好士也,何患无士。"

王曰:"寡人忧国爱民,固愿得士以治之。"

王斗曰:"王之忧国爱民,不若王爱尺縠(音斛,绉纱日縠,纺丝而织之。)也。"

王曰:"何谓也?"

王斗曰:"王使人为冠,不使左右便辟(便,顺其所好。辟,避其所恶。)而使工者。何也? 为能之也。今王治齐,非左右便辟无使也。臣故曰,不如爱尺縠也。"

宣王谢曰:"寡人有罪国家。"

于是举士五人仟官,齐国大治。

王斗这番说词,等于当面讽刺他的缺点,但齐宣王仍有雅量接受,不像秦汉以后的帝王,动不动便加以"处士横议",或"大不敬"的杀头罪名。

赞美词与利害关系

至于说到宣王不肯听信臣下的劝谏,在用人上,信任不专,或学非所用,用非所长的事,大概不会错的。例如他前任相国邹忌的一番婉转譬喻,便是针对他这毛病而说。

邹忌脩八尺有余,身体映(日侧有光艳也)丽,朝服衣冠,窥镜,谓其妻曰:"我孰与城北徐公美?"其妻曰:"君美甚,徐公何能及公也!"

城北徐公,齐国之美丽者也,忌不自信而复问其妾曰:"吾孰与徐公美?"妾曰:"徐公何能及君也。"

旦日(明日)客从外来,与坐谈,问之客曰:"吾与徐公孰美?"客曰:"徐公不若君之美也。"

明日,徐公来,孰(通熟)视之,自以为不如,窥镜而自视,又弗如远甚。暮寝(通寝)而思之,曰:"吾妻之美我者,私我也;妾之美我者,畏我也;客之美我者,欲有求于我也。"

于是入朝,见威王曰:"臣诚知不如徐公美,臣之妻私臣,臣之妾畏臣,臣之客欲有求于臣,皆以美于徐公。今齐地方千里,百二十城,宫妇左右,莫不私王;朝廷之臣,莫不畏王;四境之内,莫不求于王。由此观之,王之蔽甚矣!"

王曰:"善!"乃下令:"群臣吏民能面刺(举)寡人之过者,受上赏;上书谏寡人者,受中赏;能谤议于市朝,闻寡人之耳,受下赏。"

令初下,群臣进谏,门庭若市,数月之后,时时而间(去声)进。期年之后,虽欲言,无可进者。燕、赵、韩、魏闻之,皆朝于齐,此所谓战胜于朝廷(与敌国战胜于朝廷之内也,即政治作战胜利之意)。

贫贱骄人

虽然宣王有用人不专的毛病,却能面对颜斶的顶撞,公然改变盛怒之威,愿执弟子之礼。最后,颜斶不受封而辞去,他又好像只能礼贤而不能真下士。

齐宣王见颜斶，曰："斶前。"斶亦曰："王前。"宣王不说，左右曰："王，人君也。斶，人臣也。王曰'斶前'，斶亦曰'王前'，可乎？"

斶对曰："夫斶前为慕势，王前为趋士。与使斶为慕势，不如使王为趋士。"王忿然作色，曰："王者贵乎？士贵乎？"

对曰："士贵耳，王者不贵。"王曰："有说乎？"斶曰："有，昔者秦攻齐，令曰：'有敢去柳下季垄（冢也）五十步而樵采者，死不赦。'令曰：'有能得齐宣王头者，封万户侯，赐金千镒。'由是观之，生王之头，曾不若死士之垄也。"

左右皆曰："斶来，斶来，大王据千乘之地，而建千石钟，万石簾（音巨。天上神兽，鹿头龙身。悬钟之木刻饰象之，因名曰簾。每十六钟共一簾。），天下之士，皆为役处；辩知（智）并进，莫不来语；东西南北，莫敢不服。万物无不备具，而百姓无不亲附。今夫士之高者，乃称匹夫。徒步而处农亩，下则鄙野，监门闾里，士之贱也，亦甚矣。"

斶对曰："不然，斶闻古大禹之时，诸侯万国。何则？德厚之道，得贵士之力也。故舜起农亩，出于野鄙，而为天子。及汤之时，诸侯三千。当今之世，南面称寡者，乃二十四。由此观之，非得失之策与，稍稍诛灭，灭亡无族之时，欲为监门闾里，安可得而有也哉。是故易传不云乎：'居上位，未得其实，以喜其为名者，必以骄奢为行，据慢骄奢，则凶必从之。是故无其实而喜其名者削；无德而望其福者约；无功而受其禄者辱，祸必握。'故曰'矜功不立，虚愿不至。'此皆幸乐其名，而无其实德者也。

是以尧有九佐，舜有七友，禹有五丞，汤有三辅。自古及今，而能虚成名于天下者，无有。是以君王无羞亟问，不愧下学。是故成其道德，而扬功名于后世者，尧舜禹汤周文王是也。故曰'无形者，形之君也；无端者，事之本也。'

夫上见其原，下通其流，至圣人明学，何不吉之有哉。老子曰：'虽贵，必以贱为本；虽高，必以下为基。是以侯王称孤寡不毂，是

其贱之本与。'

夫孤寡者,人之困贱下位也。而侯王以自谓,岂非下人而尊贵士与? 夫尧传舜,舜传禹,周成王任周公旦,而世世称曰明主,是以明乎士之贵也。"

宣王曰:"嗟乎! 君子焉可侮哉,寡人自取病耳! 及今闻君子之言,乃今闻细人之行,愿请受为弟子。且颜先生与寡人游,食必太守,出必乘车,妻子衣服丽都。"

颜斶辞去曰:"夫玉生于山,制则破焉,非弗宝贵矣。然太璞不完。士生乎鄙野,推选则禄焉,非不专遂也。然而形神不全。斶愿得归,晚食以当肉,安步以当车,无罪以当贵,清静贞正以自虞。制言(命令)者王也,尽忠直言者斶也,言要道已备矣,愿得赐归,安行而反臣之邑屋。"则再拜而辞去。

君子曰:"斶知足矣,归真反璞,则终身不辱也。"

滑稽大师——淳于髡

另有淳于髡,完全不同于颜斶的作风,他运用滑稽的高调,对了齐宣王爽朗的胃口。

他身为齐之赘婿,长不满七尺,而滑稽多辩,早为齐威王时代的左右宠臣。到了宣王时代,也同样受到重用。他是个有心人,也见过孟子。与孟子的对话,下文再谈。

有一次,在一天之内,他同时又推荐七个人,请齐宣王录用。宣王虽然觉得淳于髡太过分了,但辩论一番之后,还是照样任用不误。

淳于髡一日而见七士于宣王。

王曰:"子来,寡人闻之,千里而一士,是比肩而立;百世而一圣,若随踵而至也。今子一朝而见七士,则士不亦众乎?"

淳于髡曰："不然，夫鸟同翼者而聚居，兽同足者而俱行，今求柴胡、桔梗(药名)于沮泽，则累世不得一焉。及之睪黍(山名)梁父(山名)之阴，则郄(仰也)车而载耳。夫物各有畴，今髡贤者之畴也。王求士于髡，譬若挹水于河，而取火于燧也。髡将复见之，岂特十士也。"

而且在军事方面，当大家说不进去话的时候，如果淳于髡来个猎狗的趣味性比喻，宣王就听进去，立刻放弃了原来的作战计划。

齐欲伐魏，淳于髡谓齐王曰："韩子卢(韩国有黑犬名卢者)者，天下之疾犬也。东郭逡(兔名)者，海内之狡兔也。韩子卢逐东郭逡，坏山者三，腾山者五，兔极(疲倦)于前，犬废后，犬兔俱罢，各死其处。田父见之，无劳勤之苦，而擅其功。今齐魏相持，以顿其兵，弊其众，臣恐强秦大楚承其后，有田父之功。"

齐王惧，谢将休士也。

又一次，齐宣王想征伐魏国，魏国派人暗中送礼给淳于髡，请他设法阻止。淳于髡公然贪墨，受了礼物。齐宣王有密报，也知道了这回事，但经他滑稽解说，又对了宣王的胃口，结果还是取消了作战计划。

齐俗伐魏，魏使人谓淳于髡曰："齐欲伐魏，能解魏患，惟先生也。敝邑有宝璧二双，文马二驷，请致之先生。"淳于髡曰："诺!"

入说齐王曰："楚，齐之仇敌也；魏，齐之与国也。大伐与国，使仇敌制其余敝，名丑而实危，为王弗取也。"

齐王曰："善!"乃不伐魏。

客谓齐王曰："淳于髡言不伐魏者，受魏之璧马也。"

王以谓淳于髡曰："闻先生受魏之璧马，有诸?"

曰："有之。"

"然则先生之为寡人计之何如?"

淳于髡曰："伐魏之事不便，魏虽刺髡，于王何益? 若诚便，魏虽封髡,于王何损?且夫王无伐与国之诽,魏无见亡之危,百姓无被兵之患,髡有璧马之宝,于王何伤乎?"

齐宣王开战国养士之风

《史记》在《田完敬仲世家》中,述说齐宣王好养士,就好像开了一个议院或参政院,也相当于现在的研究院。如云:

宣王喜文学游说之士,自如驺衍、淳于髡、田骈、接予、慎到、环渊之徒七十六人,皆赐列第,为上大夫,不治而议论,是以齐稷下学士复盛,且数百千人。

因此,促成相国孟尝君——田文跟着他学样,也喜好养士。甚至,孟尝君与齐宣王还争相养士,大家熟知的冯谖弹铗,毛遂自荐,以及鸡鸣狗盗之徒等,统称他的门下,号称有食客三千之多。高明之士如鲁仲连,也是孟尝君的座上客。

由于齐宣王和孟尝君争相好客,而开创了战国时期的养士风气。此后,魏国有信陵君,赵国有平原君,楚国有春申君,都以好客养士号召,名动诸侯,而影响于国际之间。

不过,养士的风尚,除非有魏文侯、齐宣王、燕昭王的环境、器度与见识,或者还可以利多弊少。到了战国末期,自孟尝君、信陵君以后,其余大公子们的养士,利弊就很难说了。甚至可说弊多于利。人与人间的交情,主客之间的感情,不是基于利害关系的,实在不多。即如孟尝君晚年,被逐去齐,虽然经过冯谖设法,仕魏、居薛,如狡兔之有三窟,但后来他重返故国后,再也不能恢复昔日的风光。那些门客大都各奔前程,而孟尝君也由此勘破了人情世故。

孟尝君逐于齐而复反,谭拾子迎之于境,谓孟尝君曰:"君得无有所怨齐士大夫?"孟尝君曰:"有。""君满意杀之乎?"孟尝君曰:"然。"谭拾子曰:"事有必至,理有固然,君知之乎?"孟尝君曰:

"不知。"

谭拾子曰:"事之必至者,死也;理之固然者,富贵则就之,贫贱则去之,此事之必至,理之固然者。请以市谕,市朝则满,夕则虚,非朝爱市而夕憎之也,求存故往,亡(通无)故去,愿君勿怨。"

孟尝君乃取所怨五百牒(书所怨之人)削去之,不敢以为言。孟尝君既反,因谢病,老于薛。

后来,赵国的大将廉颇,屈而再起,也曾有过孟尝君门下士同样翻版的情形。

特立独行于滔滔浊世的孟子

齐宣王时代,养士的风气是这样的盛行,而游说之士在齐国又这样的多,但总是仰承君王的鼻息,或者相公的喜怒,而取得个人的富贵功名,以至于谋生而已。

像我们的亚圣孟老夫子一样,特别受到齐宣王的重视而处处待之以礼,确是异乎寻常。无奈人情重利而轻高远,所以孟子教之以仁义之道,齐宣王不是不知道,实在是做不到。这也是孟子所说的"非不能也,是不为也"。

反过来说,孟子学孔子,毕竟成为千古歌颂的圣人,这也就是孟子知其不可为而为之的行径。所以后来淳于髡替孟夫子难过,想要影响他改变作风。但孟子始终特立独行,不愿曲学阿世。所以《孟子》全书所说的,都是古今不移的大经大法,都是正面文章,他绝不肯说侧面的谀词。

像淳于髡,他便不同了。有一次,孟尝君的封邑薛国有难,齐宣王并不想出兵相救。结果,淳于髡一片滑稽说词,又打动了齐宣王救薛的心思了。

孟尝君在薛,荆人攻之,淳于髡为齐使于荆还,反过薛,而孟尝君令人礼貌而亲郊迎之。谓淳于髡曰："荆人攻薛,夫子弗忧,文无以复侍矣。"淳于髡曰："敬闻命。"

至于齐,毕报。王曰："何见于荆?"对曰："荆甚固,而薛亦不量其力。"王曰："何谓也?"对曰："薛不量其力,而为先王立清庙。荆固而攻之,清庙必危。故曰:薛不量力,而荆亦甚固。"

齐王和其颜色,曰："谙,先君之庙在焉,疾兴兵救之。"颠蹶之请,望拜之谒,虽得则薄矣。善说者,陈其势,言其方,人之急也。若自在隘窘之中,岂用强力攻哉。

吏民千古两相妨

邹与鲁哄。穆公问曰："吾有司死者三十三人,而民莫之死也。诛之,则不可胜诛;不诛,则疾视其长上之死而不救,如之何则可也?"

孟子对曰："凶年饥岁,君之民,老弱转乎沟壑,壮者散而之四方者,几千人矣。而君之仓廪实,府库充,有司莫以告。是上慢而残下也。曾子曰:'戒之! 戒之! 出乎尔者,反乎尔者也。'夫民今而后得反之也,君无尤焉。君行仁政,斯民亲其上,死其长矣。"

历史政治上的因果

这是孟子家乡的事,孟子是邹人,邹大约只有现代的一个小县那么大,姑且称他为一个国。其实邹和邾,也都属于鲁国的境内,用现代的观念来讲,相当于鲁国的一个独立市。

邹和鲁国,发生了权利上的争执,这是一次很大很激烈的冲突。邹穆公问孟子说,在这一次和鲁国的激烈冲突当中,我的高级干部死了三十三个人,而这些干部的属下和辖区的老百姓,没有一个肯为他们的长官效死。要是杀掉这些人吧，人数实在太多了，杀不胜杀。可是不杀罢，他们将来还是这样眼看着长官战死而不去援救，这样怎么行呢？真是杀也不好，不杀也不好，你看应该怎么办呢？

孟子说，在平时遇到水旱灾害，农产歉收的凶年，你的老百姓们没有饭吃。年纪大，身体弱的，饿死在路旁；年纪轻，身体健壮，走得动的，就离乡背井，向外逃生。在邹这样一个小小的地方，逃亡的人，就高达几千人之多，占了你全部人口的很大比例。但是你政府的粮仓里面，多的是粮食，财库里的钱也很充裕，有足够的力量帮助这些老百姓。可是你的干部们，当时并没有把老百姓的痛苦情形告诉你，他们这样骄慢而不理政事，结果残害了多少老百姓的身家性命。孔子的学生曾子曾经说过，做事要特别小心谨慎，凡事是有因果报应的。怎么出去，就怎样回来；如何待人，人也将如何待你。所以在平时老百姓吃了他长官的亏。现在他们也就眼看着他们的长官受难，不出来救援了。这正是他们饥饿时，长官不救援他们的一种还报，你邹公还有什么好责怪埋怨的呢？如果从今以后，实行仁政，爱护老百姓，老百姓当然也就敬爱他们的长官，当长官有难的时候，他们当然就会拼死命去保护救助了。

这一段中，孟子所说的理论，是中国政治哲学的最高原则之一，也是政治领导人的最高领导原则。中国文化处处讲因果，这因果的观念并不是印度佛教传入中国以后，才开始确立，并普遍被社会应用在语言文字上。我们的《易经》老早就有这种思想，如"积善之家，必有余庆；积不善之家，必有余殃。"至于孟子，这里所引用的"出乎尔者，反乎尔者也"，同样是因果报应的观念。

在政治上，我们看历史的演变，就是因果报应。我们如果从因果中去看历史，可以发现许多很奇妙的事情。就拿我们眼前可以看得见的历史现象来说，埃及的总统萨达特，很了不起。那天我打开电视，看见他突然冒险访问以色列的消息，就知道他一定有影响力。同时也预料到以色列的贝京,也一定会去埃及报聘,也可以说两个都是了不起的人物,将来对于中东地区的谋和,犹太与阿拉伯两个民族去嫌释怨,总会有帮助的。假定我们处身在一百年后,回过头来看这一段历史,这两人之间的一往一来情形,以及诚心谋和与否的因果报应,则是一件在因果律上,很有趣的,能证实的事情。

古今中外都逃不开这个因果律。我们中国的历史,每一朝代都是如此。怎么来的江山,也将怎么样的失去;怎么样取得的政权,也是怎么样的交出去。仔细研究外国的史实,又何尝逃过此一法则。

我们随手举一个例子,宋朝的皇帝赵匡胤,据说他自己并不想当皇帝,而是陈桥兵变,部下们硬把皇帝所穿的黄袍加在他的身上的。当时的皇帝,是后周的柴荣。他在位时死了,儿子还小,只有六七岁,而赵匡胤是柴荣当时的殿前点检使,等于是宪兵总司令或首都卫戍司令等要职。就在陈桥兵变中,黄袍加身当了皇帝,所以到了元初,在宋朝垮了的时候,有人非常感慨地作了两首诗说:“记得陈桥兵变时,欺她寡妇与孤儿。谁知二百余年后,寡妇孤儿又被欺。”“卧榻而今又属谁?江南回首见征旗。路人遥指降王道,好似周家七岁儿。”

我们再看清朝,进主中国,是孤儿寡妇入关,而最后一代皇帝,又是寡妇孤儿悄然出关。因果报应,丝毫不爽。读了元人那首诗,我也曾经依样画葫芦的写过一首:“寡妇孤儿自入关,便宜占尽此江山。果然二百余年后,母子君臣出塞难。”溥仪登基接受群臣朝贺的时候,还是一个小孩子。抱他坐上金銮殿的大交椅上时,他大哭起来,他的父亲摄政王拍拍他,安慰说:“不要哭,快完了!”果然很快就完了。这就是“出乎尔者,反乎尔者也”的道理。所以国家也好,个人的事业也好,都是怎么起来,也是怎样下去。经过时间的证明,长期观之,可以说是必然律的回互,并非偶然如此的。

至于《孟子》书中的“老弱转乎沟壑,壮者散而之四方”这两句文言，尤其别具韵味，而且也特别悲凉。岂但战国时代的老百姓们如此，几乎世世代代的老百姓，都是过着这种艰苦的日子。"老弱转乎沟壑，壮者散而之四方。"大地尽是一片流民饥荒的景象。悲凉，惨痛！岂是言语文字所能尽其形容的。社会的贫病到了这种情形，便正如左宗棠的诗所说："世事悠悠袖手看，谁将儒术策治安。国无苛政贪犹赖，民有饥心抚亦难。"不过话说回来，我们且看所谓工商业发达的社会现象呢？虽然没有孟子这两句话那样悲惨，但是在物质文明发展之下的一般社会状况，农村乡镇的衰落偏废，都市文明的畸形发达，它的变相结果，也有"老弱困守故土，壮者散处四方"的景况。尤其对我们一般具有出国狂热的心理病态的社会而言，也同样会有此悲鸣，岂但只是衰乱时势如此而已！

君道与臣节

除此以外，由邹穆公与孟子这一段对话中，引出一个历史哲学和政治哲学上极重要的问题，需要特别加以讨论。

根据本文邹穆公的发问，认为他的国家有了重大的变故，而一般守土有责的高级干部们，死难的不少，但是他们的部下，以及基层的民众，根本视若无睹，好像毫不相干似的。我们平常也都读过《孟子》，但是重点往往被《孟子》的文章才气掩盖过去。甚至可以说，我们被古文语调困住了，忽略了其中有两个极其重大的基本问题。孟子当时既非尽情发挥得明明白白，我们后世读来，也未仔细寻思，只是马马虎虎地读过去了。

在中国文化政治哲学的传统道德中，过去的历史上，"君道与国共存亡，臣节尽忠死国事。"这是不易的原则。自三代以后，春秋以下，无论君主政体与否，这个民族文化、民族教育的基本精神，是始终不变的。这种根基深厚的民族精神，当然，最具体而得力的，便是孔子著《春秋》以后的孔孟一脉的儒家学术思想。而在宋、元以后,再根深蒂固地往下层扎下根基的,则归功于几部有关历史故事的小说,如《三国演义》、《精忠岳传》等等,把固有文化道德仁义的精神,如重然诺、守信义的义气风范,融会在国民生活的每一环节,打入每一个人心,打入每一代子孙心坎深处。加上宋明以来理学家们在臣道、臣节上的深厚修养与发挥,因此在宋、元、明、清之间,士大夫们死难于臣节、尽忠报国的典型,比之以往的历史,更加激烈而具体,更加庄严而可敬。

其实这种民族文化根深蒂固的精神,由来久远,绝不是一朝一夕形成的。例如孟子讲王道,动辄便提出周初开国的文武之业来作标榜。但事实上,以商纣的暴虐,虽经周武王鼎革以后,政治上的种种努力,但将近百年之间,用现代人的话来说,将近一个世纪,还有"殷之顽民",始终与周朝并不合作。最明显的,便如初期的伯夷、叔齐,"义不食周粟",饿死在首阳山上。其实,历史上所记载的"殷之顽民",也就是前代商朝遗民的忠贞志士,因为作史者立场,所以称他们为"顽民",也就是所谓的顽固分子。因此周武王的分封诸侯,封微子于宋,以祀殷商之后,固然是武王的仁心德政,同时也是培养民族精神的重要措施。

其余信手拈来,如众所周知的汉初田横五百壮士,义不投汉,集体自杀以全节义;项羽的八千子弟,统统战死乌江;这些都是荦荦大者,尽人皆知的历史故事。其他有关历代在成败、存亡续绝之际,忠臣义士可歌可泣的事迹,还有很多。这是中国文化特有精神之所长,关系一个民族国家,立国立基的根本精神所在,不能不加注意,应该大书而特书的。例如元朝与清朝的入关,在战役中遇到战死不屈的忠义之臣,或是后来被俘而不投降的忠贞志士,不但不加凌辱,反而恭敬礼遇,虽依法执刑,死后仍善为安葬,示以生荣死祭以表忠贞。而对那些轻易投降,卖主求荣的,便为他们另外立了"二臣传",以表示有亏节操。这些就是中国文化的基本精神,岂可以尽把它列入"愚忠"两字而轻轻抹煞。而且这种节操的养成,与帝王民主的政体关系不大，并不是说在帝王养士的体制之下，才有忠臣义士的作风，在民主体制的时代，就不需要对国家民族有此忠义的节操，那便是大错特错，是自己对自己民族文化的愚昧无知了。

问题不能扯得离题太远，现在再回转来看邹穆公这一段的对话。邹是战国当时的蕞尔小国，微不足道。但当他国家有难的时候，守土有责的高级臣僚，死难的如此之多。这不是一件偶然的事，这表示邹鲁之邦，确有其深厚的文化根柢。尽管主懦国弱，而文化教育的风范，始终未变。但是邹穆公再进一步要求他国内的全民尽忠，那么问题就太不简单了。所以孟子有下一段的答复，也便是反映出对当时邦君们的一种警告，一番抗议。这便是我方才说要特别注意的一段。同时也是中国文化历史哲学的重点之一。

历史上的基层政策

讨论到前面中国文化，有关历史哲学这一类问题，我们看到自从孔子著《春秋》而使乱臣贼子惧的精神以后，历代历朝的历史，也都是继承孔子的学术重点——《春秋》责备贤者，特别是要求君圣臣贤，或明君良相的一贯精神。对于林林总总遗下编氓的一般国民们，从来没有过于苛求，并非像邹穆公的希望一样，要求基层的国民们，也要层层尽忠，为他们的长上——长官大尽忠尽节。

有人说，我们的"二十六史"，只是一部军政统治的总账簿，比起西方后来的历史学观点，大为逊色。这个问题的是非好坏，暂且不谈。现在只讲我们过去的历史记载，特别注重，也特别强调君臣之间——执行仁义政纲上，君道的明智和昏庸，以及臣道的忠贞和奸佞。而对于基层地方的史治问题，几乎都忽略了。过去虽然也注重吏治的清明与否，但过去历史所提吏治的"吏"，大体上是指官而言，并非如现代观念，包括了地方行政的基层工作人员。事实上,依我的研究看来,两千年来的一部中国政治史,无论是哪个朝代,哪个政治体制——礼治和法制,甚至可以说,不论君主或民主,任何一个时代的兴盛与变乱,基本上的问题,都出在吏治——地方行政的基层干部上面。历代的大小变乱,大部分最初的原因,都是由于官逼民变,吏虐民反的结果。过去如此,近代也是如此。

你看我们汗牛充栋的历史文献,许多高明的论政,如切中时弊的奏议,以及讨论政治思想、政治制度,以及政治哲学的文章,也不知有多少。但其中心思想,都是对中央政府执政者的朝廷而言。一旦时逢明君,宠加采纳,那些高明之士,仍然身居台阁,位入中枢,官阶愈来高,隔离民间疾苦,距离民瘼也愈远。试问,又有几人肯请求降调,愿意深入乡村民间,作一个里正、保正芝麻绿豆大的地方基层干部呢?

我也常思索其中的道理,几乎是一个永远矛盾,无法调和的事实。譬如,美轮美奂的伟大建筑,在外观上,一定是铺置名贵高华的装潢,绝对不可能把基层的泥沙粗石摆出来。但事实上,这座宏伟建筑的牢固存在,非要底层厚实的泥土沙石不可。如果颠倒来用,不但不美,而且根本无法落成。人们只瞻仰表层的高华,总是忘却了基层的功绩。所以由平民而变成为高明的知识分子以后,渐渐距离基层的平民愈来愈远,也是事所必致,理有固然的结果。

作官莫作怪

例如春秋战国的取士以治民,士大夫一入仕途,在理论上,固然仍须力求善政以利民,但在事实上,却只是巩固自己的权势,当然离开民瘼愈远。汉代注重地方治平,重视二千石的郡守——太守,但是它距离下层民众还是很远。唐代重刺史——即等于汉代重视二千石郡守的遗风,然而在盛唐以后的刺史,大多数是分发考取功名的进士们来担当其任,因此难免有"书画琴棋诗酒花,当年件件不离它"的气概,而于基层民间的疾苦,也就愈来愈远了。于是,外面则藩镇(军阀)专权,目无中央;内廷则宦官操政,女祸把持,天下事就不问可知了。

顺便提到一首明人的打油诗,夹点笑话给大家轻松轻松。这首诗是描叙一个人一生的转变情况,现在如用来比方过去历史上官与民之间隔,却也很有趣。它的前面两句,便是刚才提到的"书画琴棋诗酒花,当年件件不离它。"可以作为旧时代达官而兼名士的写照。接着是"而今事事都更变,柴米油盐酱醋茶。"后面两句可作为一般社会民生基层情景的描述,或者是退职后清苦生活的写照。这不是很幽默吗?

明清两代,承元朝的政治体制演变,自中央级的朝廷以下,形成三级政治,即所谓省、府(州或道)、县治。虽然注重亲民之官的县官大老爷,但是那些多半是从进士、举人出身的外放地方官,自然十之七八,都是读书做八股文的书生。所以地方政治,全靠幕僚的师爷——刑名与钱谷两个得力助手的机要秘书。因此有人说,清代的政治,是为绍兴师爷所把持的天下。上自内阁中书衙门,下至府县,的确也是如此。至于真正的民间疾苦,所谓下情而能上达,几乎比登天还难了。

我们只是粗枝大叶地把历史上这些事实作个了解,那么,便可知道过去一部中国政治制度史上,皇帝的中央政府——朝廷,是高高在上,悬空独立的。各级的官吏,在理论上,应该是沟通上下,为民办事。而事实上,一旦身为地方官,"天高皇帝远,猴子称霸王",任所欲为的事实也太多了。我们试想,以此图功,何事能办?以此谋国,焉得不亡!然而,我们的民族性,素来以仁义为怀,老白姓始终顺天之则,非常良善,只要你能使他们做到如孟子所说的"乐岁终身饱,凶年免于死亡",也就安居乐业,日子虽然苦一点,还是不埋怨的。除非是你使他们真的受不了,真的走投无路了,否则你做你的皇帝,当你的官,与他毫不相干。这便是中国历史上政治哲学的重点之一。自春秋战国以来，中国的官吏和老百姓的关系一直是如此，在邹穆公问孟子的时候更是如此。那么，他问孟子这个问题时，甚至内心气愤得想杀些人来发泄一下，镇压一下，这岂非超越于政治原则之外，无乃太过乎！

现在是民主时代，也是注重基层政治工作的时代。为民服务的基层工作，实在是一件神圣伟大的使命，很不简单，最上层到中枢各部院政令的推行，一节一节地统统汇集到了基层。其间事务的繁忙，头绪的芜杂，并不亚于上层执政者天天开会，随时开会的痛苦。而最难办的，往往是各部门的政令，缺乏横的整体的协调，致使政令达到基层时，有许多矛盾抵触之处，无法执行，只好一搁拉倒。还有许多政令，可以用在甲地，却不适用于乙地，更不合于丙地的事实，但是也例行公文，训令照办不误。实在难以做到，也只有一搁了事。还有最重要的，什么高官厚禄，实至名归，风光热闹的事，都集中在上层朝市。基层工作者，必须具备有愿入地狱的菩萨心肠，和成功不必在我的圣贤怀抱。照这样情况，我也常常想，假如叫我到穷乡僻壤，长期担任一个国民小学教员，是不是真能心甘情愿地尽心尽力地去做得好？我对自己的答案是：恐怕未必。己所不欲，何望于人。推己及人，如何可以要求他人呢？

总之，所得的结论便是，从古至今，基层的工作，能干的不肯干，肯干的不能干。因此，真正参与工作的，就是一批不是不能干，就是不肯干的人。往往为政府帮倒忙，作了丧失民心的工作，你看怎么办？至于说贪污不贪污，那还是另一附带的问题，不必去讨论。

有时朋友们与我谈到的美国的社会政治，基层工作者是如何如何的好，因此才有了今天的成就。我说，不错。美国还年轻，历史还浅，所以历史文化的包袱也轻。甚至还没有背上历史文化的包袱。我倒祝福他们永远如此年轻，不要背上历史文化的包袱才好。一旦老大，历史文化包袱的根基愈深，要想有所改革当然愈难,那就得慢慢地潜移默化,不可能再像现在这样立竿见影了。

至于经过民选,来自民间的现代官员,他们的功过、是非与善恶,且等历史作定评吧！不过,千万要记住,历史是公平的天秤,也真有明镜高悬,可以照见善恶而使原形毕露的作用,大须留心从事,多读民族文化的宝典,培养仁心仁术,以立己立人。

记得明人冯梦龙就有段论调怪诞的小品,写得很好,特别抄录一节,给自认为民主时代民意代表的青年朋友做一个借镜。

昔富平孙冢宰在位日,诸进士谒选,齐往受教。孙曰:做官无大难事,只莫作怪。真名臣之言也。

岂但做官,做人也是一样。民主时代的民选,更须切莫作怪。我们看了这一段似幽默,其实严肃的小品文,再回转来看孟子答邹穆公的问题,便可以说,只恐穆公守土有责的有司们,早已经因太作怪而失去民心。因此孟子的结论一句话:"君无尤焉",又怎能责怪下民呢！

除此以外,在邹穆公的观念中,认为他守土有责的重臣们既能尽忠,为什么更下层的干部们,就不能为他们尽节？这个道理,在理论上讲,说来话更长了。总之,要了解中国文化的重心,无论是儒家或诸子百家的学术修养,都是做人和做事合而为一的。仔细体认历史,便可知道有些人的一生,事业功名是成就了,但不能说他做人也成功了。有的人,一生做人成功,但并无事业功名上的成就。如果兼而有之,应该是不圣亦贤了。

例如明代的名臣张江陵——居正,是万历当时的权臣名相,可算是一个大政治家,但因个性急躁,修养不足,所谓"操切为政",往往便不能优容气节之士。好多理学名儒,因为意见不合而被压制不伸。但在张江陵当政的时期,的确做到了兵强国富,其功实有不可掩盖者。可是当他身死以后,结果弄得抄家破产,大儿子被逼上吊,老太太也被逼得流离失所。固然是明代朱氏王朝的作风,惯于

苟待功臣,大有失德之处。但张江陵的做事成功而做人失败,实在
也不免有话分两截的必要。当时有人经过张江陵的住宅,看到荒
草丛生,一片凄凉的景色,和当年的煊赫对照,便大生感慨。就拿
笔题诗在张宅的破壁上说:"恩怨尽时归论定,封疆危日见才难。"
这两句诗,和张江陵的生平,正好用来作为邹穆公问孟子这个问题
的答案。

　　滕文公问曰:"滕,小国也,间于齐楚。事齐乎?事楚乎?"孟子
对曰:"是谋非吾所能及也。无已,则有一焉。凿斯池也,筑斯城
也,与民守之,效死而民弗去,则是可为也。"

两大之间难为小

　　在春秋、战国两个时代,滕、薛仅是一些微不足道的小国。但
在《论语》及《孟子》书中,都有所论及。所以国虽小,在孔孟的声光
照耀之下,却也有名起来。《论语·宪问》篇中记载着:"子曰:孟公
绰为赵魏老则优,不可以为滕薛大夫。"就是这个滕国。不过孔孟
两个时代不同,滕、薛的情形也不一样了。

　　这次是孟子从齐国再度回来,路过滕国。滕国是一个小国,而
东北面毗邻了强大的齐国,南面又和强大的楚国接壤。我这个小
国,夹在这两个大国的中间,所谓"两大之间难为小",我应该向齐
国靠拢好呢?或者是投向楚国比较好呢?

　　滕文公把这个难题提出来,向这位高人孟子请教。孟子也的
确是高明,他答复滕文公说:"你提出这个问题,对不起,我也没办
法。有办法也不能讲,碍难启齿。"滕文公听孟子这样的答复,当然
非常失望,脸色就沮丧难看。孟子见他这副样子,又过意不去,于
是对他说:在不得已之下,那么只有一条路比较好。你把你自己
的内政先理好,增加老百姓的向心力,团结起来。然后,加强你的

国防设施,把护城河挖得深深的,把城墙加高加厚起来,巩固你国防线上的防御工程。和全国老百姓,上下一致,同心合力,保卫自己的疆土,虽然战死,也不离开本位,甚至宁为玉碎,不为瓦全,自强自立,宁可亡国,也不向任何一个大国投降,先有这样的准备,还可以有所作为。

在这里,我们看到孟子答复"两大之间难为小"的基本原则,只有自强自立的一条路。其实个人做人也是一样,不自强,不自立,不从自己本身想办法,在两大之间,怨天怨地,希望得到别人的同情来为自己解决困难,天下不会有这样的事情。个人事、国家事、天下事的原则是一样的,只有自强自立,才是唯一的生存之道。尤其以一个小国家为然,介于国际上强国之间的自处,除了自立自强以外,绝无其他妥协的良策。况且愈妥协,将愈增加困难。因此孟子便指出,宁可亡国,也不可丧失国格或人格的原则,作为答复。

滕文公问曰:"齐人将筑薛,吾甚恐,如之何则可?"孟子对曰:"昔者大王居邠,狄人侵之,去之岐山之下居焉。非择而取之,不得已也。苟为善,后世子孙必有王者矣。君子创业垂统,为可继也。若夫成功,则天也。君如彼何哉! 强为善而已矣。"

有一次,滕文公再进一步向孟子请教说,薛和我一样是个小国,可是现在强邻的齐国,要在薛国建筑城池,也就是在薛国的领土上,建筑坚强的军事基地。薛国也是我的邻近小国,有同病相怜,唇亡齿寒的威胁。看这种国际趋势,下一步很可能要轮到我头上了。这种威胁实在让人忧虑。你看,该怎么办好呢?

这个薛国也早已归入了齐国的版图,被齐宣王封为孟尝君田文的地盘。那就是,历史上有名的孟尝君门下客,弹铗而歌的冯谖,强作主张,代表孟尝君到薛国收取租债,一把火烧了所有债务人契据,以收买民心的名城。

孟子又是拿出他最崇拜的,也是周代历史上最能谦让、最光荣的一代——太王的史实。他说，从前太王住在邠地，狄人侵犯他，难以自处，因此搬到岐山下面去住。并不是因为岐山比邠更好，土地更肥沃，而是在邠被好勇斗狠的胡人欺凌，没有办法，不得已才避到岐山去了的。当时太王虽被迫迁移，但却忍辱负重地生聚教训，所以后代子孙——文王、武王起来，才建立了周朝几百年的政权。你可以效法他这种为善的精神，后代的子孙就一定能称王天下。大丈夫要创业就要树立一个美好的典范给后人，为了使子孙能够继承下去，在个人方面，无论读书、经商，或任何行业，都应如此。一定要有这个志向，能不能成功，那是天命。如今你地方小，四面又有强邻，只有用太王这种精神去做，勉强站起来，但不是站起来去跟人争强斗胜，而是自己勉励为善，巩固内部，自立自强，然后才能慢慢强大，受到别人尊重。

孟子这理论非常对，两大强国的斗争之下，处在中间的弱小国家，若想自立自强，的确是很难的。我们看宋初的局面，吴越王钱镠的孙子钱俶，本来和赵匡胤、李后主一样，也是独立为王，他一看到天下大势，自陈桥兵变之后，赵匡胤号令天下的章法，他便表示投诚拥护，推赵匡胤当中国的老板。到宋太宗时，自己取消了国号。他认为这样做，则自己后代的子孙，不失为诸侯，永远是方面大员。否则的话，自己估计一切的能力，未必可胜得过宋朝。战败了，不只是自己难保，就是子孙也难保。其实他这样做，还是在等候时机，要想办法再起来，希望自己留有最后一点小本钱，必要时才能有所作为。

至于同时代的南唐李后主就不同了，虽然也看到了这一点，曾经向赵匡胤上表称臣，奈何他一天到晚感叹在诗词之中，诗词做得太好了，下不了决心，如果下得了决心，真正能够有所作为，早就起来有所作为了，即使打败了，也是光荣的。等到曹彬的大兵团攻到南京的时候，用一根绳子上吊也行，又怕死，要投降又觉得没面子，最后当了俘虏，被曹彬解送到京，只有在船上作诗感慨，那又有什么用？赵匡胤批评他说，李煜肯把作诗填词的精神来治国，就不会是今天的下场了。所以要嘛，就强为善；不能强为善，就保子孙，留元气，以待后来。

国家大势如此，个人事业也如此。站得起来就站起来，站不起来就得见机振作。但是社会上，有许多人，他在站不起来时不肯爬，爬不动时又不肯躺下，还老是觉得自己是站在那里，其实并没有站着，这样就很可怜了。总之，人生哲学和政治哲学的道理一样的。

滕文公问曰："滕小国也，竭力以事大国，则不得免焉。如之何则可？"

孟子对曰："昔者大王居邠，狄人侵之。事之以皮币，不得免焉；事之以犬马，不得免焉；事之以珠玉，不得免焉。乃属其耆老而告之曰：'狄人之所欲者，吾土地也。吾闻之也，君子不以其所以养人者害人。二三子何患乎无君？我将去之。'去邠，逾梁山，邑于岐山之下居焉。邠人曰：'仁人也，不可失也。'从之者如归市。或曰：'世守也，非身之所能为也，效死勿去。'君请择于斯二者。"

人 贵 自 立

在《孟子》书中，这一段和上一段，怎样看，都是同一个问题的重复记述。只是一个详细，一个简化而已。可能是孟子门人编辑时的疏忽，但无法考证清楚。

滕文公又问，我就算尽心竭力地奉承这两个国家，最后还是免不了他们的侵略，该怎么办才好呢？

孟子还是告诉他说，从前周太王住在邠地，狄人侵犯他。太王拿皮货和币帛去贿赂，可是没有用。又送狄人喜爱的狗和马去讨好他，仍旧没有收到效果。最后拿珍珠和宝玉去，仍免不了狄人的侵犯(这等于后来宋朝对辽金元的情形一样,非常痛苦,也非常可怜)。在这种情形之下,太王实在没有办法,只好迁都另作他图,离开邠这个地方。行前召集邠地的父老们,告诉他们说,我曾经听说过,一个君子仁人,是不会拿用来保养大家的事物,来作害人之用。现在外族人来侵略我们,我曾经为了大家的安居乐业,送给他们好多财物,可是他们的侵略,始终没有停止。因为他们的主要目的是要我们这块土地,得不到这块土地,将永不罢休。本来我是希望以我们现居的土地,使大家过安定生活的,而现在竟因为我有了这土地,使狄人不断来攻击我们,那等于我用土地来害大家遭受战争之苦,这是不应该的。像我这样的人,多的是,你们不必顾虑找不到更好的领导人。为了不牵累你们,我将离开这里,你们多加保重了。

我们从孟子这段叙述,可知在古代宗法社会里,一个好的领导君主,也是那么可怜的。孟子只讲周太王这个例子。其实,上古史中,如周太王的情形也不少。后世元朝的创业之主成吉思汗,在少年时代,和他的寡母生活在沙漠地带,经常被人欺负,也是非常的可怜。但到后来,驰骋天下,威震欧亚。其实元太祖初期的处境也是和周太王当时的情形差不多,只是元朝民族没有文化根基,所以不如周代绵延久远。

接着孟子又说,太王对他的子民耆老们谈话后,就带了家人,翻过梁山,跋涉到岐山下面定居。但是居住在原地邠的老百姓们都说,太王是一个好领袖,我们不可以失去这样的领袖,于是大家也放弃了在邠的土地,跟着太王到岐山下面一起居住,重新开辟新的天地。这样跟来的人很多,一股新兴的力量,像市集一样涌进岐山之下,巩固了太王的基地。

孟子又说,还有人持另一个论点,认为凡是世代相传下来的土地,所谓的"世居之地",应该好好地守着,不可以在你这一代手里,放弃祖宗的基业。那么你就宁可战死,宁愿亡国,也不要轻言放弃,只有死守了。

这是从守土有责的论点出发,也是千古不易的至理。所在北宋时代,辽、金互相消长的时期,辽国末代的宰相左企弓在朝中力争,不可放弃河北,而有"君王莫听捐燕议,一寸山河一寸金"的主张,也同样是这个道理。

孟子这样画龙点睛一说之后,跟着又告诉滕文公说,你在这两者之间,不可矛盾,也不可因循,只有选择其中一条路去走。

历史上凡是动乱时期,像滕国这种环境的遭遇也很多。我们由此可了解,一个小国处于大国之间的艰苦。近如现代正在纷争的中东问题,那些小国之间,就有许多困难存在。现在世界上,不论欧洲、非洲,全球各地的小国,所遭遇到的困难,许多和战国时代的滕国一样,所处的环境,都非常矛盾。不是身历其境的人,是不容易了解的。

其次,个人的人生也是一样,自己不能矛盾,当受到艰难或迫害的时候,就要改变自己的环境。当环境不能改变时,就要自己站起来,坚强起来,宁死而不向困难环境屈服。

鲁平公将出,嬖人臧仓者,请曰:"他日君出,则必命有司所之;今乘舆已驾矣,有司未知所之。敢请。"

公曰:"将见孟子。"

曰:"何哉?君所为轻身以先于匹夫者,以为贤乎?礼义由贤者出,而孟子之后丧逾前丧,君无见焉。"

公曰:"诺。"

乐正子入见,曰:"君奚为不见孟轲也?"

曰:"或告寡人曰:'孟子之后丧逾前丧。'是以不往见也。"

曰:"何哉?君所谓逾者,前以士,后以大夫,前以三鼎,而后以五鼎与?"

曰:"否,谓棺椁衣衾之美也。"

曰:"非所谓逾也,贫富不同也。"

乐正子见孟子曰:"克告于君,君为来见也。嬖人有臧仓者沮君,君是以不果来也。"

曰:"行或使之,止或尼之,行止非人所能也。吾之不遇鲁侯,天也。臧氏之子,焉能使予不遇哉!"

孟子论立身出处的原则

这是孟子晚年,回到邹鲁,退居以明志的一段记录。鲁平公身边有一个得宠的近臣(弄臣),当然不是什么大臣,但随时跟在他的身边,在某些事情上,会成为重要的关键人物——后世得宠的宦官,就是这一型的人物——这个人叫臧仓。有一天,他看见鲁平公外出的车辆、卫队等等都准备好了,马上就要出宫了。这时,他问鲁平公说,你以前出去,事先都会通知随从的人们,目的地是到什么地方。可是现在,车辆人员都准备好了,下面的人还不知道你要去哪里,他们又不敢来问,所以我来请示一下,你要去什么地方?

鲁平公说,我要去看看孟子。臧仓一听,马上抓住机会攻击孟子。他对鲁平公说,你为什么要去看他?你尊为一国之君,为什么轻易地亲自去看一个平民呢?你以为他是一个贤人吗?为人处世,能够合乎礼义的才是贤人。换言之,一个贤人所做出来的事情,就一定合乎礼义的。像孟子,父亲早死。后来母亲去世,他办理母亲的丧礼,远比以前办父亲丧礼隆重得多。对于自己的父母,办丧礼时,前后都有厚薄的差别,这就是不合礼制的事。这种人,你还去看他吗?鲁平公说,那我就不去了。

这里我们看到小人的厉害处,往往是在小的地方,找到一点点小事,轻轻地一拨,情势就转变了,这就叫做"谗言"。每个人的心理,具有先天性的缺点,最喜欢听信谗言和小话。尤其作一个高居上位的人,大道理、大话听多了,厌烦了。谗言小语乘虚而入,往往非中不可,此所以历史上都赞叹明智之君的难得。其实,何止为君，凡作领导人的都要注意。乃至当一个平民的家长，处理任何一件小事，也都要注意。古人所谓"来说是非者，便是是非人。"这是不易的名言。

乐正子，复姓乐正，名克，是孟子的学生，那时他已是鲁国的大夫。鲁平公有一次与齐王会面修好，在商谈国际问题时，乐正子趁机极力推崇孟子。当时随行的其他大臣，也都说孟子如何如何好，所以孟子这次回到鲁国，鲁平公想要去看看孟子。现在乐正子得到消息，鲁平公取消了看孟子的主意，就去问鲁平公，你为什么不去看孟子。鲁平公因宠信臧仓，当然就多少对他有所回护，答复乐正子时，就只说，有人告诉我，孟子办他自己父母的丧事，都有厚薄之不同，像这样的人，道德修养不够，所以我不去看他了。

乐正子说，这话从哪里说起呢？大概听人说，他对母亲的丧礼超过以前他对父亲的丧礼吧！这是因为他前一次是以士礼丧祭，行的是鱼、豚、鸡的三鼎祭礼。而后来他母亲死了，当时他有了大夫的身份，行的是羊、豚、鸡、鱼、肤的五鼎祭礼（在抗战以前，大陆上行祭礼，还有三牲祭和五牲祭的分别。三牲是鸡、鱼、猪肉。五牲是上面的三牲加上鸭和兔为五牲祭）。这并不是他对父母的祭礼有厚薄轻重的不同，而是他的环境、身份、地位不一样了，他还是在依礼行事啊！

鲁平公这时候才明白，但是已经转不过弯来，于是说，不是的，我并不是指这一方面，我是说他所买的棺木、寿衣的质料不一样。给他父亲的是便宜料了，而用在他母亲身上的，都是价钱高的好棺木、好衣料、好被服。乐正子说，至于这一点，也不能说是在礼制上有所违越呀！丧祭用品的价格高低，是因为孟子的经济环境不同。他以前作士的时候，收入少，买不起价钱高的。后来当了大夫，薪水高，就可以花高价钱，买更美的棺椁衣衾了。这是孟子前后贫富情况不同，关于礼制方面，则没有不对的地方。

这一段文章，看起来好像平淡无奇，可是几千年来，社会上人情世态,都是这个样子,就是现代欧美各国也一样。中国的古谚,所谓"爱听小语",以及"远重衣冠近重人",一般人们,都是用这些小事来评论、衡量一个人的高低、善恶、是非的,甚至成为了道德人格的砝码。

乐正子听到鲁平公这种推诿之词,也许心想,你身为一国的国君,又不是棺材店、殡仪馆的老板,注意别人买棺材、寿衣的事干嘛?分明没有人君之度,不似人君,所以无法说下去,也就不必再说下去了。反正知道他只是个爱听小话的人,就不再说了。

于是乐正子回过头来看他的老师孟子。当然,带有几分牢骚地说,我曾经向我们的老板鲁平公提出报告,关于老师的学问道德。鲁平公听了,原本要来看你,不料老板身边有一个亲信的小人——奸臣臧仓,在鲁平公面前说你的小话,放了一包烂药,阻止了我们老板不来看你了。

孟子对乐正子说,他来看我,自有促使他来的因素;他如果不来看我,也自有阻止他不来的因素。他的来不来看我,其实不是人力所能决定的,那是天命。臧仓虽然是一个小人,说了我的坏话,但是他怎么有这么大的力量,左右我和鲁平公见面或不见面呢?你不必发他的牢骚了。

照文字来看,我们这一段,可用上面解释。但是其中"行或使之,止或尼之"这句话,我们如果作一番仔细的推敲,则发现它还有另一层的含义。

这两句话的文字很美,可作两面解释。一种是鲁平公如果去看孟子,那是因为乐正子的促成,他为孟子澄清了误会。他之所以不去看孟子,是另一个因素阻止了他,那是受了臧仓这个嬖人的谗言。而一个作领袖的人,不应该受到别人左右。现在他会受人左右,那么这个领导人也就可想而知,没什么可谈的了。所以不必要怪臧仓,臧仓只不过投其所好而已。在基本原则上,他根本就没有诚心想来看我。

另一种深一层的解释，孟子这句"行或使之，止或尼之"是说，我的道如果能够行得通，能够实现，那么天下自然就会有人，有力量，使我受到重用，去推行我的理想。如果我的道行不通，那么不需要别人来阻止，我自己也会见势而止的。老实说，我的道行或不行，"达则兼善天下，穷则独善其身"，得机会，救天下，救国家，救社会；不得机会，个人把自己管好。这个"行"或"止"，不是人事可以安排的，在冥冥之中，自有一个不可知的气数。天下该得太平，我的道自然实行；天下该动乱，也是没有法子的事。所以我与鲁平公不能见面，实在不是人事所可以左右的。你不必去责怪臧仓的挑拨。

上面那句话，可作两层意思来了解，也可以说是孟子立身处世的大原则。历史上，现实的社会中，一个人的立身出处，随时随地都可能遭遇这种类似事件的攻击。只要多读些历史，多经历人生，反而觉得是很平常的事，一切都会处之泰然，看得无所谓了，就如孟子对乐正子最后的结论。

我曾经写过四句只像偈语不像诗的话，也正好在这里提供大家作一参考。"身入名场事可怜，是非争竞奈何天。看来都是因人我，无我何妨人尽贤。"其实，在大道理上，都是因为分别人我而有此烦恼。缩小在现实范围来讲，都是利害的冲突。人就是这样渺小可怜，但是这只是对个人自处的修养来讲。倘使要作一番事业，作一个领导人，就不能马虎，任凭情绪的冲动而听信谗言了。不然，因此而错失得力的人才，甚至牵一发而动全局，那就太不明智了。

到这里，《梁惠王》的上下两章，大概都研究完了，这也是研究《孟子》最重要的一部分。因为《梁惠王》上下两章的内容，是孟子一生中，一心一意想拯救当时极其动乱的战国时代的理想和抱负。他有救世的思想，所以他游历魏齐之间，希望能受重于一个政权，透过这个政权，推行他的思想，对天下，对人类社会有所贡献。而他的思想当中,最高的政治原则,哲学基础,就包含在这两章书中。同时也可以说是他学问成就以后,从中年到晚年,出来游历国际间的传记缩影。

附　录

历代《孟子》研究书目

　　《孟子》一书,历来研究的学者很多,意见不一。有推崇者,如:扬雄、赵岐、韩愈、孙奭、施德操等。有反对者,如:荀子、王开祖、司马光、李觏、晁说之、郑厚叔、叶适、李贽(卓吾)、朱元璋等。有居中另立评论者,如:王充、程颢、王安石、苏轼、朱熹等。立论纷纭,举证不一,随所思见,别成流派。理愈辩则愈明,何妨并存以待来哲之思辨。今将西汉刘向以来,以至清末康、梁为止,有关《孟子》的著作目录,依朝代先后条例如次,俾便学者参考研究之用(又:有关研究《孟子》之书籍及论义目录,陈训章先生所著《孟子管窥》一书收集较为充分,欲广查阅,请另参考之)。

西　汉

一、《孟子注》,刘向撰。
　　此书可能是《孟子》最早的注本,其书今已不传,今只有王仁俊的辑本。

东　汉

一、《孟子章句》,东汉高诱撰。
　　高氏之书不传,今有马国翰辑本《孟子高氏章句》一卷,俞樾博采高诱所注的《战国策》、《吕氏春秋》和《淮南子》的话,辑成《孟子高氏学》一种。

二、《孟子章句》,东汉程曾撰。

程氏之书今不传,今有马国翰辑本《孟子程氏章句》一卷。

三、《复孟子》,东汉刘陶撰。

东汉刘陶《七曜论》中有《复孟子》一篇,其所复者不传,而郑康成注《礼》笺《诗》及许慎之《说文解字》,皆曾引之。

四、《孟子注》,东汉郑玄撰。

郑氏之书已佚,今有马国翰、王仁俊辑本《孟子郑氏注》一卷。

五、《刺孟》一卷,东汉王充撰。

六、《孟子注》一卷,东汉王充撰。

刘氏之书已佚,今有宋翔凤、马国翰、黄奭、王仁俊、叶德辉诸家辑本。

七、《孟子注》十四卷,东汉赵岐注。

赵岐,长陵人,字邠卿,初仕州郡,以廉直疾恶见惮,嗣辟司空掾,因得罪中常侍唐衡,避祸变姓名,卖饼北海市,衡死乃出,徵拜议郎,擢太常,年九十馀。著有《孟子题辞》及《章句》。岐之师承何人,无从考证。自汉到唐为孟子作注的共有十家,其中九家皆亡,只有赵岐《章句》一种,流传到现在。

《四库总目提要》云:"汉儒注经,多明训诂名物,惟此注笺释文句仍似后世之口义。盖《论语》、《孟子》词旨显明,惟阐其义理而止,所谓言名有常也。"

阮元于《十三经注疏校勘记》中说:"赵岐之学较马(融)、郑(玄)、许(慎)、服(虔)诸儒,稍为固陋,然属书离辞,指事类情,于训诂无所戾,七篇之微言大义,藉是可推。且章别为指,今学者可分章寻求,于汉传注,别开一例,功亦勤矣。"

晋

一、《孟子注》九卷，晋綦母邃撰。

綦母氏之书亡佚，今有马国翰辑本《孟子綦母氏注》一卷。

唐

一、《孟子注》七卷，唐陆善经撰。

陆氏之书已佚，今有马国翰辑本《孟子陆氏注》一卷。

二、《孟子手音》二卷，唐丁公著撰。

丁氏之书已佚，今有马国翰辑本《孟子丁氏手音》一卷。

三、《孟子音义》二卷，唐张镒撰。

张氏之书已佚，今有马国翰辑本《孟子张氏音义》一卷。

四、《翼孟》三卷，唐刘轲撰。

刘氏之书已佚，朱彝尊《经义考》云：“刘御史轲上京师，白乐天以书介绍于所知，若庾补缺、杜拾遗、元员外、朱侍御、萧正字、杨主簿兄弟，谓其开卷慕孟轲为人，所著《翼孟》三卷，于圣人之旨，作者之风，往往而得也。惜乎所著书，散佚无存也。”

五、《续孟子》二卷，唐林慎思撰。

《崇文总目》云：“《续孟》二卷，唐林慎思撰。慎思以为《孟子》七篇，非轲自著书，而弟子所记其言，不能尽轲意，因传其说，演而续之。”

宋

一、《疑孟》一卷，宋司马光撰。

二、《常语》,宋李觏撰。

三、《删孟》二卷,宋冯休撰。

四、《苏批孟子》,宋苏洵批注。

　　　一九五五年,远东图书公司有重印本,并附赵大院之增补。

五、《苏子辨孟》,宋苏轼撰。

　　　此书为苏轼引《论语》之说与《孟子》辨,文见于余充文《尊孟续辨》卷下。

六、《孟子解》一卷,宋苏辙撰。

七、《孟子节解》,宋司马康撰。佚。

八、《孟子讲义》五卷,宋王令撰。佚。

九、《孟子解》十卷,宋陈禾撰。佚。

十○、《孟子解》十四卷,宋程颐撰。未见。

一一、《孟子解》二十四卷,宋张载撰。

一二、《孟子解》六卷,宋蒋之奇撰。佚。

一三、《诋孟》,宋晁说之撰。佚。

一四、《评孟》,宋黄次伋撰。佚。

一五、《孟子解》,宋龚原撰。佚。

一六、《孟子解义》,宋邹浩撰。佚。

一七、《孟子解义》,宋周谞撰。佚。

一八、《孟子解义》十四卷,宋陈旸撰。佚。

一九、《嗣孟》一篇,宋徐积撰。

二○、《孟子新义》十四卷,宋许允成撰。佚。

二一、《点注孟子》,宋张简撰。佚。

二二、《孟子解义》,宋章甫撰。佚。

二三、《孟子广义》,宋蔡参撰。佚。

二四、《孟子馀义》,宋黄敏撰。佚。

二五、《孟子音义》二卷,宋孙奭撰。

　　　　是书乃孙奭于真宗大中祥符间奉敕校定赵岐注,根据陆善经的《孟子注》、张镒的《孟子音义》、丁公著的《孟子手音》三书所纂成的。孙奭自称："推究本文,参考旧注,采诸儒之善,削异说之烦,证以字书,质诸经训,疏其疑滞,备其阙疑,成《音义》二卷。"

二六、《孟子正义》十四卷,宋孙奭撰。

其序文云："臣奭前奉敕与同判国子监王旭、国子监直讲马龟符、国子学说书吴易直、冯元等作《音义》二卷已经进呈,今辄罄浅闻,随赵氏之说,仰效先儒释经,为之《正义》。"《朱子语类》则谓:"今《孟子疏》,乃邵武一士人假作,蔡季通识其人,其书全不似疏体,不曾解出名物制度,以缠绕赵岐之说耳。"

二七、《孟子传》二十九卷,宋张九成撰。

《四库总目提要》云:"原本佚《尽心》上下二篇,今存者二十九卷。九成以冯休诸人多诋斥孟子,因著此书明尊王贱霸有大功,拨乱反正有大用。每一章为解一篇,发挥大意,而不笺诂。其文曲折明畅,全如论体。又辨治法者多辨心法者少,故亦不涉于禅说。九成著作,当以此为最醇。"

二八、《尊孟辨》三卷、《续辨》二卷、《别录》一卷,宋余允文撰。

《四库简明目录》云:"原本残阙,今从《永乐大典》补完。是书取司马光、李觏、郑厚叔驳诘孟子之词,一一与辨。又辨王充《刺孟》及苏轼论说者为《续辨》二卷。其《别录》一卷则允文所作《原孟》三篇也。"

二九、《孟子拾遗》一卷,宋张九成撰。未见。

三○、《四注孟子》,扬雄、韩愈、李翱、熙时子撰。佚。

据《中兴艺文志》云:"旨意浅近,盖依托者。"

三一、《五臣解孟子》十四卷,范祖禹、孔武仲、吴安诗、丰稷、吕希哲撰。佚。

三二、《百家解孟子》十二卷,佚。

集古今诸儒,自唐皮日休至宋人强至、贾同百余家的说解而为一编。

三三、《癸巳孟子说》七卷,宋张栻撰。

　　《四库简明目录》云:"是书成于乾道九年,于王霸之辨,义利之分,剖析最明。其中交邻国章,盖为南渡时势发。臧仓、王骥二章亦似为张说事发。然皆经义之所有,非横生枝节也。"

三四、《孟子详说》十七卷,宋张栻撰。

三五、《孟子解》,宋沈括撰。

三六、《孟子讲义》,宋吕大临撰。佚。

三七、《孟子杂解》,宋游酢撰。佚。

三八、《孟子解》二卷,旧题宋尹焞撰。

　　《四库简明目录》云:"每章之末,略赘数语,评论大意,多者三、四行,皆词义肤浅,或类坊刻史评,或时文批语,无一语之发明。"

三九、《孟子注》,宋赵汝谈撰。佚。

四〇、《孟子纪蒙》十四卷,宋陈寿老撰。佚。

四一、《孟子要义》,宋魏了翁撰。未见。

四二、《孟子会编》,宋马廷鸾撰。佚。

四三、《孟子集注笺义》,宋赵惪撰。

四四、《孟子集编》,宋真德秀撰。

四五、《孟子旁通》,宋桂瑛撰。佚。

四六、《孟子讲义》四篇,宋程俱撰。佚。

四七、《孟子通义》十卷,宋叶梦得撰。佚。

四八、《孟子略解》,宋上官愔撰。佚。

四九、《孟子说》五卷,宋汪琦撰。佚。

五〇、《孟子疑难》,宋王居正撰。佚。

五一、《孟子讲义》十四卷,宋李撰撰。佚。

五二、《广孟子说养气论》,三篇,宋李撰撰。佚。

五三、《孟子师说》,宋罗从彦撰。未见。

五四、《孟子解》三卷,宋郑刚中撰。佚。

五五、《癸巳孟子说》,宋郑刚中撰。

五六、《孟子训释》,宋郑耕老撰。佚。

五七、《孟了章句》,宋程迥撰。

五八、《孟子解》,宋赵敦临撰。佚。

五九、《孟子辨志》,宋黄开撰。佚。

六〇、《孟子发题》一卷,宋施德操撰。

　　　《四库简明目录》云:"此书所述《孟子》七篇之旨,大意谓孟
　　　子有大功四:一曰道性善,二曰明浩然之气,三曰辟杨墨,
　　　四曰黜王霸而尊三王。皆圣人心术之要,而孟子直指以示
　　　人者,其前后反复,不外此意。"

六一、《经筵孟子讲义》,二篇,宋陈傅良撰。

六二、《翼孟音解》,宋陆筠撰。佚。

六三、《孟了问答》十二卷,宋倪思撰。佚。

六四、《孟子讲义》一卷,宋黄干撰。佚。

六五、《孟子口义》,宋陈淳撰。佚。

六六、《救性》七篇,宋章望之撰。佚。

六七、《孟子说》,宋许升撰。佚。

六八、《孟子注》,宋晨渊撰。佚。

六九、《孟子注》,宋邹补之撰。佚。

七〇、《孟子图》,宋冯椅撰。佚。

七一、《孟子问答》,宋张显父撰。佚。

七二、《孟子注解》,宋刘砥撰。佚。

七三、《孟子解》,宋徐存撰。佚。

七四、《孟子解》三卷,宋章服撰。佚。

七五、《孟子讲义》,宋李象撰。佚。

七六、《孟子解》,宋徐珣撰。佚。

七七、《孟子说》,宋潘好古撰。佚。

七八、《孟子解》,宋袁甫撰。佚。

七九、《孟子解》,宋陈易撰。佚。

八〇、《孟子笔义》,宋陈骏撰。佚。

八一、《孟子旨义》,宋王自申撰。佚。

八二、《孟子解》,宋陈藻撰。佚。

八三、《孟子解》,宋陈曛撰。佚。

八四、《孟子记蒙》,宋陈耆卿撰。佚。

八五、《孟子解》十四卷,宋赵善湘撰。佚。

八六、《孟子解》,宋夏良规撰。佚。

八七、《孟子指义》,宋傅子云撰。佚。

八八、《孟子赘说》,宋时少章撰。佚。

八九、《孟子解》,宋黄宙撰。佚。

九〇、《翼孟》,宋李惟正撰。佚。

九一、《孟子说》,宋魏天佑撰。佚。

九二、《石鼓孟子答问》三卷,宋载溪撰。佚。

九三、《孟子传赞》十四卷,宋钱文子撰。佚。

九四、《孟子说》,宋王万撰。佚。

九五、《孟子通旨》七卷,宋王柏撰。佚。

九六、《孟子旨义》,宋谯仲午撰。佚。

九七、《孟子说》,宋王奕撰。佚。

九八、《孟子辨疑》十四卷,宋王汝猷撰。佚。

九九、《孟子记闻》,宋饶鲁撰。佚。

一〇〇、《孟子演义》,宋刘元刚撰。佚。

一〇一、《孟子笺》,宋朱申撰。佚。

一〇二、《读孟子日抄》一卷,宋黄震撰。佚。

一〇三、《孟子纂要》,宋陈普撰。佚。

一○四、《孟子辨惑》一卷，宋王若虚撰。

一○五、《孟子集注》七卷，宋朱熹撰。

《四库总目提要》云："自是始有四书之名，而章句、集注亦遂为说四书者之所祖，先儒旧解，不复能与之争席矣。"

盖朱熹初于孝宗乾道八年，采辑二程、张载及范祖禹、吕希哲、吕大临、谢良佐、游酢、杨时、侯仲良、尹焞、周孚先等十二家之说，而撰《论语精义》，时朱子年四十三，阅十七载，至淳熙十六年再撰《孟子集注》与《论语集注》、《大学》、《中庸》章句合成《四书集注》，于上列十二家中除去侯仲良、周孚先外又益以赵岐、韩愈、欧阳修、太史公、李郁、孔文仲、苏辙、董仲舒、张敬夫、王勉、林之奇、邹浩、郑玄、周敦颐、陈旸、何叔京、胡安国、王安石、徐度、李侗、潘兴嗣、范浚、丁公著、丰稷等共征引三十四家之说，于七篇义理时有发明，而训诂章旨，大多仍采用赵岐之注。其书堪谓集宋儒以性理说经之大成。

自是以后，制艺命题，以朱注为据，而朱注又遍国家藏而户诵了。周广业《孟子古注考》云："北宋制科以《孟子章句》为命题，金制亦遵赵注；自元延祐设科，孟子题专用朱子《集注》，而赵注日益微矣。"于此可见朱注影响力之一斑了。

一○六、《孟子要略》五卷，宋朱熹撰。

一○七、《孟子精义》十四卷，宋朱熹撰。

是书为朱子《孟子集注》之张本。

一○八、《孟子或问》十四卷，宋朱熹撰。

是书说明其于诸家之说所以去取之故。

一○九、《孟子集疏》十四卷，宋蔡模撰。

《四库总目提要》云："模字仲觉，号觉轩，建安人，蔡沈之子，蔡亢之兄也。赵顺孙《四书纂疏》载模所著有《大学演说》、《论语集疏》、《孟子集疏》，今惟此书存。据卷末抗后序沈书以《论语》、《孟子集注》气象涵蓄，语意精密，至引而不发，尤未易读。欲取《集注》《或问》及张、吕诸贤门人高弟往复问答语。如朱子所谓搜辑条流，附益诸说者。类聚缕析，期于语脉分明，宗旨端的，未及端次而卒。模乃与抗商榷而成此书。皆备列朱子《集注》原文而发明其义，故曰《集疏》，言如注之有疏也。大抵于诸说有所去取，而罕所辨订，简汰不苟，故所取其约，而大义皆已赅括，迥异后来钞异朱子之说务以繁富相尚者。"

一一〇、《孟子问问》，宋辅广撰。未见。

广为朱子学生，另著有《四书纂疏》。

一一一、《孟子集注考证》七卷，宋金履祥撰。

一一二、《孟子纂疏》，宋赵顺孙撰。

其书备引朱子之说，以羽翼《章句》、《集注》。

一一三、《读余氏尊孟辨说》，宋朱熹撰。

一一四、《孟子解》四十二卷，宋王安石、王雱、许允成撰。佚。

晁氏曰："介甫素喜孟子，自为之解，其子雱与其门人许允成皆有注释，崇观间，场屋举之宗之。"

一一五、《孟子解》五卷，宋王逢原撰。佚。

一一六、《尹氏孟子解》十四卷，宋尹彦明撰。佚。

一一七、《孟子解》十四卷，宋张无垢撰。佚。

一一八、《东渊孟子讲义》，宋王遇撰。佚。

一一九、《孟子俗解》，宋李兴宗撰。佚。

一二〇、《孟子遗藁》，宋李郁撰。佚。

金

一、《删节孟子解》十卷，金赵秉文撰。佚。

二、《刺刺孟》一卷,金刘章撰。佚。

元

一、《孟子牛谱》一卷,元程复心撰。

二、《孟子权衡遗说》五卷,元李昶撰。佚。

三、《孟子旁通》八卷,元杜瑛撰。佚。

四、《孟子旁注》七卷,元李恕撰。佚。

五、《孟子集注附录》,元吴迁撰。未见。

六、《孟子年谱》一卷,元吴迁撰。佚。

七、《读孟子法》一卷,元吴迁撰。佚。

八、《孟子冢记》一卷,元吴迁撰。佚。

九、《原孟》,元夏侯尚玄撰。未见。

十、《孟子通解》十四卷,无名氏撰。佚。

十一、《孟子衍义》十四卷,佚。

十二、《孟子思问录》一卷,佚。

十三、《孟子旁解》七卷,未见。

十四、《孟子弟子列传》三卷,元吴莱撰。佚。

明

一、《孟子说解》十四卷,明郝敬撰。残。

　　今“中研院”史语所藏有卷九至十二。

二、《孟子解》二卷,明李颙撰。佚。

三、《孟子节文》,明刘三吾撰。

　　今“中央图书馆”藏有此书,此即明太祖所割裂过的《孟子》。

四、《孟子杂记》四卷,明陈士元撰。

南怀瑾选集（第二卷）

《四库总目提要》云："第一卷叙孟子事迹。后三卷发明孟子之言,名以传记,实则经解居多,其所援引亦皆谨严有礼,不为泛滥卮言,若趋岐注义以尾生抱柱不去,证不虞之誉,以陈不瞻失气而死,证求全之毁,概为删薙。"今商务印书馆《丛书集成简编》收有此书。

五、《孟子说》,明李承恩撰。未见。

六、《孟子编类》,明童品撰。未见。

七、《孟子因问》三卷,明吕枏撰。未见。

八、《孟子私钞》七卷,明杨守陈撰。未见。

九、《孟子古今四体文》七卷,明杨时乔撰。

一〇、《孟子道性善编》一卷,明李栻撰。未见。

一一、《孟子诂》一卷,明李鼎撰。未见。

一二、《孟子摘义》,明万表撰。未见。

一三、《孟子订释》七卷,明管志道撰。

一四、《孟子衍义》,明林士元撰。未见。

一五、《孟子疑问》七卷,明姚舜牧撰。

一六、《孟子尊周辨》一卷,明王豫撰。未见。

一七、《孟子贯义》二卷,明陈懿典撰。

一八、《读孟私笺》二卷,明顾起元撰。未见。

一九、《性善绎》一卷,明方学渐撰。

二〇、《绘孟》七卷,明戴君恩撰。

二一、《孟子大全纂》五卷,明陈一经撰。

二二、《孟子师说》一卷,明黄宗羲撰。

《四库简明目录》云："宗羲以其师刘宗周常释《大学》、《中庸》、《论语》,惟《孟子》无所论著,乃述其平日所闻以作是书,犹赵汸述黄泽之学为春秋师说也。"今艺文印书馆《百部丛书集成》中有此书。

二三、《孟子稗疏》,明王船山撰。

二四、《孟子集说启蒙》，明景星撰。

　　　明初伍诚刊本，今"中央图书馆"藏有此书。

一五、《孟子解义》，明张洪撰。

　　　明初刊四书解义本，今"中央图书馆"藏有此书之卷三、四。

二六、《孔孟事迹图谱》四卷，明季本等撰。

二七、《孟子年表》一卷，明吕兆祥、吕逢时撰。

二八、《孟子编年略》一卷，明谭贞默撰。

二九、《孟子注疏大全合纂》十四卷，明张溥撰。

　　　是书汇录《孟子注疏》、朱子《集注》并择取《四书大全》，分诸
　　　家之说。《四库总目》未著录，明崇祯九年原刊本，今藏普林
　　　斯顿大学葛斯德东方图书馆，计八册一函。

清

一、《孟子正义》三十卷，清焦循撰。

　　　清代考据之学兴，治经者又反宋儒之空谈义理，复尊汉儒之讲
　　　究训诂，凡一字一义一物之微，务博引古籍，详加推证。乾隆
　　　间甘泉焦循荟萃清儒顾炎武以下六十余家之说，名曰《孟子正
　　　义》，《孟子》注疏之翔实无逾此矣。

二、《释孟子》一卷，清金喟撰。

三、《七篇指略》七卷，清土训撰。

四、《标孟》七卷，清汪有光撰。

五、《删补孟子约说》二卷，清孙肇兴撰。

六、《孟子札记》一卷，清范尔梅撰。

七、《读孟子》十五卷，清王文朴撰。

八、《孟子文评》，清赵承谟撰。

九、《孟子附记》二卷，清翁方纲撰。

一〇、《孟子时事略》一卷，清任兆麟撰。

一一、《孟子四考》四卷,清周广业撰。

一二、《孟子字义疏证》三卷,清戴震撰。

　　　　休宁戴震所撰《孟子字义疏证》,规模宏伟,几与焦氏《正义》相颉颃,惟该书乃戴氏发表自己哲学意见之作,并非专为解释《孟子》,研究孟子哲学中自有其参考之价值。

一三、《原善》三卷,清戴震撰。

一四、《孟子读法附记》十四卷,清周人麒著。

一五、《孟子七篇诸国年表》二卷,清张宗泰撰。

一六、《孟子年谱》二卷,清曹之升撰。

一七、《孟子编年略》一卷,清臧庸撰。

一八、《孟子文说》七卷,清康濬撰。

一九、《读孟偶记》一卷,清邱睿撰。

二〇、《孟子赵注补正》六卷,清宋翔凤撰。

二一、《孟子篇叙》七卷,清姜兆翀撰。

二二、《孟子时事考徵》四卷,清陈宝泉撰。

二三、《疑疑孟》一卷,清黄本骥撰。

二四、《读孟质疑》二卷,清施彦士撰。

二五、《孟子外书集证》五卷,清施彦士撰。

二六、《孟子外书补证》一卷,清林春溥撰。

二七、《逸孟子》一卷,清李调元辑。

二八、《逸孟子》一卷,清马国翰辑。

二九、《孟子外书》一卷、《逸文》一卷,清孟经国辑。

三〇、《孟子讲义》四卷,清丁大椿撰。

三一、《孟子集注指要》,清董锡瑕撰。

三二、《孟子述义》二卷,清单为总撰。

三三、《答疑孟》一卷,清陈钟英撰。

三四、《孟子章句考年》五卷,清蒋一鉴撰。

三五、《孟子微》八卷,清康有为撰。

三六、《孟子赵注考证》一卷,清桂文灿撰。

三七、《孟子辨证》二卷,清谭沄撰。

三八、《孟子音义考证》二卷,清蒋仁荣撰。

三九、《孟子论文》七卷,清牛运震撰。

四〇、《孟子学》一卷,清沈梦兰撰。

四一、《读孟子劄记》二卷,清罗泽南撰。

四二、《读孟子随笔》二卷,清王祖畬撰。

四三、《孟子说》七卷,清姜郁嵩撰。

四四、《孟子弟子考》,清朱彝尊撰。

四五、《孟子弟子考补正》一卷,清陈矩撰。

四六、《孟子外书补注》一卷,清陈矩撰。

四七、《孟子性善备万物图解》,清刘光蒉撰。

四八、《孟子劄记》四卷,清翟师彝撰。

四九、《孟子补义》十四卷,清凌江辑。

五〇、《孟子读本》二卷,清王汝谦辑。

五一、《孟子章指》二卷,清佘萧容辑。

五二、《赵氏孟子章指复编》一卷,清萨玉衡辑。

五三、《孟子说春秋二章口义》,清陈学受撰。

五四、《增补苏批孟子》,清赵大浣撰。

五五、《读孟劄记》二卷,清李光地撰。

五六、《读孟劄记》一卷,清崔纪撰。

五七、《读孟集说》,清沈保靖撰。

五八、《孟子古注择从》,清俞樾撰。

五九、《孟子缵义》,清俞樾撰。

六〇、《孟子平议》,清俞樾撰。

六一、《孟子高(诱)氏义》,清俞樾撰。

六二、《孟子校勘记》,清阮元撰。

六三、《孟子私淑录》三卷,清戴震撰。

今"中研院"史语所藏有此书旧钞本。

六四、《孟子要略》,清刘传莹辑。

六五、《孟子札记》,清朱亦栋撰。

六六、《孟子事实录》,清崔述撰。

六七、《孟子类纂》三卷,清曹廷杰撰。

六八、《孟子七篇约讲》七卷,清郑晓如撰。

　　　　今"中央图书馆"藏有此书之原稿本。

六九、《孟子文法读本》,清高步瀛撰。

七〇、《孟子文翼》七卷,清宋焞撰。

　　　　今"中央图书馆"藏有此书之旧钞本。

七一、《孟子生卒年月考》,清阎若璩撰。

七二、《孟子生卒年月辨》,清万斯同撰。

　　　　见《群书疑辨》卷第五。

七三、《孟子编年》,清狄之奇撰。

七四、《孟子年谱》二卷,不著撰人。

　　　　今"中央图书馆"藏有清稿本。

七五、《孟子年谱》一卷,清黄本骥撰。

七六、《孟子年谱》一卷,清黄玉瞻撰。

七七、《孟子年表》一卷,清孟广钧撰。

七八、《孟子年表》一卷,清王特选、孟衍泰编。

七九、《孟子年表》,清魏源撰。

八〇、《读狄氏孟子编年质疑》,清黄式三撰。

八一、《孟子编年考》一卷,清何秋涛撰。

八二、《孟子时事年表》一卷,清林春溥撰。

八三、《孟子编略》六卷,清孙葆田撰。

八四、《孟子年谱》一卷,清冯云鹓撰。

南怀瑾先生著述目录

1. 禅海蠡测　（1955）
2. 楞严大义今释　（1960）
3. 楞伽大义今释　（1965）
4. 禅与道概论　（1968）
5. 维摩精舍丛书　袁焕仙　南怀瑾合著　（1970）
6. 禅话　（1973）
7. 静坐修道与长生不老　（1973）
8 论语别裁　（1976）
9. 习禅录影　（1976）
10. 新旧的一代　（1977）
11. 参禅日记(初集,原名:外婆禅)　金满慈著　南怀瑾批 （1980）
12. 参禅日记(续集)　金满慈著　南怀瑾批　（1983）
13. 定慧初修　袁焕仙　南怀瑾合著　（1983）
14. 孟子旁通(一)　（1984）
15. 净名庵诗词拾零·佛门楹联廿一副·金粟轩诗话八讲 （1984）
16. 观音菩萨与观音法门　（1985）
17. 历史的经验(一)　（1985）
18. 道家、密宗与东方神秘学　（1985）
19. 中国文化泛言(原名:序集)　（1986）
20. 历史的经验(二)　（1986）